Lutz Mackensen
Die deutsche Sprache in unserer Zeit

LUTZ MACKENSEN

Die deutsche Sprache in unserer Zeit

Zur Sprachgeschichte des 20. Jahrhunderts

2., neubearbeitete Auflage

QUELLE & MEYER · HEIDELBERG 1971

 Printed in Germany. Satz und Druck: Druckhaus Darmstadt GmbH, Darmstadt. Umschlag: Dieter Hoffmann.
ISBN 3 494 00256 8

Vorwort

Unsere landläufigen Sprachgeschichten widmen ihr Hauptaugenmerk den – weit zurückliegenden – Jahrhunderten, in denen sich das Lautbild unserer Muttersprache ausformte und die Schriftsprache allmählich aus der Vielzahl der Mundarten emporwuchs. Sicher umschließen diese Zeiten entscheidende Abschnitte unseres Sprachlebens. Indessen ist seine letzte Stufe nicht minder wichtig, zumal sich in ihr, wie es scheint, aus gewandelten Grundgegebenheiten neue Formen des sprachlichen Seins ergeben.

Ich habe versucht, diese neue Entwicklung in großen Zügen zu beschreiben. Daß ich dabei die m. E. entscheidenden Jahrzehnte um die Jahrhundertwende bevorzugt habe, ergab sich schon aus der Notwendigkeit, die *Anlässe* eingehender darzustellen als den späteren *Zuwachs*.

Lüneburg, am 23. Mai 1956

Lutz Mackensen

Vorwort zur 2. Auflage

Seit der ersten Auflage dieses Buches sind vierzehn Jahre verstrichen. In ihnen hat sich die Zeit, unser Leben, unsere Sprache in vielen, z. T. entscheidenden Zügen gewandelt. Ich habe versucht, die Veränderungen zu beobachten, festzuhalten und zu beschreiben. Dabei bin ich, im Gegensatz zur 1. Auflage, bis an die Schwelle der Gegenwart herangegangen. Der größere Umfang ergibt sich nicht nur daraus, daß die Beispiele vermehrt, sondern auch, daß die Betrachtung verbreitert wurde.

Die Beispiele wollen nichts anderes als Beispiele sein; Vollständigkeit wurde nicht angestrebt. Doch soll ihre wechselnde Zahl etwa auf den Rang des Vorgangs hinweisen, den sie verdeutlichen.

Dem Orts- und Personenregister wurde ein Verzeichnis der Spracherscheinungen und -vorgänge angefügt. Es soll denen dienen, die philologische Einzelheiten, etwa solche syntaktischer Art, suchen. Nach der Anlage des Buches tauchen sie an verschiedenen Stellen auf, an den Stellen, die ihr Vorhandensein interpretieren.

Die Hinweise enthalten nur die Literatur, der ich Gedanken oder Beispiele entnommen habe. Eine Bibliographie aufzuführen war nicht meine Absicht.

Meine These, daß die meisten Anlässe zu den gegenwärtigen Erscheinungen unseres Sprachlebens vor und an der Grenze des 19. zum 20. Jahrhundert zu suchen sind, hat sich mir bestätigt. Ich habe daher am geschichtlichen Aufriß weniger, um so mehr am Aufbau der Beschreibung unserer Gegenwart geändert.

Meinen Freunden Oberstudiendirektor Dr. W. Müller-Bergström und Dr. Kh. Gehrmann sind Buch und Autor verpflichtet, jenem für gute Hilfe beim Lesen der Druckfahnen, diesem für manchen wohlerwogenen Rat. – Die geringfügige Titeländerung wurde nicht nur aus rhythmischen Gründen für sinnvoll gehalten; Verlag und Verfasser glaubten auch, mit ihr dem Inhalt dieses Buches besser zu entsprechen.

Bremen, am 24. Juni 1970

Lutz Mackensen

Inhalt

I.

Die „Dichter“ und die Umgangssprache

Der 20. Oktober 1889 ist für die Geschichte des deutschen Schrifttums, für die Entwicklung unserer Muttersprache, denkwürdig geworden. Die Uraufführung von Gerhart Hauptmanns Erstlingsstück „Vor Sonnenaufgang“, von Otto Brahm den durch acht Monate geworbenen Mitgliedern seiner „Freien Bühne“ im Berliner Lessingtheater vorgespielt, machte der Allgemeinheit deutlich, worüber sie sich seit Jahren beunruhigte. Nur so, als Entladung lang gestauter Erregungsstoffe, ist der Bühnenskandal jenes Tages verständlich. Die Lager trennten sich für die Fehden der nächsten Jahre: man wußte seit diesem Beispiel, wofür oder wogegen man sich entscheiden sollte. Denn was die jungen Kämpfer bisher an Programmschriften vorgelegt hatten, die „Kritischen Waffengänge“ etwa der Brüder Hart (1882/4) oder Bleibtreus „Revolution der Literatur“ (1886), hatte mehr erregt als geklärt; die einzige ihrer Zeitschriften, die bislang vermocht hatte zu überdauern, die Münchener „Gesellschaft“ (seit 1885), war unscharf in ihren Umrissen und von nur begrenzter Wirkung, und die „Modernen Dichtercharaktere“ hatten 1884 bedauert, daß die zeitgenössische Dichtung „nichts Großes, Hinreißendes, Imposantes, Majestätisches, nichts Göttliches . . ., nichts Titanisches, nichts Geniales“ habe. Aber von dem, was sie selber anboten, konnte kaum ein Gedicht auch nur eine dieser Wertungen für sich buchen. Nun wurde im Stimmgewirr um das Hauptmannstück all das laut, was sie geahnt, aber nicht ausgesagt hatten.

Den Hellhörigen klang auch etwas von der sprachgeschichtlichen Bedeutung des Ereignisses an. Schlenther suchte es, seiner Art gemäß, an der Oberfläche: Hauptmann habe durch den Verzicht auf Monologe und das „Beiseitesprechen“ den Gegenpol zum klassischen Schauspiel geschaffen. Aber er hatte nicht genau genug hingesehen: auch Hauptmanns Gestalten sprechen gelegentlich „beiseite“. Da kam Fontanes Hinweis auf den „Ton, in dem das Ganze gehalten ist“, der Wahrheit näher. Aber worin besteht der „Ton des Ganzen“? Fontane meinte: darin, daß der Dichter „den Wirklichkeiten ihr Recht und zugleich auch ihren rechten Namen gibt“, daß er „die *Lüge* oder zum mindesten die *Phrase* im Herzen“ nicht kennt. Mit dieser Bemerkung bewies der kluge Alte, wie gut er die Jungen verstanden hatte. Es war ihr Protest gegen die von den Schiller- und Fichteepigonen aufgestaute Wortflut, die sie als unwahr empfanden und abdämmen wollten.

Denn „wahr“, das war ihr eigentlicher Schlachtruf. Sie wollten ihrer „*wahren* Mission“ wieder bewußt werden, wollten „den Flügelmantel des Poeten, des *wahren* und großen“, um sich schlagen (Conradi, 1884). Dichtung, wie sie sie meinten, „atmete von jeher *Wahrheit,* Quellfrische und Natur“ (H. Hart,

1885); „je *wahrer* und krasser“ der Dichter „die Realität schildert, um so tiefer wird er in die Geheimnisse der *wahren* Romantik eindringen “ (Bleibtreu, 1886); „die moderne Dichtung soll den Menschen ... in unerbittlicher *Wahrheit* zeigen“ (E. Wolff, 1886); „der Bannerspruch der neuen Kunst, mit goldenen Lettern von den führenden Geistern aufgezeichnet, ist das eine Wort: *Wahrheit ... Wahrheit, Wahrheit* auf jedem Lebenspfade ...“ (O. Brahm, 1890) – wo man sie aufschlägt, leuchtet von ihren Bekundungen das Fahnenwort. Was sollte es aussagen? Sicher nicht eine innere Notwendigkeit, „eine Vorstellung, welche wir mit unserer Form zu denken und zu empfinden übereinstimmend empfinden“ (Schiller), einen Ausgleich zwischen Idee und Erscheinung, sondern fast das Gegenteil: jene Sachgerechtigkeit, die das Wort zur Feststellung macht. Gegenstände sind *wahr*, „wenn sie das sind, was sie seyn sollen“: so Hegels Sprachregelung. Mit ihr wurde der Dichtung ein neues Ziel gesetzt, das dem klassischen in bewußter Feindschaft entgegenragte.

„Wahr“ ist, im Munde der Jungen von 1889, ein Kampfwort gegen die Aussageweise der Klassik. Sie wollten Schiller treffen, dessen Pathos sie vielleicht mehr noch aus den steigerungssüchtigen Festreden von 1859 [1] als aus seinen Werken kannten, dessen Volkstümlichkeit aber auch Hermann Grimms Goethevorlesungen (1876) nicht hatten brechen können, gegen den nun Brahms Kleistbuch – es trug ihm den Namen „Schillerhasser“ ein – zu Felde zog (1884). Unter den ersten hundert Nummern von Reclams Universal-Bibliothek lag Schiller mit 15 Titeln zwar unter Shakespeare, aber über Goethe. Doch auch dessen Ruhm wuchs den Jungen zu hoch; die Bemühungen der Philologen (Düntzer, seit 1860; Bernays, seit 1867; nun seit 1877 Scherer in Berlin), die ihm zu Dienst gegründete Gesellschaft (1885), auch sein Nationalmuseum (1886) holten den Vorsprung, den Schillers Beliebtheit gewonnen hatte, zusehends auf. Für den jungen Hauptmann z. B. ist der „Werther“ „ein dummes Buch ..., ein Buch für Schwächlinge“, dem er freilich, wenn auch beschämt zögernd, nur Dahns „Kampf um Rom“ (1876!) entgegensetzen kann. Vor wenigen Jahrzehnten hatte sich Grillparzer gewünscht:

„Ich möchte, wärs möglich, stehen bleiben,
wo Schiller und Goethe stand“;

aber auch Goethe, Schiller und die andern „Klassiker“, bis dahin durch viele unübersichtliche Landesprivilegien geschützt, waren erst nach Ablauf der vom Bundestag gesetzten Schutzfrist (9. XI. 1867) volkstümlicher geworden. Inzwischen war nun auch Geibel, der als Dichter nur gelten lassen wollte, „wer schön sagt, was er dacht’ und empfand“, verstummt (1884). Gustav Freytag, durch seine „Ahnen“ (1873–1881) kanonisierter Liebling der deutschen

[1] In Rießers Nürnberger Rede im Schillerjahr 1859 war jedes 33. Wort ein Komparativ oder Superlativ; unter ihren etwa 5 000 Wörtern findet sich sechzigmal das Adjektiv *hoch*, ungefähr ebenso oft *edel*. Vgl. H. Glaser, Spießer-Ideologie[2]. Freiburg 1964, S. 43 f.

Bürgerstuben, schrieb abseits in Siebleben bei Gotha an seinen Lebenserinnerungen und sah zu, wie eine Schar noch unbegabterer Epigonen seinen Spreizstil nachzuahmen suchte. Felix Dahn freilich bastelte noch unentwegt pathetische, wirklichkeitsfremde, dafür aber völkisch gesonnene Schwarzweißromane voller Geschichtsdetails. Zumal aber Heyse lebte und schuf noch rüstig, und gegen ihn und seine Parteigänger zumeist richtete sich der Pfeil. Er traf, zur Freude der andern, oft vorbei, weil die Zielenden einmal in diese, dann wieder in jene Richtung schossen, heute die Einstellung, morgen die Stoffwahl, dann wieder die Sprachfügung ihrer Gegner anprangerten. Sie merkten es nicht, daß ihre eigenen Verse, ihre Aufrufe und Bekenntnisse Schillers verhaßtes Pathos überschillerten, daß Martin Greif etwa, Mitarbeiter der „Gesellschaft", sprachlich der Klassik weit näher stand als der sehnsüchtig halb und halb erbittert angestrebten Dichtung der Zukunft, daß Bertha von Suttners erfolgreicher Roman „Die Waffen nieder!", im gleichen Jahr wie Hauptmanns „Sonnenaufgang" und mit gleicher Leidenschaft erörtert, sprachlich Heyse verpflichtet war, und daß auch die Anerkennung, die sie Wildenbruch zollten, nicht unsichtbar machte, wie tief Schillers Sprache in seine Verse hineinwirkte.

Doch hatten Wildenbruchs „Quitzows" ausgesät, was an jenem 20. Oktober 1889 aufging. Sie mengten dem klassischen Versmaß des Hohenzollernspiels und den bürgerlich-prosaischen Ratmannenszenen das Gassendeutsch der Berliner Schmiede und Soldaten bei und erzielten dadurch wenigstens sinnbildhaft eine „Wahrheit" des Stils, die vorher unerhört war.

> „Nicht Menschenwillkür, Gottes Wille schickt mich,
> des Gottes, der die Menschentränen zählt"

oder: „Was ist mir der Tod? Ich habe ihn zu meinem Knecht gemacht in fünfzig Schlachten!" Verse und Prosaschriftdeutsch sind vom alten Stil; aber was die Handwerker und Söldner reden, ist zwar nicht Märkisch vom beginnenden 15., aber doch lebendiges Berlinisch vom ausgehenden 19. Jahrhundert: „Ick habe die Hoffnung festgehalten, solange noch ein Zipfel zu sehen war"; „ick habe meinen Schnabel jebraucht, wie Jott ihn mir gegeben hat"; „er macht enen höllischen Rabatz". *Rabatz* – das polnische Wort (*rabac* = hauen) war erst damals, zu Wildenbruchs Zeiten, ins Berlinische eingedrungen; im 15. Jahrhundert hat es dort nichts zu suchen. Aber wen störte das damals? Das Stück erlebte innerhalb zweier Jahre – zwischen dem 9. November 1888 und dem 2. Dezember 1890 – hundert Aufführungen; es sprach zum Staats-, auch zum Sprachstolz seiner Berliner Zuhörer. Und hier knüpfte Hauptmann an: ganz ohne Verse, die Berliner durch schlesische (und echte schlesische!) Mundart ersetzend und auch in den hochsprachlichen, beherrschenden Abschnitten mehr der lässigen Umgangssprache als einem festtäglichen Sprachstil verpflichtet, wirkt es wie eine folgerichtige Fortführung von Wildenbruchs Anregungen. Eine Fort-, keine Durchführung; es gibt noch kanzeldeutsche „Entgleisungen“: „Mein Kampf ist ein Kampf um das Glück aller!“; „ich erinnere mich einer Verkehrtheit, die mir ganz besonders klar als solche vor Augen trat“. Das sind Stilbrüche, wie sie noch heute auf den Bühnen des sozialistischen Realismus gang und gäbe sind. Aber bei Wildenbruch stehen sie doch zurück; Wortwahl und Satzbau sind meist umgangssprachlich locker: „Für so was habe ich nur eine Benennung: Spahn – auch Wurm – Spleen – so was“; ein Kutschwagen heißt „so’n notwendiges Übel mit zwei Gäulen davor“, und zum lang entbehrten Freund sagt man, gern hätte man ihn „längst mal umgestoßen“. Das ist keine mustergültige Sprachfügung und will’s auch nicht sein: dieser Verzicht bestätigt die „Wahrheit“ des Strebens. Denn, so etwa folgern die Jünger, Sprache ist Selbst-, nicht Mittel zum Zweck; sie wird Lüge oder Phrase (das ist fast dasselbe), wenn sie anderes, z. B. vorbildlich sein möchte. Wildenbruch schwankt noch um den Verzicht, Hauptmann nicht mehr: das ist die sprachgeschichtliche Bedeutung seines Frühwerks. Er selbst hatte sich schon ein Vierteljahr vor jenem Oktobertag, gleich nach dem Erscheinen der Buchausgabe, „in freudiger Anerkennung“ für die „entscheidende Anregung“, bedankt, die er „Papa Hamlet“ entnommen habe, jener Geschichtensammlung, in der Arno Holz gemeinsam mit Johannes Schlaf „konsequenten Realismus“ vorgeführt hatte. Tatsächlich mußte dem jungen Dichter über diesem Buch der G r u n d s a t z des neuen Stils klar werden; E i n z e l h e i t e n konnte er dem „Sekundenstil“ schon deshalb nur wenige ablauschen, weil sich für die Bretter nicht schickte, was der Erzählung anstand. Die Entscheidung jedenfalls fiel nicht im Buch, auch nicht in der Buchausgabe von Hauptmanns Stück, sondern auf der Bühne des Lessingtheaters, vielleicht, weil noch immer das Spiel den obersten Rang der Dichtung hielt, vielleicht auch, weil der Trubel um die Uraufführung zu laut war, als daß er überhört werden konnte. Man sah: der „Dichter“ begab sich des Anspruchs, sprachlich als Vorbild zu wirken; ob er daneben oder statt dessen andere Ansprüche erhob, ist für diesen Zusammenhang unwichtig. Durfte er das? Das war die Frage, an der sich die Geister schieden.

Man tut gut daran, sich diese „Geister“ nicht zu olympisch zu denken. Es war die Zeit, in der die „Gartenlaube“ eben begann, zaghaft ihren Rückzug aus den bourgeoisen Salons anzutreten, einen Rückzug, der doch erst 1942 zur Kapitulation führte. 1852 begründet, hatte sie um 1875 mit fast 400 000 Stammbeziehern ihre große Zeit. Aber noch 1906 lag sie regelmäßig in 100 000 Bürgerstuben auf; 100 000 Familien nutzten sie nicht nur als Wissensborn, sondern nahmen ihre Hinweise auch als Richtregeln. Heute wird sie mitleidig belächelt, achselzuckend bedauert oder auch grimmig der Vorbereitung schlimmer Zeiten bezichtigt. Das alles ist nicht unbegründet, aber es trifft nicht den Kern. Ernst Keil, ihr Begründer, war, das muß ihm der Neid lassen, ein Journalist von Graden. Er hatte ein Gespür für die Wünsche und Möglichkeiten seiner Zeitgenossen, um das ihn mancher von denen, die ihm noch heute, wenn auch in moderneren Schuhen, nachtreten, beneiden könnte. Seiner Kritiklosigkeit gegen Dahn und Heyse brauchte er sich unter seinesgleichen damals nicht zu schämen; daß er die Marlitt und mit ihr den Frauenroman auf den Schild hob, bewies nur, wieviel er von seinen Lesern und ihren Träumen wußte. Er konnte, wem diese Mitarbeiter nicht zusagten, auch mit Herman Schmid, Alfred Brehm, Friedrich Gerstäcker u. a. aufwarten. Er erläuterte in seinem Blatt das Unterwasserboot von Wilhelm Bauer, die eben erfundene Nähmaschine und Dr. Lewys großartige, ans Leibchen anzuheftende Strumpfbänder; er machte auf fremde Not aufmerksam und war für die Frauenbewegung, aber gegen den damals keimenden Antisemitismus; er berichtete von Haustieren – ein frühes Kapitel volkstümlicher Verhaltensforschung – und von fernen Ländern und Völkern; er war bereit, Scharlatane zu entlarven und betrügerische Heilmittel bloßzustellen. Er machte seine Leser mit hygienischen Notwendigkeiten und Kniffen bekannt; er pries die Zukunft der Lichtbildnerei und ahnte etwas von einstiger Unterwasserforschung. Er ließ alle, die das wollten, von ihren eigenen Beobachtungen und Erfahrungen in seinem Blatt berichten und scheute sich keineswegs, im „Briefkasten" dumme, unverschämte oder zudringliche Zuschreiber derb abzufertigen. Die „Gartenlaube" war für ihre Zeit eine brandmoderne Zeitschrift, weniger in ihren Einzelbeiträgen als in ihrer bunten Vielfalt, mit der sie jedem Geschmack etwas gab. Gerade darin lag das Geheimnis ihrer Wirkung. Man mußte sie – wie etwa heute den „Spiegel" – ganz durchblättern, um zu finden, was man gern gehabt hätte. Damit lernte man das Ganze kennen und war dieser prickelnden Mischung von Aufklärung und Epigonensüßigkeit, von progressiver Liberalität und konservativem Nationalismus preisgegeben. Hier tropfte der Honigseim der „schmückenden" Adjektive ins Volksherz; hier wuchs jener allzu duftende Baum eines Bildungsstrebens, das nicht lernte, über Blatt und Borke hinauszusehen. Der grüne Bogen der „Gartenlaube" war der Zeit eigentliches Bürgerparadies mit Rebensaft, Burschenliedern, Liebesschmerz und den kurzen, taumelnden Höhenflügen, zu denen ein schneller Blick in unbestimmte Fernen ermunterte. Man kreide dies alles der „Gartenlaube" nicht an; das Bild ihrer Abkömmlinge von heute ist nur in ein paar Farben anders, nicht in seiner Komposition. Wer bedenkt, daß Ludwig Ganghofer, heute noch der meistgelesene Schriftsteller in deutschen Landen, von der „Gartenlaube" seinen Ausgang nahm, wird verstehen, was gemeint ist. Jedenfalls bildet sie den Hintergrund des Vorganges, den wir schildern; man muß auch ihn sehen, um zu begreifen, wie unerträglich breit die Spanne war, in der man sich in jenen Jahren verlor.

Die Frage, ob der „Dichter" der Sprache ein Vorbild sein durfte, ist auch damals schon und seit damals mit einer merkwürdigen, ja unheimlichen Leidenschaft erörtert worden. Und wirklich rührte sie an den Kern des deutschen Sprachlebens. Denn sie verlagerte plötzlich einen wichtigen Schwerpunkt auf ein Feld, dessen Tragfähigkeit noch durchaus unerprobt war. Die deutsche Sprache war für das Bewußtsein derer, die damals an ihr Anteil nahmen, ein Zwiegesang aus Mundart und Hochsprache, und erst kürzlich hatte man jene als natürlichen Ausgang, diese als Frucht eines langen Bemühens begreifen gelernt: durch langsamen Ausgleich zwischen den mündlichen, landschaftsgebundenen Redeweisen war – zunächst allein für den Schriftgebrauch, dann vorsichtig und sehr allmählich auch in den außeralltäglichen Bezirken der Rede – eine übermundartliche Sprachform gereift, die so dicht an den Schriftbereich gebaut war, daß man natürlich den hervorragendsten Vertreter der Schreibform, den „Dichter“, als ihren Meister ansah. Aber sie blieb sich dabei ihres Ansatzpunktes bewußt, wirkte auch weiter am Ausgleich zwischen den Mundarten und vergaß ihre „Brunnenstube“ nicht. Das ganze 19. Jahrhundert hindurch waren Dichter- und gesprochene Sprache sehr voneinander verschieden. So schien zwischen Wachstum und Formung alles schönstens geordnet.

Aber man hatte bei dieser Zweigliederung übersehen, daß seit geraumer Zeit, etwa seit einem Jahrhundert, der Begriff „Hochsprache“, unter dem man also die Sprechform der Schriftsprache verstand, fragwürdig geworden war. Die Kraft der Mundart war noch zu groß, als daß sie den Sprechern bedingungslos die Umsetzung von Geschriebenem in Gesprochenes erlaubt hätte. Es bildeten sich großräumigere, stark situationsgebundene und vielgeschichtete Sprachformen, die zwar von der Mundart weg und zur Hochsprache hin strebten, aber je nach Herkunft, Alter, Geschlecht und Schrifttumsnähe des Sprechers im magnetischen Feld der Mundart, dichter zu seiner Grenze oder dichter zu seinem Kern hin, blieben. Wenn wir uns jetzt gewöhnt haben, sie als „Alltags-“, als „Verkehrs-“, „Gebrauchs-“ oder „Umgangssprache“ zu bezeichnen, tun wir ihrer Vielfalt Gewalt: sie klingt, natürlich, beim Hamburger anders als beim Münchener, beim Pfarrer anders als beim Monteur, beim Greis anders als beim Schulmädchen. Ihr Wortschatz geht mit dem Tage, ist also unfest; er schielt nach oben, aber er freut sich auch am frischen Wind von unten. Jedenfalls steht die Umgangssprache in all ihren Erscheinungsformen zwischen Schriftsprache, Fachsprachen und Mundart. Das ist ihr Schicksal. Im übrigen renommiert sie gern etwas und ist immer bereit, Sprachschranken zu übersehen.

Sie hat sich, nach vorsichtigem Ansatz im 18., im 19. Jahrhundert entfaltet und gefestigt, ohne damals wissenschaftlich beobachtet, ja auch nur bemerkt zu werden. Sie war Gebrauchsgut, das man nicht erwähnte; daß sie mit den wachsenden Städten, der fortschreitenden Freizügigkeit, dem steigenden Verkehr, der wuchernden Leselust, der sich überall wandelnden Zeit wuchs, fortschritt, stieg und wucherte, hielt man für bedeutungslos. Das alte zwiegeteilte Sprachbild wurde festgehalten: hie Schrift- und Hochsprache, hie Mundart; hier Ziel und Aufgabe, dort Grund und Muttererde. Diese Aufteilung war im

Grunde pädagogisch; sie beruhte auf der romantischen Vorstellung vom „Dichter" als dem Erzieher zur Hochsprache. Die „Dichter" selbst fühlten hier, auch hier einen echten Beruf:

„Der deutschen Sprache Schatz zu mehren,
von Jugend auf war mein Bemühn,
und dieser Trieb soll nie verblühn,
so lang des Lebens Tage währen" –

von Rückert bis zu Geibel läuft eine unbestrittene Linie: die „Gabe des Worts" in „andern" erwecken, d a s machte den Dichter.

Und das wurde nun anders. Hauptmann kannte alle drei deutschen Sprachformen, ließ alle drei gelten und gab der mittleren den Hauptton; Fontane richtete seine „ganze Aufmerksamkeit ... darauf ..., die Menschen so sprechen zu lassen, wie sie wirklich sprechen" (24. 8. 1882). Damit entsprachen sie dem Stand ihrer Muttersprache tatsächlich besser als die andern Schriftsteller, die ihrem Anliegen nur die Hochform gemäß hielten. Sie weiteten der Kunst ihr Feld; sie schlossen ihr einen großen neuen Raum auf. Sie gaben einem Jahrhundert das Stichwort; noch heute ist im Rückzugsgebiet der DDR „Verseschreiben wie Häuserbauen", und man möchte

„die Sprache so,
wie die der Maurer beim Frühstück,
wahr, klug,
deutlich und ehrlich".

Aber damit verzichteten die „Dichter" auf ihr bisheriges Sprachlehramt. Gerade in dem Abschnitt, der am wenigsten berechenbar schien, und in der Stunde, da sich dieser gefährliche Bereich ganz unübersichtlich entwickelte, überließ man ihn sich selbst und beschränkte sich darauf, ihn zu beobachten. Die Umgangssprache wurde nun sozusagen amtlich beglaubigt, aber gleichzeitig sich selbst überlassen, und Lessings Lehrsatz, die Regeln seien das, „was die Meister der Kunst zu befolgen für gut finden", verblaßte und erlosch schließlich.

Die Zeitgenossen spürten die Bedrohung, die in dieser Entwicklung lag, auch wenn sie sich über Einzelheiten keine Rechenschaft zu geben wußten. Hauptmann löste den Kampf nur aus, machte die Fronten deutlich, klärte die Fragestellung. Man besorgte, daß die Bewegung der Jüngstdeutschen der Muttersprache oder doch ihrem altgewohnten Gleichmaß gefährlich war. Im Sommer 1885 hatte der Braunschweiger Museumsdirektor Professor Herman R i e g e l mit zwanzig Gesinnungsgenossen einen Aufruf erlassen, der einen Verein zur Pflege der Muttersprache vorschlug; im Oktober des Jahres konnte er den „Allgemeinen Deutschen Sprachverein" in Dresden begründen, ein halbes Jahr später die erste Nummer seiner Zeitschrift auf den Weg schicken. Was wollte er? „... Kampf gegen die unnötigen und entstellenden Fremdwörter, ... überhaupt ... die Pflege und die Hebung der deutschen Sprache, ... Heilung von Entartungen und Verkrüppelungen, ... Abwerfung von Künsteleien und Ziereréien, ... Anregung zum richtigen, sachgemäßen Denken im Zusammenhange mit dem richtigen, treffenden Ausdruck." Kurz: Betreuung der Umgangssprache, der man „Pflege" und „Heilung" zukommen lassen wollte. Als – im Jahre des „Sonnenaufgangs" – eine große Zahl führender Männer des öffentlichen Lebens, darunter die Schriftsteller Fontane, Groth, Gustav Freytag, Jordan und Spielhagen, gegen den erfolgreichen jungen Verein, zumal gegen dessen Fremdwortjagd zu Felde zog und sich dabei auf die „freien Meister der Sprache, unsere Klassiker" berief, hielt ihnen Riegel vor, daß *er* nicht minder Herder, Lessing, Klopstock, Goethe und Schiller für sich ins Treffen führen könne; dann fuhr er fort: „Wir erkennen ... unter den Lebenden keinen an, der das Recht hätte oder dem die Würde zukäme, uns hinsichtlich unserer Sprache durch seine „Schriften" zu führen ... Der wahre Dichter schafft und gestaltet nach innerer Notwendigkeit frei und fürstlich mit dem Darstellungsmittel der Sprache; er wahrt sich sein „gutes Recht" durch die schöpferische Tat." Auch hier also ein Verzicht auf die Sprachführung durch „den Dichter", den zeitgenössischen Dichter wenigstens; ihm mißtraute man. Der Ruf „Rettet die Sprache!" ging nicht zu ihm; er schmeichelte dem Ehrgeiz des Bürgers: seinem Schönheitssinn, seiner logischen Trennschärfe, dem erstrebten Vermögen, abwägen zu können. Man erklärte die Sprecher mündig; man sagte ihnen, daß sie künftig der schriftlichen Vorbilder entraten müßten. Man empfahl ihnen, statt dessen ihre Sprache – die Umgangssprache! – zu „pflegen" und zu „heben"; was man darunter verstehen sollte, deutete man nur an: das Denken des Sprechers müsse ersetzen, was bislang das Vorbild des „Dichters" bewirkt habe. Dieser Hinweis auf die Allmacht der Sprachlogik stellte sich später als falsch, ja als gefährlich heraus; er ist bedeutsam als ein erster Versuch, dem Begriff „Sprachpflege" den Inhalt zu geben, den er nicht hatte. Man hat dann andere Versuche gemacht; man macht sie heute noch: eine Arbeit hatte begonnen, die acht Jahrzehnte beschäftigen sollte. Das war verdienstlich. Tatsächlich ist „Sprachpflege" die Selbsthilfe der Sprecher angesichts der Einsicht, daß sie auf sich selber gestellt sind: die Monarchie der „Dichter" machte einer demokratischen Sprachregelung Platz. Zunächst schob man zwischen beide Entwicklungsstufen den „Verein" als Helfer und Anleiter ein: das war die bürgerliche Antwort auf den Alarmruf.

Sie entsprach der Zeit; das bewies ihr Erfolg. Zwei Jahre bereits nach der Gründung zählte man in 91 Zweigen 6 000 Mitglieder; am 25. Jahrestag waren die 30 000 überschritten; auch im Ausland, ja in Übersee, in Afrika, Amerika, gar in Australien warben Anhänger dem Verein neue Freunde. Natürlich hatte daran auch das nationale Bewußtsein der Bismarckzeit seinen Anteil; Riegels Ruf: „Gedenke, auch wenn du die deutsche Sprache sprichst, daß du ein Deutscher bist!" machte Eindruck. Aber das war nicht die einzige, nicht einmal die entscheidende Ursache des Aufstiegs. Das dumpfe Gefühl einer Gefährdung von innen her, dieser Drang, „den deutschen Geist zu retten“ (wozu Wildenbruch aufgerufen hatte), wog schwerer. Auch wirkte die Kampfansage gegen die Fremdwörter, die – trotz aller gegenteiligen Bekundungen der Vereinsführer [1] – nicht nur bei Riegel obenan stand, schon deshalb in die Breite, weil sie unzeitgemäße Bildungsvorrechte anzweifelte: der Rat: „Sprecht deutsch!“ hatte einen demagogischen Unterton. Dabei ließ der Verein es nicht bei Mahnungen und Aufrufen bewenden; er versuchte auch – z. B. in seinen „Verdeutschungsbüchern“ (seit 1890) – mit Vorschlägen zu helfen. Davon überzeugten manche so sehr, daß sie sich für die Dauer einbürgerten: *Steuerveranlagung* z. B. für *Assiette, ermitteln* für *eruieren, Geschäftsordnung* für *Reglement;* andere konnten sich mehr oder weniger kräftig synonym neben die Gäste aus dem Ausland stellen, etwa *Richtschnur* neben *Norm, Geschäftsstelle* neben *Büro, Verband* neben *Cartell, Fälschung* neben *Falsificat, Vergütung* neben *Gratification, Ausweis* neben *Legitimation, Reihenfolge* neben *Turnus;* damals schlug man auch schon den *Fahrgast* für *Passagier* vor. Die „Gartenlaube“ war mit ihrem Ruf „Mehr Deutsch bitte!“ ein willkommener und hilfreicher Bundesgenosse; sie brachte, scharfsinnig wie in vielen ihren Einzelheiten, Beispiele, die nicht nur schnell überzeugten, die man auch z. T. noch heute gelten lassen kann.

Schließlich war die deutsche Sprache auch auf dem Weltmarkt belangvoll geworden. Vor gar nicht so langer Zeit (1874) hatte eine neue Zeitschrift das für den Titel geplante Fremdwort („Revue“) auf den Einspruch einer New Yorker Buchhandlung ausmerzen und sich „Deutsche Rundschau“ nennen müssen. Ähnlicher Dinge mag es mehr gegeben haben; sie gaben den Einsichtigen zu denken. Vor vier Jahrzehnten war von alledem noch nichts zu spüren; Bruggers „Verein für deutsche Sprachreinheit“, der doch kaum anderes wollte als Riegels „Sprachverein“, hatte damals (1848) ins Leere gezielt. Aber inzwischen hatte sich das Bild geändert. Als der Schriftsteller Georg Wustmann 1891 „Allerhand Sprachdummheiten“ sammelte, um durch sie den Leser „das Sprachgefühl schärfen und das Aufkommen neuer Fehler verhüten“ zu lehren, war ihm – auch dank der Sprachvereinsarbeit – ein langer, bis fast in unsere Tage reichender Erfolg sicher. Schon hatte sich, in so knapper Zeit, der Sprachpfleger zum Sprachlehrer gemausert; aber das merkten zunächst nur wenige.

Viele verstanden auch damals die Gründe dieser allgemeinen Erregung über die Sprache nicht. Warum eigentlich hielt man sie für gefährdet? Wagner, Ranke, nun auch Anzengruber und Keller waren zwar verstummt; aber Storm, C. F. Meyer, die Ebner-Eschenbach, Raabe, Fontane – boten sie (selbst wenn man den „Jungen“ mißtraute) der Zukunft nicht gute Gewähr?

[1] 1899 faßte die Hauptversammlung einstimmig eine Entschließung gegen die Überhandnahme englischer Wortentlehnungen.

Nein, allem Anschein nach nicht. Man wußte, daß die Bänkelsänger der Feuilletons, Schullesebücher und Bilderzeitschriften in der Überzahl waren; man war der unablässig singenden Vögel auf den ewigblühenden Bäumen, der nicht ermüdenden säenden Bauern, der fleißigen Handwerker, der lustigen Bettelleute überdrüssig; man hatte es satt bekommen, jeden Geburtstag nicht nur, auch jedes Aufwachen und Einschlafen im Bett von Glocken beläutet und immergleichen Reimen besungen zu hören; man mochte dies Singen und Klingen, dies Lauschen und Rauschen, diese Bäume und Träume nicht mehr hören; die Häufung von Deminutiven, vom Bett*lein* übers Bäch*lein* zum Rös*chen*, vom Mütter*lein* bis zu Lieb*chens* Münd*lein* drohte Tag und Nacht zu verzuckern. Man sah sich vom Bettspruch bis zum Handtuchlaken von Sprüchen und Reimen umzäunt; man lebte in zwei Welten, der wirklichen und der gereimten. Man traute den Versen nicht mehr; man schob sie, zu unentschlossen, sich ihrer ganz zu entledigen, einstweilen in die gute oder noch besser in die Kinderstube und in die Schulzimmer. Und dieses Mißtrauen rührte an den Kern des Vorgangs: viele, sehr viele bauten lieber auf den Lehrer als auf den überstrapazierten „Dichter". Wustmann überzeugte sie – im sprachlichen Bereich – mehr als Liliencron, und der Verein schien sicherer zu gründen als ein guter Roman, ein schönes Gedicht, ein eindrucksvolles Schauspiel. Viele, gerade die jungen „Dichter" erstrebten zudem andere Werte als Mustergültigkeit der Sprachform. Man mußte die Vorbilder anderwärts holen, mußte sie sich selber formen, mußte die Sprache „pflegen" und über sie nachdenken. Das wollte gelernt sein. Der Verein schien wirklich zur Sprachschule des Volkes berufen. Aber schon waren andere da, die ihm das bestritten: die einen, indem sie sich auf das Vorbild der Klassiker beriefen, die andern, die eine „Pflege" der Sprache für unangemessen hielten, die Gestrigen und die Zukunftsgläubigen. Die Kräfte strebten auseinander.

Hätte der Staat sie sammeln können? Die S c h u l e ging nur zögernd daran, ihren Deutschunterricht neueren wissenschaftlichen Einsichten anzunähern; Riegel war ja durch eine solchen Bestrebungen feindliche Entschließung schwäbischer Schulleiter zur entscheidenden Tat angestoßen worden. Rudolf H i l d e b r a n d s klassisches Buch (1867; 4. Aufl. 1890) hatte zudem Volks- und Haussprache als Grundlagen der Hochsprache sehen gelehrt, den Lehrer also auch mit mehr Nachdruck auf das gesprochene als auf das gedruckte Wort verwiesen. Der einzige staatliche Anlauf, auf die Muttersprache Einfluß zu nehmen, war die Berliner „Konferenz zur Herstellung größerer Einigung in der deutschen R e c h t s c h r e i b u n g" (1876), der das bayrische, dann auch das preußische Regelbuch ihr Dasein verdankten. Aber sie reizte trotz aller Bestätigungen orthographischer Stammesrechte den Verdacht der Nichtpreußen. Auch Hildebrand zürnte über diesen „ungesunden Begriff von Staat . . ., wonach für alles gemeinsame Leben die nötige Form von oben erwartet und streng aufgegeben wird, auch auf Gebieten, wo sich das Leben, um wirklich Leben zu bleiben, seine Formen aus sich selbst, von unten zu erzeugen hat, und zu denen gehört die Sprache". Dennoch hat Konrad D u d e n s „Orthographisches Wörterbuch der deutschen Sprache" (1880) durch seinen und seiner Nachfolger Fleiß und Geschick viel zur Festigung der deutschen Schreibsprache beigetragen, ein schönes Beispiel dafür, daß Einsatz und Umsicht ein privates Werk in den Rang der Offiziosität heben können. Andrerseits hatte Heinrich S t e p h a n seit 1871 an der von ihm angeordneten Eindeutschung von mehr als 600 Postfachwörtern bewiesen, wieviel eine Behörde auch sprachlich tun kann, wenn ihr Leiter sie dazu anweist. Auf andern Gebieten fehlten einstweilen Männer von solcher Einstellung und Tatkraft. Stephan wurde 1887, als er seine sprachliche Arbeit so gut wie abgeschlossen hatte, erstes Ehrenmitglied des Sprachvereins. Seinen Grundsatz, die Sprache „von oben her" zu „pflegen", deutete der Verein in seltsamem Mißverständnis auf die „geistigen Führer des Volks": als ob deren Wirkung sich vertikal vollzöge! In diesen Anstrengungen, alle ähnlich gerichteten Sprachleistungen nach Möglichkeit dem eigenen Hauptbuch gutzuschreiben, zeigte sich, wie unklar und unsicher der Sprachverein im Grunde war. Er wollte überall verbinden, vereinen, zusammenschließen. Das glückte ihm vielfach; an andern Stellen wieder machte es gegen ihn mißtrauisch. Gerade die Jungen, denen seine Grundeinstellung zur Sprache doch nahestand, konnten viele seiner Werbezeilen nicht billigen, die nationalistischen etwa oder die behördenfrommen. Damit brachte er sich, so tief er ins Bürgertum hineinwirkte, um den entscheidenden Erfolg.

Der Angriff auf ihn erfolgte also vor dem gleichen Hintergrund, vor dem der Hauptmannstreit stattfand: es ging darum, ob die Umgangssprache mündig erklärt werden durfte oder nicht. Im gleichen Schicksalsjahr öffnete die Flut von Verfemungen und Verteidigungen, die nach N i e t z s c h e s Erkrankung (1889!) in Zeitschriften und Zeitungen aufschwoll, der Tagessprache eine neue Tür. Nietzsches Sprache, so verschieden sie sich in den einzelnen Abschnitten seiner Wechselläufe gab, lebte von der Lust, den Leser zu überraschen, aufhorchen zu machen, stillestehn zu lassen; darum schwelgte sie in Neubildungen, die sie teils durch Ableitung *(Widersprüchlichkeit, Bücherwürmerei, bußhemdig)*, teils durch Zusammensetzung gewann (*Dreiviertelskraft, Dauermensch, Wintersiechtum)* oder durch Unterlegung einer ungewohnten, ganz alten oder ganz neuen, Bedeutung unter ein bekanntes Wort vortäuschte (*Einverleibung* = Vorgang des Essens; *Selbstlosigkeit* = Verlust des eigenen Selbsts.) Sie erfand sich auch Redensarten, indem sie zu bekannten Wendungen die ungebräuchliche Entsprechung wagte (*bequem fallen* nach: lästig fallen; *Erlebter* nach: Gelehrter) oder sie weiterbildete (wer von Gott trunken ist, heißt ihr ein *Trunkenbold Gottes*). So parodierte sie sich auch Wörter zusammen: zum Sünden- den *Tugendbock*, zur Nächstenliebe den *Nächstenhaß*, zum Ein- den *Zweisiedler*. Sie bildete ungewöhnliche Beugeformen und verband Farbbezeichnungen mit Begriffen, die, streng genommen, keine Farbträger waren (*blaue Musik*); das hatte sie von Heine gelernt. Sie gefiel sich darin, ganze Sätze in Wörter zusammenzupressen (das *Außer-uns; in den Tag hineinleberisch;* das *Sich-Schädliche-Zurückwollen*); dadurch kam sie oft zu Bildungen auf *-ung (Entsinnlichung, Veroberflächlichung, Verinnerlichung);* sie koppelte auch bindestrichfreudig Verneinungs- mit Hauptwörtern *(Nicht-Gott, Anti-Esel, Gegen-Alexander).* Durch all diese Mittel wurde sie bunt, ja grell; sie fiel auf, sie wollte das. Nietzsche hat dieses Bestreben einmal an der Sprache des Naturalismus getadelt: „Man will den Leser zur Aufmerksamkeit zwingen, ‚vergewaltigen': daher die vielen packenden kleinen Züge des naturalisme – das gehört zu einem demokratischen Zeitalter: grobe und durch Überarbeitung ermüdete Intellektuelle sollen gereizt werden!" Das hat ihn nicht gehindert, seine Sprache nach den gleichen Grundsätzen zu formen. Andrerseits schrieb er aber einen mündlichen Stil; was er gedruckt vorlegte, wollte laut oder vorgelesen werden; wahrscheinlich sprach er sich vor, was er niederschreiben wollte. So machte er sich den Leser zum stummen Gesprächspartner; er fragte ihn zwar viel und gern, aber er ersparte ihm doch die Qual der Antwort. Seine Sprache hatte also – in ihren vielen Eigenwilligkeiten – nicht nur selbst Persönlichkeitswert; sie wandte sich auch an die Persönlichkeit im Leser. Sie barg beide Möglichkeiten der Zeit in sich; auch das machte sie wohl so wirkungsvoll. In ihr war viel angelegt, was sich von den verschiedensten Strahlherden aus in den kommenden Jahrzehnten ausformen, einbürgern und verbreiten sollte.

Nietzsche wurde, da ihm Einfälle eher zu viel als zu wenig kamen, ein Meister dieses Stils; er arbeitete auch unablässig an sich und seiner Sprache. Was er z. B. von der Wortspielkunst der Romantik, der französischen Aphoristik, von Shakespeare, besonders von Luthers Bibel und Heines Prosa gelernt hat, läßt sich auch an seiner Sprache zeigen. Schopenhauer, der ihn eine Zeitlang beeinflußte, tat er schließlich beiseite: „Man brauche gewöhnliche Worte und sage ungewöhnliche Dinge!" – d e r Grundsatz war mit dem seinen unvereinbar. Damit war der Trennungsstrich zur klassischen Sprachfügung gezogen: Ausgeglichenheit, Ebenmaß, gute Verteilung der Gewichte waren für den Verkünder des Übermenschen auch im Sprachlichen keine Werte. Aber er erreichte, was er angestrebt hatte: Freund und Feind prägten sich seine Fügungen und Lieblingswörter ein und hielten sie sich vor, die einen zur Werbung, die andern, um abzuschrecken; so wuchsen sie in den Wortschatz des Volkes: *Allzumenschliches, Übermensch, Bildungsphilister,* die *Vielzuvielen, Umwertung.* Daß schon das 16. Jahrhundert den *Übermenschen* kannte, der hallische Professor Leo (um 1860) der Vater des *Bildungsphilisters* war und das Beiwort *unzeitgemäß* schon 1863 aufgezeichnet worden ist, tut nichts zur Sache: verschlagwortet wurden all diese Wörter durch Nietzsche und den Meinungskampf, den er entfachte.

Aber das ist noch nicht das Entscheidende. Nietzsche hat nicht nur den Wortschatz der Zeit bereichert; er hat dadurch auch einer höchst ausgeprägten und durchaus unklassischen Art der Wortbildung das Feld bereitet. Er gab sich als Sprecher einer neuen Zeit: „Zerbrecht, zerbrecht mir die alten Tafeln!" Mögen seine einzelnen Anregungen neben, auch vor ihm schon hie und da zu spüren gewesen sein: sicher haben Verbreitung und Erörterung seiner Bücher, die Jahrzehnte anhielten, verstärkend, beschleunigend, bestätigend gewirkt. Ableitungen unseres Jahrhunderts wie *hemdärmlig* (ein *hemdärmeliges* Benehmen haben), *Sonderbündelei, Waschlappigkeit,* Zusammensetzungen wie *Himmelfahrtsnase, Dauerwäsche, Großschnauze* wirken wie nach Nietzsches Mustern geprägt; die Freude an der unvermuteten Bedeutung (*Dauerbrenner* = langer Kuß; *Lautsprecher* = laut Redender, *offenherzig* = tief ausgeschnitten), an der Spiegelwendung (lang hinfallen und *kurz wieder aufstehen; tiefstapeln* = zu wenig angeben), an der Parodiebildung (*Siedlerstolz* nach Overstolz; *Göttergatte* nach Götterweib), all das ist über dem Lesen und Bereden seiner Bücher manchmal absichtlich, meist unbewußt gewachsen und verbreitet. Damit hat er neben jener Handvoll Schlagwörter eine Reihe von Formweisen begünstigt, die – im Gegensatz zu jenen – schöpferisch fortwirkten, weil sie sich an die Einfallsgabe des Einzelsprechers wandten. Schließlich setzen die auch von ihm begünstigten Bildungen auf *-ung (Vergottung, Verniedlichung, Versportung;* vgl. S. 20), wenn sie sich nicht ganz im Herkömmlichen bewegen, einen gewissen schöpferischen Mut voraus; das gilt noch mehr für die syntaxsparenden Kurzsatzwörter (das *Sichvorbeibenehmen*; der *Ganzandere*; das *Soseinmüssen.*)

Die erste Neubildung, die wie von ihm geschaffen wirkt und doch nachweislich von einem andern stammt, ist nun just das Wort, mit dem die Jungen von 1889 ihr eigenstes Wesen bezeichneten. Am zweiten Vortragsabend des Berliner literarisch-revolutionären Vereins „Durch", im Herbst 1886, sprach Dr. Eugen W o l f f , Germanist und Triebfeder für die dort Vereinigten, über „Die ‚*Moderne*' zur Revolution und Reform der Literatur". Er setzte das Wort noch in Anführungsstriche; die Betonung, mit der er es gebrauchte und deutete, läßt vermuten, daß er es selbst aus dem Adjektiv „modern" (seit Anfang des 18. Jahrhunderts, = neu) gebildet hatte. Jedenfalls sollte es den eindeutigen Gegensatz zu Wort und Begriff „Antike" bilden: „Unser höchstes Kunstideal ist nicht mehr die Antike, sondern die *Moderne*" hieß die sechste von Wolffs Thesen über die Zukunft der deutschen Dichtung. Es ist also eine parodistische Bildung, und ihre Mehrdeutigkeit erhöhte Rednern und Hörern den Reiz. Denn sie konnte auch eine Frau bezeichnen, und auch so, als Göttin der Zeit, malte Wolff mit altgewohntem Pathos das Neuwort vor den Kampfgenossen: „Nicht Ebenmaß der Glieder schmückt dies Weib; in wilder Schönheit umrahmt ihr Haar Stirn und Nacken, und in wilder Hast stürmt sie dahin ... Der idealsuchende Jüngling ... muß ihr folgen ..., und es flüstert in ihm: ‚Die *Moderne*!'" Uns erscheint das begeisterungstrunkene Bild überspannt; Wolffs Hörer entflammte es. Sogar gedruckt entlockte es Karl Henckell ein Gedicht, demselben Henckell, der sich schon zwei Jahre davor, als er die „*Modernen* Dichtercharaktere" einleitete, am Beiwort *modern* entzündet hatte. Viele seiner Gesinnungsgenossen teilten seine Vorliebe: bereits 1885 hatte Arno Holz seinem „Buch der Zeit" den Untertitel „Lieder eines *Modernen*" beigegeben; Mackay nannte eine Novellensammlung „*Moderne* Stoffe" (1888); Pöhnl begrüßte die Münchener Hörer seines „Armen Heinrichs" mit dem Ruf: „Gebt uns den *modernen* Menschen!" (1888); Brahm erklärte, seine „Freie Bühne" sei „für das *moderne* Leben" und wolle die „feinsten Wechselwirkungen" zwischen ihm und der „*modernen* Kunst" aufdecken (1890); im gleichen Jahr entstand im Süden des Sprachgebietes eine Zeitschrift „*Moderne* Dichtung" (Brünn), in München eine „Gesellschaft für *modernes* Leben", erschien eine Flugschrift von Schaumberger über „die Volksbühne und das *moderne* Drama", eine andere von Conrad über „Das Recht, den Staat, die *Moderne*". Im ersten Heft der „*Modernen* Blätter" (1891) deutete Julius Schaumberger reimend das Modewort:

„*Modern! Modern!* Was will das Wort denn sagen,
das heut von Mund zu Mund geschäftig fliegt,
mit lautem Weckruf stört das Wohlbehagen,
das träg an der Gewohnheit Kette liegt?
Was will es uns für neue Botschaft bringen,
was ist der Sinn, was ist des Pudels Kern?
Was will dies kühne, kampfesfreudge Ringen?
Was ist *modern*?

Modern ist jener Drang zur Neugestaltung,
der rücksichtslos die alten Formen sprengt
und allem feind ist, was in der Entfaltung
des starken Geistes freie Tat beengt.
Modern ist jener Trieb, der eigenwüchsig
dem Bann der Überliefrung widersteht
und sich nicht beugt in frommem Kinderglauben
dem Götzenzauber der Autorität.

Modern ist jener schönste aller Züge
in unsrer Zeit freiblickendem Gesicht,
der Zug, aus dem der Ekel vor der Lüge,
aus dem die Liebe zu der *Wahrheit* spricht,
der alle Täuschung haßt und überwindet
der Schmeichelschönheit himmelblauen Dunst, –
der nur die *Schönheit* in der *Wahrheit* findet,
Wahrheit im Leben, *Wahrheit* in der Kunst!"

Nüchtern gesehen hatte das Wort *modern* demnach für die Hörer der Zeit zwei Wertstufen: Verneinung des Gewesenen und Bekenntnis zur „Wahrheit“. Beide sind uns vertraut; beiden müssen wir noch einmal unsere Aufmerksamkeit zuwenden.

Die Ablehnung der überkommenen Form meinte, natürlich, auch Sprachliches. Der „Drang zur Neugestaltung“ erinnerte an Holz, Schlaf, Hauptmann, wollte der Umgangssprache auch im Raum der Dichtung das Wort reden, den „Götzenzauber“ der klassischen Dichtung brechen. „Eigenwuchs“ sollte Trumpf sein; aber wie man selber dem „frommen Kinderglauben“ abzuschwören gedachte, legte man augenscheinlich auch kein Gewicht mehr darauf, Vorbild zu sein. „Des starken Geistes freie Tat“ sollte von keiner Verantwortung belastet sein; man dachte sie sich wie eine Explosion, in deren Bersten der Flammenschein eines bisher Verborgenen aufleuchten würde. Worin er nun eigentlich bestand, was er war, wo seine Schönheit gründete, all das blieb im Dunkeln. Wichtiger als das Befreite schien der Vorgang der Befreiung: an ihm schon verwirrte sich die Einsicht in das Nachfolgende. Auf die Sprache bezogen: die Teilnahme, die man ihr zuwandte, entsprang mehr einem Abscheu vor ihrer bisherigen Formung als dem Wunsche, sie in Zukunft zu „pflegen“. Man hielt wohl jede sprachliche Leistung, die den unbeobachteten Zug der Sprache zu leiten gedachte, für Unnatur, für das, was man bekämpfen wollte. Dem „Bann der Überlieferung“ zu „widerstehen“ bedeutete nichts anderes, als den Wildwuchs statt des Gartens zu wünschen. Es waren die Jahre, in denen man begann, das Adjektiv *klassisch* nicht mehr als Kennzeichnung eines ersehnten Maßstabs, sondern als Benennung von etwas Herkömmlichem zu benutzen.

Zweitens rühmte und begehrte man als „Wahrheit“ den Verzicht auf den Eingriff in einen Vollzug. Die Sprache so zu zeigen, wie sie war, nicht nach Vorbildern geformt und ohne Ehrgeiz, ein Vorbild abzugeben, das war nach dem Beweis von „Papa Hamlet“ und „Vor Sonnenaufgang“ die eigentliche „Schönheit“ der Dichtung. Man setzte „wahr“ gleich „unbeeinflußt“ oder „ungenormt“ und überdeckte den sittlichen mit dem ästhetischen Begriff: „wahr“ und „schön“ wurden auswechselbar. Das sind naturwissenschaftliche Denk- und Verhaltensweisen. Hermann Bahr, der sich mit besonderem Eifer die Verbreitung und Deutung des Modewortes angelegen sein ließ, schrieb 1890 (in seinem Essay „Zur Kritik der *Moderne*“): „Eines scheidet die *Moderne* von aller Vergangenheit und gibt ihr den besonderen Charakter: die Erkenntnis von dem ewigen Werden und Vergehen aller Dinge in unaufhaltsamer Flucht und die Einsicht in den Zusammenhang aller Dinge, in die Abhängigkeit des einen vom andern in der unendlichen Kette des Bestehenden“. Mit andern Worten: *„modern“* war, wer naturwissenschaftlich dachte; er, und er allein, hatte Anrecht auf die Ehrenwörter „wahr“ und „schön“.

Vor einem Jahrhundert hatte Schiller *„modern“* im Sinne von „aufgeklärt“ gebraucht (1781). Inzwischen war das Wort unter den Einfluß von *Mode* gekommen und wurde etwa mit „modisch“ gleichbedeutend verwendet. Nun lenkte man, ohne zu ahnen, daß man sich damit einer Sprachregelung des Vielbefeindeten anschloß, zum Schillerschen Wortsinn zurück: *modern* wurde wieder zur Kennzeichnung einer Einstellung, einer Entscheidung Für und Wider, einer Geisteshaltung. Damit bekam das Wort etwas von seiner europäischen Grundbedeutung zurück: im Mittelalter hatte man die Behauptung der Nominalisten, die sich gegen die anerkannte Philosophie der Kirche wandten, als *logica moderna* bezeichnet. Nun wandte man das Wort gegen die Verfechter des Alten und bereitete damit dem Sprachgebrauch der Philosophie um 1900 den Boden; nach ihm wurde als *Modernist* bezeichnet, wer sich als Katholik um einen Ausgleich zwischen Rationalismus und Kirchenlehre mühte.

Modern war also (mit Hauptmann), wer die ungeschminkte, „wahre" Sprache des täglichen Umgangs so „schön" fand, daß er sie künstlerischer Behandlung für wert hielt. *Modern* war, wer gegen den Sprachverein und seine Widersacher jede Sprachpflege ablehnte, gleich, ob sie sich an den Klassikern oder an den Grundsätzen der Vereinsführer ausrichtete. *Modern* war, wer seine Neuwörter wie Nietzsche unklassisch, aber dafür auffallend, einprägsam und witzig prägte. *Modern* war, alles in eins, wer dank seinem naturwissenschaftlichen Sehen und Denken die Sicherheit haben konnte, Dingen und Stoffen eine Richtigkeit abzugewinnen, die über allen Zeitwertungen stand. Wer diese Richtung mißbilligte, nannte sie abschätzig *modernistisch*. Aber „wer in Wahrheit schildert, was da war, der schildert, was da ist und sein wird, ohne von der Gegenwart belästig zu werden" (Pöhnl, 1888). All das offenbarte das Jahr 1889. Damit waren auch der Sprachentwicklung die Wegweiser aufgestellt.

Der Weg, den wir hier gehen, soll nicht als ein Stück Literatur-, sondern als ein wichtiger Abschnitt unserer jüngsten Sprachgeschichte verstanden werden. Daß Dichtung und Umgangssprache von nun an auseinandergingen, ist das entscheidende Ereignis der letzten hundert Jahre unseres Sprachgeschehens. Es geht nicht darum, ob die Dichtersprache, nach der man sich im 19. Jahrhundert richtete, jemals ein maßstabgerechtes Vorbild gewesen ist. Die Folge erwies, daß dem nicht so war. Nachdem man einmal stutzig geworden war, merkte man ziemlich bald, daß „Dichtersprache" alles andere als eine in sich geschlossene Einheit war, und es fiel nicht schwer, für fast jeden umstrittenen Einzelfall Beispiele und Gegenbeispiele in der gebenedeiten Schatzkammer der „Dichter" zu finden. Das lag zum guten Teil an ihrer verschiedenen Haltung zur angestammten Mundart und an deren Besonderheiten; aber gerade solche Differenzierungen stimmten nicht in das Konzept von einer gemeindeutschen, von „den" Dichtern verwalteten Hochsprache. Diese Vorstellung haben viele bis in unsere Tage beibehalten; je brüchiger sie von Jahrfünft zu Jahrfünft wurde, um so verbissener klammerte man sich an sie, um so tagfremder wurden aber auch solche Bemühungen. Untergründig fundamentierten auch soziale Gegebenheiten die Entwicklung. Die Verbreiterung der schriftgebildeten Kreise bis fast zur Durchmesserlänge des Volksganzen einerseits, ein, wie wir erst heute genauer zu sehen beginnen, in seinem Ansatz falscher Deutschunterricht aller, besonders aber der Volksschulen anderenteils und die verschiedenen Momente, die in den folgenden Abschnitten dieses Buches angeleuchtet werden, all das vertiefte und verbreiterte die Kluft zwischen dem bisher nach dem Wunsche der Führenden geltenden Sprachmaßstab und der deutschen Sprechwirklichkeit. Dieser Vorgang umspannt nun fast ein ganzes Jahrhundert; wir verfolgen ihn in seinen wesentlichen Erscheinungen noch etwas weiter. Dabei bleiben wir uns dessen bewußt, daß hinter den hier beschriebenen Einzelheiten mehrere, z. T. sehr weit gespannte Bemühungen stehen, die darauf zielten, den Abstand zwischen den einst führenden und den jetzt nachdrängenden Lernwilligen zu verringern. Reclams Universalbibliothek z. B., 1867 als Sammlung von Einzelausgaben deutscher und ausländischer „Dichter und Denker" begründet, breitete schon nach elf Jahren 1000 Nummern vor ihren Freunden aus; im Zweiten Weltkrieg, 1942, war sie mit ihren in einer Gesamtauflage von 273 Millionen Bändchen erschienenen 7600 Nummern die größte Buchreihe der Welt. Das sind Zahlen, die einzeln und als Ganzes eindrucksvoll und aufschlußreich sind. Für den Zusammenhang unserer Überlegung ist die Tatsache bezeichnend, daß Reclam zwar schon 1909 innerhalb der Universal-Bibliothek eine auf 35 Bände anwachsende Reihe „Bücher der Naturwissenschaft" aufbaute, in der „populäre Wissenschaft von strengen Naturwissenschaftlern geschrieben" wurde, daß er aber erst in den zwanziger Jahren, als ein Brückenschlag kaum noch möglich war, den Kontakt zur zeitgenössischen deutschen Dichtung fand. Aber damit greifen wir der Entwicklung voraus.

Die Sprachforschung nahm damals – und auch später noch – von diesen Vorgängen kaum oder eigentlich gar keine Kenntnis. Sie beschränkte sich damit die Möglichkeit einzugreifen, vorzuschlagen, zu leiten; sie glitt aus dem Bereich allgemeinerer Aufmerksamkeit, deren sich das Werk der Brüder Grimm noch erfreut hatte, in die stillen Bezirke der Facharbeit. Dabei waren breitere Kreise doch sehr bereit, sich sprachlich belehren und fördern zu lassen; der Aufschwung des Sprachvereins nicht nur, auch der jahrelange Erfolg einer philologischen Fachzeitschrift wie der von Kluge begründeten für deutsche Wortforschung (1901) deuteten eine über die Fachkreise hinausgehende Teilnahme an der Muttersprache an. Was die Wissenschaft in jenen Jahren beisteuerte, war nicht geeignet, diese Bewegung zu stärken: Fincks Versuch, anknüpfend an Humboldts „innere Sprachform" den „deutschen Sprachbau als Ausdruck deutscher Weltanschauung" zu deuten (1899), Wundts (1832 bis 1920) Bemühen, die Sprache als eine Art menschlicher Ausdrucksbewegung begreiflich zu machen, blieben auf die Erörterung der Zunft angewiesen; sie förderten zwar die Einsicht in die Sprache, aber nicht ihre Kraft, ihren

Bestand, ihre Zukunftsmöglichkeiten. Indessen erschien damals ein Buch, das, zwar nicht aus dem Kreise der Hochschulwissenschaft, aber, obwohl umfangreich und anspruchsvoll, einen tieferen Widerhall fand als jene Bücher der amtlich Beglaubigten. 1901 legte Fritz Mauthner in drei starken Bänden seine „Beiträge zu einer Kritik der Sprache“ vor.

Der Verfasser war längst kein unbeschriebenes Blatt. Er hatte schon 1878, damals fast dreißigjährig, einen Band „Nach berühmten Mustern“, Gedichtparodien, erscheinen lassen, die sich, wie Zeitgenossen beobachteten, „mit Windeseile“ verbreiteten und durch ihre geistvollen Zerrspiegeleien dazu beitrugen, die alten Wertungen, etwa das Urteil über Auerbach oder Scheffel, fragwürdig zu machen. Die Wirkung des Buches aber ging tiefer: es weckte, weil es Lust machte, Grenzen und ihre Fragwürdigkeiten zu entdecken, das Vergnügen an der Parodie, die sich in der Münchener „Jugend“, in Wolzogens „Überbrettl“, gar in einem eigenen Parodientheater, das sich um die Jahrhundertwende in Berlin auftat, ausbreitete und vertiefte. Damit war eine Bastion der Kritik errichtet, die das Sprachgewissen oft geistreich und immer unpedantisch erregte. Als freilich Hans v. Gumppenberg, von Mauthner freundlich bestärkt, 1905 auch die Lieblinge der Münchener (Lingg, Heyse, Greif) von seinem „Teutschen Dichterroß, in allen Gangarten vorgeritten“, herab anfrotzelte, hörte die Gemütlichkeit und mit ihr die hohe Zeit unserer modernen Parodie einstweilen auf; Robert Neumann, der 1927/8 etwas nachgeblüht hatte („Mit fremden Federn“; „Unter falscher Flagge“), hatte seinen großen Erfolg erst nach dem Zweiten Weltkrieg, als die Entwicklung wieder ein paar Schritte voran getan hatte (1955, 1962 „Die Parodien“).

Mauthner hatte dann Romane geschrieben, die ihren Verfasser nicht in die ersten Reihen der deutschen Schriftsteller stellten. Sein „Neuer Ahasver“ (1881) malte Berlins Farben so genau, daß man ihn einen Wegbereiter des Naturalismus nennen könnte; jedenfalls war er kein unwillkommener Helfer, als man daran ging, die „Freie Bühne“ zu gründen. Für sie übersetzte er dann auch einfühlsam die „Henriette Maréchal“ der Brüder Goncourt. Eine Zeitschrift „Deutschland“, in der er Wildenbruch das Wort gab, seine „Haubenlerche“ zu verteidigen (1890), wurde auch kein Erfolg. Dann verstummte er ein Jahrzehnt und schrieb seine Sprachkritik. In ihr versuchte er der Sprache in einem Augenblick ihrer Entwicklung, der sich vor Selbstgefallen und Zukunftsgläubigkeit überschlug, das Visier zu öffnen. Was dabei zutage trat, unterschied sich von allem, was man bislang vermutet hatte.

Sprache, so erklärte Mauthner nämlich, sei als abgezogener Begriff eine Einbildung; man könne bestenfalls von einem „Strombett“ reden (I 7), in dem die vielen untereinander sehr verschiedenen Individualsprachen nebeneinanderschwömmen. „Es gibt nicht zwei Menschen, die die gleiche Sprache reden“ (I 18); wenn man von einer Sprachgemeinschaft, der Muttersprache etwa, spreche, sei das nicht minder abwegig, als einen gemeinsamen Horizont anzunehmen, wo doch der Standpunkt jedes einzelnen die Verschiedenheit aller Horizonte bedinge (I 19). Sprache sei also ein sehr unvollkommenes Mittel sowohl zum Denken (das erscheint ihm wie „eine Mythologie", I 11) wie auch nur zum Mitteilen: da ist sie „eine schlechte Fabrikarbeit, zusammengestoppelt von Milliarden Tagelöhnern", I 26 f. Vielmehr sei sie ein Archiv von Erinnerungen (nicht Photographien, „weil das Gehirn des Menschen keine ehrliche Camera obscura ist", I 48), dessen Vorräte durch die Möglichkeit des Bedeutungswandels nutzbar bleiben (I 212).

Daraus folgt zunächst, daß „alles Elend der Einsamkeit nur von der menschlichen Sprache kommt" (I 39, 49 ff.); „durch die Sprache haben es sich die Menschen unmöglich gemacht, einander kennenzulernen" (I 56). Daraus ergibt sich weiter, daß sich „Sprache" und „Sprachgebrauch" dekken (I 24), nicht minder wie „Sprache" und „Denken" im Grunde synonym sind (I 67); schließlich meinen beide Vokabeln nichts anderes als „handeln" (I 517). Die Wörter täuschen, alt und vielbefrachtet, Dinge vor, die falsch sind, sie sind „eingesalzene Heringe, konservierte alte Ware" (I 176); sie strahlen den „falschen Metallglanz der Fäulnis" aus. „Die Kultursprachen sind heruntergekommen wie Knochen von Märtyrern, aus denen man Würfel verfertigt hat zum Spielen" (I 230). Daher mahnen sie ans Ende der Dinge; „wer *modern* ist, sehnt sich nach dem Ende, und wer *modern* scheinen will, spricht vom Ende". – Und schließlich folgt aus Mauthners Grundgedanken, daß ein Vergnügen an der Sprache nur dort liegen kann, wo sie die Sinne durch ihre Wörter reizt; die „große Lehrmeisterin zum Laster" (I 86) kann auch, in ihrer Metaphorik, ihrer eigentlichen Lebensquelle etwa (I 158) oder in ihrem Kampf gegen die Synonymik (I 62 f.), Freude bringen. Wer das nutzt, steigert sie zur *Wortkunst* (I 97); so und nicht durch das „unsäglich geschmacklose" Wort „Dichtkunst" solle man „Poesie" eindeutschen. Natürlich kann das sich nicht in einer Pflege der „schönen Sprache" erschöpfen; „schöne Sprache" ist „nur eine Folge von wohlfeilen Gedanken, die durch Anlehnung an die philosophische Tagesmode den Wert der höchsten Gedanken zu haben scheinen" (I 135). Vielmehr „kann der Dichter nie etwas anderes tun als von der Alltagssprache ausgehen" (I 107), wenn er auch nie, wie die Naturalisten, vergessen darf, daß seine Kunst eben eine Wortkunst ist. Daß man so lange verkehrte Wege suchte, hat Schiller, der „Un-Dichter" (I 106), mitverschuldet; aber auch die humanistische Grundrichtung unserer Schriftsteller, die „veraltete erstarrende Formen ihrer Sprache für Muster halten" (II 161), hat übel gewirkt. Das Verdienst der Naturalisten ist es jedenfalls, daß sie „bewußt und rücksichtslos für die heutige Sprache das Recht verlangt" haben, „als Schriftsprache gebraucht zu werden".

Es geht hier nicht um Bestätigung oder Widerlegung seiner Gedankengänge. Daß Nietzsche der Vater seines Kulturpessimismusses war, gab er einsichtig zu (z. B. I 366); daß er von seinem Meister Willen und Kraft zum

Handeln nicht übernommen hatte, blieb ihm verborgen. Er stellte eine Sturmflut fest, aber er baute keine Dämme gegen sie, wollte auch keine bauen. Er war Langbehns Gegenspieler; was jener den Zeitgenossen gläubig vorhielt, zerfiel vor seiner Hand, ehe sie es noch berührt hatte. Er sah, daß die Beziehung der Menschen untereinander auf einer Täuschung (eben „der" Sprache) beruhe; er konnte diese Täuschung nicht „hold" nennen, er fand sie, angesichts etwa des „Schwatzvergnügens" der Zeitungen, die „im Reden des Eingeübten, des Selbstverständlichen" ihren Reiz suchten (I 148 ff.), abscheulich. Sprache sei, so lehrte er denn, eine leider unabdingbare Notwendigkeit; man müsse gute Miene zum bösen Spiel machen und – z. B. in der „Wortkunst" – der Sprache das Beste abgewinnen. D a s nahmen ihm die Zeitgenossen ab; d a s kam ihnen entgegen. Und von h i e r aus speisten sich die Kräfte, über die Kritik hinaus in den Sprachstoff zu langen.

Die Fachwissenschaft nahm von Mauthner keine Kenntnis. Natürlich lagen seine Gedanken außerhalb ihrer Linien; auch sein schillernder, auf die Spitze zudrängender Stil machte ihn verdächtig. Mit Formulierungen wie „Sprache eine Spielregel" (I 24) oder „Die Worte (Mauthner verwechselt folgerecht „Worte" und „Wörter") sind bloße Götter" (I 162) ließ sich nichts ernsthaft erörtern. Mauthner vermerkte dies „Totschweigesystem" bitter (Vorwort zum III. Band, 2. Aufl.). Er konnte sich auch auf ein paar gute und nützliche Beobachtungen berufen, etwa seine kurze Geschichte des Wortes *Röntgenstrahlen,* von der man manches hätte lernen können (I 209 ff.), oder seine Bemerkungen über die Rolle des Zufalls bei der Wortbildung und in der Wortgeschichte (II 177 ff.); er behauptete auch, den Begriff der *Lehnübersetzung* gefunden zu haben (III^2, Vorwort). Aber freilich hatte er nicht nur die Sprache an sich, sondern auch die Möglichkeit einer Schriftsprache (II 166), die Sprachrichtigkeit (II 155) oder Bühnensprache (II 156), die Existenz einer Ursprache (II 234: „Das Märchen von den mondgefallenen Wurzeln") und den Wert der als „Trompetenlehre" verdächtigten Phonetik (II 274) geleugnet; kurz, er hatte alle, auf deren Beifall er gehofft hatte, gekränkt. Aber daß er den Olymp angekräht hatte, sicherte ihm auch wieder das Wohlwollen anderer, die zweifelnd hinaufsahen. Ihnen bestärkte er, sofern er es ihnen nicht wachrief, das Mißtrauen gegen die Sprache, das auch das Echtheitsbestreben der Naturalisten nicht bezwungen hatte.

Die Abwendung vom alten, gläubig nachzuahmenden „Dichterstil" vollzogen auch die Dichter selbst. Man begann in der Mauthnerzeit, um mit einer Randerscheinung einzuleiten, das Spiel mit S c h ü t t e l r e i m e n. Es lockte, der Sprache – zunächst mit Hilfe des Reims – Aussagen abzuverlangen, die sie gutwillig nicht hergeben wollte; man nutzte sie wie einen Würfelbecher, der in jedem Fall Überraschungen bescherte. Man stand nicht mehr gläubig vor ihr; sie war zum Kobold geworden, den man reizen konnte und wollte. „Schütteln" wurde eine Art Modekrankheit, die Schüler und Studenten, aber auch Dichter (H. Seidel), Verleger (Anton Kippenberg, Adolf Spemann), Komponisten (Pfitzner), Pianisten (Arthur Schnabel) und Universitätsprofessoren (G. W. Pinder) befiel; besonders gelungene Reime gingen rund, wurden belächelt und vergaßen womöglich unterwegs, wer sie verfaßt hatte. Da gab es Verse für Feinschmecker:

„Noch gestern war der Fritz so schön.
Doch heute ist er schizophren" (von Pinder)

und andere, die sich volkstümlicher gaben:

„Jetzt geh ich in den Birkenwald,
denn meine Pillen wirken bald" (von Pfitzner);

besondere Schüttelmeister machten ganze Gedichte aus dem Knobelbecher:

„Andern pflanzt der Gute Reben,
ihm wird man die Rute geben.
Mag er sich an Klarheit weiden,
alles nur in Wahrheit kleiden,
mag er alle Finten hassen,
man wird ihn von hinten fassen.
Ob er auch in Reinheit mache,
an ihm nimmt Gemeinheit Rache.
Wenn er strahlt im Edelschein,
schlägt man ihm den Schädel ein"

besang Heinrich Seidel den Idealisten. Die Sprache hielt, wie unter einer leichten Schneedecke, Überraschungen bereit, die auf unvermutete Art blitzten; es galt nur die dünne Decke zu durchstoßen. Da weste Nietzsches „geheimer Geist" der Sprache wie Mauthners Überzeugung, daß „alles Denken" „ein Spiel von Assoziationen" sei (II 532), und man konnte sich nun auch bald vom Reim frei machen und die Sprache selbst schütteln. Hier setzte z. B. M o r g e n s t e r n s „Spiel mit der Sprache", setzte auch der breite, tiefgehende und langanhaltende Erfolg ein, den seine Galgenlieder (1905) hatten. Zuerst war da ein Kreis Gleichgestimmter, der um die Jahrhundertwende am Potsdamer Galgenberg schlendernd Gedanken besprach, die Mauthners oder den seinen gleichliefen; dann begann man die Worte umzuworten, um die Abwegigkeit ihrer Hüllen darzutun –

„magst es Kinder-Rache nennen
an des Daseins tiefem Ernst" –,

und dabei entdeckte man verborgenen Tiefsinn, etwa daß man das Wort „Philister" sehr verschieden deuten könne (= viel ißt er, viel liest er, wie liest er!), daß man „Werwolf" zwiefach zu beugen vermöchte (Weswolfs, Wemwolf usw.) und daß, wenn es eine Weste gäbe, man auch eine Oste (auf dem Rücken zu tragen!) fordern müsse. Man belustigte sich, die dichtenden Zeitgenossen zu parodieren, George, Dauthendey, Holz, Mombert; man erfand schließlich neue Wörter und Begriffe nicht nur (*gaustern, Golz,* den *kate-*

gorischen Komparativ), sondern auch, scheinbare und ironische Anregungen zu neuen Mythen, neue Wesen (das *Nasobehm,* den *Gingganz*); man suchte nach einem neuen Vokal. Man war „Narr an der Sprache Hof"; aber man war auch fest davon überzeugt, daß Sprachgläubigkeit spießig war. Mißtrauen gegen die überlieferte Sprachform wurde zum Kennzeichen unbürgerlicher Gesinnung. Im Wortwitz der Umgangssprache, der – etwa seit der Jahrhundertwende – das Warenzeichen *ff* als Abkürzung für „Viel Vergnügen" benutzte, das Klavier zum *Klafünf* steigerte, die Damen als *Dämlichkeiten* verdächtigte, die Zukunft zur *Kuhzunft* „verquatschte", „sich orientieren" mit *bemorgenländern* eindeutschte, die Aufschneiderei durch den *Aufschnitt* ersetzte und die robuste (Berliner) Feststellung „Klar!" zum *Klärchen!* verniedlichte, wetterleuchteten diese Narrenstreiche der Sprache meist von Berlin aus wider.

Das hatte Folgen. Nicht nur literarisch, daß z. B. auf Morgenstern Joachim Ringelnatz folgte, G. Böttichers schrulliger Sohn, der zur Briefmarke den männlichen *Briefmark* und zum Ziegenbock die Steigerung *ziegenböcker* erfand, der *Genick* auf *Mechanik, Migräne* auf *Hyäne* und *Kutscher* auf *Dobrudscha* reimte und auch untrennbare Zusammensetzungen munter trennte (*Achte ver* die Beschwerden! *Faltet* die Fahnen *ent!),* der schließlich die Welt schalkhaft neu durchmythisierte, indem er die Wörter wie Bauklötzchen mischte:

„. . . Drüben am Walde
kängt ein Guruh –
Warte nur, balde
kängurst auch du!"

Aber schon 1899 hatte Paul Scheerbart Goethe sein „Indianerlied" zum 150. Geburtstag zugesungen:

„Murx den Europäer!
Murx ihn!
Murx ihn! Murx ihn!
Murx ihn ab!"

Es berührt unsere Zusammenhänge nur am Rande, daß auf der Linie, die hier begann, nach anderthalb Jahrzehnten der Dadaismus (französ. *dada* = Pferdchen) aufbrach. Angewidert von der „Banalität", die „aller Bürger Zier" ist (Schwitters, 1919), übernahm er von den Mitarbeitern der Münchener „Jugend", die, was sie in seinem Gefühlsüberschwang für unaussprechbar hielten, gern durch Klangwörter *(klingklarei-klingklangglori-busch-tidlidei)* versinnbildlichten, eine Ausweichmöglichkeit, die er nun in ganzen Gedichtausbrüchen nutzte (*schalaben-schalabei-schalamezonai:* Huelsenbeck). „Man verzichte", lehrte ihr Meister Hugo Ball, „mit dieser Art Klanggedichte in Bausch und Bogen auf die durch den Journalismus verdorbene und unmöglich gewordene Sprache. Man ziehe sich in die innere Alchimie des Wortes zurück, man gebe auch das Wort noch preis...!" Dabei wurde man sicher auch durch Beobachtungen der Kindersprache angeregt, wie sie seit Steinthal und nun besonders durch die Untersuchungen von William Stern Gesprächsstoff auch außerhalb der Fachkreise geworden waren. Ellen Keys Wort vom *Jahrhundert des Kindes* (Barnets århundrade, 1900, deutsch 1902) war schnell umgelaufen, und schon hatten Richard und Paula Dehmel Verse in der Lallsprache der Kleinsten veröffentlicht (1900). Von hier spannen sich Fäden bis zum Surrealismus hinüber. Aber wichtiger noch als diese Erscheinungen, für unsern Gedankengang wichtiger, war der Wurzelboden, auf dem sie wuchsen: die Bewältigung der naturalistischen Entdeckung nämlich, „echte" Sprache sei schon durch eine genaue Wiedergabe alltäglicher Sprachformen gewährleistet. „Echte" Sprache: sie suchte man; man lehnte mit den Naturalisten auch das, was bislang als Muster der „Echtheit" angepriesen worden war, ab. Die Verketzerung Schillers nahm ihren Fortgang. Aber die Sprache so, wie sie nun einmal war, hinzunehmen, das verbot sie selbst mit dem Wirbel ihrer Entwicklung.

Was war das, „echte" Sprache? Nicht nur die „großen Worte" der Vergangenheit, auch die kleinen der zeitgenössischen Dichter erwiesen sich als schal und unzulänglich. Christian Morgenstern schrieb ein Gedicht über das „Wörtlein" *herzlich:*

„... Wertlos ward ich ganz und gar,
rief's, ein Spiel der Spiele,
Modewort mit Haut und Haar,
Kaviar für zu viele ..."

Da ließ sich zwar (nach Mauthner, II 155) nicht vom „falschen Sprachgebrauch" reden (das hatten die Naturalisten auch gedacht), aber auch nicht von einer „richtigen" Sprache: „Wer spricht richtig? Niemand oder jeder!" (II 165). Man mißtraute dem Einfluß des Menschen, gar des „Dichters"; man hatte ihm zu genau auf die Finger gesehen. Wie man die Maschine plötzlich über sich sah, nicht mehr das Geschöpf, das dem Druck der lebendigen Hand gehorchte, sondern ein Wesen für sich, vollkommen in der Gliederung seiner Teile, vorbildlich im Vollzug seiner Aufgaben, mustergültig, so sah man nun auch die Sprache als Organismus, der seinen eigenen Gesetzen folgte. Auch daher geriet das Wort „Dichter" in Mißkredit; man bezweifelte, vermutlich doch zunächst auch unter dem irrigen Eindruck, „dichten" sei etwas Ähnliches wie „dichtmachen", die Möglichkeit, der Sprache etwas abzuverlangen, was sie nicht freiwillig geben wollte. Es blieb also nur das Spiel mit ihr (dann kam man zur Parodie, zum Schütteln, zum Dadaismus, endlich zum Surrealismus) oder der Versuch, sich ihr so ganz hinzugeben, daß sie, ohne den Widerstand eines menschlichen Willens überwinden zu müssen, sich gleichsam selbst aussagte. So wuchs, Zwillingsbruder der Sprachspieler, der *Impressionismus,* nicht weniger passiv, nicht minder zweifelsüchtig, aber auch ebenso unnaturalistisch und, aus der gleichen Müdigkeit, nur starken Reizen geöffnet.

Er wurde der einstweilen letzte im literarischen Bereich entstandene Sprachstil, der die Umgangssprache nennenswert beeinflußte. Der Naturalismus hatte Fachwörter, besonders aus der Technik, auch Fremd- und Mundartwörter zur Dichtung zugelassen; nun konnte man, da man jedem Eindruck den gemäßen Ausdruck suchte, den wachsenden Reichtum des zeitgenössischen Wortschatzes nutzen. Da man die Dinge selbst sprechen lassen wollte, neigte man zur Betonung des Hauptworts; auch die Abneigung vor dem Zeitwort, die z. B. dazu führte, nach Nietzsches Vorbild Zeitwörter durch *Substantivierung* ihrer Nennformen zu Hauptwörtern zu machen, spiegelte den Verzicht auf die eigne Handlung. Aber beides stimmte auch zu den Sprachbildern der Zeit, wie sie von den Behörden, von der Wirtschaft geprägt und verbreitet wurden. Der Impressionismus wuchs aus den Sprachgründen seiner Tage, aber er stärkte und mehrte sie auch. Das zeigte sich am nachhaltigsten in der Pflege, die er dem seit dem Ende der Schillerbegeisterung verdächtigen *Beiwort* zuwandte, durch die er seinem Gefühl ein Ventil baute, aber auch die Dürftigkeit der Zeit mit jenem Luxus verkleidete, der ihm das Leben erträglich machte. Zudem konnte er, gelehriger Schüler der Psychologie, mit seiner Hilfe malen, zergliedern und auffasern; dabei merkte er kaum, daß ihm das Beiwort die Brücke zu einem neuen Pathos, dem der Übergenauigkeit und strotzenden Fülle, baute. Daß ein Reiter die Hütten an seinem Weg „fremd“ nennt, ist im Grunde banal; wer es anders auffassen wollte, mußte hinter dem Beiwort das verborgene Hauptwort suchen (Hütten der Fremde), und erst dann fühlte er die Einsamkeit des Reiters. Und diese „fremden Hütten“ „hocken durstig“ – wieso? Weil der „versumpfte Brunnen“, an dem sie liegen, keinen Anspruch mehr erfüllen kann; „durstig“ steigert also die Traurigkeit der Fremde um den Grad der Nutzlosigkeit. Wer Rilkes „Cornet“ (1899) so langsam las, ahnte, was der Dichter eigentlich sagen wollte. Seine Beiwörter waren Gebärden des Verzichtes auf die genaue Aussage. Aber die meisten griffen natürlich beim Lesen nicht zu; sie ließen sich vom Wogen der Beiwörter wiegen. Vor solchen Sätzen beglaubigte sich die neue Bezeichnung „Wortkunst“. Als sich der „Cornet“, der später (1912) den großen Erfolg der Inselbücherei begründen half, in den deutschen Leserherzen für viele Jahrzehnte angesamt hatte, kam die Welle des „Stundenbuchs“ mit dem tiefen Rauschen ihrer Beiwörter (1906) und vollendete, was Liliencrons Verse begonnen hatten. Dichten hielt man, nach dem bezeichnenden Titel einer Lyrikanthologie von 1908, für „Schmücken“. In Dauthendeys singenden Strophen, aber auch in Schnitzlers gesprächsfreudigen Bühnenspielen erreichte das *epithète rare* seine deutsche Spitze. Aber keiner der Jüngeren hatte damals einen so breiten Zugang zur Leserschaft, d. h. zur Umgangssprache wie Rilke; nur Hofmannsthals frühe Dramen konnten sich, wenn auch mit gehörigem Abstand, etwa mit seiner Beliebtheit messen. „Cornet" und „Stundenbuch" neben Hofmannsthals „Tod des Tizian" und „Tor und Tod" lebten nicht nur bei den Literatenkreisen des fin de siècle, in der l'art pour l'art-Gruppe, sie wurden gerade auch von den Jugendbewegten aufgenommen und weitergetragen. In diesem Betracht führte, wenn man etwa den Wiederaufstieg des Beiworts *rein* beobachtet, eine grade Linie von Rilke zu Flex. Aber auch andere Beiwörter machten sich, und ohne Hilfe der Jugendbewegung, heimisch, z. B. *selten,* das den Impressionisten so viel bedeutete wie „modern" den Naturalisten und das dann in den Spalten der Tagespresse, unter den Händen der Kritiker zuerst, später in den Fängen der Kundenwerbung die Verzerrung erlebte, die wir heute mitansehen (ein *seltener Genuß* = ein erlesener, besonderer Genuß). Übrigens setzte Rilke auch ein paar Hauptwörter in Gunst, die *Gebärde,* z. B. und, weit wichtiger, auch den *Raum,* den Künstler und Kunstwissenschafter nach dem Ersten Weltkrieg wie ein Eigenwesen behandelten, wenn sie von *Raumempfinden* und *Raumerlebnis* zu reden begannen, und der dann durch Hans Grimms verbreiteten Roman („Volk ohne Raum", 1926) ins politische Gerede kam und für Zusammensetzungen wie *Lebensraum, Wirtschaftsraum* und *Großraum* aufzukommen hatte, um schließlich bei den *Raumpflegerinnen* unrühmlich zu enden. Diese Entwicklung hatte Rilke sicher nicht gewünscht. Indessen gehen die Wörter ihren eigenen Weg, sobald wir sie aus ihren Geburtskreisen entließen: fehlt der Deich des Vorbilds, wogt die Welle überall.

An dieser Stelle wurde der Abstand deutlich, der Georges Sprachwirkung von der Rilkes schied. Der Ansatzpunkt war nicht so verschieden; des gewohnten Ungenügens überdrüssig, erpicht, im letzten Versuch ein kaum noch geglaubtes Heil zu suchen, mehr getrieben dabei als treibend und daher mit äußerster Anspannung um sich herum und in sich hinein lauschend, daß nur kein Ton verloren werde – ein Wortkünstler auch er, der mit Mallarmé an eine *poésie pure,* mit Baudelaire und den Seinen an ihre Eigengesetzlichkeit glaubte und wie sie mit einer Art von Entschiedenheit, wenn sich schon nicht von Begeisterung bei ihnen reden ließ, Cousins altes Wort von der sich selbst genügenden Kunst (l'art pour l'art) verkündete und bemüht war, der Redensart vom fin de siècle eine Tiefe zu geben, die der Lustspieltitel von 1888 kaum hergeben konnte. Aber Rilke war folgerichtiger; indem George den *Bund* zur Voraussetzung des Erfolges, die Gefolgschaft dem Leser zur Bedingung setzte, entfaltete er im Sprachlich-Literarischen eine Aktivität, die zur Müdigkeit seines Gebarens kein Verhältnis hatte und verkrampfte. Er verlangte Anstrengungen gerade auch dort, wo sich die Zeitgenossen nicht mehr anzustrengen gedachten. Er erschwerte seinen Lesern z. B. das Druckbild durch die Wahl ungewohnter Lettern und die Anwendung einer fremdartigen Rechtschreibung und Zeichensetzung. Er prägte erlesene Wörter, beeinflußt von Wortbildungsweisen, die neuerdings von der Technik wieder aufgenommen worden waren *(Sende, Richte, Blühe, Welke, Lähme)*; er entnahm andere dem abgelebten Sprachgut *(mählich, falb, Kunft)*; alle waren zu entlegen, um zu überzeugen. Er w o l l t e unzeitgemäße Wörter wählen, unzeitgemäße Sätze bilden, auf unzeitgemäße Art die Vokale gegen die Mitlaute spielen lassen; er wollte der Sprache eine Schönheit abgewinnen, die in ihr wie in einem Brunnen ruhte. Manche Zirkel der Jugendbewegung verehrten auch ihn, und wer sich zum *Bund* bekannte, ahnte, daß hinter dem Wort Georges steiles Profil stand. Aber die „Blätter für die Kunst“ (1892 bis 1919) blieben doch den Wenigen, Erlesenen vorbehalten, und so stand ihr Ruf zum Einfachen den meisten unbegreiflich in der Luft der Jahre. Die Umgangssprache erreichte er nicht; was über die Bücher seiner Schüler (Gundolf, Borchardt, Bertram) breitere Kreise erfaßte, war ein unklares Bewußtsein dessen, daß, wer Geschichte darstelle, verpflichtet sei, entlegene Wörter zu wählen, die Hilfszeitwörter nach Möglichkeit zu meiden, die Satzaussage tunlichst auszulassen, die Fülle der Bilder mehr als ihren Sinn und das Präsens über alle andern Zeiten wuchern zu lassen: so entstand der „moderne“ Stil einer zwar nicht wissenschaftlichen, aber unterhaltsamen Geschichtsschreibung (E. Ludwig), die zur Reportage unserer Tage (J. Thorwald) hinüberleitete.

Dennoch war der Impressionismus für lange die letzte dichterische Sprachform, die über sich selbst hinauswirkte. Der Naturalismus hatte eine Schranke aufgehoben, hatte die Fragwürdigkeit einer nur im Dichtergarten blühenden Sprachschönheit erwiesen und an ihrer Stelle Sprachechtheit empfohlen: er hatte einen ästhetischen Wert gegen einen moralischen ausgetauscht, aber nicht gemerkt, daß damit keinem gedient war.

> „Mir schlägt nicht das Wort den Takt
> zum Reigen selbstischer Gedanken;
> ein Löwe, hat es seine Pranken
> tief in mein Herzfleisch eingehackt –“

in der Hilflosigkeit solcher Reime wurde bald offenbar, daß Sprache für diese Männer keinen Selbstzweck hatte; aber sie waren sich auch unklar darüber, was sie nun eigentlich vermittelte. Erkenntnisse wie aus Bleibtreus Versen

> „Realismus und Romantik – Worte sind nur, Worte sie,
> doch ihr Sinn schmilzt ineinander in der neuen Poesie“

überzeugten niemanden, und auch die Klangwitzchen von Arno Holz halfen da nicht weiter:

> „Wir hatten das Tuten endlich satt
> und wollten endlich Taten!“

Zwischen der Lautstärke ihrer Äußerungen und dem Unvermögen vieler ihrer Wortführer wuchs der Mißerfolg. Aber er baute den Impressionisten die Brücke zur breiteren Wirkung: bei ihnen fand man, was man bei jenen vermißte, den unverkennbar eigenen Stil, der die Zeit bejahte und sie doch bereicherte. Was die Sprache bedrohte, Lärm und Betriebsamkeit, blieb draußen; man lauschte ihrem geheimen Leben und hätte sich gern der Hoffnung getröstet, daß sie noch einmal aus sich selbst heraus blühen könnte. Und siehe da: sie blühte wirklich, blaß zwar, aber lieblich; nicht nur bei Liliencron und Dehmel, Rilke und Hofmannsthal, auch bei den Anspruchsloseren, bei Bierbaum und in den Lautenliedern des Überbrettls, in denen sich Jugendbewegung und die Müdigkeit des Jahrhundertendes die Hand gaben.

Eine Nachblüte, kein Neubeginn. Der Schlußpunkt, den die Naturalisten unter die Maßstabgerechtigkeit der Schriftsprache gesetzt hatten, bestand weiterhin. Er wurde auch von den Impressionisten anerkannt: Sprache ließ sich nicht von außen meistern. Sie waren zudem unentschlossen; sie schwankten zwischen dem Ekel über den zeitgenössischen Befund und einem Entzücken über geheime, nur erahnte Möglichkeiten. Georges wohlbedachtes Vokalspiel hat späterhin Berufene und auch andere von Steiner bis Jünger, von Amann bis Aschenbrenner angeregt, dem Gebärdenwert der Laute nachzudenken; aber den Sprachgebrauch hat es nicht berührt. Über den späten Blumen dieser Wortkunst schattete die Müdigkeit der *Dekadenz,* die sie nicht wie einen Fluch, sondern wie eine Auszeichnung trug. Das Wort hatte Nietzsche in Deutschland eingeführt, und er hatte es auf Richard Wagner gezeichnet: „... Künstler der *décadence* – da steht das Wort. Und damit beginnt mein Ernst. Ich bin ferne davon, harmlos zuzuschauen, wenn dieser *décadent* uns die Gesundheit verdirbt ... Wie verwandt muß Wagner der gesamten europäischen *décadence* sein, daß er von ihr nicht als *décadent* empfunden wird!" Man spürt die Abwehr gegen den französischen Begriff: von hier aus hätte er sich nicht einschmeicheln können. Aber was Nietzsche als Bedrohung empfunden hatte, machte Hermann Bahr den Zeitgenossen reizvoll; erst mit ihm, mit seiner Mitarbeit an Brahms „Freier Bühne" (1890) stieg das Wort in die Programme des Tages, und mit ihm kam – in seinem Roman „Die gute Schule" (1890) – die Pariser Modewörterschau jener Jahre: der *Symbolismus,* den Huysmans aus dem Zola-Lager entwickelt hatte und der in Plowerts „Petit glossair pour servir à l'intelligence des auteurs décadents et symbolists" 1887 ein eigenes Wörterbuch für seine farbfrohen Wortschöpfungen erhalten hatte, das *fin de siècle, impressionistisch.*

Nietzsche und Wagner, und im Vordergrund Hermann Bahr: auch in diesem Bild verbanden sich Gegensätze zu einer gespenstischen Einheitlichkeit. Von Wagner, dessen eher geschickte als tiefe, eher posierende als großartige Gebärden für Deutschland verhängnisvoll werden sollten, ist in unserm Zusammenhang wenig zu sagen. Während Michael Georg Conrad, der Münchener Verkünder naturalistischer Entdeckungen, seine Romane zu Pflanzstätten für seinen Ruhm formte („Majestät", 1900), während der junge Thomas Mann die Musik des Meisters (im „Bajazzo", 1897, den „Buddenbrooks",

1900, dem „Tristan“, 1902) rühmte und im kunstvollen Geflecht seiner Sätze in Sprache umzusetzen suchte, münzte Bahr vor seinem leicht und schnell applaudierenden Publikum die Schlagwörter der Zeit und begründete die Mode der *-ismen,* auch sie Übertragung vom Französischen her (wie denn Bahr in allen Dingen des Anstoßes bedurfte, um sich zu bewegen). Die Endung selbst war seit über hundert Jahren den Deutschen geläufig; *Provinzialismus* hatten schon Lessing und Herder gebraucht; bei andern hatte zunächst die französische Form gegolten (*Somnambulisme,* 1787); auch die Möglichkeit, die bequeme Ableitung an Eigennamen zu erproben, war durch den *Mesmerismus,* den nach Franz Anton Mesmer (1734–1815) benannten animalen Magnetismus, längst bestätigt und verallgemeinert. Die Wissenschaften, besonders die Medizin *(Marasmus)* und die Philosophie *(Individualismus, Monismus, Materialismus)* hatten Begriffe geprägt, die auch außerhalb von Fachkreisen von sich reden machten. Nun kam die allgemeine Welle: zum *Naturalismus, Symbolismus, Impressionismus, Manierismus, Dadaismus,* d. h. zu den literarischen Kennmarken, stellten sich die dem Angelsächsischen entlehnten soziologischen und Strukturbegriffe für Zeiterscheinungen *(Industrialismus, Funktionalismus),* die dem Französischen nachgebildeten Bezeichnungen für politische Richtungen und Überzeugungen: *Militarismus, Sozialismus, Spartakismus; Marxismus; Nationalismus; Banditismus,* danach später (gebildet wie *Mesmerismus*): *Leninismus, Stalinismus, Trotzkismus, Titoismus, Hitlerismus, Fidelismus, Maoismus.* Dabei gelang es der Endung erst lange nach dem Zweiten Weltkrieg, den Geruch des Lasterhaften abzustreifen: wer einem *-ismus* zuneigte, war ihm wie ein Süchtiger verfallen. Sicher war der *Militarismus* eine verwerfliche Neigung, der *Titoismus* für die Stalinisten eine verurteilswerte Verirrung, der *Nazismus* eine bösartige Verfehlung, *Opportunismus* ein Charakterfehler, *Sozialdemokratismus* für Kommunisten eine Todsünde. Nur so konnte es schließlich dahin kommen, daß die Endung zum Wort wurde, zur Bezeichnung einer Gegenstandslosigkeit: ein *Ismus* wurde etwas, was der Mühe nicht lohnte, weil ihm der Kerngehalt fehlte (*er jagt Ismen nach* = er vertut seine Zeit mit Nutzlosigkeiten). Man konnte (darum empfahl sich das Suffix so) mit diesem *-ismus* aus jeder Sache eine Überzeugung herausholen, aus einer Einrichtung (Militär-*Militarismus*), einer Eigenschaft (vegetarisch-*Vegetarismus*), der Bindung an einen Lehrer (Marx-*Marxismus,* Mao-*Maoismus*); man konnte auch den, der sich solchergestalt bekannte, durch die Endung *-ist* in all seiner Verruchtheit brandmarken: *Marxist* war ursprünglich ebenso abschätzig gemeint wie später *Nazist, Faschist* oder *Hitlerist,* und man nahm doch damit dem Suffix seine scheinbare Unparteilichkeit nicht. Denn natürlich war gegen einen *Deisten* so wenig einzuwenden wie gegen einen *Bassisten*! Hinter dem schillernden Gebrauch schwelte die von der Romantik gefundene, sich zwischen Religion und Ideologie verformende *Weltanschauung,* die schon seit der Jahrhundertmitte die Gesinnung, die Lebensauffassung des Sprechers gemeint hatte, nun aber auf den Augenblick bezogen und verwandlungsfähig wurde, eine auswechselbare Denkrichtung, die man heute teilen und morgen ablehnen mochte – und schon zitterte in der *Weltanschauung* die Fragwürdigkeit eines persönlichen *Bekenntnisses,* das sich auf Dinge wandte, die das Pathos so schwerer Begriffe nur mit Mühe ertrugen: man *bekannte* sich zuerst zum Impressionismus, dann zu jeder andern Ansicht wie zu einer lebenslangen Überzeugung. Die Erbitterung, mit der für und gegen die *Ismen* der Tage gestritten wurde, gab den großen Wörtern einen trügerischen Schimmer von Glaubwürdigkeit: *Meister* schlechthin war nun nicht mehr Wagner, sondern der Verkünder oder Präger jedes *Ismus,* um den gerade gekämpft wurde, zu dem man sich „bekannte" und der es als Vermittler der Weltanschauung, die man z. Z. vertrat, auch erwarten durfte, daß man ihm huldigte. So saß der *Meister* im Großstadtcafé an demselben Platz, den der *Führer* am Lagerfeuer der Jungen einnahm. Hermann Bahr, der unserer Sprache auch Wort und Bildungsform *dantesk* zuleitete (danach später, besonders von Literar- und Kunstwissenschaftlern gepflegt, *michelangelesk, kafkesk* u. ä.), und Langbehn, so abgrundtief sie sich vermutlich verachteten, sahen einander ähnlicher, als ihnen lieb gewesen sein mochte.

Der Kampf um die Ismen, der z. B. Eduard Engel zornige Worte über George, Julius Hart heftige Äußerungen über Wedekind und Maximilian Harden ein paar deftige Scheltworte über Gerhart Hauptmann abnötigte, wäre vermutlich weniger leidenschaftlich und aussichtslos geführt worden, hätte Deutschland nicht Jahrzehnte hindurch das Unglück gehabt, von Männern regiert zu werden, die für Dichtung und Sprache keine besonderen Fühler hatten. Wilhelm II., allenfalls durch Wagner einem nordischen Scheinstil verpflichtet, war im übrigen ohne literarische Neigungen; seine Reden bevorzugten starke Ausdrücke und Wendungen, ohne die Gabe zu zeigen, im Bilde zu bleiben und ihm dadurch Kraft und Glaubwürdigkeit zu geben, die allein überzeugt hätten. Hindenburg rühmte sich gern, seit seiner Leutnantszeit kein Buch mehr gelesen zu haben; von dem Generalstäblerstil, der ihm in seinen Ausbildungsjahren nahegebracht worden war, hatte ihm die Tugend der Kürze am meisten eingeleuchtet. Hitler schließlich hatte eine Abneigung gegen alles, was Literatur umfaßte; hastiger raffend als Ludwig II. lieh er von Wagner, besonders aus dessen geliebtem „Tristan", ein paar mythologische Begriffe für die Partien seiner Rede, in denen er dem Hörer transzendente Gefühle andeuten wollte; im übrigen war ihm die „Lustige Witwe" lieber, und es wurde sein Stil mehr von den späten Geschichtsschreibern (Treitschke) und Kulturphilosophen (Chamberlain), besonders aber von Karl May, den er gleich nach der „Machtübernahme" noch einmal von vorn bis hinten las, nicht aber von irgendwelchen Dichtern geprägt. Vermutlich wäre, hätte sich in jenen Jahrzehnten eine führende Hand auf diese oder jene Schale der Waage gesenkt, manches stiller und schneller verlaufen; ja es hätte sich eine Art von Dach bilden können, unter dem sich die auseinanderstrebenden Kräfte einander nähern, vielleicht verbinden konnten. Das war unserer Sprache nicht beschieden.

Ismus, Weltanschauung, Bekenntnis: vor den schweren Wörtern ragten die Namen der Zeit, denen man zujauchzte oder die man, je nachdem, verlachte oder haßte. Der Führermythos, von Langbehn verbreitet, von den Jungen auf Fahrt erprobt, am Feuer zerredet, wurde für Zahllose auch dort, wo statt dieses ein anderes Wort galt, Religionsersatz und Lebensinhalt *(Weltanschauung).* Für die „Dichter" – soweit sie ihm folgen wollten – schuf sich Stefan George, für den Richard M. Meyer schon 1897 in den „Preußischen Jahrbüchern" geworben hatte, zum Mittelpunkt des *Kreises (Bundes)*; Gobineau, durch Schemanns Übersetzung seines „Essai sur l'inégalité des races humaines" (1898/1900) in Deutschland heimisch, siedelte Rassenkunde und Vererbungslehre ins Bewußtsein breiterer Kreise; bald ließen dann Eugen Fischers Bastarduntersuchungen (1913) den Vokabelschatz Mendels neuerstehen und volkstümlich werden *(Rasse, Erbmasse, Vererbung, aufnorden, aufmendeln, Mischling, nordisch;* Fischers *Erblehre* gewann der älteren *Vererbungslehre* den Rang ab, und *Rasse* wurde geradezu Steigerungswort: *Die hat Rasse! Das ist rassig!*). Rudolf Steiner (1861–1925) lenkte die Aufmerksamkeit auf geheime Seelenkräfte, mit denen die Schranken des menschlichen Erkenntnisvermögens ins Grenzenlose ausgeweitet werden konnten *(Anthroposophie* 1913 [das Wort stammt von Troxler, 1780–1866], *Eurhythmie, Bewegung[skunst], Waldorfschule* [nach dem Stifter der Zigarettenfirma Waldorf Astoria; 1919], *Unterbewußtsein, okkult, Astralleib*). Hermann Graf Keyserling (1880–1946) versuchte, indische und chinesische Weisheit mit europäischen Gedanken zu verschmelzen und seine Gefolgschaft durch Erfassung des *Sinns* zur *Selbstverwirklichung* zu führen *(Sinngebung, Aura, Seins-, Verstandeskultur, schöpferisch*[e Erkenntnis], *urtümlich, verkrampft, hochgezüchtet*). Martin Heidegger (1889–1969) mischte manieriert Bibel- und Wagnerstil; damit wollte er nach eigenem Wort eine „Steigerung ins Einfache" erreichen. Er hat aber auch gemeinsam mit andern Philosophen der Zeit dem *sustantivierten Infinitiv* den Einzug in unsere Umgangssprache erleichtert und beschleunigt. Die Bildungsweise selbst ist schon im Neuen Testament zu finden (vgl. Epheserbrief 4, 15: ἀληθεύειν ἐν ἀγάπῃ); vielleicht hat Nietzsche, auch in dieser Einzelheit ein Anreger seiner Nachfahren, von dort den Anstoß bekommen. Jedenfalls wird sie nun von Max Scheler (1874–1928) und Eduard Spranger (1882–1963) weitergeführt und von Heidegger zur Manier gesteigert (das *Offenbarwerden,* das *Sicheinleben,* das *Tätigwerden,* das *Mit-Sein,* das *Hingehaltensein,* das *Zuhandensein,* das *Hervorkommen*), eine Wortformweise, die später Georg Lukács (geb. 1885) übernommen und fortgeführt hat. Heideggers vielbewunderts Beispiel bestätigte Männer wie Hermann Burte (1879–1960) und Erwin Guido Kolbenheyer (1878–1962) in ihren bombastischen Stilfügungen. Überraschend ist an dem allen nicht die Gedankenwelt der einzelnen, sondern die Schnelligkeit, mit der sich die Allgemeinheit die Kernrufe der Zeit im eigentlichen und übertragenen Sinn dienen ließ. Daran hatte die Eindringlichkeit, mit der die Wörter der Meister nachgeredet und vorgebetet wurden, natürlich mit Schuld; sie wog auch die Gewichtigkeit der einzelnen Begriffe aus, deren Häufung bald ein Übergewicht ergab und dann jene Vorsicht in der Wortwahl bestätigte, die auch durch andere Erfahrungen und Enttäuschungen bedingt wurde. Aber diese „neue Sachlichkeit“ folgte erst der Entwicklung, die wir beschreiben.

Indessen war auch damals schon die tiefe Müdigkeit und Ausweglosigkeit nicht zu überhören, mit der sich die Sprache von diesen Bereichen her eintrübte. Die unbekümmerte Weltbejahung, die Technik und Wirtschaft ausströmten, die trotzige Selbstbehauptung, die Sport, Jugendbewegung und Leibespflege predigten, wich hier einem Verzicht auf persönlichen Einsatz, der, gleich, ob er sich in die Erscheinungen vergrübelte oder ob er mit ihnen spielte, jedenfalls dem Tage draußen abgewandt war. Die einen lockten der Sprache ihren geheimen Tiefsinn, ihren abgründigen Humor und ihre verborgene Schönheit ab, die z. B. vorausgesetzt wurden, ohne daß der Sprecher oder Schreiber mehr dazu tun als sie entdecken konnte. Die andern beschworen Goethe, wie z. B. Rudolf Steiner; 1901 setzte auch Rudolf Alexander Schröder mit seinem „Empedokles“ ein, und Österreichs Beitrag zur Goetheverehrung, Stifter, wurde just im gleichen Jahr durch die Reichenberger Ausgabe auch im „Reich“ bekannter. Oder sie riefen E. T. A. Hoffmann und Hölderlin wie Ricarda Huch mit ihrer „Blütezeit der Romantik“, 1899, riefen Richard Wagner wie Thomas Mann, beschworen die Meister der Vergangenheit und setzten ihre Bilder ins Heute, als wenn alles, was inzwischen auch mit der Sprache geschehen war, gegenstandslos sei. Man gründete eine „Deutsche Dichter-Gedächtnis-Stiftung“, um „hervorragenden Dichtern durch Verbreitung ihrer Werke ein Denkmal im Herzen des deutschen Volkes zu setzen“ (1901); man brachte es auch zu hohen Auflagen, packte aber die Aufgabe (auch in der Gleichförmigkeit der äußeren Aufmachung) so langweilig an, daß sie schließlich ein Mißerfolg wurde: Klassikerausgaben wurden der Standardschmuck der bürgerlichen Wohnstuben. Man fühlte sich alt und glaubte an keine Zukunft; das eben war ja die „Weltanschauung“ der Dekadenz. Als Curt Grottewitz 1891 an 74 Dichter und Schriftsteller seine „Enquête über die Zukunft der deutschen Literatur“ richtete, antwortete Bahr zynisch: „Was hat die deutsche Literatur für eine Zukunft? Gar keine!“ Nicht anders dachten, wenn auch schweigend, die andern, und so trieben sie's mit der Sprache: man tastete sie ab, man ließ sie an sich vorübertreiben, oder man suchte nach Ahnenbildern. Im Grunde war man ratlos;

aber man wollte es nicht wahrhaben, noch weniger zeigen; man spannte seine Aufmerksamkeit, um sich keinen Ansatz entgehen zu lassen; auch darin hatte der bunte Reigen der Ismen Hintergrund und Daseinsrecht. Nietzsche hatte Wagner als *une névrose* bezeichnet; tatsächlich wurde die *Neurose* zur Zeitkrankheit. Aber ehe man sich daran gewöhnte, auch diesen Krankheitsnamen wie eine Fahne vor sich herzutragen, bis ihn die *Kreislaufstörung* und die *Managerkrankheit* ablösten, bezeichnete man sich selbst, wo doch die Väter noch ein *faustisches* Drängen verspürt hatten, mit einer Art von Stolz als *nervös,* schrieb „Nervöse Novellen“ (Tovote, 1892) und nannte seine Gedichte „Neurotika“ (Dörmann, 1892), um jenes Mittel zwischen Unlust und Unrast zu kennzeichnen, das man sich als Seinsraum vorbehalten hatte:

„Ich liebe, was niemand erlesen,
was keinem zu lieben gelang,
mein eignes urinnerstes Wesen
und alles, was seltsam und krank“ (Dörmann).

Nervosität: das war ein Zickzacklauf zwischen den Ismen der Tage, die Angst, etwas zu verpassen, aber auch ein Schutz dagegen, beansprucht zu werden, weniger eine Krankheit als eine Lebensform, ein „Bekenntnis“ auch dies, eine nach außen getragene „Weltanschauung“. Man versuchte eine Eindeutschung und fand *Blutarmut;* man ahnte kaum, wie tief man ins Schwarze getroffen hatte. Abwehrkräfte meldeten sich an einer Stelle, an der man sie am wenigsten vermutet hätte. Während die Jungen, die „gesund“ sein wollten, „auf Fahrt“ Lied-, Erzähl-, Trachten- und Sprechformen vergangener Tage neuzubeleben suchten, sammelten sich, die zu lässig waren, um den Versuch eines Aufbaus zu wagen, zu endlosen Gesprächen über die Abscheulichkeit aller Spießer in den Cafés der Großstädte. Die *Bohème,* durch die Schwabinger Nachahmer des Pariser Quartier latin in Deutschland eingeführt, durch Puccinis und Leoncavallos Opern (1896/97) zum Gemeinbegriff gemacht, teilte mit den Nervösen die Angst vor geistiger Trägheit, mit den Jugendbewegten den Zorn auf den Philister; sie ähnelte dem Journalismus in der bedingungslosen Allseitigkeit ihrer Kritik und dem Anspruch, auf allen Gebieten gehört zu werden; aber ihrer unbegrenzten Selbstüberschätzung begegnete ein völliger Verzicht darauf, Verantwortung zu tragen. Man sucht vergebens nach Fäden zur Sprache, und ihre Erwähnung erübrigte sich, wäre nicht gerade in diesen Kreisen eine moralische Erregung aufgebrochen, die in der durchaus unbeteiligten Umgebung allerdings höchst eigenständig anmutete und tief in die Zukunft hineinwirkte. Diese Frauen und Männer wollten die Welt besser haben, als sie sie vorgefunden hatten; sie wollten sie nicht nur leidend oder betrachend erleben; freilich wollten sie selbst auch möglichst nicht verpflichtet werden, etwas anderes gegen die bestehenden Umstände zu unternehmen, als sie anzuprangern. Dies aber taten sie auskömmlich, und so bildeten sie eine Zelle des Widerstandes, die sich Gehör verschaffte. Ihr

Wortführer wurde Frank Wedekind (1864–1918). In seinen Brettlliedern und Bühnenstücken zeigten sie nun auch, was sie der Sprache der Zeit wünschten: da verband sich der zum Bonmot drängende Witz der Sprachparodisten mit dem Pathos des verketzerten Schiller; das Gefühl des Augenblicks schien unwichtiger als die Erfassung des Typischen, das Beiwort trat zurück, das Zeitwort gewann an Anschaulichkeit und Frische; der Monolog wurde wieder zum notwendigen Deuter der Seele; aber jedem Satz diente die Umgangssprache der Zeit als Ausgangspunkt. Hier schienen sich in der Tat die vielen Fäden zu finden, die durch die Tage liefen; hätte man nicht auch dies als Ismus verschrien und abgetan – „in der deutschen Literatur von heute gibt es nichts, was so gemein ist, wie die Kunst Frank Wedekinds", urteilte ausgerechnet der einst so neuerungssüchtige Julius Hart 1901 –, man hätte vermutlich Vergangenheit und Gegenwart fruchtbar versöhnen können.

Die Gelegenheit wurde verpaßt. Was von Wedekinds Sprachleistung, von seiner Wiederentdeckung des Triebhaften auch im Sprachleben fortwirkte, machte sich stöhnend und stammelnd im Expressionismus Luft. Sein Anliegen war zunächst sprachlich bestimmt: ihm genügte die Sprache der Zeit nicht mehr, er wollte hinaus aus der, wie er meinte, im Äußerlichen beharrenden Sprachform der Impressionisten; er wollte die Schau statt der Tatsachen. Er steigerte das Wort zum Schrei, wollte dem Zeitwort seine Macht zurückgeben, bekämpfte das schmückende Beiwort („Kampf der Metapher!" forderte Carl Sternheim). Sein Sprachstreben vereinte alles, was sich der besorgte Beobachter der Sprache hatte anmerken können: Einschränkung des Hauptwortgebrauchs, Beseitigung der Bandwurmwörter, Beschneidung sinnentlehrter Schmuckfloskeln, lebendigen Satzbau. Er übersteigerte; er wollte den Traum durch den Aufschrei in die entgötterte Welt zurückholen. Er machte seine Bekundungen absichtlich zum Ärgernis der Menge; er verlangte, was der von Krieg, Hunger und Erwerbsgier gejagte Leser ihm nicht zugestehen konnte: Zeit und innere Bereitschaft. Er gefiel sich in einem Telegrammstil, der keinen Bezug zu zeitlichen Entsprechungen hatte: er wollte unzeitgemäß sein.

Da erhob sich noch einmal in geballtem Zorn der Abscheu vor der billigen Glätte bürgerlicher Lyrismen:

> „Der Dichter meidet strahlende Akkorde.
> Er stößt durch Tuben, peitscht die Trommel schrill.
> Er reißt das Volk auf mit gehackten Sätzen"

(J. R. Becher, 1916), oder:

> „Anklag ich Euch, Ihr Dichter,
> Verbuhlt in Worte, Worte, Worte!
> – – – –
> So sprecht doch, sprecht!"

(Ernst Toller, 1924). Und unüberhörbar, eindeutig wie nie vorher schrie man aus Haß gegen die alte nach einer neuen Ordnung:

„Durch jede Gurgel müssen wir den Fluch
hindonnern: Alte Ordnung, stirb!"

(Paul Zech, 1919). Seit man sich im Berliner „Neopathetischen Cabaret" gesammelt hatte (1909), brüllte ein neues Pathos auf, gar nicht schillerisch, eher, wenn schon Vergleiche aus der Geschichte geholt werden sollten, dem Sturm und Drang verwandt. „Wir schreien mit dem ganzen Blut in die Ewigkeit" (R. Leonhard, 1920). Aber man sah sich doch auch als Brücke; man suchte eine neue Lyrik, die „zwischen Stahl und der Blume Viola" funkeln sollte (E. Blaß, 1890–1939). Man bezog sich mehr und unerbittlicher auf die Sprache als irgendeine Dichtergeneration der letzten anderthalb Jahrhunderte; man nutzte sie so wenig zur schnellen Bewegung billiger Gefühle wie zur Nachstellung eines Milieus. „Sprache" – das war plötzlich etwas Neues, wenigstens etwas, das man lange nicht mehr so gesehen und gesprochen hatte, etwas Selbstwirkendes, nicht Mittel zum Bekenntnis, sondern Bekenntnis an sich und daher auch berauschendes Glück ohnegleichen. Aber das hatte mit „Umgangssprache" nichts mehr zu tun. Natürlich wuchs abermals die Kluft zwischen Dichter und Publikum, Dichter- und Alltagssprache. Indessen: man sah doch, wo die Sprache der Zeit kümmerte und wo sie fruchtbar wurde. Nur blieb man ohne großen Einfluß auf die Entwicklung der Sprecher auf der Straße. Als Werfel die „Entsubstantivierung der Welt" forderte, war die Gewohnheit, alle Aussage aufs Hauptwort abzustellen, längst zu mächtig geworden, als daß ein um einen Ismus gescharter Kreis sie hätte brechen können; außer ein paar ausbrechenden Zeitwörtern *(aufsteilen)* regte der Expressionismus nur gelegentlich die Bildung neuer Zeitwörter aus Hauptwörtern an, eine Möglichkeit, die in der Technik bereits beliebte Bildungsweisen bestätigte und verbreitete (*dieseln, röntgen, elten – feinden* als Feind betrachten; *schlächtern* = schlachten; *helmen* =einen Helm aufsetzen; *asten,* eigtl. = auf einem [wie einen] Ast tragen, dann = eilen, sich mühen; *flapsen* = sich wie ein Flaps benehmen, *saften* = Saft machen; Beeren werden gesaftet; *tanken* = [am Tank] Flüssigkeit aufnehmen). Auch die Vorliebe für aktivierende Verben mit den Vorsilben *er-, be-, ver-* lauschte man den technischen Fachsprachen ab (vgl. S. 75 f.!); Theodor Däubler, ein Dichter, dem das Wort „aus der vollen Mutterwurzel" dröhnte (1876–1934), meinte, daß man mit Verben wie *beperlen, beglühen, befügen, erjubeln, ergreisen, verzittern, verzüngeln* namenlose Vorgänge „lautbar" machen könne. Man freute sich am Adjektiv und gefiel sich darin, neue zu bilden; August Stramm spricht von der *schmiegen* Nacht und vom *keuchen* Tod (1914). Aber das machte niemand nach. – Ob die Neigung, den Satzbau zu beschränken, den Expressionisten aus der Zeit zufloß, ob sie ihr in der Zeit den Boden mitbereiteten, wird sich schwer entscheiden lassen.

Dann kam, ein Jahrzehnt später, ein neuer Versuch. Wie dem Expressionismus der Impressionismus nicht genügte und dadurch zum Sprungbrett ins Gegenteil wurde, zielte nun die Neue Sachlichkeit auf die Überwindung des Expressionismus. Sie erwartete man – nach einem Wort ihres Programmatikers Utitz (1927) – in einem „Sein, das selbst werterfüllt ist", das nicht das Wunder leugnete und es auch nicht in irgendwelchen Fernen suchte, sondern es in sich selbst erkannte. Malerei und Architektur waren – auch sie im Gegensatz zur Ausdruckskunst – vor Jahren vorangegangen; als die Dichtung folgte, war der Wandel längst offenbar. Denn es handelte sich im Grunde um den literarischen Durchbruch des Mißtrauens gegen die Sprache, das sich im Kriegsende seiner selbst bewußt geworden war (vgl. S. 234): „Großen Worten", beschrieb Carossa im „Gion" (1931) die Bewegung, „haben sie abgeschworen: Herz, Liebe, Gott, Freiheit, Heldentum – das sind Namen, die sie nicht mehr gern aussprechen. Sie glauben, daß dies alles verpuppt in winterlichen Tiefen schläft." Just das war, was der Erste Weltkrieg bei vielen hatte zutage treten lassen; nun, als es schriftkundig wurde, gab die Literatur der Sprache kein Muster her, sondern folgte ihrem Zug von ferne. Tatsächlich sah, was in jenen Jahren als „Neue Sachlichkeit" vorgetragen wurde, mehr nach einem schwächlichen Friedensschluß zwischen der massigen Sprachmacht und der ihr zeitweilig entwachsenen Dichtung aus. Das Schrifttum bequemte sich nach langer Überlegung der Sprache; es hatte sich seines Vorrangs begeben. Wer genauer hinsah, konnte feststellen, daß diese Stilform, die sich selbst als „neu" bezeichnete, in vielen und wichtigen Einzelheiten beim Naturalismus und seinen Folgeerscheinungen die schöpferischen Gedanken suchte, die ihr selbst mangelten: *inhaltlich* die Bevorzugung von Tatsachenschilderungen gegenüber der Darstellung von Ideen, in der *Form* die Reportagedarstellung von Zeitung und Film, die sich den Roman eroberte, und das versachlichte Bänkellied aus der Überbrettlzeit, das sich von Ringelnatz bis zu Kästner und Brecht zu einer mit Kaltschnäuzigkeit getarnten Alltagslyrik ausformte, deren wesentlicher Reiz in ihrem steten Bemühen um ein echtes Gleichmaß zwischen Weisheit und Banalität bestand. Hier war in mancher Hinsicht erreicht, was die Jüngstdeutschen von 1889 gewollt hatten: die Dichtung war in die Gefolgschaft der Sprache getreten; sie mühte sich ihr zu entsprechen, statt ihr den ferneren Weg anzuweisen. Ein einziger versuchte, während die andern Gegner der „Neuen Sachlichkeit" auf der Goethestraße beharrten, die alte Ordnung der neuen Zeit zu schmeidigen: Ernst Jünger ging wie ein Chemiker der Sprache daran, die beiden großen Gestaltungskräfte des vergangenen Jahrhunderts miteinander zu verbinden, um durch ihren großen Zusammenklang das schlimme Rankenwerk gesetzlosen Eigenwuchses zu bannen. Aber die glasklare und glasharte Sprache, die er sich, wandernd zwischen Goethischer Harmonie und naturwissenschaftlicher Eindeutigkeit, abzwang, konnte nur den Kenner bezwingen; zur

Wirkung in die Breite war sie für diese symbolunkundige Zeit zu sehr darauf angelegt, das Sinnbild dem Mittelpunkt des Lebens neu zu verbinden. So wurde ihr die Tiefe zur Gefahr, und da sie nicht verstand, dem Schreiber Vertrauen zu begründen (denn warum ging er, der wie ein Lehrer der Zeit und Seher des Zukünftigen auftrat, mit dem kleinen Kreis der Eingeweihten allein in den abseitigen Bezirk der Rettung?), erstickte Verdacht gegen den Kerngehalt seiner Verantwortlichkeit vielen die Bereitschaft, ihm auch nur nachzudenken. Auch er blieb am „Kreis“ haften.

Indessen war der Expressionismus nur scheinbar abgetreten. Bei seinem ersten Durchgang durch Deutschland waren nur die „Intellektuellen“ an seinem Wege stehen geblieben. Aber, mag man die lange Unterbrechung nun als Unglück oder Glück werten, seine wirkliche Kraft zeigte er erst nach der Zeit der Verdrängung und Unterdrückung durch die Diktatoren. Hatte zu ihrer Zeit der Impressionist Rilke seine Urständ im Lager der Jungen gefeiert, war es nun Gottfried Benn, Expressionist der frühen Stunden, dem sie den Lorbeer boten (seit 1948). In ihm fand der deutsche Expressionismus seinen unerbittlichsten und folgerichtigsten Sprachmeister, Nietzsche den „wahrscheinlich unbedingtesten Verehrer seiner Generation“ (Holthusen). Nach der Kafkabegeisterung, die 1945 den Rilketaumel abgelöst hatte, wogte nun noch einmal für ein Jahrzehnt – und auf breiterer Grundlage als die Anteilname an dem schwierigen Prosaschriftsteller – der Beifall für einen großen Lyriker auf. Sein Einfluß auf unsere Dichtung ist hier nicht darzustellen; er ist, da er die Montage der Wörter angestoßen hat, bedeutend und reicht weit über die Zeit, in der er allgemein bewundert wurde. „Man braucht nur Worte zu montieren, die Bedeutung stellt sich von selbst ein.“ Aus solchen Formulierungen spricht eine nun schon ans Zynische grenzende Verzweiflung über die Nutzlosigkeit aller Sprachbemühungen, die auch den expressionistischen Durch- und Ausbruch zum mißlungenen Experiment zu entwerten scheint. Diesen Weg geht unsere Dichtung konsequent weiter. Hatte man in den expressionistischen Jahren noch seine Freude am grotesken Zusammenprall gegensätzlicher Sprach- und Denkbereiche gehabt (der „schwarze Humor“, von Jakob van Hoddis schon vor dem Ersten Weltkrieg kreiert, stammt aus dem frühesten Expressionismus), hatte man die Metapher mit entlegenen und erlesenen, kühnen und in ihrer scheinbaren Widersprüchlichkeit zum Denken zwingenden Bildern neu beleben wollen, sieht man nun nur noch ein „Metapherngestöber“ (Celan, 1967) und zweifelt, ob „die Metapher noch haftbar sei“ (Rühmkorf, 1962). „Es liegt nun einmal viel gußehernes Spruchwerk im Haus“ (Rühmkorf, 1962); man zeigt es an Variationen zu Hölderlin- und Klopstockoden und Gedichten von Claudius und Eichendorff. Es bleibt „zu singen wenig, aber zu handeln genug“ (Rühmkorf, 1962). Schon der 1952 verstorbene Alexander Xaver Gwerder hatte das Verstummen als Glück gepriesen:

„... o Glück!
Ich kann nicht erzählen, wie es ist.
Mir fehlen endlich die Worte."

Und nun verzichtet man – auch hier möchte man sagen: endlich – auf das überbefrachtete Wort „Dichter" und ersetzt es durch „Autor"; man nennt, was man schrieb, „Texte" oder „Artikulationen" (Titel einer Gedichtsammlung von F. Mon, 1959); man „transportiert Inhalte"; man experimentiert mit Hilfe von Tonbändern und ähnlichen technischen Mitteln. Man dokumentiert, wo man früher erzählte; man will nicht genossen, sondern „konsumiert" werden. Man setzt über das, was man schrieb, Buchtitel, die sachlich wirken, aber untereinander auswechselbar scheinen, und man entwickelt, wo die Dadaisten musikalisch-ästhetische Kunststücke probten, die Expressionisten aus dem Urbrei ihrer Seelen dröhnende Worte schrien, mit wissenschaftlich anmutendem Ernst Sprachkurven, die versuchen, hinter das Bewußtsein der Sprecher zu schlüpfen. Wo man nach dem Urgrund tastet, halten Bauzäune die Neugierigen fern; der Kreis der Verstehenden schrumpft, und die ironisierenden Montagen aneinandergereihter Modeslogans finden nur in der exklusiven Gruppe der Eingeweihten Beifall. „Lange genug waren die Sätze Flüsse mit Kähnen; jetzt sind sie Fäden, ausgespannt zwischen Prinzipien" (Bense). Aber solche Fäden spinnen sich nur durch die Reflexionen der Schreibenden; sie knüpfen manchmal an Gesprochenes an, aber sie finden nicht mehr zu ihm zurück.

Ähnlich die Bühne. Die Zeit zwischen Naturalismus und Expressionismus, zwischen Hauptmann und Wedekind hatte ihr eine Teilnahme geweckt, die sie in den Jahrzehnten ihrer Verteidigung gegen den Film und danach nicht wieder buchen konnte. Der Menge bedeutender oder doch begabter Bühnenschriftsteller entsprach das Bemühen einfallreicher Intendanten und Spielleiter; so löste die Ablösung der Meininger durch Reinhardt eine breite und lange öffentliche Aussprache aus. Dazu machten große Bühnenkünstler in Berlin, Wien, München, Dresden, Hamburg, Düsseldorf, Köln, Zürich, Bremen von sich reden. Es waren die Jahrzehnte, in denen Redensarten der Theatersprache in die Umgangssprache eindrangen: zum längst geläufigen *Lampenfieber* und zur *zweiten Garnitur* (= 2. Besetzung) kamen aus Wien die Zeitwörter *verreißen* (um 1885) und *verpatzen,* aus Berlin *sich* (in eine Rolle) *hineinknien* und (eine Rolle) *schmeißen* (= verpatzen); der *Speisezettel* Lessingschen Angedenkens (Hamburgische Dramaturgie 21) wurde gegen den *Fahrplan* ausgewechselt (= Spielplan); das Lessingwort von der *Kunst,* die *nach Brot* geht (Emilia Galotti I 2), rief noch den *Brötchengeber* auf den Plan; wenn das Publikum *mitging,* war der Schauspieler oder das Stück des Abends *angekommen;* es gab *Vorschußlorbeeren,* man konnte aber auch in der *Versenkung verschwinden* (= nicht mehr spielen). Wenn man eine Rolle *auf der Walze hatte,* konnte man leicht *einspringen*; man durfte dann freilich nicht *schwim-*

men (= bei aussetzendem Gedächtnis extemporieren). Wer, wenn er *eine Pointe servierte,* zu sehr *auf die Tube drückte* (zu stark betonte, auch: *zu stark auflegte* [nämlich Schminke]), *fiel* leicht *ab.* Die Bühnensprache mischte, wie man sieht, Eigenes mit Anregungen, die ihr aus der Zeit, der Technik, dem Sport, der Kunst zukamen; die betonte Überlegenheit, mit der sie der gerade ihr gegenwärtigen Gefahr des Pathos begegnete, sprach, die nicht „vom Bau waren", an, und so war der Verallgemeinerung auch dieser fachsprachlichen Wendungen eine Tür geöffnet.

Als Rilke, Kafka und Benn, jeder auf seine Art, in ihre Zeit eingegangen waren, gewann Bert Brecht (1898–1956) den Ruhm, der bedeutendste deutsche Dichter der Zeit zu sein. Er ist ihm, soweit ich sehe, bisher nicht ernstlich abgestritten worden. Durch ihn und in der Prägung, die er ihr gegeben hat, kann die Bühne nun noch einmal breit auf unsere Sprache einwirken. Da sein „episches Theater" dem Zuschauer Entscheidungen abverlangt, ruft sie ihn auch dazu auf, sich zu äußern. Bislang scheint der Deutsche nur spröde dem Anruf des Dichters zu antworten. Das mag daran liegen, daß sich die Nebel auf dem Schlachtfeld des neuen Theaters, auf dem der Autor hinter der Interpretation durch Regisseur und Schauspieler unsichtbar zu werden droht, noch längst nicht gelichtet sind.

Das sind die Fahnen von morgen. Aber auch die von vorgestern wehen noch, an manchen Stellen so dicht, daß man jene kaum sieht. Die vier absoluten Bestseller unseres Buchmarkts heißen Ganghofer, Courths-Mahler, Karl May und Wilhelm Busch. Mag man geneigt sein, den letzten von ihnen, der eher unsern Zitaten- als unsern Wortschatz bereichert hat, auszunehmen, wird man doch die behutsame Formulierung unserer Meinungsforscher nicht für abwegig halten, daß „fast in jedem einzelnen Falle zwischen dem künstlerischen Rang und dem buchhändlerischen Erfolg erhebliche Divergenzen" bestehen. Karl May, dessen fruchtbarste Zeit zwischen die Jahre 1882 und 1887 fiel – er schrieb in ihnen etwa 3000–4000 Druckseiten, fast so viel wie in seinen restlichen Schaffensjahren –, hat nach dem Erlöschen der Schutzfrist für seine Bücher (1962) eine Renaissance bei Jung und Alt, Arm und Reich, soweit sie Gefallen an ihm finden, gefeiert. Sein Stil verleugnete bis in die Spätwerke hinein nicht die Kolportageform seines Beginns; sein superlativgeschwollenes Pathos vernebelte vielen die Einsicht in die Halbherzigkeit seiner Schwarzweißmalereien. Er beantwortete zwar keine „Menschheitsfragen" oder „Menschheitsrätsel", wie er gern glauben gemacht hätte, aber er weckte doch, indem er „die Erlösung, die Edelmenschlichkeit" als Ziel des allgemeinen „Emporstrebens" auf seine Leinwand malte, in seinen Lesern Sehnsüchte, in deren Traumgefilden sie sich selbst als Helden bewundern konnten. Er stellte keine Ansprüche; dafür schenkte er eine Art von literarischer Selbstbefriedigung, indem er seinen Lesern die Möglichkeit eröffnete, seine Helden zu Masken ihrer Wunschträume zu machen. Ludwig

Ganghofer, der seinen Kurvengipfel seit dem Ersten Weltkrieg fast unverändert hält, hat vor ihm die Wald- und Hochgebirgskulisse der beliebten Sommerfrische voraus; sonst unterscheiden sie sich nur wenig – vielleicht am meisten noch darin, daß er, etwas anders als jener, von seinen Anfängen bis ins Alterswerk seinen primitiven, eingängigen und volksnahen Kurzsatz von zehn bis fünfzehn Wörtern beibehalten hat, der dem Leser seine Syntax so leicht überschaubar macht wie die Handlungen, für die er ihn begeistert. Die Courths-Mahler schließlich, durch die „Gartenlaube" großgeworden und in unsern nahezu 30 000 Leihbüchereien groß geblieben, hat am stärksten von diesen allen den verspießten Butzenscheibenstil des bürgerseligen 19. Jahrhunderts in unsere Zeit getragen. Sie nicht allein; tatsächlich hat sie eine ganze Literaturgefolgschaft auf den Plan gerufen, die ihr auch formal treu nachstreben. Hier, in diesen monatlich beinahe 150 Bänden, mit denen unsere Trivialromanverleger die Leihbüchereien versorgen, wächst die Nachblüte der Redeweise, gegen die der Naturalismus angetreten war und aus deren Beeten unsere Festredner bis heute ihre duftigsten Blumen pflücken. Was früher *Schwarte, Reißer* oder *Tränenheftchen* hieß, wird heute nach genauen Plänen und festliegenden Stilvorschriften am Fließband produziert, fünf Millionen Hefte allwöchentlich, von denen 73 Prozent von unserer breiten Mittelschicht konsumiert werden; mehr als ihre Hälfte sind Frauen. Hier wird nicht nur die Traummoral von Karl May-Behördenbravheit, Tabuwahrung, Aussparung von Vulgaritäten in Handlung und Sprachform und über allem und alles Gerechtigkeit, Gerechtigkeit, mit zarter Hand behütet, hier wird auch, wiederum nach dem Vorbild von May und Ganghofer, die Syntax der kurzen Satzperioden gepflegt, Satzschachtelungen vermieden, die Aussage fast nur auf Hauptsätze beschränkt. Dafür sind Dialoge häufig; sie lockern, was ohnehin leicht gefügt ist, weiter auf und vermitteln die Illusion, man nehme an dem Erzählten teil. Das sind die Bücher und Hefte, in denen man nicht stehenbleibt, sondern *den Schritt verhält,* in denen man nicht geht, sondern *schreitet,* in denen, wer ergrimmt oder zornig ist, *schwer (stoßweise, mühsam) atmet,* in denen *Purpurlippen leuchtend rot* glänzen, Freunde von einst *Jugendgespielen* heißen, *Leichenfarbe* die Wangen des Erschrockenen oder Ängstlichen bedeckt, *Brunnen plätschern,* Champagner *perlt,* Damen *tuscheln,* Knaben *stapfen* und Pärchen *kosen,* in denen, kurz gesagt, die Marlittfloskeln weitergereicht werden, die schon Georg Kaiser in der Sprechweise seiner Karin Bratt („Kolportage", 1923) verhöhnt hat und die man heute hemdsärmelig *Seelenkäse* nennt. Die landläufigen *Krimis* geben sich etwas zeitnäher; das erleichtert es ihnen, fremdsprachige Standardvokabeln *(Girl – Whisky – okay – so long)* einzuschwärzen. Die Typik des Geschehens, das sie schildern, ist noch größer als bei jenen; mit andern Mitteln, aber dem gleichen Erfolg ziehen sie den Leser in ihre Zeilen und machen ihn dadurch für ihre Spracheigenarten anfällig. Diese spiegeln nicht die „harten" Tatsachen wider, von denen sie berichten, sondern bestehen nicht anders als bei den andern Trivialromanen aus abgegiffenen Vergleichen und umgangssprachlichen Plattheiten. Mit andern Worten: auch sie schaffen keine neuen sprachlichen Gebilde, sondern sorgen dafür, daß alte, die nach Ansicht der „Intellektuellen" längst abgestorben, abgefault sind, munter weiter leben und vom Einst ins Heute getragen werden. Ja, man ist versucht, ihren Einfluß für noch bedeutsamer zu halten, da ihnen weitgehend der Geruch des im Grunde Unerlaubten, des Minderwertigen abgeht: solange Minister in Krimis ihre Lieblings- oder doch ihre beste Entspannungslektüre sehen und offenbaren, kann niemand sie geringachten oder -bewerten. Auch da, wo Ganghofer oder Karl May verschämt in der zweiten Bücherreihe stehen, darf man den *Krimi* offen auf den Tisch legen. Er genießt eine höhere soziale Wertschätzung und hat damit auch eine tieferwirkende Sprachfunktion.

Nur am Rande soll, wenn hier der Bedeutung der Leihbüchereien gedacht wurde, auch darauf hingewiesen werden, daß seit dem Zweiten Weltkrieg neue Verkaufsmethoden die Verbreitung besonders des unterhaltenden und des volkstümlich belehrenden Buches fördern. Längst ist das Großkaufhaus auch als Buchhandlung beglaubigt; daß die Häuser Hertie, Horten, Kaufhof und Karstadt eine Art von Gemeinschaftsvertrieb verbindet, der vornehmlich vom Verlag Eduard Kaiser in Klagenfurt beliefert wird, ist weniger bekannt. Wer sich nicht von ihm und durch jene bedienen läßt, gehört vermutlich mit fünf Millionen anderer Bürger unserer Republik einer der Buchgemeinschaften an, deren Zahl in den letzten fünfzehn Jahren zwar dezimiert worden ist, deren Mitglieder sich aber vermehrt haben. Dabei ist für unsern Zusammenhang wichtig, daß Buchgemeinschaften davon leben, tendenzlos zu sein; sie bringen alles, was sich nicht in einer bestimmten Richtung engagiert, und sie bringen vornehmlich das, was nach dem Urteil der Zeit oder der öffentlichen Meinung vom breiten Publikum bestätigt wurde. Nimmt man hinzu, daß die Bücher, die früher als *Ramsch* unter der Hand und meist doch mit einem unguten Gefühl des Käufers vertrieben und erworben wurden, heute im *Modernen Antiquariat* (meist über die Firma Löwit in Wiesbaden) schneller, sauberer und wohlanständiger als einst seine Freunde findet, wird deutlich, daß der Weg vom Schreiber zum Leser – und das heißt in den meisten Fällen: vom durchschnittlichen Schreiber zum durchschnittlichen Leser – kürzer geworden ist. Dadurch wurde auch die Strecke zwischen dem Schrifttum vieler, wo nicht fast aller Sorten und der Umgangssprache kürzer; die Kräfte des Fortschritts haben vor denen des Beharrens keinen Vorsprung, und die Sprache ist weiterhin der Spannung zwischen Gestern und Morgen ausgesetzt.

II.

Technik und Umgangssprache

Ein Vierteljahrhundert vor dem „Sonnenaufgang" hatte der Berliner Oberlehrer Georg Büchmann durch seine Sammlung „landläufiger Zitate" die homerische Wendung von den „geflügelten Worten" und damit auch den eignen Namen volkstümlich gemacht. Denn sein Buch begegnete hellhörig dem Bildungsstolz wie der Forscherfreude der Zeit: es bot das breite Feld überkommenen Wissens, und es beantwortete, wo das Gedächtnis des Lesers versagte, alle Fragen nach der Herkunft der ererbten Wendung und ihrem ursprünglichen Sinn. Mehr: es diente – und das entschied seinen Sieg – auch dem Schmuckbedürfnis der Hochsprache; es lieh dem Festredner den Glanz der Belesenheit, dem „Tischherrn" den Zauber allgegenwärtigen Wissens. Vortrag, Brief und Gespräch wurden von ihm befruchtet; es wirkte – in diesem Bezug – wie ein Handbuch der Rhetorik.

So hatte Büchmann es natürlich nicht gemeint. Er dachte auch nicht daran, die allgemeine Zitierfreude zu heben. Aber er tat es unversehens und machte dadurch vielen die Fragwürdigkeit vorgeformter Redensarten nicht nur, sondern auch die Halbheit dieser geborgten „Bildung" deutlich. Ohne es zu ahnen, bestätigte er den Verdacht der „Modernen" gegen die Überlieferung, gegen die Hochsprache und gegen die Herrschaft der Dichter über die Sprache, lieferte ihnen Stoff für ihren Spott und stärkte ihnen die Lust zur Unfeierlichkeit. Ja, er drosselte im Grunde den Weiterwuchs des „Zitatenschatzes"; er, auch er weckte das Mißtrauen gegen das unalltägliche Wort. Was nach 1870 an Dichterworten ins Volksbewußtsein flügelte, stiftete zumeist die komische Muse. So wurde Wilhelm Busch (nach Schiller und neben Nietzsche) der zweite Großmeister deutscher Losungen; seine Buchtitel (*Max und Moritz; fromme Helene; Balduin Bählamm)*, seine hausbackenen Wendungen *(die Venus ist perdu; dieses war der erste Streich; ein verhinderter [Dichter]; da geht [sie] hin; stolzer Hahn)* entsprachen dem Sprachgefühl der Zeitgenossen so sehr, daß man über ihnen nicht mehr hörte, wie wenig seine Ansichten ins Bürgerhaus paßten. Geibels Verse wurden parodierend genutzt *(„o rühret, rühret nicht daran!")*, die Lustspiele des Tagesverschleißes steuerten das Ihre bei (Kalisch: *Darin bin ich komisch; kindliches Vergnügen; Karlchen Mießnick;* Rosen: O *diese Männer!;* Lindau: *Bei Zigarren darf man ja den Preis sagen)*; auch Opern mußten herhalten: man bezeichnete z. B. seit Beginn des 20. Jahrhunderts ein äußerstes Angebot mit Mozarts „Zauberflöte" als *„höchstes der Gefühle"* oder nutzte den Lohengrinruf *„Mein lieber Schwan!"*, um dem Gesprächspartner einen heftigen Zweifel anzudeuten. Skepsis gegen sprachliche Überhöhungen auch hier; sie zeigt sich noch eindeutiger in den schnell aufgegriffenen und verbreiteten Parodien, mit denen man beliebte Opernmelodien neu betextete *(Das hilft dir alles nichts, die Wurst die schmeckt nach Seefe!* [Troubadour, Zigeunerchor]). Damit war der Weg eingeschlagen, der kurz darauf zur Volksläufigkeit der Operetten- und Schlagertexte führte: *glücklich ist, wer vergißt, was nicht mehr zu ändern ist; ... nur auf die Schulter geküßt; Borstenvieh und Schweinespeck; kleine Fischerin; ausgerechnet Bananen!; kornblumenblau*; später Zarah Leanders *Kann denn Liebe Sünde sein?; Das gibt's nur einmal, das kommt nicht wieder* aus einem vielgespielten Charellfilm 1931, Michael Jarys *Das kann doch einen Seemann nicht erschüttern,* Robert Steidls *Wir versaufen unser Oma ihr klein Häuschen* und nach dem Zweiten Weltkrieg, durch die vielgeliebte Marlene Dietrich und die politische Lage gleichermaßen empfohlen, *Ich hab noch einen Koffer in Berlin;* der Mainzer Karneval von 1949 trug Walter Steins *Wer soll das bezahlen, wer hat das bestellt?* lange durch Deutschland. Das Dichterwort wich, soweit es nicht scherzhaftem Redeputz diente, der umgangssprachlichen Redensart; damit wurde der Journalist zitierreif (Stettenheim: *Verzeihen Sie das harte Wort!*). Auch diese Entwicklung spiegelte die Wendung von 1889. Alle Wege verließen den Garten der Dichtung.

Das konnte kaum anders sein. Nicht nur, weil viele der „Dichter" am hohen Sprachstil zweifelten. Auch denen, die ihm treu blieben, war durch den Wandel der Lebensformen der Wirkkreis geschmälert. Längst nicht mehr war, das Schrifttum zu verwalten und zu genießen, Vorrecht einer schmalen Führungsschicht. Zwischen 1822 und 1911 hatte sich in Preußen die Zahl der Volksschulen verdoppelt, die der Schüler mehr als vervier-, der Lehrer mehr als verfünffacht; fast siebenmal soviel Studenten als 1830 bevölkerten damals Deutschlands Hohe Schulen; neben die Universitäten, die alten Hüter strenger Wissenschaft, hatten sich technische, tierärztliche, landwirtschaftliche, Handels-, Musik- und Kunsthochschulen, Berg- und Forstakademien gestellt. Der Gedanke der Volkshochschulen wurde auch in Deutschland heimisch. Aber Bildung hatte für viele einen andern Mittelpunkt gewonnen. Der Bezirk des Schrifttums wurde in ihrem Reich einer neben anderen; er verlor seine Monopolstellung. Es bildeten und festigten sich Kreise, die sich ihre Maßstäbe von andern Größen ableiteten, die nicht nur deshalb, weil sie selbst ihrer fast entrieten, Überlieferung als Ballast empfanden und auch bei ihrer Arbeit gedruckte Hilfen kaum benötigten. Sie hatten, solange sie um Erfolg und Anerkennung rangen, weder Zeit noch Lust, sich um anderes zu kümmern, als was im Kreis ihrer Arbeit umschritten und angepackt werden konnte; als sie die Höhen eines beispiellosen Sieges gewonnen, wuchs bei vielen von ihnen neben dem Stolz auf das Erreichte auch der Hochmut über den Überflügelten. Auch sie nahmen die Bezeichnung „modern" für sich in Anspruch; aber sie verzichteten darauf, den Begriff zu zergliedern oder zu besingen. Zwischen Tatbildung und Schriftbildung entstand ein Graben, und er wuchs zur Kluft. Man spürte sie auch dort, wo einzelne versuchten, sie zu überbrücken: bei Heinrich Seidel etwa, dem Erbauer des einstigen Anhalter Bahnhofs (1842–1906), der seine Wortkunstidyllen weit vom Rauch und Lärm seiner Arbeitswelt ansiedelte („Leberecht Hühnchen", 1882), oder bei Max Eyth, der zwar daran ging, seine Ingenieurswelt im Roman zu beschreiben, aber sprachlich wie stilistisch eher bei Seidel als bei den „Modernen" der Literatur stand, geschweige denn, daß er es versucht hätte, dem neuen Stoff die neue Fügung zu finden (1836–1906; „Hinter Pflug und Schraubstock", 1899). Er blieb, weil er selbst nicht überzeugte, ohne überzeugende Nachfolger.

Der Aufschwung der Technik wurde das Kennmal des Jahrhunderts; er schuf auch der Sprache neue Voraussetzungen. Er stellte sie vor große, riesengroße Aufgaben. Sein Bedarf an Begriffen und Bezeichnungen schien unersättlich, und er steigerte ihn von Erfindung zu Erfindung, von Erfolg zu Erfolg. Es gab Tausende von Neubildungen, nicht weil die Sprache, wie Karl Kraus argwöhnte, den Krebs hatte, sondern weil die alte Zeit aus ihren Fugen geriet. Viele dieser Neuwörter wucherten schon durch den Glanz, den ihnen der Ruhm ihrer verblüffenden Leistung schenkte; dazu kam, daß nicht nur der Kreis der Erfinder und Betreuer bedeutend war und immer bedeutender wurde, sondern daß auch die Zahl der Verbraucher sich immer entschiedener der Bevölkerungszahl näherte. Keine andere Fachsprache hatte bislang einen so breiten und ständigen Ausfluß in die Gemeinsprache gehabt. Was, um zunächst nur dieses zu nennen, die Eisenbahn auch für die Muttersprache bedeutete, ahnte auch von denen, die sie betreuten, kaum einer. 1825 (d. h. zwei Generationen vor der „großen Wende"!) hatte Friedrich Harkort dem Vaterland bald die Zeit gewünscht, „wo der *Triumphwagen des Gewerbefleißes* mit *rauchenden Kolossen* bespannt ist und dem *Gemeinsinn die Wege bahnet*". Seine Hoffnung erfüllte sich; aber hätte er sie wenige Jahrzehnte später mit den gleichen Worten wiederholt, seine eigenen Mitstreiter hätten ihn ausgelacht. Die Eisenbahn (auch sie) änderte gründlich den Stil der Zeit; sie war wirklich „ein bestimmendes Ereignis, das der Menschheit einen neuen Umschwung" gab, „das die Farbe und Gestalt des Lebens" veränderte (H. Heine, 1843!). Sie überspann schon 1855 fast 9000 km Deutschlands mit ihrem Netz; sie verdreifachte es in den darauffolgenden zwei Jahrzehnten, um es in den nächsten zwei Jahrzehnten noch einmal fast zu verdoppeln. Im Jahre 1900 beförderten die deutschen Vollspurbahnen mehr als 848 Millionen Menschen, die Kleinbahnen fast 23 Millionen; 1965 benutzen 1,468 Milliarden Menschen die Deutsche Bundesbahn. Vor solchen Zahlen wird die sprachliche Leistung der Erfindung begreiflich.

Man nannte die Zugmaschine natürlich nicht „Triumphwagen des Gewerbefleißes", sondern *Lokomotive*. Das war ein Fremdwort, eine Bildung von Stephenson, der 1815 von der *construction of locomotive engines* gesprochen hatte. Also eigentlich ein Beiwort, künstlich aus dem Lateinischen für den Bedarf des englischen Erfinders geprägt (= vom Ort bewegend). Als es (um 1838) nach Deutschland kam, war es schon verkürzt und zum Hauptwort geworden *(the locomotive)*, und so eroberte es sich Europa und dann die Erde (franz. *la locomotive*; ital. *la locomotiva*; portug. *la locomotiva* usw.). In Deutschland schwankte man zuerst, ob man *die Lokomotive* oder *das Lokomotiv* sagen solle; für die erste Lösung warb das Musterwort „*die* Maschine", für die andere *das* Roß oder *das* Pferd, die man auch gern bemüht hätte. Aber das *Dampfroß* konnte sich gegen den Eindringling so wenig behaupten wie das Postpferd, doch nicht nur deshalb, weil das Bild des aus allen Fugen qualmenden Pferdes mehr komisch als festlich anmutete, sondern weil die neue Erfindung das fremde Wort nötig hatte, um wirtschaftlich zu bestehen (sonst hätte sich auch der *Dampfwagen* einbürgern können, der das Ding zwar technisch nicht genau, aber doch im übrigen bildhaft und eingängig bezeichnete). Man bestellte die Lokomotiven im Ausland (in England), und später wollte man die selbstgebauten ans Ausland verkaufen; da die Entwicklung bei allen Nachbarn und Partnern gleich stürmisch verlief, konnte nur eine gemeinsame Bezeichnung dienen. Die Technik schuf sich einen übernationalen Raum, in dem sie sich so schnell und gut wie nur möglich zu verständigen suchte. Dazu diente ihr gewöhnlich die erste Bezeichnung; ob sie ein Kunstwort *(Lokomotive)* war oder der fremden Sprache selbst entstammte, kümmerte die Sprecher zunächst wenig. So kam mit der Lokomotive auch der *Tender* zu uns (als Abkürzung aus engl. *attender* = Begleiter, zuerst in der englischen Marine als Bezeichnung eines Beibootes gebraucht, dann auf die Beiwagen der *locomotive engines* übertragen, eines der ältesten Abkürzungswörter, das wir, einstweilen noch ziemlich ahnungslos, bei uns aufnahmen). Als 1839 zwischen Leipzig und Dresden der erste Berg durchstochen werden mußte, war auch der *Tunnel* da, der ins Englische aus dem Französischen *la tonnelle* = Gewölbe gewandert war und zunächst eine Schornsteinröhre, dann den Themsetunnel bezeichnet hatte (1825). Er bürgerte sich schnell ein; eine Zeitlang hießen die Foyers der Theater und Museen so; als Saphir, wendig wie immer, seinem Berliner Dichterverein den Namen „*Tunnel über der Spree*" beilegte, bewies er nicht nur seine Tagnähe, sondern half dem Fremdwort auch nach Deutschland hinein, dessen Schreibung, Aussprache, Betonung ohnedies deutsch anmuteten. Für den Tender als Wagentyp galt ähnliches wie für die Lokomotive; wir übernahmen ja auch engl. *waggon*, freilich mit der abwegigen, aber ursprünglich wohl als „feiner" empfundenen französischen Aussprache, die sich durch Lautanklänge wie *Kordon, Balkon* einschmeichelte. Die naheliegende Angleichung an das heimische Wort *Wagen* setzte sich erst durch, als sich die deutschen Eisenbahnwerkstätten vom ausländischen Markt freigemacht hatten; sie empfahl sich außerdem durch den Anklang an *waggon*: sie erschwerte die Verständigung kaum, auch nicht im Binnendeutschen, wo doch so viele andere Wagen,

Kutsch-, Last-, elektrischbetriebene und schließlich, mit besonderem Nachdruck, Kraftwagen das gleiche Wort beanspruchten; die Trennung der Lebensgebiete verhinderte Mißverständnisse. Auch der *Viadukt* verleugnete seine englische Herkunft und passierte wie *Lokomotive* als gelehrt-lateinisches Kunstwort, bis die Eindeutschungswelle des Ersten Weltkrieges ihn gegen die *Überführung* auswechselte. Für das *Signal,* das dem Heereswesen schon vor 150 Jahren aus dem Französischen zugeflossen war und nun noch einmal aus dem Englischen kam, sich in beiden Fällen aber durch seinen lateinischen Stamm beliebt machte, bot sich ein ähnlich eingängiges Deutschwort nicht an; dennoch belieferte es viele Redewendungen (*die Signale der neuen Zeit; Warnsignal* u. ä.). Aber was nicht unmittelbar mit der Nutzung der Dampfkraft Beziehung hatte, konnte aus heimischem Sprachstoff genommen werden: die *Schiene* (eigentlich = Metall-, Holzstreifen) von der festen Laufbahn der bergmännischen Förderwagen, die auch Begriffe wie *Spur(weite* usw.) und *Strecke* bereit hatten; das *Gleis* und die *Schranke* vom Straßenbau, die *Weiche* von der Flußschiffahrt, der *Bahnhof,* nach dem Muster von *Posthof,* vom Postbetrieb, der *Schaffner* von der (norddeutschen) Landwirtschaft, das Schallwort *Puffer* von den Handfeuerwaffen. Dadurch wuchs der fremden Neuerung schnell ein muttersprachlicher Wortschatz zu, der die Fremdbrocken überdeckte, ja wohl ihre Einbürgerung beschleunigte. Die Eisenbahn gefährdete nicht die Substanz des Deutschen; sie bereicherte sie. Sie entwikkelte ihren Bedarf geschickt aus den ihr gegebenen Voraussetzungen, unterschied *Personen-, Pack-, Güter-, Schlaf-* (nach engl. *sleeping-car*), *Speise-, Behälter-, Liege-* und *Kurswagen, eingleisige* und *doppelgleisige* Strecken; schuf dem Bahnhofsbetrieb nach dem erprobten Muster von *Fahrplan, Fahrpreis* die Bezeichnung *Fahrdienst* und erfand damit den *Fahrdienstleiter,* bedrängte später mit dem *Fahrgast* den altgewohnten *Passagier* (wie es ihr schon früh gelungen war, die *Station* durch den *Bahnhof,* den *Interkommunikations-* durch den *Durchgangs-* oder *D-Zugwagen* zu ersetzen) und regte mit gutbenannten Erfindungen wie *Gepäcknetz, Prellbock* oder *Huckepackverkehr* Sprachkreise auch außerhalb ihres eigentlichen Lebensbereichs an.

Das Ganze war und blieb, während die Franzosen vom *chemin de fer,* die Engländer vom *railway* sprechen, bei uns „die *Eisenbahn*". Auch dies Wort stammte vom Bergbau; es bezeichnete dort die Metallgleise, die sich statt der älteren Holzschienen auf den Förderbahnen durchgesetzt hatten. Sie waren nicht lange aus Eisen; aber das Wort blieb auch für die stählernen Nachfolger, ja es diente für das ganze Fahrgerät. *Die Eisenbahn* ist weder eine Schiene noch aus Eisen. Das hat den Erfolg des Wortes nicht gehindert. Und wie vollständig war er! Denn unter einer *Eisenbahn* verstand man sehr bald ja nicht nur das Beförderungsmitel *(„ich fahre [mit der] Eisenbahn"),* sondern auch den Bahnhof *(„ich gehe zur Eisenbahn")* und seine Behörde *(„ich beschwere mich bei der Eisenbahn")* und, natürlich, das nach ihm gebildete

Spielzeug *(„ich spiele Eisenbahn", „ich wünsche mir eine Eisenbahn")*. Das Heer ihrer Bediensteten nannte sich *Eisenbahner*. Andere Bildungen waren schwerfälliger: das *Eisenbahnhauptausbesserungswerk* oder die *Eisenbahn-Bau- und Betriebsordnung* behinderten auch den Innendienst, für den sie bestimmt waren. Sicher belebte sich auch vor solchen Wörtern der Wunsch nach Knappheit: man kürzte (unbekümmert darum, daß *Bahn* schon in vielen anderen Bedeutungen geläufig war) die *Eisenbahn* und hatte nun erst das rechte Wort. Der *Bahnhof* hatte den Vorgang erprobt: noch 1863 hatte Hannover einen *Eisenbahnhof*; aber Köln war schon 1859 auf seinen *Central-Bahnhof* stolz. Damit war der Weg für *Bahndamm* und *Bahnkörper* frei, man konnte Frachtgüter *bahnlagernd* aufgeben, unterwegs den *Bahnarzt* um Rat fragen, sich an den *Bahnbeamten* wenden und seine Briefe mit der *Bahnpost* befördern. Von da bis zum *Bahnsteig*, der 1914 den *Perron* verdrängte, brauchte es keines sehr kühnen Schrittes. Was der *Tender* in seinem Mutterland vorgemacht hatte, Griffigkeit durch Kürzung, ahmten die *Bahn* (unbewußt), später die *Sperre* (bewußt aus *Bahnsteigssperre* gekürzt) nach. Der *Zug* war zunächst ein *Eisenbahnzug*, zum Unterschiede vom *Gespann-*, *Viererzug* usw.; auch er bedurfte der Kürze, um Weiterbildungen *(Personen-, Eil-, Schnell-, Nahverkehrszug)* zu ermöglichen. Dann machte die Entwicklung den zweiten Ruck: schon 1893 wurden die Schnellzüge mit Durchgangswagen als *D-Züge* bezeichnet, später (1923) gesellten sich ihnen die *FD-Züge*, noch später die *TEE-Züge* (= Trans-Europa-Express); auch der *E-Zug* ist geläufig (= Eilzug). Die Kürzung wurde zur Schrumpfung, das Wort zum Buchstaben oder zur Buchstabengruppe, die erst dadurch, daß sie volksläufig wurde, der Umgangssprache eine neue Sinneinheit vermittelte. So wurde im 20. Jahrhundert aus der *Lokomotive* die *Lok* [1] mit dem *Lokführer*, nicht anders, als vor Jahrhunderten der *Sarg* aus dem *Sarkophag* entstanden war, und natürlich ließ sich diese „Kopfform" auch als Grundwort gebrauchen *(Güterlok, Diesellok)*; für bildhafte Redewendungen schien dagegen die alte Vollform geeigneter *(Wahllokomotive)*. – Der sprachliche Vorgang der Kürzungen selbst war alt; neu war nur, daß man ihn nun öfter nutzte und bis zum äußersten vortrieb. Heute benutzen wir den *D 485*, nehmen den *FD Köln-Hamburg* oder fahren mit einem *TEE*).[2]

---

[1] Aber das Vollwort blieb weiterhin sprachprägend; sonst hätte man nicht am 18. Dezember 1967 in Frankfurt am Main ein motorisiertes Reinigungsgerät für Rollbahnen unter der Bezeichnung *Schubmotive* vorstellen können. Ähnlich hielt sich das *Automobil*, obwohl jedermann längst vom *Wagen* spricht, in den *Automobilausstellungen* und *-salons* nicht nur, sondern auch im *Klinomobil*, einem motorisierten Lazarett. Oder man denke an die *Stenotypistin*, die in der „feineren" Umgangssprache zwar weitgehend der *Sekretärin*, in der hemdsärmeligeren der *Tippeuse* (dem *Tippfräulein*, der *Tippse*) gewichen ist, aber in der *Datentypistin* unserer Tage Urständ feiert.

[2] Die deutsche Eisenbahnbehörde hat auch die punktlose Abkürzung erfunden

Friedrich Wilhelm IV. hatte, damals noch Kronprinz, bei der Eröffnung der ersten preußischen Bahnlinie ausgerufen: „Diesen Karren, der durch die Welt rollt, hält kein Menschenarm mehr auf!“ Das war nicht nur ein weitschauendes, es war auch ein hochmütiges Wort; weder *Lokomotive* noch *Wagen* ließen sich, zum *Zuge* zusammengewachsen, länger „Karren“ nennen. Dem Prinzen war auch die Tatsache, daß der „Karren“ des anstoßenden Menschenarmes bedurfte, um zu „rollen“, gegenwärtig. Ob die Geistlichen, die gegen den „höllischen Drachen“ wetterten, nicht wider Willen die Vorstellung stärkten, daß „der Zug“ ein lebendes Wesen sei? Jedenfalls gab der Sprachgebrauch dem aus Grauen und Bewunderung gemischten Bild neue Farben. Der Zug „rollte“ nicht nur, er *fuhr* (er selbst, wie es schien), und man brauchte nur einzusteigen, um *mitzufahren*. Der Mensch trat, dies eines der frühesten Beispiele für den Vorgang, hinter die Maschine zurück; er war nicht nur ihr Herr, er hatte ihr auch, ein *Schaffner*, zu dienen. Die Maschine entfaltete ihr eigenes Leben. Auch diese „Entmenschlichung“ des technischen Bereichs wirkte sich mit der Zeit in der Sprache und damit im Denken der Zeit aus. Das werden wir noch genauer betrachten.

Die Liebe des Volkes schlägt sich u. a. in seinen Redewendungen nieder. In derselben Stunde gleichsam, in der sich die Kanäle der Dichtung zur Umgangssprache verengten, verbreiterten sich die der Technik. Beim Wort von der *höchsten Eisenbahn*, das auf Glassbrenner zurückging („Der Heiratsantrag in der Niederwallstraße“, 1847), mag man noch zweifeln, ob literarische oder technische Beeinflussung vorliegt; es lebte recht lange und scheint erst jetzt, nach 120 Jahren, von der synonymen Wendung, es sei *fünf Minuten vor zwölf*, abgedrängt zu werden. Aber schon nannte man seinen Kinderwagen die *Ehestandslokomotive*, ein Pferd spottend *Haferlokomotive* oder *Hafermotor;* man bezeichnete einen Menschen, der im Leben „Schiffbruch erlitten“ hatte, als *entgleist*, sagte statt „weggehen“ auch *abdampfen* und für „sterben“ derb *abfahren, stellte* im Gespräch, in der Berufslaufbahn oder wo auch immer *Weichen*. Ein „spätes“ Mädchen hatte den *Anschluß verpaßt;* wie im Fahrplan konnte man aber überall auch *Anschluß suchen* und *finden*. Hinter eine dringende Arbeit mußte man *Feuer* (später: *Dampf*) *machen* (dann stand man *unter Dampf*); wer viel getrunken hatte, verriet das (wie ein qualmender Zug) durch seine *Fahne*; wer geschwollen redete, tat gut daran, *Dampf abzulassen*; wer eine der jungen Hochschulen besuchte, wurde von den andern als *Schmalspurakademiker* verdächtigt, und im Ersten Weltkrieg gab es dann *Schmalspuroffiziere*; schließlich wurden die *Schmalspur* und das von ihr hergeleitete Adjektiv *(schmalspurig)* eine Art von Schelten. Niemand wollte gern *Prellbock* oder *Puffer* zwischen Gegnern sein (der

---

oder doch verbreitet (*Hbf* = Hauptbahnhof) und dadurch einige Verwirrung in unsern Schreibgewohnheiten gestiftet.

Pufferstaat entstand nach 1860 nach englischem Vorbild); niemand hatte gern einen *Bremsklotz* (am Bein). Nicht nur in einen Zug, auch in ein Unternehmen, ein Geschäft konnte man *einsteigen*; wurde man die Gemeinschaft leid, *stieg* man wieder *aus*; neuerdings *steigt* man, kauft man sich ein Auto, auf den neuen Wagen *um*. Wer schnell oder viel rauchte, *qualmte* („wie ein D-Zug", eine Lokomotive, aber auch „wie ein Schlot"); wer sich beim Lauf überanstrengt hatte oder schnaufte, *dampfte*. Dabei dachte man auch an die vielen, bald vielzuvielen Fabrikschornsteine; nahm man den Qualm der Eisenbahnen noch interessiert, schlimmstenfalls mit einer Art belustigtem Ärger hin, regte man sich über i h r e Rauchfahnen auf: daher wohl die abschätzige Miene, mit der man unbeliebte, schwatzsüchtige Gesprächspartner bezichtigte, *Qualm zu machen* oder *von sich zu geben*. – Andrerseits: für die Nebenbahn fand man mit zärtlichem Spott den Namen *Bimmelbahn*, der Personenzug wurde ärgerlich als *Bummelzug* gekennzeichnet, und die Umgangssprache bewahrte solche Bezeichnungen, als die Zugarten selbst längst verschwunden waren. Ein besonders schneller Zug wurde *Schienenzepp* (1931) genannt. Die Umgangssprache nahm also nicht nur auf, entwickelte nicht nur weiter; sie ließ sich auch anregen. Daß am Ablauf dieses Vorgangs die Dichtung keinen schöpferischen Teil nahm, das widerlegen auch die nicht wenigen Gedichte nicht, die Männer wie Justinus Kerner („Im Eisenbahnhofe"), Liliencron („Blitzzug"), Hauptmann („Nachtzug"), Gerrit Engelke („Lokomotive") und ihre Nachfolger dem Gegenstand widmeten: sie wirkten nicht sprachschöpferisch, sondern versuchten sich daran, das von der Technik geschaffene Bild nachzuzeichnen. Sie suchten einen neuen Bezirk für die Dichtung, nicht für die Sprache.

Die *Eisenbahn* verdeutlicht die Art, auf die sich die Technik mit der Sprache auseinandersetzte. Man nutzte das Fremdwort, wo es die Herkunft der Sache und ihre Handelsbedeutung empfahl; man ließ aber auch heimische Überlieferung fortwirken und nahm aus vorhandenen Grenzgebieten, was etwa anklang. Man bevorzugte Wörter, die sich weiterbilden ließen, aus denen man andere Wortklassen entwickeln konnte, die sich bei Zusammensetzungen geschmeidig zeigten. Man kürzte und ließ schrumpfen, um griffige Wortkörper zu erhalten. All das war nichts Neues; es erhielt aber durch die Häufigkeit, mit der es geübt wurde, einen Anflug von Grundsätzlichkeit. Es wurde nachgeahmt; es bürgerte sich mit der Zeit auch dort ein, wo keine Notwendigkeit vorlag. Das schien ein Gefahrenherd für die Sprache. Ein anderer entstand, wo das sprachliche Mittel allzu unbedenklich genutzt wurde. Auch das lag nahe. Die neuen Sprachschöpfer legten kein Gewicht darauf, Sprachmeister zu sein; sie hatten auch nicht die Möglichkeit, der Sprache mehr Aufmerksamkeit zu schenken, als der Gegenstand und seine Wirtschaftlichkeit unbedingt verlangten. Etymologische Überlegungen nahmen unnütz viel Zeit. Das war, jedenfalls für eine sprachführende Schicht, eine neue Einstellung: hier pflegte man Sprache nicht mehr um ihrer selber willen, sondern notfalls als Mittel zum Ziel. Die „Ehrfurcht vor der Sprache", die man früher gepredigt hatte, wich einer nüchternen Prüfung auf Zweckmäßigkeit. Handlichkeit, Eindeutigkeit, Eingängigkeit, Allgemeinverständlichkeit wurden sprachliche Werte; hinter ihnen sanken Schönheit, Ausgewogenheit und andere ästhetische Maße zurück. Man wollte „frei von Phrasen und abgegriffenen Redensarten" sein; jedes Pathos schloß sich von selbst aus. Dazu half auch die Umgangssprache, die angeregt und anregend den Vorgang begleitete; es schien, als habe sie einen neuen Kraftpol gefunden, der sie – anfangs neben, dann auch statt der Schriftsprache, ihrem bisherigen Zielbild – bereichern und füllen konnte. Einstweilen überschaute noch niemand die Entwicklung; aber schon begann auch im Sprachlichen die Maschine über den Menschen zu triumphieren [1].

Denn das Feld, das sich zwischen Technik und Sprache spannte, weitete sich rasch. Die Post, vom *Fahrgast*dienst durch die *Bahn* zurückgedrängt, entwickelte die Nachrichtenbeförderung zur eigenständigen Macht, der *Nachrichtentechnik*. Dabei leistete ihr die E l e k t r i z i t ä t (z. B. für die Entwicklung des Fernsprechnetzes und der Telegraphie) entscheidende Hilfe, die Elektrizität, die auch die Nächte der Arbeit und dem Vergnügen erschloß und den Verkehr ausbreitete und beschleunigte. Man mag die Geburt der Elektrotechnik auf den 24. September 1831 zurückverlegen, den Tag, an dem Faraday die „Umwandlung" *(conversion)* von Magnetismus in Elektrizität gelang; für die Allgemeinheit erschloß die Siemenssche Dynamomaschine (1866) das neue Kraftfeld. Erst nun wurde allmählich die Elektrizität, wie die Bahn, Arbeitgeber für Hunderttausende (die *Elektriker*); sie machte sich, da sie in den einzelnen Haushalt eindrang, noch weit mehr bekannt als jene. Man mußte, sie zu benutzen, mit ihr Bescheid wissen, mußte sich alle ihre Begriffe aneignen und bereicherte damit wiederum seinen täglichen Wortschatz. Man lernte es, den Strom (aber dann auch sich, z. B. in ein Gespräch) *einzuschalten*. Da bediente man sich eines heimischen, längst eingeführten Ausdrucks. Aber nun ging es weiter: wer *schalten* konnte, begriff leicht (seine *Leitung funktionierte*); wer aber, wie man seit etwa 1900 witzelte, eine *lange Leitung* hatte, mit dem war nichts anzufangen. Man konnte von einer auf die andere Leitung, aber auch von diesem auf jenes Gespräch *umschalten,* und später lernte man es leider auch *gleichzuschalten*; man legte nicht nur *Kontakte* an, man *fand,* suchte, man *hatte Kontakt.* Auch da benutzte man ein altes

[1] Übertragungen von Manipulationen auf Menschen sind an sich weder böse noch etwas Neues. Man sagt seit langem z. B., und man meint es abschätzig, ein Beamter sei *abgehalftert* worden. Dabei verunglimpft man weder das Pferd, noch denkt man an rohe Stallburschen, und am wenigsten will man den, der gemeint ist, kränken. Bedenklicher scheint es, jemanden *abzuservieren* wie einen leergegessenen Teller.

Fremdwort, das dann auch von der modernen Psychiatrie und Psychologie aufgegriffen wurde (*Kontaktreichtum, kontaktfähig, kontaktstark, Kontakterlebnis* usw.). Der *Draht,* durch den man seine Stimme schickte, vertrat schließlich die Erfindung, der er diente; er wurde, wie Zug und Bahn, ein Wesen für sich; man *hing sich* nicht nur *an (in) den Draht,* wenn man *drahtete* oder *anrief (anläutete)*; man las auch in der Zeitung, was *der Draht meldete* (den *Drahtbericht*). Wie der Strom der Maschine, konnte eine gute Wendung dem Gespräch *Antrieb geben* (wohl gemerkt: es trieb es nicht an, es *gab* Antrieb, d. h., es diente als treibende Kraft; hier, im technischen Bereich, stand die umschreibende Wendung zurecht!); die Unterhaltung *lief* dann wie eine gute Maschine *an.* Ja, man selbst *lief* – je nach Wesensart – schneller oder bedächtiger *an*, gebrauchte *Anlaufzeit,* sprach von sich, als sei man zur Maschine geworden. Sprachbilder? Natürlich. Aber die alten Bilder (*Fuchsschwanz* für eine Handsäge, *Wasserhahn, Mönch* und *Nonne* als Ziegelnamen) hatten mehr darauf gezielt, das Unbelebte lebendig erscheinen als das Lebende erstarren zu lassen. Wer das von J. Ph. Reis 1861 erfundene und benannte *Telephon* benutzte, für das Stephan 1876 den damals schon 80 Jahre alten Namen *Fernsprecher* [1] einführte und das heute jeder siebente Deutsche im Haus hat, mußte die *Auskunft* (einen Menschen) bemühen, ehe er den *(Selbst-)Wähler* (ein Gerät) betätigen konnte; man sprach zwar mit dem *Fräulein vom Amt,* vergaß aber, wenn man einen *Irrtum vom Amt* (tatsächlich oder im scherzhaften Gespräch) feststellte, daß da ein Mensch die Maschinerie wirken machte. Die „Ent-menschlichung" machte Fortschritte. In seiner politischen Logik folgerichtig hat sie der Kommunismus zu Ende gedacht und vollzogen: Mensch und Maschine sind für ihn nur zwei Formen der einheitlichen Materie, der lebenden und der unbelebten.

Zuerst allerdings schien der Mensch seinen Sieg über die Materie nachdrücklich zu betonen. Vielleicht nahm er sich, bewußt oder unbewußt, die Barockmediziner und -patienten zum Vorbild, die, wenn man an die *Malpighischen Körperchen,* die *Glissonsche Kapsel,* die *Peyerschen Plaques* denkt, ähnlich gehandelt hatten. Niemand wird jedenfalls den Großen der Zeit den Stolz

---

[1] Die Bezeichnung ließ sich nicht nur zum Verbum *(fernsprechen)* und, leicht abgewandelt, zum Adjektivum *(fernmündlich)* nutzen, sondern gab später auch für die nicht sehr gelungene Bildung *Fernsehen* (mit *Fernseher* und *fernsehen*) das Muster ab. – Wer die technischen Fachsprachen mustert, wird unschwer feststellen können, wie deutlich die Häufigkeit des Bestimmungswortes *fern-* eines der großen Anliegen moderner Technik widerspiegelt: da sorgt die *Fernmeldetechnik* für die Installierung von *Fernmeldeanlagen* und *-bauten,* die *Fernschreibetechnik* baut *Fernschreiber* (für alle, die *fernschreiben* wollen); wer's eilig hat, benutzt eine *Fernverkehrsstraße,* die manchmal freilich von *Fernlastern* verstopft wird; man wohnt gern in Häusern mit *Fernheizung,* die man früher etwas umständlich als *Fernwärmeversorgung* bezeichnete, und unsere Kinder spielen mit *Fernlenkautos.* Allein bei der Bundeswehr zählte man rund 80 Zusammensetzungen mit *fern-*!

verübeln, der auch sie ihre Namen mit ihren Erfindungen koppeln ließ, niemand die Verehrenden schelten, die den neuen Kräften, Formen und Größen die Namen der Meister huldigend beilegten. Auch darin hat die Elektrotechnik wo nicht vorbildhaft, so doch verbreiternd und einbürgernd gewirkt, schon dadurch, daß sie das Andenken an *Coulomb* (1736–1806), *Ampère* (1775–1836), Heinrich *Hertz* (1857–1894), *Ohm* (1787–1854), *Watt* (1736–1819) und, allerdings mit etwas selbstherrlichen Kürzungen, an Faraday (1791–1867; das *Farad*) und Volta (1745–1827; das *Volt*) in ihren Maßen verewigte. Solche Kurzbezeichnungen für Maße und Einheiten zogen später andere Kopfwörter (*Mol* = Grammolekül, *Phon, Dol* [Schmerzeinheit]) nach sich.

Die Sprache wurde für den Techniker zum Saal der Heldenverehrung: der *Bunsenbrenner* (engl. *Bunsenburner*) und der *Dieselmotor* (1897), die *Draisine,* die dem Fahrrad den Weg bahnte und deren Namen auf den Schienenkraftwagen übertragen wurde, als man den Erfinder schon für einen Franzosen hielt und demgemäß falsch aussprach (Forstmeister v. Drais, 1785 bis 1851), das *Bessemerverfahren* bei der Herstellung von Flußstahl (nach Sir Henry Bessemer, 1813–1898), die *Maxwellschen Gleichungen* als Grundlage einer einheitlichen Theorie der Elektrizitätslehre (nach J. C. Maxwell, 1831–1879), der Kunststoff *Bakelit* (nach einem Erfinder Leo Hendrik Baekeland, 1863–1944, der auch das *Veloxpapier* erfunden hat), die *Braunsche Röhre* zum Sichtbarmachen elektrischer Schwingungen (1898, nach K. F. Braun, 1850–1918): auch solche Bezeichnungen bauten an einer neuen Heimat ohne Volksgrenzen. Der Telegraphist handhabte den *Morseapparat* (nach S. Morse, 1791–1872); er *morste.* Nachdem man den X-Strahlen Röntgens seinen Namen beigelegt und von *Röntgenstrahlen, Röntgenaufnahmen, Röntgenphotographie, Röntgenfilm, Röntgenschirm, Röntgendurchleuchtung, Röntgenröhren, Röntgenspektrum* zu sprechen begonnen hatte, konnte man sich vom *Röntgenarzt* oder der *Röntgenschwester* auch *röntgen* (d. h. *durchleuchten*) lassen: die Namen wurden zu Zeitwörtern; so hatte man von Galvani (1737–1798) das *Galvanisieren* abgeleitet. Mann und Werk schmolzen in eins – aber dies Eine war das Werk, obschon es wie der Mann hieß. So wurden Namen zu Begriffen: die *Jägerwäsche* konnte ihren Erfinder (den Professor Gustav Jäger aus Stuttgart) vielleicht noch mißverstehend verleugnen, das *Bandonion* (nach Band aus Chemnitz, dem Erfinder des Schifferklaviers) den Namendeuter auf falsche Fährte locken, aber beim *Kruppstahl* war der Erfinder (Alfred Krupp, 1812–1887) nicht zu überhören. Oft konnte gar der Name des Meisters auf Ergänzungen verzichten: jedermann wußte, was eine *Pfaff* für eine Nähmaschine, eine *Stollwerck* für eine Schokolade, ein *Zeiss* für ein Fernstecher, ein *Zeppelin* für ein Luftschiff, eine *Borsig* für eine Lokomotive, eine *Junghans* für eine Uhr, eine *Hohner* für eine Mundharmonika, ein *Borgwardt* oder ein *Ford* für ein Wagen, ein *Michelson, Jamin* oder *Nicol* für ein Apparat war: da hatte, wie beim *Bädeker* oder beim *Duden,* die Firma mit dem großen Namen geworben! Man trank also seinen *Gilka* oder *Doornkaat,* fuhr seinen *Opel* oder *Maybach,* ging zu *Hagenbeck* oder ins *Adlon* und hatte seinen *Weck* (Gründung der Firma: 1900), mit dem man *einweckte.* Das Bild verschob sich weiter: das Ding nahm sich den menschlichen Namen wie einen Mantel um und prunkte mit ihm durch die Welt; es unterschied auch nicht mehr sauber zwischen Erfinder und Hersteller. In der Abkürzung verklang schließlich der Name; wer denkt beim *Torr* (Druckeinheit) an Torricelli (1608–1647), bei *Gal* (Beschleunigungsgrad) an Galilei (1564–1642), bei *Poise* (Zähigkeitsmaß) an den französischen Arzt Poiseuille? Die Heldenehrung griff sich ab, je mehr die Kundenwerbung die Grenze zwischen ihnen verwischte, und schließlich trat der König Kunde an die Stelle des königlichen Erfinders: die Kraftwagenmarke *Mercedes* verewigt die Erinnerung an die Tochter des Mannes, der sich als erster bei Daimler-Benz einen Rennwagen bestellt hatte (1900)! Sie verwischte sie gleichzeitig zwischen Mensch und Ding, so in der Sprache wie – zwangsläufig – im Unterbewußtsein der Sprecher.

Wir können hier den weiten Kreis der Technik nicht umschreiten, dessen Sektoren sich voneinander stark abheben: man sollte nicht von der „Sprache der Technik“, sondern von „technischen Fachsprachen“ reden. Immerhin sei daran erinnert, daß, während der Kraftwagen in jenen Tagen seinen Siegeszug vorsichtig erst begann, die L i c h t b i l d n e r e i bereits die Gemüter erregte. Noch verdächtigte man, wer dem Motorgefährt eine Zukunft weissagte, der *Automobilitis,* sprach von „Ungetümen mit Dauerhusten“ und sagte „Geschwindigkeit“ für *Gang.* Aber längst war das *Daguerreotyp* (1893) der *Photographie,* d. h. dem auf Papier abgezogenen *Lichtbild* gewichen; die Zeit, in der „die Landschaftsphotographie kein Vergnügen, sondern eine Strapaze“ war (1868), ging ihrem Ende entgegen, und der Tag, an dem der erste Bildberichter in einer Gepäckdroschke durch die Berliner Friedrichstadt gefahren war (1888), war fast schon vergessen. Viele lernten es damals, Landschaften oder Menschen mit der *Kamera* (dem *Kasten,* der *Box,* dem *Apparat;* im Wettbewerb der Synonyme scheint mit dem *Kameramann* und dem *Kamerateam* von Zeitung, Film und Fernsehen die *Kamera* zu siegen) *aufzunehmen* (zu *knipsen*), in der *Dunkelkammer* mit den *Lösungen* umzugehen, die *Negative* zu *fixieren,* zu *entwickeln* und *Abzüge* zu *machen* (zu *kopieren.*). Als man nur Gefangene *auslösen* konnte, hatte das Verb kaum eine Chance zu größerer Verbreitung; jetzt, wo man den Kameraverschluß *auszulösen* lernte, uferte es aus, und bald *löste* eine Speise Übelkeit, Ansteckung Seuchen, der Fehlschlag eines Regierungsplanes eine Krise, eine Anregung ein Echo, eine Ungeschicktheit beim Bergsteigen oder auch eine unfreundliche Bemerkung eine Lawine, ein schönes Kleid Bewunderung, schlechter Lohn Unzufriedenheit *aus* (dazu haben neuerdings vermutlich auch die Luftangriffe des Zweiten

Weltkriegs und seither die Angst vor der Atombombe beigetragen). Auf der *Bildfläche erscheinen* und *von ihr verschwinden* konnte man schon lange, bevor der Film volkstümlich wurde (1885); man *war im Bilde* oder war es *nicht*, d. h., man begriff die gestellte Aufgabe oder hatte *Mattscheibe*. Dieses breite Bilderband, das die Photographie in die Umgangssprache wob, läßt ahnen, wie sehr sie daran beteiligt war, das geschriebene oder gedruckte Wort zurückzudrängen. Längst ersetzt das *Photoalbum* das Tagebuch, und der *Bildband* ist leichter, schneller und vielleicht sogar einprägsamer durchzusehen als der Reiseführer. Übrigens: *Photograph* und *Photographie* waren, ähnlich wie die *Lokomotive*, aus dem Englischen zu uns gekommen: sie stammten vom Erfinder des Bromsilberpapiers W. H. F. Talbot (1839; daher anfangs *Talbottypie!*); sie machten auch durch ihr griechisches Wortkleid einen guten Eindruck, obwohl die Bezeichnung (= Lichtschrift) alles andere als klar, unmißverständlich und kennzeichnend war. An der Grenze der klassischen Sprache, dort also, wo das Wort für die meisten seiner Benutzer nur noch Klangfigur wurde, erledigten sich die Forderungen, die sonst von der Technik an die Sprache gestellt wurden: das Kunstwort nahm das Klangwort der späteren Zeit vorweg! – Andere Bezeichnungen wurden durch geschickte Übertragungen gewonnen: die *Blende* nahm man vom Scheuleder der Pferde, den *Filter*, der sich erst kürzlich der lateinischen Form (*filtrum*) entschlagen hatte, aus der Chemie, den *Sucher* aus der Astronomie; die *Linse*, längst in der Optik bewährt, gab nun ein Verbum *linsen* her (die Kamera *linst* auf jemanden); das Zeitwort *aufnehmen* kam aus der Behördenarbeit (*ein Protokoll aufnehmen* = festhalten) oder von der Malerei (*ein Bild aufnehmen* = entwerfen). Mit ihm und noch mehr mit dem von ihm abgeleiteten Hauptwort *Aufnahme* schuf man ein Wort, das erst, als Funk, Film und Schallplatte sich seiner bemächtigten, zu seiner vollen Bedeutung auflief. Auch der *Film* machte sich, auch er ein Gast aus England, schon damals und in der Lichtbildnerei bekannt: wer nicht mit *Platten* (= engl. *plate*; aber das Wort war in anderer Bedeutung seit Jahrhunderten in Deutschland volksläufig; vgl. auch S. 260!) arbeiten wollte, mußte zum *Filmpack*, zum *Rollfilm* greifen. Seine Erfindung erst machte (1894) aus der Kunst einen Volkssport.

Das B a u w e s e n wird in diesem Zusammenhang meist vergessen, obwohl es durch die Erfindung des Stahlbetons durch Monier (1870) einen Aufschwung nicht nur, sondern geradezu eine Wende erfuhr und seit dem Zweiten Weltkrieg in Handel und Wandel führte; kein Wunder, daß auch seine Fachsprache in breiteste Kreise floß. Bauhandwerk und -industrie haben, begünstigt durch die Zerstörungen zweier Kriege, durch Wohnungsnot, Bevölkerungszuwachs und den Bedarf neuer Industrien bis in die Gegenwart auch für die Sprache gewirkt. Schon Lessing hat die *Maßregel* (= Richtschnur) gekannt, die Behörde sich schon zur Biedermeierzeit des Zeitworts (*maßregeln*) bemächtigt; *über die Schnur haute* man schon im 16. Jahrhundert (aber jetzt wandelte man, wenn man *daneben haute*, mit dem Wortlaut auch die Bedeutung ins Hemdärmeligere). Was man nicht abzuändern brauchte, war *im Lot* oder *im Blei;* man sagte nun wohl auch einfach, es sei *senkrecht*. Wer *vom Bau* war, genoß Vertrauen; die von Angely (1834) stammende Wendung wurde nun auch abgewandelt: ein Kenner war *einer vom Bau;* wer *zum Bau gehörte,* nahm an der Gemeinschaft teil. Man verglich den Kopf mit dem Dach des Hauses: wer nicht ganz bei Troste war, hatte *einen kleinen Dachschaden;* wollte man tadeln, gab man dem Missetäter *eins aufs Dach;* wer jährzornig war, hatte gleich *Feuer im Dach*. Manchmal *brach* einer *warm ab,* dann hatte er sein baufälliges Gebäude angezündet. Ein Plan ließ sich *ausbauen,* eine Rente, ein Gehalt *aufstocken;* wer seine Meinung sorgfältig begründete, *unterbaute* sie; später (zwischen den Weltkriegen) ließ man sie ihn verstärkend *untermauern,* und als man im *Wiederaufbau* nach dem Zweiten Weltkrieg sein Selbstbewußtsein wiedergewann, uferte das Zeitwort *aufbauen* aus: man *baute* nicht nur Häuser, Städte, Firmen, Betriebe, sondern auch Personen (etwa seinen Nachfolger, einen zukünftigen Minister oder Abgeordneten) *auf*. Ein Schüler *baute* seinen Aufsatz, der Kegler einen Sandhasen, der salutierende Soldat Männerchen. Noch heute ist der *Aufbau* das Standardwort der DDR. Bewundernd stand man vor den Riesenbauten der Zeit: ein starker Raucher *qualmte wie ein Fabrikschornstein;* ein großer Kerl war ein *Wolkenkratzer* oder *Eiffelturm*. Solche Redensarten überzeugten schnell; sie verlangten keine Vorkenntnisse; sie kamen im vertrauten Kleid der Alltagssprache. Aber auch Fremdgut bürgerte sich leicht ein: nun erst, nach Moniers Erfindung, wurde der *Beton* allgemein bekannt, obwohl das Wort, dessen französische Form längst den lateinischen Kern (lat. *bitumen* = Schlamm) überwuchert hatte, durch keine Schulerinnerung humanistisch Gesonnener empfohlen schien. Und schon nannte man die vorgeformten Krawatten scherzhaft *Betonschlipse* und einen ungefügen Gesprächspartner einen *Betonklotz*.

Überall regte die Technik an, brachte sie Neues, lockerte sie die alten Bande und Begriffe. Ihr Einfluß auf die Umgangssprache vergrößerte nicht nur deren Vorstellungs-, Begriffs- und Bilderschatz; er lenkte die Sprache auch von früheren Zielen und Mustern ab und änderte ihr damit nicht nur die Außenseite. Im fachsprachlichen Bereich nötigte die Technik zur genauen Aussage; standen dem neuen Ding keine alten Wörter aus dem Handwerksbetrieb oder dem Alltag von gestern, keine Angebote aus fremden Sprachen zur Verfügung, mußte man es wagen, neue zu bilden – schon deshalb, weil es oft schwer war, bereits eingebürgerte Wörter begrifflich auseinanderzuhalten *(Maschine – Apparat – Instrument)* und weil Synonyme eher verwirrten als klärten. Dabei galt, wo sich nicht das Kunstwort durch seinen wissenschaftlichen Glanz empfahl, mehr die unbezweifelbare Richtigkeit, die „Eineindeutigkeit“ der Benennung als deren an alten Wertmaßstäben gewonnene

Eingängigkeit oder Schönheit. Fachwörter sollten, das wußte schon Faraday, „einfach in ihrer Art, klar in ihrer Bezeichnung und vor allem frei von jeder Hypothese“ sein. Es schien, als werde unsere Muttersprache nun erst ihrer Fähigkeit ganz froh, Zusammensetzungen in schier unbegrenzter Zahl zu bilden; auch die Länge schreckte nicht, wenn nur der Inhalt klargestellt war. Dabei gewann man, recht besehen, auch bei vielen Langwörtern noch Zeit. Denn über ihre Eineindeutigkeit hinaus sparten sie – nicht alle, aber viele von ihnen – Nebensätze ein: ein Schuppen, in dem man Wagen reinigen konnte, hieß flinker ein *Wagenreinigungsschuppen,* eine Maschine, in der sich Beton mischen ließ, war eine *Betonmischmaschine,* eine Lampe, die durch einen Reinkohlenbogen leuchtete, war als *Reinkohlenbogenlampe* genauso treffend, aber durch Einsparung des Nebensatzes hurtiger benannt. Solche R a f f w ö r t e r waren, so unglaubwürdig das auf den ersten Blick klingt, im Gebrauch doch zweckmäßiger als die umständlichen Satzgefüge, *Wagenreinigungsschuppen, Reinkohlenbogenlampe, Betonmischmaschine,* ja, es entstand sogar in späterer Zeit nach amerikanischem Vorbild ein neuer Zusammenrückungstyp fugenloser Additionskopplungen: *Flüssig-Flüssig-Extraktion, Nagel-Düse-Bauweise, Start-Stop-Prinzip* oder gar *Gas-Festkörper-Mischung.* Bisher hatte man Satz und Nebensatz das schillernde Einzelwort klären lassen; nun, wo die Listen der Preisangebote dem neuen Ding den Wirkkreis bereiteten, mußte das Wort oft auch die Arbeit des (Neben-)Satzes übernehmen. Hier liegt wohl eine der Wurzeln für das merkwürdige Mißtrauen, das unsere Gegenwartssprache gegen den Satz hat, ein Mißtrauen, das nicht nur die Techniker bei ihrer Arbeit, sondern auch die Behörden, die Zeitungen, die Wissenschafter zu Wortaussagen nötigt, die sich manchmal überschlagen. Davon wird noch zu sprechen sein. Aber schon waren auch die ersten Kräfte am Ort, zu warnen und Besseres zu zeigen. Der Engländer Faraday (1791–1867) hatte seinen Fachgenossen durch kluge, meist aus griechischen Stämmen geschöpfte Neuwörter den Weg gewiesen, als er der *Elektrode* und dem *Elektrolyt,* der *Anode* und der *Kathode,* dem *Anion* und *Kation,* den *Ionen* überhaupt den Namen geprägt hatte. In Deutschland ging man nicht immer die gleichen Wege. Franz R e u l e a u x (1829–1904), seit 1864 Professor der Maschinenbaukunde in Berlin, hatte sich durch sein herbes Urteil über die deutschen Erzeugnisse auf der Weltausstellung von 1876 („billig und schlecht“) volkstümlich gemacht. Nun versuchte er als erster, einer breiteren Hörerschaft die Problematik deutlich zu machen, die der Mensch künftig angesichts der Technik bewältigen mußte (1884, Vortrag über „Cultur und Technik“), und besonders: er zeigte auch durch Neubildungen wie *Zwanglauf, Kippgesperre, Schaltwerk, Werkstück, Sicherung,* durch geschickte Eindeutschungen wie *Verbund* (für *compound*), durch die Wiederbelebung alter Sprachstämme wie *schroten* (= an einer Geraden gleiten und drehen) oder *Räumte* (= Rauminhalt), wie man's etwa anfangen müsse, wollte man die

Sprache der Techniker fort- und aufwärtsentwickeln. Wörter wie *Track* (= Zugglied), *Flud* (= Druckmittel) oder C. F. von Weizsäckers *Ur* (= kleinstes theoretisches Elementarteilchen) haben sich nur im fachmännischen Wortschatz gehalten; aber ihre Form hat doch zu andern, verbreiteteren Kurzwörtern angeregt (*Wichte* = spezifisches Gewicht; danach: *Dick(d)e, Feuchte, Glasschmelze, Drillsteife, Erztrübe*; die *Leuchte* wurde sogar auch als Wort genormt, und neuerdings hat sich die *Spüle* eingebürgert; andrerseits: *Trieb,* aus Antrieb verkürzt, *Schub, Hub* = Weg des Kolbens einmal hin und her; danach neuerdings: *Stau, Verzehr, u. a.; Smog,* eigentlich ein englisches Klappwort aus *smok* und *fog).* Reuleauxs volkstümlichste Bildung *zwangsläufig* hat ihren Weg in alle Lebensbereiche, Politik, Wirtschaft, Wissenschaft, Alltag gemacht; gerade sie, der kaum einer noch die Herkunft anmerkt, zeigt, wie weit die sprachliche Leistung des Technikers reichen kann. Aber sie beweist auch mit ihrer verderbten Gestalt (das -s- der Bindefuge verkehrt ihr den Sinn: als ob auf einen *Lauf des Zwanges* gedeutet werden solle!), wie gleichgültig die Mehrzahl der Sprecher gegen sprachliche Fragen war; Reuleaux, ohnehin einstweilen ein weißer Rabe in seinen Reihen, hat nicht das „Bemühen aller", das er der Muttersprache wünschte, wecken können. Auch *Wustmann* nörgelte mehr, als daß er praktische Hilfe leistete; dabei entging ihm, daß manche seiner Vorschläge (etwa: *beleuchten* statt *belichten, löchern* statt *lochen, Ofen* statt *Heizkörper* zu sagen) an den technischen Gegebenheiten vorbeizielten, und andere Mahnungen (z. B. vor *Feuerbestattung* und *Einäscherung*) waren wohl nicht *nur* sprachlich bedingt.

Daß die Sprache seiner Umwelt auch den Menschen bedrohte, haben beide wohl kaum gesehen. Schon trat die *Maschine,* zunächst nicht mehr als ein Gerät zur Kraftübertragung, dann bald als technisches Allerweltswort überstrapaziert, schließlich die Schreibmaschine schlechthin, aus dem Rahmen des Bildes, das sie der Sprache vermittelt hatte: man arbeitete (schuftete) nicht nur *wie eine Maschine,* man wurde selbst eine, wenn man etwa dick und weiblichen Geschlechts, aber auch wenn man zäh im Fleiße (ein *Roboter*) war. Studenten fanden zuerst (um 1900), daß man ein Fest wie ein mechanisches Gerät, eine Uhr *aufziehen* könne; die Wendung blieb, auch als man kaum noch aufziehbare Uhren kannte und längst dazu übergegangen war, das Geschäft durch Hin- und Herbewegen eines Drehknopfes zu besorgen. *Aufdrehen* für „fröhlich werden" bürgerte sich aber erst ein, als man Geräte zu handhaben lernte, die mit Ein-, Abstell- und Verstärkerknöpfen dem Drehen eine unterhaltsame Funktion zuwiesen (vgl. S. 76!). Etwa zur selben Zeit regte der

[1] Die Bundesbahn kennt einen *Stoßverzehr.* Das ist nicht, wie man argwöhnen möchte, die Zeit der Mittagsmahlzeiten im Speisewagen, sondern eine Einrichtung gegen transportschädigende Stöße. Aber das Hansatheater in Hamburg, in dem man während der Vorstellung Speisen und Getränke zu sich nehmen darf, ist ein *Verzehrtheater.*

Warenautomat Stollwercks zu der Wendung an, bei einem, der endlich etwas begriffen hatte, sei *der Groschen gefallen.* Das hat ein knappes Jahrzehnt später Reclams Buchautomat doppelsinnig bestätigt. Übrigens eiferte der *Automat* der *Maschine* nach; tat man anfangs etwas *wie ein Automat,* so wurde das Adjektiv *automatisch* bald zur Bezeichnung einer menschlichen Reaktionsweise: man handelte, sprach, reagierte, bewegte sich *automatisch.* Dann kam bald, mit der wachsenden Beliebtheit des Kraftsports, das *Ankurbeln,* und nun war man schnell bereit, neben Veranstaltungen oder der Wirtschaft auch den sauertöpfischen Freund oder sich selbst als *Motor* zu sehen, den man *auf Touren bringen* konnte, indem man *Gas (Vollgas) gab,* der aber auch manchmal leer lief (und dann trat *Leerlauf* ein, wiederum nicht nur beim Kraftwagen, sondern auch in der Verwaltung, beim Gespräch, in einem Vortrag). Natürlich durfte man *das Tempo* nicht *überdrehen,* damit sich die Gespräche (oder, je nachdem, die Verhandlungen) nicht *heißliefen;* man tat gut daran, rechtzeitig zu *schalten,* um eine nützliche Unterhaltung *anzukurbeln* (und das galt auch für die Zeit, als der *Zündschlüssel* längst die Kurbel hatte vergessen lassen). Wie Motoren oder Kraftwagen konnten auch Arbeitsgänge, Unterhandlungen, Veranstaltungen, Filme *anlaufen.* Längst hatte man sich gewöhnt, Eisen oder Erz als den besten Stoff der Welt zu feiern; Lassalle hatte vom *ehernen Lohngesetz* gesprochen (1863) und mit dem Beiwort die Unabänderlichkeit, die elementare Gewalt und das urige Alter der von ihm beobachteten Vorgänge andeuten wollen; Scheffel wünschte Deutschland die *eiserne Tat* (1850) zur Einigung und meinte damit wie Arndt, dessen Gott *Eisen wachsen* ließ, Entschlossenheit, Mut, Charakterstärke; nun hatte ein *eiserner Kanzler* das neue Reich geschmiedet. Wer entschlossen war, sich durchzusetzen, bewies seinen *eisernen Willen*; wer durchgriff, kehrte mit *eisernem Besen*; wer sich nicht leicht erschüttern ließ, hatte eine *eiserne Stirn*; wer etwas erreichen wollte, mußte *eiserne Disziplin* halten. *Eisern* wurde zum beliebten Beinamen (Hans Hoffmann brachte 1890 einen „eisernen Rittmeister" auf die Bühne). Man konnte sich durch *eiserne Gesundheit* und *eisernen Fleiß* auszeichnen; bald erhielt die Wendung *„Aber eisern!"* die Bedeutung einer besonders kräftigen Beteuerung. Vielleicht hat der Sprachgebrauch des alten Rechts, der als „eisern" Dinge bezeichnete, die erhalten bleiben mußten („Eisern Vieh stirbt nie!"), mitgewirkt, um dem Beiwort die Bedeutung des Unzerstörbaren, Ewigen, Unangreifbaren beizuheften; vom *eisernen Bestand* nahm wohl die *eiserne Ration* des preußischen Soldaten ihren Ausgang, und der *eiserne Vorhang,* von dem schon Walter Frank 1936 (und nicht erst Churchill zehn Jahre später) sprach, erwies sich als so undurchdringlich wie unüberwindbar. Aber das war doch nur e i n e Farbe neben andern. Wie das Wort schließlich schillerte, zeigte im Zweiten Weltkrieg seine mit einer Art teuflischer Genialität genutzte Vielsinnigkeit: wurde da vom *eisernen Sparen* geredet, so konnte man sich dabei gewärtig halten, daß die zu sparende Summe (zunächst) unantastbar sein solle (= alte Rechtsbedeutung!); man konnte und sollte aber das Wort auch als ernsten halb und halb burschikosen Anruf an seinen Willen hören („Aber eisern!"), sollte der eisernen, der Notzeit nicht vergessen, die eiserne Nerven, eiserne Stirnen und eisernen Willen verlangte, und hatte dabei doch eine Ahnung vom Verzicht *(„Gold gab ich für Eisen")*. Dieser Zusammenfluß stofflicher und menschlicher Belange im gleichen Wort bereitete sich eben in der Zeit vor, von der wir sprechen. Damals bekam auch das Beiwort *hart* seinen sittlichen Wert. Bisher hatte es zur Feststellung einer Beschaffenheit gedient, die der Beobachter in solcher Gedrängtheit nicht erwartet hatte; man hatte von *hartem Gestein*, aber auch von *hartem Wasser* oder *harten Farben* gesprochen. Von diesem schier Unerwarteten, das dem Wort seit je anhing, erklärte sich die Belastung, die es in seine Bedeutungsübertragungen mitnahm: „hart" mischte Bewunderung und Ablehnung: ein *harter Kopf* schlägt nicht gut an; *harte Weiber*, von denen Luther sprach, ragen in ihrer Unempfindlichkeit gegen Mutterschmerz fast über menschliches Maß; ein *hartes Herz*, einen *harten Sinn* zu haben empfiehlt niemand. Jener Landgraf, der nach dem Wunsch seiner Untertanen *hart* wurde, war dadurch – das wußte jeder, der Gerhards Ballade (1817) las – nicht sympathischer geworden. Bei Zuchttieren, Rennpferden, Alpenschafen, bei Obstbäumen und Feldfrüchten schätzte man solche *Härte* (= Widerstandsfähigkeit) eher. Aber nun entdeckte man die *Härte* als Eigenschaft des heiligen Eisens, und damit war ihr der Weg aufwärts frei. Abwertende Bildungen wurden zurückgedrängt (man sagte lieber *schwer-* als *harthörig*!) oder auf Sondersprachen beschränkt (*hartmäulig* auf die Pferdezucht!); das konnte, da (besonders unter Hitler) *hart wie Kruppstahl* als Charakterwert erstrebt wurde, nicht anders sein. Da wandelte auch die *harte Arbeit* ihr Gesicht: aus der Plage wuchs die Rühmung dessen, der sie bestand! Dies alles wirkte lauter und rascher im Norden und in der Mitte des Sprachraums, wo ein junger Fürst in starkfarbigen Bildern schwelgte und mit seinen gesteigerten Wendungen Schule machte, während der Abscheu, den Franz Joseph vor Telegrafen, Kraftwagen, Lifts und Festreden hatte, auch der Sprache seiner Untergebenen eine allzu unbekümmerte Hinwendung zum Technischen verwehrte.

Aber über und hinter dem Lieblingsbild aus Eisen stand den Zeitgenossen das Fahnenwort *Arbeit*. Schon Schiller hatte sie „des Bürgers Zierde" genannt; kurz nach ihm hatte Charles Fourier das *Recht auf Arbeit* (le droit au travail) zum sittlichen Anspruch gesteigert (1808). Aber nicht sie, sondern die Ruhe, die der getanenen folgte, machte damals noch den Abend zur Feier. Nun erst, wo er den Bereich des Handwerks sprengte, weitete sich der Begriff stofflich und sittlich. Das Psalmistenwort von der Köstlichkeit der Lebensernte nahm man – unbekümmert darum, daß Luther „Mühsal" (dolor) gemeint hatte – zum Leitmotiv, eine Fehlinterpretation, die ihre Fragwürdigkeit in fahlem religiösem Schimmer verbarg: man hörte die Zeit gern als „Jahrhundert des Dampfes", ebenso gern aber, als überdeckten die beiden Wörter sich, auch als das der Arbeit bezeichnen. Als Bebel und die Lassallegruppe (1875) in Gotha versuchten, die schmale Ebene gemeinsamer Anschauungen mit Worten zu verbrämen, setzten sie die Feststellung an die Spitze, die Arbeit sei „die Quelle alles Reichtums und aller Kultur"; sie meinten das rühmend; daß sie denen, die sie bekämpfen wollten, ein gutes Zeugnis ausstellten, merkte anscheinend niemand. Damit war der Rahmen um das Zielbild gelegt: man wollte reich sein, und man wollte Kultur (man sagte statt dessen auch: Bildung) haben; der Weg zu beidem war *Arbeit*, d. h. Anstrengung und Fleiß, die Schweiß voraussetzten, aber auch ihr Ergebnis; Schaffen, aber auch Schöpfung. Hier wurzelt das schlimme Wort vom *Kulturschaffen*, das zwar vortäuschen möchte, „Kultur" sei etwas, was man durch Arbeit herstellen könne, das aber auch den „Arbeiter" gegen die „Kulturschaffenden", eine bevorrechtete Gruppe moderner Magier, abgrenzte. So sog das Wort, ähnlich wie *eisern* und doch wieder sehr anders, stoffliche und sittliche Werte so in sich ein, daß sie schließlich kaum voneinander zu trennen waren: *Arbeit* war das, was alle Menschen gemeinsam hatten, und so bot List die *Arbeitsteilung* dem Wirtschaftsrätsel der „modernen" Zeit als Lösung an. Aber sie war auch ein unabdingbares Vorrecht jedes einzelnen; darum wurden *arbeitslos* und *Arbeitslosigkeit* zu Fluchwörtern unseres Jahrhunderts. Man sah staunend die Leistungen der neuen Wissenschaft und der Industrie und hob die *Arbeit* als ihren Ursprung in den Himmel; man stöhnte über die Not derer, die arbeiteten und doch darbten, und begann, die *Arbeit* zu hassen. War man kirchlich, so weitete man das alte „ora et labora" zur Stammbuchmahnung: „Bete, als hülfe kein Arbeiten, und arbeite, als hülfe kein Beten!" War man unkirchlich oder Kirchenfeind, schien die Arbeit das einzige Mittel, die verhaßten Vormünder durch ein Leistungsmehr auszuschalten. Heinrich Seidel dichtete eine „Hymne der Arbeit", deren Feierlichkeit eine fast fromme Inbrunst atmet:

„Arbeit! Arbeit! Segensquelle!
Arbeit ist das Zauberwort,
Arbeit ist des Glückes Seele,
Arbeit ist des Friedens Hort! ...
Nur die Arbeit kann erretten,
Nur die Arbeit sprengt die Ketten,
Arbeit macht die Völker frei!"

Und der andre Dichteringenieur, Max Eyth, besang, selbst Schwabe, die norddeutsche Reichshauptstadt:

„... Die Arbeit ist es, die die Welt erlöste,
die, wenn auch langsam, ihre Ketten bricht.
Der Trägheit üppger Wahnsinn ist dahin!
Der Arbeit Söhne grüßen dich, Berlin!

Du Stadt des Schaffens ruheloser Säfte,
du Stadt der Arbeit, voll lebendger Kräfte!"

Das klang wie der Anruf an eine allmächtige Gottheit: wahrlich, *Arbeit* war ein „Zauberwort", ein „neues Prinzip" geworden; sie, die (nach Hesiod) „nicht schändete", erhielt nun die Fähigkeit zu „adeln". Aber Marx erkannte auch, daß *Arbeit* aus sich selbst etwas erzeugen, daß man, besonders zu mehreren, etwas *erarbeiten* könne, eine Wendung, die vornehmlich bei Schreibtischarbeiten beliebt wurde. Wilbrandt nannte „*Arbeit* und Genuß ... Zwillingsbrüder, eins im andern lebend" (1890); Fontane ließ den Frieden „nur in der *Arbeit*", die Ruhe „nur in der Mühe" wohnen. Man mag von all solchen Bekundungen, die leicht zu längerer Kette gereiht werden können, hinüber zu Luthers mißverstandenem Wort von der „Köstlichkeit" des Lebens sehen; sicher haben auch die Prediger der Zeit ihren Teil an der Heiligsprechung des Begriffs. Aber man muß auch an Carlyle denken, dessen Werktitel „*Arbeiten* und nicht verzweifeln" (deutsch: 1902) den Pessimismus der Zeit noch unverhüllter preisgab. Da mischten sich preußische Pflichtidee Kantischer Prägung und spätprotestantische Diesseitsklage, aber auch Stolz über die Gegenwart und Rühmung des Erreichten, Kampfansage und Humorlosigkeit, und aus dem Ganzen gebar sich eine wertende Nutzung, eine neue Wendung des Wortes *Arbeiter,* die in jeder Hinsicht Verwirrung stiftete. Denn *Arbeiter* durfte fürderhin nicht jeder mehr heißen, der sich dem Zeit-, Menschen- oder Gottesgebot der *Arbeit* unterstellte; die Benennung blieb dem vorbehalten, dessen Leistung dem technischen Fortschritt diente, der zunächst der Maschine werkte und gleichzeitig erst ganz am Anfang des Weges stand, dessen Ende („Reichtum und Kultur") er so heiß erstrebte, wie er die bitter bekämpfte, die es erreicht hatten. Der *Arbeiter* wurde zum Angehörigen einer Schicht, die sich eifersüchtig gegen andere abgrenzte; seit Lassalle (1864) dröhnte der „dumpfe Massenschritt der *Arbeiterbataillone*" durch die Welt. Man merkte zu spät, daß man, selbst wenn man solche Schichtgrenzen bejahte, die Vokabel zu einseitig geprägt hatte; so entstand Jahrzehnte später der Versuch, sie in der Formel *Arbeiter, Bauern, Soldaten* zurechtzurücken; aber das überzeugte auch die Beteiligten wenig. Auch die zweite, von andern Gesichtspunkten bedingte Sprachregelung, den *Arbeiter der Stirn* neben dem *Arbeiter der Faust* zu ehren, scheiterte an ihrer allzu grobschlächtigen Vereinfachung: als ob „Hirn" und „Faust" sich nicht – und gerade in dieser Zeit! – unablässig gegenseitig bedingten! Die dritte erleben wir gegenwärtig im *Ersten Deutschen Arbeiter- und Bauernstaat.* Endlich erfand man den *Arbeitnehmer,* ein Gefäß aus farblosem Glas, aber breit genug, alles in sich aufzunehmen, und dabei zu nichts verpflichtend, weder zur Übernahme von Standespflichten oder -urteilen noch zur Aufgabe alter Vorrechte; letztlich waren auch Angestellte Arbeitnehmer. Sein Gegenstück, der *Arbeitgeber,* nahm sich von dieser Unverbindlichkeit sein Teil. Inzwischen blühte die *Arbeiterbewegung*; aber ob, der ihr angehörte, in der begehrten *Arbeiterkolonie* oder im verachteten *Arbeiterviertel* wohnte, entschied nicht nur über Art und Wert seiner Behausung, sondern auch über Art und Bewertung seines Berufs. Der *Arbeiterin*, seiner weiblichen Kameradin, blieben Ehrung und Grauen, die dort schon der Name barg, erspart; wenn sie Gegenstand der Auseinandersetzung wurde, mußte sie es sich gefallen lassen, *weiblicher Arbeiter* zu heißen: die *Arbeiterfrage* schloß auch sie ein. Am *Arbeiterherzen* konnte man zwar auch als Bauer oder Seemann leiden, aber die Krankheitsbezeichnung deutete doch den eigentlichen Krankheitsherd (halb anklagend und halb voller Stolz) an: sie gebärdete sich wie ein Standesvorrecht, gegen das man, wenn es aufdringlich wurde, den *Arbeitsschutz* zu Hilfe rief. Nur langsam schränkte das Wort seinen Anspruch ein. Die Auffächerung der Berufe drängte die *Facharbeiter* dazu, sich so eindeutig wie nur möglich zu benennen, was denn oft nur zu schematisch geschah; so blieb schließlich das alte, würdige Grundwort nur noch dem *„ungelernten"* und dem *Gastarbeiter;* dem Begriff heftete sich ein miefiger Beigeschmack an (vgl. *Kanalarbeiter* = Hinterbänkler im Parlament). Dazu kam, daß, sichtbar seit dem Ende des Zweiten Weltkriegs, die Einstellung vieler Menschen zur Arbeit eine andere wurde. In einer Zeit allgemeiner Verarmung erhielt die Gelegenheitsarbeit einen neuen Wert: der Berufsverdrängte, der nach vielen Soldatenjahren in die verwüsteten Städte heimgekehrte Student, jeder, der genötigt oder umgetrieben wurde, *Geld zu machen*, schmeidigte sich in der Findigkeit, kurzfristige Verdienstmöglichkeiten zu entdecken und zu nutzen. Damals nistete sich der *Job*, als Begriff auch bei uns schon seit über achtzig Jahren bekannt und bisher nicht sehr geachtet (= Geschäft, mit einem unüberhörbaren Nebenton von Betrug), bei uns ein, beherrschte lange Jahre die Gemüter und ebbt erst jetzt, scheint's, wieder langsam ab. Sein Zeitwort *jobben* ist vornehmlich bei Studenten gängig.

Andrerseits suchte man nach neutralen Benennungen, bezeichnete sich also lieber als *berufstätig*, als daß man sich die Mühe machte, seine Arbeitsleistung genau anzugeben. Schließlich drängten die Angehörigen anderer „arbeitender" Stände in den Nießnutz der dem *Arbeiter* geschaffenen Hilfen (man muß nicht *Arbeiter* sein, um eine *Arbeiterrückfahrkarte* zu benutzen!). Der Zug der Zeit schob neutrale Bezeichnungen nach vorn: *Sozial-* und *Tarifpartner* stehen miteinander im Gespräch, *Industriekapitän (Unternehmer, Kapitalist)* und *Arbeiter* befehden sich, der *Betriebsangehörige* kann Chef oder Untergebener, Fach- oder Hilfsarbeiter oder auch Angestellte(r) sein. So schwankt das Wort *Arbeiter* schwer bestimmbar. Gefährlicher war besonders sein Stammwort beschwert. Denn *Arbeit* war nicht nur ein sittlicher, religiöser oder Gefühlswert; jeder, der denkend, bauend, entwerfend und nachbildend der technischen Welt beitrug, wußte, daß sie „das Produkt aus Kraft und Weg" war, eine berechenbare Größe, die man (mit Hilfe der Arbeitseinheit, des *Ergs*) zu messen und als Kernstück aller technischen Leistung zu begreifen lernte. Wieder begegneten sich im Helldunkel der Sprache menschliche und technische Dinge, verbanden sich, wurden gegeneinander auswechselbar. *Arbeitssteg* nannte man eine Brücke, auf der der arbeitende Mensch die Maschinenhalle überqueren konnte; eine *Arbeitsmaschine* ist ein von Mensch, Tier oder Strom angetriebenes Gerät, das eine *Arbeit* verrichtet; ein *Arbeitsessen* oder einen *Arbeitslunch* nehmen Politiker ein, die sich auch am – photographierten – Speisetisch fleißig zeigen möchten; *Arbeitskraft* (da überschlagen sich die Begriffe) heißt eine Hausgehilfin, ein Knecht oder ein Büroangestellter; aber unter *Arbeitsstrom* versteht man eine Art von Schaltung. Nicht nur das Herz, auch die Maschine *arbeitet*, und man kann sein Geld *arbeiten* lassen. Die Grenzen zwischen Mensch und Dingen verwischten sich.

Je größer die Anstrengungen der Technik, je überzeugender ihre Erfolge wurden, je mehr Menschen mit ihr wirkend oder nutzend in Berührung kamen, um so öfter mußte dieser Vorgang sich wiederholen, um so bunter mußte er sich darstellen. Manche aufmerksamen und wohlwollenden Beobachter erschraken: war nicht wirklich, wenn man *Bedienungsanleitungen* oder *-vorschriften* für Maschinen entwarf, wenn man Menschen anwies, Maschinen zu *bedienen*, das Verhältnis zwischen Mensch und Maschine bedrohlich verkehrt? Man wies aufs Englische, in dem die Relationen besser gewahrt schienen; dort entsprechen Verben wie *to work, attend to, to run, to operate, to handle, to control, to tender* der Menschenwürde auf den ersten Blick mehr. Aber auch dort sagt man *service staff*, wo wir, vielleicht nachahmend, von *Bedienungsmannschaft* reden. Man mag das gedanken-, wohl gar geschmacklos nennen; aber vor dem Hintergrund paralleler Verschiebungen verliert es an Gewicht. Das alte Wort *Kraft* z. B., das ursprünglich und lange Zeit die Wirkfähigkeit von Wesen und Dingen (auch etwa von Gesetzen) bezeichnete, geriet, als sich die Elektrizität seiner bemächtigte und ihre *Kraftwirtschaft* mit *Kraftwerken* aufbaute, ins Doppelbödige. Zwar hatte man von *Kraftbrot* und *Kraftmehl* schon im 16. Jahrhundert gesprochen, und schon Goethe hatte die *Kraftbrühe* gekannt; warum sollte man nun nicht auch die *Kraftnahrung*, gar die *Kraftwäsche* erfinden und das Automobil zum *Kraftwagen* eindeutschen? Aber wer Angestellte, Arbeiter oder Schüler in *gute* und *schlechte Kräfte* schied, wer sich gewöhnte, von *Nachwuchs-* und *Lehrkräften* zu sprechen, um nicht zwischen männlichen und weiblichen Lehrlingen, zwischen Lehrern und Lehrerinnen unterscheiden zu müssen, wer schließlich vortreffliche Mitarbeiter *Fach-*, ganz vortreffliche *Schlüssel-* oder *Spitzenkräfte* nannte, sah seine Umwelt als riesiges *Kraftfeld*, auf dem zwischen Menschen, Fähigkeiten und elektrischem Strom kaum noch Grenzen liefen. Dies wohl mit ein Grund dafür, daß die technischen Fachsprachen nun lieber das uns aus dem Französischen zugewachsene griechische *Energie* für *Kraft* setzen, obwohl auch dies bis zum Beginn unseres Jahrhunderts mehr eine seelische als eine physische Kraft gemeint hatte. Indessen ist es weniger mißverständlich, von *Energie-* als von *Kraftpolitik* zu reden, wenn man an die Gewinnung und Verteilung besonders großer Strommengen denkt: einem Fremdwort – wir werden das noch öfter beobachten – trägt man unbekümmerter neue Bedeutungslast zu. Und noch ein letztes Beispiel für unsern Zusammenhang. Die *Fabrik* ist nach deutschem Sprachgebrauch seit dem 18. Jahrhundert ein Gebäude oder Raum, in dem viele Menschen nach einheitlichem Plan Waren herstellen. Später nannte man auch den Betrieb selbst, die in ihm arbeitenden Menschen, so: den *Fabrikanten* oder *Fabrikdirektor*, den *Fabrikarbeiter* und das *Fabrikmädchen*; sie bildeten zusammen die *Fabrik*. Die Verhältnisse schienen sich nur wenig zu verschieben, als man sich in unsern Tagen gewöhnte, die Filmproduktion und -theater als *Traumfabriken* (Wortschöpfung von Ilja Ehrenburg?) zu bezeichnen. Indessen übersah man, daß sich Träume nicht herstellen lassen, das Bild also unscharf wurde. Als dann die *Lernfabrik* kam, die programmierten Unterricht verhieß, wurde deutlich, wie abschüssig der Weg geworden war. Das fühlten viele, daß sich „lernen" nicht produzieren ließ, und daß auch einer neuen Lehrmethode kein guter Dienst erwiesen wurde, wenn man den Seriencharakter als ihr hervorstechendes Merkmal hervorhob. Bei der *Zerstörungsfabrik* überschlug sich das Bild vollends.

Bedienungsvorschrift, Spitzenkraft, Lernfabrik – die Beispiele ließen sich mehren. Es sind Einzelfälle; man kann sie beobachten und durch vernünftigere Bildungen ersetzen; so lange man das tut, bleiben sie ungefährlich, und vielleicht ist diese Behutsamkeit im Sprachlichen, zu der uns die technisierte Zeit nötigt, ein besonderer Gewinn für unsere Sprache. Je mehr die Technik in ihren Fachsprachen nach Klarheit und Eindeutigkeit strebt, um so größere Möglichkeiten gibt sie ihren Nutzern, auch hierin an ihr teilzuhaben. Man versteht den Ärger vieler Ingenieure, daß gerade das von ihrer Fachbezeichnung abgeleitete Adjektiv *technisch* in der Umgangssprache zum Dunkelwort geworden ist: was *technisch unmöglich* ist, mit *technischen Gründen* entschuldigt, *technischen Schwierigkeiten* zugeschoben oder als *technische Vollendung* gepriesen wird, ist meist in den persönlichen Gegebenheiten des Sprechers begründet. Da wird die Technik zur faulen Zu- oder zur Ausflucht für die verbreitete Unlust, das, was gemeint ist, genau zu sagen (vgl. S. 110!). Auch das Wort *Industrie*, uns um die Mitte des 18. Jahrhunderts über das Französische zugewachsen, aber erst im 19. Jahrhundert in seiner jetzigen Bedeutung verfestigt, uferte nun aus. Wer von *Industrieanlagen* spricht, wird sicher verstanden werden; beim *Industrieberater* ist das nicht mehr so gewiß; *industrieblond* (= blond gefärbt) schließlich ist eine ironische Schelte.

Man kann die technischen Fachsprachen nicht über einen Kamm scheren. Aber man findet doch zwischen vielen, vermutlich sogar zwischen allen Gemeinsamkeiten, die bedeutsam sind. So ist das A l t e r der einzelnen Fachsprache insofern für ihre Struktur wichtig, als es den Grad ihrer Aneignung durch die Muttersprache abstuft. Es war zwar ein Trugschluß der Germanistik, die alten deutschen Fachsprachen, die Bergmanns-, Seemanns- oder Tischlersprache etwa, für schlechthin muttersprachliche Erscheinungen zu halten; dabei klammerte man einseitig die industrielle Revolution, die natürlich auch ihr Bild seit 200 Jahren unablässig verändert, unbekümmert aus. Aber andrerseits ist die Umgangssprache um so mehr von den Fachsprachen beeinflußbar (und umgekehrt), je tiefer diese ins Gemeinleben eingebettet sind. Wären nur die Ingenieure und Konstrukteure an der Bildung ihrer Fachsprachen beteiligt, gäbe es hier kein umgangssprachliches Problem. Aber sie sind in der Minderheit gegenüber dem Heer der Angestellten und Arbeiter, die ihre Pläne und Entwürfe ausführen und nicht nur darauf angewiesen sind, sich die Fachbezeichnungen ihrer Auftraggeber anzueignen, sondern sie sich vielmehr mundgerecht machen müssen, um ihre Arbeit zu vereinfachen und leisten zu können. Dazu kommen naturgemäß in der Kleinarbeit zahllose Handgriffe, Werkstücke und -stoffe, für die sie ohnehin ihre eigenen Bezeichnungen, aus dem Handwerk oder woher auch immer, mitbringen. So wird die W e r k s t ä t t e n s p r a c h e zu einem großen Umschlagsplatz zwischen Fach- und Umgangssprache: von der einen Seite kommt das neugebastelte oder aus der Fremde übernommene, jedenfalls aber bestimmt definierte Fachwort, von der andern die Farbigkeit umgangssprachlicher Wendungen oder auch altbewährten Sprachgutes, die, wenn sie auch in Einzelheiten uneindeutig sein mögen, das Ganze griffiger und jedenfalls aus der Terminologie erst eine wirklich sprechbare und gesprochene Fachsprache machen. Dabei wirkt die Werkstättensprache nach beiden Seiten, in die Konstruktionsbüros der Ingenieure wie in die Breiten der Umgangssprache, die ohne ihre Vermittlung kaum an ihren Bildungen teilnehmen könnte. Dazu hat sie allerdings noch einen weiteren Eingang: denn schließlich landet ja doch alles, was Entwurf und Ausführung Neues bringen, bei den Verbrauchern. Die Rücksicht auf sie, auf ihre Sprachlage und Sprechgewohnheiten, zwingt Hersteller und Verkäufer zu Zugeständnissen. So entsteht ein Gürtel gegenseitiger Beeinflussungen. In ihm leben die meisten unserer Beispiele. Durch ihn wandern ungezählte Neu- und Fremdwörter für neue Erfindungen, Geräte, Verbrauchsgüter; in ihm wachsen auch die vielen guten und griffigen Bilder, die mithelfen, auch dem Laien technische Einzelheiten verständlicher zu machen: der Wagen hat eine *Haube,* die doch unsere Frauen längst abgelegt haben; in Siederohren gibt es *Rohrreißer* und *Anfressungen*; Werkmaterial kann *ermüden,* Anstrichfilme und Stähle *altern,* eine Küche – arbeitstechnisch – *krank* werden, Kondensatoren zeigen *Grübchenbildungen,* Stahl kann *beruhigt* oder *unberuhigt* sein, Flugzeuge beweisen ihre *Ermüdungsfestigkeit*, oder sie haben *Ermüdungsrisse* oder *-brüche.* Oder: eine Abbruchmaschine heißt

Baggerbirne, ein Raumfahrzeug *Mondfähre;* im Flugzeug gibt es *Sandwichbauteile* mit *Honigwabenfüllung;* bei Maschinen ließ sich eine *Laufruhe* feststellen. Aber in diesem Gürtel versteifen sich auch Unzulänglichkeiten, die Bestürzung etwa darüber, daß neuentdeckten Gegebenheiten sach- und sprachgerechte Bezeichnungen meist nur langsam wachsen; das führt dann oft zur Strapazierung von Klischeebildungen, z. B. mit *Infra-*, *Inter-*, *Ultra-*, *Supra-*, *Super-* usw., die der Alltagssprecher leichtfertig übernimmt und weiter überfordert, weil er sich mit ihnen besonders gegenwartsnahe vorkommt. In diesem Gürtel stoßen die Sprachschichten manchmal so hart aufeinander, daß die einzelnen Begriffe ausfugen: was nun eigentlich ein *Grundstoff* ist, ein chemisches oder metallisches Element, Kohle oder Eisenerze, ein Erzeugnis des Bergbaus, der Hüttenwerke, Baustoffe, Steine, Erden oder nur irgendein Gut, das in die Produktionssphäre eingedrungen ist, das muß in jedem Einzelfall bestimmt werden, und da das oft nicht geschieht, versteht sich der Ärger der Verkäufer über die Unschärfe der auf sie einstürmenden Warenbezeichnungen. In ähnlicher Weise beginnt, um ein anderes Beispiel zu nennen, die Bezeichnung *Armaturen* über ihren Ursprungskreis zu wuchern. Schließlich lädt diese Gürtelzone unserer Sprache auch den Abseitsstehenden, der weder konstruiert noch herstellt, weder verkauft noch erwerben will, ja gerade ihn immer wieder ein, sich aus ihren Speichern zu holen, was ihm brauchbar erscheint. Dadurch entsteht dann oft jener schwer zu ertragende Fehlgebrauch von Wörtern und Bildern, der den Kenner der Zusammenhänge vor den Kopf stößt und die Unwissenheit des Sprechers bloßstellt, aber immerhin nach etwas aussieht und darum von vielen weitergebraucht und weitergetragen wird (dahin gehört z. B die *Optik,* von der aus oder mit der wir etwas gesehen wissen wollen). Hier wurzelt auch eine gewisse grammatikalische Unsicherheit, die sich oft und öfter bei der Betonung und Beugung fremdsprachlicher Wörter zeigt: heißt es nun *Motor* oder *Motor,* die *Motore* oder die *Motoren?* Ähnlich beim Mediziner: heißt es *Tumore, Tumors* oder *Tumoren,* oder beim Psychologen: sagt man *Tests* oder *Teste,* d. h., nimmt man die amerikanische Mehrzahlform oder die deutsche? Und wenn diese, dann welche von den möglichen? Aber bei den *Traktoren* und *Ventilatoren* des *Technikers* besteht, scheint's, dieses Hin und Her zwischen richtig und falsch nicht. Gelegentlich mißversteht man auch die technische Bildung und spricht vom *Weißbluten,* womit man doch sicher nicht an Leukämie (= Weißblütigkeit), sondern vielmehr an die *Weißglut* des Hochofens denkt.

Dieser meist gelingende, nur gelegentlich schieflaufende Wortumschlag ist gewiß eine gewaltige Leistung unseres Grenzgürtels, zumal wenn man bedenkt, daß da nicht nur Wörter hinüber und herüber wechseln, sondern zugleich auch gefiltert werden. Wäre der Bezirk zwischen der Umgangssprache und den technischen Fachsprachen schlechthin durchlässig, wir wüßten uns in kurzer Zeit vor der Wortlawine nicht mehr zu retten. Man berechnet den Fachwortschatz der Elektroindustrie auf rund 60 000, den der Chemie auf über 100 000 Vokabeln; für die neuen Kunststoffe, deren Zahl im letzten Jahrzehnt um 3780 v. H. gestiegen ist, Namen zu finden, ist eine höchst schwierige Aufgabe. Meist löst man sie mit Hilfe griechischer oder lateinischer Vokabeln durch Kunstwörter (*Makrolon* ist ein Kunststoffglas), muß aber dabei in Kauf nehmen, daß der Kunde, der sich unter dem uneinsichtigen Namen zunächst nichts denken kann, das Ding kennen und schätzen muß, ehe er den Namen behält. Nimmt man aber gängige Stoffbezeichnungen, gerät man in den Verdacht, „Unechtes" durch die Bezeichnung eines „echten" Stoffes einschwärzen zu wollen. Ein ganzer Wortkomplex von großer Bedeutung – auch in wirtschaftlicher Hinsicht! – kommt damit ins Gleiten; was *echt* oder *naturrein (natürlich)* ist oder nicht, wird immer schwerer bestimmbar. Allerdings dringt nur das in die Umgangssprache, was der Durchschnittssprecher sachlich benötigt oder aus andern Gründen (weil er es hübsch, treffend, lustig findet) an sich zieht. Schon das aber ist sehr beträchtlich: wenn man davon ausgeht, daß sich der Wortschatz des Alltagssprechers im letzten halben Jahrhundert etwa verfünffacht habe, ist der Beitrag der technischen Fachsprachen an dieser Aufblähung, die unsern Neurologen und Pädagogen, aber auch jedem einzelnen von uns zu schaffen macht, nicht gering zu veranschlagen. Nach meinen Berechnungen entstammt jedes neunte oder zehnte Wort, das wir sprechen, technischen Bereichen.

Wichtiger aber noch als dieser gewaltige Wortschub ist es, daß sich in den technischen Fachsprachen Besonderheiten der Wortfügung eingewurzelt oder ausgebildet haben, die nun auch in andern Sprachbezirken Platz greifen. Man denke z. B. an die G e r ä t e n a m e n (die „nomina instrumenti") a u f - e r , die es zwar schon seit rund tausend Jahren bei uns gibt, die aber erst in der letzten Jahrhunderthälfte wuchern, Bildungen also wie *Regler, Umformer, Anlasser* (sie alle aktiv und transitiv gemeint) oder: *Anhänger* und *Schieber* (in passiver Bedeutung = was angehängt, geschoben wird). Sehr häufig sind zusammengesetzte Bildungen dieser Art: *Luftkühler* und *Mähdrescher, Kaltformer* und *Senkrechtstarter, Wasserenthärter, Ammoniakwäscher, Bildumwandler* und so fort. Das alles sind Geräte! Die wachsende Beliebtheit der *-er*-Geräte hat zwei Gründe. Einen beträchtlichen Auftrieb erhielt die an sich heimische Bildungssart durch englische Muster, durch den *Absorber* und *Conveyer,* den *Cutter* (= Fleischschneidemaschine) und den *Videorekorder* (= Speicher für Fernsehsendungen), den *Toaster* und den *Froster.* Aber dazu trat bald die Einsicht, daß man mit der Anfügesilbe *-er* das betroffene Wort auf die bequemste Art verkürzen und handlicher machen konnte: was früher *Filmvorführgerät* hieß, nennt man heute *Filmgeber,* die *Bügelmaschine* schrumpfte zum *Heimbügler,* der *elektrische Rasierapparat* zum *Elektrorasierer,* die *Geschirrspülmaschine* zum *Tellerwäscher.* Meist handelt es sich um diese Grundwörter *(-gerät, -maschine, -apparat)*, die sich als einsparbar erweisen. Dabei gelangen manche guten, eingängigen Bildungen *(Müllschlukker, Rasenmäher, Kugelschreiber)*, die in den Werkstätten, beim Verkauf oder Gebrauch entstanden. Ihre Form gleicht ganz den seit alters verbreiteten nomina agentis auf *-er (Lehrer, Schreiber, Händler)*; diese Verwandtschaft trägt wiederum zur Vermischung menschlicher und technischer Bereiche bei. Man kann im Einzelfall zweifeln, ob ein *Schreiber* ein Mann, ein Gerät zum Schreiben oder ein Apparat der Fernmeldetechnik ist, ein *Tester* in die Psychologie oder Spinnerei gehört; in den allermeisten Fällen vermeidet der Satzzusammenhang (der „Kontext") Mißverständnisse.

Ein andres sind die Mehrzahlbildungen von Stoffbezeichnungen, die sich seit etwa 1910 unablässig vermehren. Noch eine 1954 wiederaufgelegte, vielbenutzte Grammatik für Schüler und Ausländer behauptete, daß „Stoffnamen im allgemeinen keine Mehrzahl" bildeten. Das war schon damals falsch. Die fortschreitende Entdeckung von Einzelheiten, die vervielfältigte Machbarkeit einzelner Stoffe, die wirtschaftliche Notwendigkeit, Varianten zu bilden und herzustellen, hatte längst zu Mehrzahlformen wie *Stähle, Bronzen, Sände, Stäube, Wässer, Erden, Erze, Schäume, Formate, Drücke* (zum Unterschied von *Drucken* = Büchern) geführt. Wir zögern nicht mehr, *Biere* und *Weinbrände, Mehle* und *Grieße, Kiese* und *Elfenbeine, Margarinen* und *Honige, Aniline* und *Asphalte, Betone* und *Messinge, Kautschucke* und *Kalke, Tone* und *Zemente, Komposte* und *Peche, Getreide* und *Gersten, Grippen* und *Anginen, Milche* und *Moste* zu unterscheiden; ein bekannter Futurologe schreibt im Untertitel eines seiner Bücher von *Zukünften* – das ist, nachdem *Verkehre* und *Gleichgewichte* gebildet wurden, heute kein Avantgardismus mehr. Bei einigen dieser neuen Mehrzahlbildungen schwankt noch die Form: heißt es nun *Hochwasser* oder *-wässer, Schlamme* oder *Schlämme, Strande* oder *Strände, Torfe* oder *Törfe?* Anscheinend machen sich die umgelauteten Formen beliebter, weil sie sich besser vom Singular abheben, also unverkennbarer sind. Daß auch substantivierte Infinitive in die Mehrzahl gesetzt werden können, daß man, nach dem Muster von *Vorhaben*, von *den Verfahren, den Bauvorhaben, den Erzvorkommen* spricht, sei am Rande mitvermerkt.

Oder man beachte die Neigung der technischen Fachsprachen, mit Vorsilben wie *be-* oder *ver-* die Arbeitsleistung von Mensch und Maschine zu betonen. Man *heizt* eine Stube, eine Wohnung, ein Haus nicht mehr, man *beheizt* es, und auch der Kühlschrank wird *beheizt*, obwohl dadurch Kälte erzielt wird; man kann ein Zimmer wohl *lüften*, indem man ein Fenster öffnet; betätigt man dabei eine Maschine (einen Ventilator oder eine Belüftungsanlage), dann *belüftet* man es. Beim *beregneten* Feld wird die Notwendigkeit der Vorsilbe eindeutig; jeder versteht auch, daß man zwar Salat *wässern* kann, ein Grundstück aber *bewässern* muß, daß es in einem Schacht *wettern* kann, daß aber eine *Bewetterung* ein Mittel gegen unvorhergesehene Wetter ist; am *Belichtungsmesser* findet niemand etwas auszusetzen, auch nicht an der *Beflügelung* von Flugkörpern oder der *Beschallung von* Räumen. Wie man einen Gegenstand *beschichten* kann, läßt sich ein Bild – seit 1937 – auch *betexten,* ein Betrieb – seit 1952 – *bestreiken* oder *becomputern.* Der Zeuge wird vor Gericht nicht mehr ver-, sondern *beeidigt,* die Straße *beampelt.* Allerdings sollte man achtgeben: wer von einem *Beschneidewerkzeug* spricht, könnte Fehldeutungen ausgesetzt sein, und wenn die Bundeswehr Munitionsreste als *beschossene Munitionsteile* bezeichnet, verkennt sie die Gesetzmäßigkeit dieser Bildungsweise. Schwerer macht es die Vorsilbe *ver-* dem Benutzer, nichts falsch zu bilden; sie ist durch Geschichte und Verschleiß vieldeutig. Ein *Verdampfer* löst etwas in Dampf auf; einen Gegenstand *veredeln* heißt, seinen Wert durch die Behandlung steigern (man redet aber mehr vom *Vergüten* ober – beim Wein – vom *Verschönen,* vielleicht, weil *edel* sachlich und sittlich zu anspruchsvoll ist). Etwas *verunreinigen* bedeutet es schmutzig machen, *Bodenvermörtelung* ist eine Einmischung von Mörtel in den Baugrund, einen Gegenstand *verformen* meint ihn falsch (anders, als man es wollte) formen, etwas *verdichtet* man, indem man es dichter oder auch ganz dicht macht, ein *Verschraubungsventil* kann an-, auf- oder zugeschraubt werden, *Verzahnungsmaschinen* zähnen den ihnen eingeführten Gegenstand oder sind selbst gezähnt. Schließlich *verlegt* man Rohre, wenn man sie legt, und eine *Bodenverfestigung* (z. B. durch Harz) festigt den Boden. Man muß aufpassen, dem täglichen Sprachgebrauch in den technischen Fachsprachen nicht entgegenzureden (das schlüge vermutlich auf die Umgangssprache zurück und schüfe damit Unsicherheiten); aber wiewohl die Erscheinung deutlich akkusativisch ist, scheint sie mir doch nicht einer Gefährdung des Menschlichen verdächtig. Daß der Ingenieur und seine Arbeiter darauf angewiesen sind, ihre Leistungen zu benennen, also Akkusativbildungen benötigen, steht außer Frage. Daß die Umgangssprache diesen Vorgang in ihren Grenzen nachahmt oder mitmacht, ist durch ihre Situation vorgegeben. Andere Vorsilben werden, wenn auch nicht ebenso oft, ähnlich genutzt; dabei tut die Umgangssprache manchmal des Guten zu viel (*abkopieren* oder *einkürzen* sind nicht mehr als *kopieren* oder *kürzen*!). Aber meist steht die Präposition doch zu Recht. Verbreitet ist z. B. das Zeitwort *ausleuchten,* das nicht nur auf vollzubeleuchtende Räume angewandt wird, sondern auch auf Probleme, die man im Gespräch oder Buch nach allen Seiten dreht und wendet, wie man denn auch Streitfragen *aus-,* d. h. zu Ende *diskutiert,* Post *abdiktiert* (die ganze Tagespost nämlich) und *abkassiert.*

Ein weiterer Beitrag der technischen Fachsprachen zur allgemeinen grammatikalischen Entwicklung ist die von ihnen ausgehende Neubelebung des Adjektivs. Das „schmückende Beiwort“ war in der zweiten Hälfte des vorigen Jahrhunderts durch Spießerlyrik und -romane verdächtig geworden; die Überstrapazierung gerade der wertgeladenen Adjektive in der Zeit der Diktatur hatte das Mißtrauen von Schreibern und Sprechern gesteigert. Schon Christian Morgenstern hatte geraten, gelegentlich seine Adjektiva nachzuprüfen; nun entdeckte Carl Sternheim (1922), sehr zum Unwillen Stefan Georges und seiner Freunde, daß ein „schmückendes Beiwort" meist die Wirkung des Hauptwortes erheblich schwäche. Die Beliebtheit des Adjektivs schien der Vergangenheit anzugehören. Aber in den technischen Fachbereichen sah man die Dinge anders. Hier hatte das Bemühen um Eineindeutigkeit anfangs zu Bandwurmwörtern geführt, die sich als unhandlich erwiesen; je mehr man erkannte, daß knappe Fügungen übersichtlicher waren und leichter verstanden wurden, um so mehr kam man dazu, die nähere Bestimmung ins Adjektiv zu verlagern und das Substantiv möglichst aufs Grundwort zu beschränken. Diese Handhabung hatte zudem den Vorteil, daß man nun durch genaue Wahl des Adjektivs sein Ding, noch genauer, noch eindeutiger bezeichnen konnte. So schuf man, vermeintlich nach dem Muster von *luftleer* (= leer von Luft), nun *luftdicht* (= unzulässig gegen Luft) und *lichtecht* (= unbeeinflußbar durch Lichtbestrahlung). Das Vorbild wurde also (wie in diesem Beispiel) nur formal genutzt, ohne daß seine Struktur eingehender überlegt worden wäre. So entstanden manche Adjektive, die zwar im Kontext verständlich, aber doch gegen Fehldeutungen nicht ganz abgesichert waren. Ist ein *wärmebeständiger* Kunststoff gegen Wärme unempfindlich, oder hält er vielleicht auf ihn eingestrahle Wärme lange fest? *Lederharte* Dinge sind verformbar, also nach Laienmeinung weicher als etwa Stahl. *Knitterresistente* Stoffe gibt es wohl nur, um den bekannten *knitterfreien* Textilien neue Aufmerksamkeit zu erregen; sie sind natürlich gegen, nicht durch Knittern widerstandsfest. *Feuerfeste* Formkörper sind gewißlich gegen Feuer fest; sie könnten aber auch, dem Wort nach, durch Feuer gefestigt sein. Die syntaktische Zwiegesichtkeit mancher dieser Bildungen wird vollends undurchsichtig, wenn nicht nur die Beziehung zwischen Bestimmungs- und Grundwort mehrdeutig ist, sondern auch das Grundwort selbst mehrere Deutungen zuläßt. Daß irgend etwas nicht vorhanden oder greifbar ist, kann man mit Adjektivbildungen auf *-los* oder *-frei* feststellen. Aber da muß man aufpassen. Wird ein Gerät z. b. als *störfrei* bezeichnet, ist ungewiß, ob es den Nachbarn nicht stört oder bei seiner Arbeit nicht gestört werden kann; man sollte also *störungsfreie* von *nichtstörenden* Geräten unterscheiden. *Blendfreie* Geräte haben wohl eine *Blende,* aber sie blenden nicht; man sollte sie lieber *nichtblendend* nennen. Mit andern Worten: solche Bildungen lassen oft unklar, ob das von einem Verb abgeleitete Bestimmungswort aktivisch oder passivisch verstanden werden soll. Kommt hinzu, daß im täglichen Gebrauch Wertnebensinne entwickelt werden, die der Laie nicht immer mitvollzieht. So stellen Zusammensetzungen mit *-los* die Tatsache der Abwesenheit augenscheinlich sachlicher dar als die mit *-frei,* die den Wunsch erkennen lassen, die gemeinte Sache möge nicht vorhanden sein (man wäge z. B. den Unterschied zwischen *riemenlos* und *schmutzfrei* und bedenke, daß reine Wolle nur zu drei Vierteln aus Wolle bestehen muß). Schließlich gibt es Fälle, in denen keins der beiden Grundwörter den Sachverhalt trifft, weil keine vollständige Abwesenheit des angesprochenen Dinges möglich ist. Man kann zwar von *wasserfreien Lösungen,* aber nicht von *wasserfreien Lebensmitteln* reden; die *salzlose* Kost sollte richtiger als *salzarme* bezeichnet werden. Man muß sich also davor hüten, sich bei Neubildungen von Adjektiven durch Systemzwang auf Abwege drängen zu lassen; wer alle Möglichkeiten überdenkt, findet helfende Weichen (in unserm Falle z. B. Bildungen mit *un-* oder *nicht-*). So sind diese „neuen" Adjektive nicht ohne Fallen. Dennoch haben sie sich schnell eingebürgert, nicht nur in den technischen Disziplinen, sondern, von ihnen ausstrahlend, sehr tief auch in der Verkäufer- und Werbesprache, die sie mit besonderem Erfolg in die Umgangssprache hinüberleiten. Davon wird noch zu sprechen sein.

Es ließen sich weitere Beispiele dafür sammeln, welche Bedeutung die technischen Fachsprachen für unsere Umgangssprache haben und wie sie nicht nur mehrend, sondern auch umformend wirken. Die Lust an A b k ü r z u n g e n , unverbundenen (*LKW*) oder wortähnlichen (*Gema* = Gesellschaft für musikalische Aufführungsrechte), ist in ihnen entwickelt und durch sie verbreitet worden. Es darf auch vermutet werden, daß für den S a t z b a u ähnliche Querverbindungen vorliegen; aber von der fachsprachlichen Syntax wissen wir noch nicht genug. Man darf der Technik nicht nur ihre gelegentlichen Sprachschnitzer vorwerfen. *Natürlich* kann eine Fügung wie *Hausbrand* mißverstanden werden (nicht = Brand eines Hauses, wie von Böswilligen vermutbar, sondern = Brennstoff), aber warum tun wir so, als ob es keinen Kontext gäbe? *Natürlich* scheint eine Bezeichnung wie *Kassettenfernsehen* zunächst den Sachverhalt eher zu verdunkeln als zu erläutern; aber wie oft ist es geschehen, daß sich unzulängliche Wörter in der Wirtschaft oder im Verbraucherhause von selbst zurechtrückten (so hieß, was wir heute sachlicher die *Kapsel* oder die *Rakete* nennen, 1965 noch romantisch und unzutreffend das *Raumschiff*!). *Natürlich* sollten Ressentiments allein nicht den Ausschlag zum Auswechseln eingeführter Begriffe geben: warum soll man statt *Atommüll* nun *Kernabfall* sagen (ist *Abfall* appetitlicher als *Müll?*)? *Natürlich* macht es uns lächern, wenn sich in einem süddeutschen Lande die Schmiede lieber Meister des *eisenverarbeitenden Handwerks* oder die Metzger *Fleischingenieure* nennen wollen; aber daraus läßt sich doch nicht mehr als das Sozialprestige der technischen Berufe ablesen. *Natürlich* schocken manche frisch aus dem Ausland angeregten Arbeitsgebiete der Technik dadurch, daß sie zunächst auf fremdes Wortgut angewiesen sind; aber Geduld: je mehr sie sich ausbreiten, um so sicherer sorgt die Werkstättensprache für die Eindeutschung jedenfalls der Dinge, die auch Nichtfachleute angehen; dafür sind etwa die

Kernphysik oder die Kybernetik, die in ihren deutschen Anfängen fast ausschließlich mit amerikanischem Sprachgut arbeiteten, gute Beispiele. Andrerseits sollte nicht vergessen werden, daß durch die technischen Fachsprachen viele Fremdwörter zu uns gebracht wurden. Manche kommen nur zögernd und halten sich nicht lange bei uns auf wie der (das?) *Hardtop,* das abnehmbare, aber nicht aufzuklappende Autoverdeck. Andere erwiesen sich als unentbehrlich: etwa der *Jeep,* eigentlich ein amerikanisches Buchstabenwort = *GPWT* = General Purpose War Truck, kein Auto schlechthin, auch nicht nur ein Militärfahrzeug, sondern ein Mehrzweckwagen, der in der Nutzung durch das Heer eine ganz bestimmte, unauswechselbare Form erhalten hat. Oder der *Jet,* ein Flugzeugtyp, der sich im *Jumbojet,* auch schlicht *Jumbo* genannt, rasch bekannt gemacht hat. Oder das *Taxi,* das, heute wohl weltweit benutzt, ursprünglich eine englische Kürzung des englischen *taxicab* war (allerdings nehmen die Behörden, wo sie an ihren *Droschkenplätzen* festhalten, von ihm keine Notiz). Auch fremdsprachliche Endungen dringen, oft über andere Gastländer, ein und wuchern dann manchmal ohne viel etymologische Hemmungen (so hat der *Trans-istor* den *Pneum-istor* und nun auch den *Magn-istor* gezeugt). Man könnte ohne Not die Beispiele häufen, auch dafür, daß in und durch die technischen Fachsprachen manche glücklichen Lehnübersetzungen gelangen, denen niemand mehr den fremden Ursprung ansieht, die *Schreibmaschine,* die vom *typwriter* stammt, der *Hubschrauber,* der sinnfällig und höchst sachnahe den *Heliokopter* ersetzt und dem *Airbus* wenig Raum läßt, und andere mehr. Daß manche mißlangen wie der *Langbrief* der Post (engl. *longletter*), der nicht lang sein muß, wohl aber einen weiten Weg zurückzulegen hat und den Gegensatz zum ebenso mißverständlichen *Kurzbrief* bildet, ist bei der großen Menge des Fremdsprachgutes, das bewältigt werden mußte, kein Wunder. Auf der andern Schale der Waage liegen die vielen gelungenen, eingängigen Neubildungen, die *Abfackelanlage* der Erdgasbohrungen, die *Bandbreite* vom Tonbandgerät, *Parkscheibe, -uhr* und *-platz* vom Kraftverkehr, das *Wegwerfkleid* und die *Wegwerf-* oder auch *Einwegflasche,* die man nur einmal benutzt, oder der *Düsenjäger,* eine vortreffliche, faßliche Bezeichnung eines schwierigen, im einzelnen nur umständlich zu beschreibenden Flugzeugtyps (aber der *Starfighter* hat, scheint's, nicht zur Eindeutschung angeregt). Manche Sorgen haben sich bald als unbegründet erwiesen: die Kunst konnten auch die vielen neuen *Kunststoffe* (= synthetisch hergestellte Stoffe) so wenig bedrängen wie die neueren *Plastiks* (= engl. *plastics* = Kunststoffe) die alten Plastiken. Die Habenseite der Sprache ist viel länger und gewichtiger als das immer wieder ausgleichbare Debet. Vom *Anzetteln* des Webstuhls bis zum *Auf-* und *Zurückblenden* des Films hat die Technik unsere Sprache bereichert, sie an neuen Aufgabestellungen geschärft und ihr viele strukturelle und formale Anregungen vermittelt. Wir sollten dessen froh sein.

III.

Großstadt, Behörden und Umgangssprache

Arbeit und Eisen: im Gleichnis der Schmiede verbanden sie sich. Da erhielt das Bild aus Rauch und Qualm den biedermännischen Hintergrund; gemütvoll wurde dem harten, häßlichen Heute ein handwerklich beseeltes, geschichtsträchtiges Einst zugeordnet. Der *eiserne Kanzler* als Schmied des Reichs, das Industriegebiet als *Waffenschmiede* des jungen Kaisers – wer wollte, mochte an Jung-Siegfried in Mimes Waldhöhle oder auch an Carl Hauptmanns schlesische „Bergschmiede“ denken; er würde dabei das Dröhnen der Dampfhämmer nicht überhören. Nicht nur Dehmel suchte „Vergißmeinnicht in einer Waffenschmiede“. Aber das war doch ein ziemlich fruchtloses, ein bürgerlich-romantisches Bemühen. Die Schmieden der neuen Zeit („Angepackt! Angepackt!“) lärmten in den Städten, die man ihnen gebaut hatte.

Um 1800 wohnten noch drei Viertel aller Deutschen auf Dörfern, und auch die Städte waren dem „Land“ zu-, nicht abgewandt. Inzwischen hatte die Agrarreform vielen das Leben auf dem Acker verleidet. Hingegen hatte sich der Vorrat an Edelmetallen vermehrt, und mit neuen Vermögen waren auch neue Lebensziele aufgetaucht. Wo zu Beginn des Jahrhunderts 25 Millionen Platz gehabt hatten, suchten an seinem Ende deren 55, siebzig Jahre später über 80 Raum und Erwerb; wer Kapital hatte, nutzte die Gelegenheiten der Zeit; wer arm war, mußte zusehen, wie er weiterkam. So wuchsen die Städte schneller als die Einwohnerzahlen; zwischen 1867 und 1900 stieg die Bewohnerzahl unserer Dörfer um 1 v. H., die der Landstädte um 40 v. H.; die Kleinstädte verzeichneten einen Zuwachs von 75 v. H., die Mittelstädte von 163 v. H., aber die Großstädte von 234 v. H.! Das Schwergewicht verschob sich unaufhaltsam. In Preußen hatten 1849 nur 28,04 v. H. aller Einwohner in Städten gewohnt (und es gab damals dort nur fünf Städte über 10 000 Seelen!); 1871 wohnten schon 36,1 v. H. der reichsdeutschen Bevölkerung in Städten, 1875 39 v. H., 1890 waren es bereits 47 v. H. Beim Anbruch des neuen Jahrhunderts hatte die Stadtbevölkerung die Mehrheit erreichte (54,3 v. H.), 1910 war das Verhältnis von 1871 beinahe umgekehrt (60 v. H. Stadtbewohner!). Aber gleichzeitig wechselten auch die Städte untereinander ihre Gewichte: wohnten 1880 von 1000 Einwohnern Deutschlands noch 127 in Landstädten, so 1900 nur noch 121, 1910 nur noch 112; die Kleinstädte wuchsen ein wenig (von 126 auf 135 und 141 v. T.); die Mittelstädte nahmen um die Hälfte ihres Bestandes zu (von 89 auf 126 und 134 v. T.); aber die Großstädte verdreifachten ihre Menschenzahl (von 72 auf 162 und 213 v. T.). Anders gesagt: 1871 lebten noch nicht 5 von 100 Deutschen in Großstädten; 1880 waren es schon mehr als 7, 1890 mehr als 12, 1900 über 16, 1910 mehr als 21, d. h. über ein Fünftel der Gesamtbevölkerung. In diesen vier Jahrzehnten hatte sich die Zahl der deutschen Großstädte (d. h. der Städte mit mehr als 100 000 Einwohnern) genau versechsfacht; sie war von acht auf 48 gestiegen. Ein paar Beispiele, um das Bild zu verdeutlichen: Allenstein war 1875 mit seinen 6154 Einwohnern kaum über den Rang einer Landstadt hinausgediehen; in den nächsten fünfzehn Jahren (1900) verdreifachte es sich (19 375 Einwohner). Stettin war 1871 eine Mittelstadt von Bedeutung (72 018 Einwohner); zwei Jahrzehnte später hatte es die Hunderttausendergrenze überschritten (1890: 116 218), und wieder nach zehn Jahren war auch das zweite Hunderttausend bewältigt (1900: 210 702). Hamburg war 1870 nur viermal so groß wie Stettin, immerhin eine Großstadt nahe dem dritten Hunderttausend (290 320); zwanzig Jahre später hatte es fast die doppelte Einwohnerzahl (573 198) und war nun mehr als fünfmal so groß wie der Ostseehafen. Mülheim an der Ruhr hatte im Laufe vierer Jahrzehnte (zwischen 1871 und 1910) seine Einwohner verachtfacht (14207 : 112 580), Saarbrücken fast verzwölffacht (9256 : 105 089), Hamborn mehr als versiebzigfacht (1396 : 101 703).

Der Vorgang, den diese Zahlen umreißen, spielte sich mehr im Norden als im Süden, mehr im Westen als im Osten ab. Im Osten wohnten noch 1939 über 45 v. H. der Bevölkerung in Gemeinden unter 2000 Einwohnern; nur 4 v. H. aller Gemeinden hatte dort mehr Bewohner. Aber Ostpreußen hatte zwischen 1885 und 1900 etwa drei Viertel seines Geburtenüberschusses durch Abwanderung (851 770 : 639 104) verloren, in Süddeutschland war es weniger als ein Drittel (500 787 : 153 267), in Mitteldeutschland ein knappes Achtel (611 578 : 80 449); aber das westdeutsche Industriegebiet hatte fast halb so viel Gewinn an Zuwanderung wie an Geburtenüberschuß (937 688 : 542 503). Die Menschen waren in Bewegung; sie drängten vom Dorf in die Stadt, vom Osten in den Westen. Sie fanden auch dort keine Ruhe: die Zahl der „Alteingessenen" schrumpfte; 1905 war in Preußen kaum noch die Hälfte aller Einwohner dort geboren, wo sie wohnte (49,6 v. H.); in den Städten war das Bild noch ungünstiger (44,3 v. H.). In einem Jahr meldeten sich in Berlin 235 611 Zugezogene neu und 178 654 Abwandernde ab; Hamburg verzeichnete gleichzeitig 108 281 An- und 86 245 Abmeldungen, Breslau 60 283 Zu- und 54 231 Fortzüge. Das in der Reichsverfassung vom 16. April 1871 verbriefte Recht der Freizügigkeit wirkte sich aus. Es waren die Heere der Arbeitsuchenden, die zu Hause kein Genügen mehr fanden oder sich am neuen Ort Besseres erhofften; es waren die Beamten des Staates, dem es angelegen war, das Blickfeld seiner Vertreter zu erweitern, und der wohl auch dem Ortsfremden mehr Nüchternheit und mehr Sachlichkeit zutraute; es waren die Begeisterten, die dem Neuen dienen wollten, und die Glücksritter, die auf einen Fischzug hofften, die Reichsten, die Ärmsten, die Besten und die Schlechtesten der Zeit. Kein Wunder, daß die Großstädte „Brennpunkte aller

Gegensätze" wurden, „die denkbar" waren. Erst nuerdings pendelt die Bewegung zurück (vgl. S. 101 [1]!); das hinterläßt sprachlich einstweilen keine Spuren.

Was diese Entwicklung für die Muttersprache bedeutete, blieb lange im dunkeln. Die M u n d a r t e n schrumpften – zunächst, weil ihre eigentlichen Fruchtböden, die ländlichbesiedelten Teile des Vaterlandes, knapper und schlechter wurden. In den fünfundzwanzig Jahren zwischen 1885 und 1910 nahm die Bevölkerung des Reiches um über 20 Millionen Menschen zu, die der Landbevölkerung blieb sich ziemlich gleich; der ganze Gewinn kam also den Städten zugute. Die Bewegung ging weiter: zwischen 1907 und 1939 sank der Hundertsatz der Bauern um mehr als 8, in der Bundesrepublik noch einmal um 12 v. H. der Gesamtbevölkerung (DDR: fast 9 v. H.). Die Städte erhielten ein Übergewicht, nicht nur in der Zahl, sondern auch wirtschaftlich und moralisch: ihre Sprachform wurde die zweckmäßigere und „feinere". Schon immer hatte die Stadt ihr Hinterland auch sprachlich beeinflußt; nun weiteten sich im tiefen Sog der neuen Riesenstädte die landschaftlichen Grenzen und wurden gleichzeitig unschärfer. Auch wer daheim blieb, mußte darauf achten, den Anschluß an „die Zeit" – als Verkäufer seiner Erzeugnisse, aber auch als Käufer der neuen Errungenschaften – zu behalten. Viele Mundartsprecher wurden zweisprachig und damit sprachlich unfest. Wo Industrie aufs Dorf drang, und das geschah von Jahrzehnt zu Jahrzehnt häufiger, war die heimische Sprechweise durch die Zuzügler und die Arbeitsinhalte Änderungen preisgegeben. Noch sorgte die alte Art der Lehrererziehung, die bis zum Ersten Weltkrieg bodenständig blieb, im Schulunterricht für einen gemäßen Ausgleich zwischen Ortsmundart und Gemeinem Deutsch; aber schon mehrten sich die Stimmen, die den Dialekt als Merkmal eines veralteten Separatismus politisch verdächtigten. Die Mundart verlor; sie wurde unfester und geriet – wieder einmal – in den Geruch der Zweitrangigkeit. Auf der Landkarte zeigten sich mundartfreie Flecken; sie wuchsen im Schatten der Neustädte. Die *Provinz* trat auch in den Sprachschatten. All das geschah im Norden mehr als im Süden, im Osten weniger als im Westen; Bayern, Österreich, die Schweiz galten im allgemeinen Urteil immer eindeutiger als die „eigentlichen" deutschen Mundartgebiete, vermutlich doch, weil ihre Äußerungen unmittelbarer anmuteten als die der vorsichtiger nach dem Redepartner abwägenden Plattdeutschen, und sicher auch mancherorts als Werbemittel der aufblühenden Fremdenindustrie. Hinzu kam, daß die süddeutschen Staatswesen (Österreich, die Schweiz) mundartlich einheitlicher geformt waren als die Staaten des Bismarckreichs, besonders als Preußen. Ihre Bewohner hatten es daher leichter, Heimatsprache, Staatssprache und Umgangssprache aufeinander abzustimmen. Das ist eine der Wellen, die in den letzten Jahrzehnten süddeutsche Sprechweisen nach Norddeutschland schwemmten. Erholungsreisende brachten Sprachbrocken mit; lange Jahrzehnte, auch nach den Jahren der Diktatur, wurde der oberdeutsche Einfluß auch in unserer Politik spürbar. Eine 1961 vorgenommene Allensbacher Befragung ergab, daß nur noch 38 v. H. der Menschen in der Bundesrepublik das norddeutsche *Sonnabend* dem süddeutschen *Samstag*, für den sich 62 v. H. entschieden, vorzogen; inzwischen dürfte sich das Schwergewicht noch eindeutiger auf den Samstag gelegt haben. Dazu mag zu einem guten Teil die Tatsache beitragen, daß sich der Samstag klanglich und in seinen Abkürzungen besser vom Sonntag abhebt als der Sonnabend; aber der Vorgang ist doch auch ein Spiegel für den Süd-Nord-Sog, in dem wir stehen.

Aber wer nicht daheim blieb, wer – wie etwa im vorigen Jahrhundert die über die ganze Breite der Landkarte zur Ruhr wandernden Ostpreußen – sich ganz von daheim löste und sein Vaterland suchte, wo er Arbeit und Brot fand, legte auch die heimische Sprechart ab. Oft galt der Verzicht schon für das eigne Leben, wenn z. B. der Wanderer sich die Frau aus der neuen Umgebung suchte (womöglich auch eine Zugezogene, aber aus anderer Gegend); sicher galt er für die Kinder, die in Spielkreis und Schule der Wahlheimat zuwuchsen oder die bei den Eltern und deren Freunden erlebte Neutralität der Sprachform übernahmen: dann wurden sie die Zellen jener „weißen Flecke“ auf den Mundartkarten. Was sprachen sie eigentlich? Ein Deutsch, dessen Lautstand weitgehend hochsprachlich war, dessen Tonart womöglich an die Mundart der alten oder die der neuen Heimat anklang, dessen Wortschatz sich aus den drei oder vier Lebensringen speiste, denen sie angehörten: Spielkreis, Schule, Elternhaus, oder im Reifealter: Fabrik, Sportverein, Elternhaus, oder noch später: Fabrik, Sprechweise der Frau und eigene Sprecherfahrung. Sie sprachen „Umgangssprache“.

Und dann kam die schreckliche B i n n e n w a n d e r u n g, im zweiten Krieg begonnen als „Umsiedlung“ und „Verlagerung“, nach dem Krieg zur Entleerung ganzer Landstriche gesteigert. Sie hat zwölf Millionen Menschen ihrer Heimat, d. h. ihrer gewohnten Sprech- und Lebensweise entfremdet, sie hat unsern Siedlungsraum um fast ein Viertel, besonders des landwirtschaftlich genutzten Bestandes beraubt; sie zerstörte das vielgestaltige deutsche Sprachinselfeld, das unserm Land, vornehmlich im Osten, einst vorgelagert war. Seit hundert Jahren ist die deutsche Bevölkerung in unablässiger Bewegung. Aber Härte und Breite des Vorgangs, den wir erlebten und der keineswegs abgeschlossen ist, sind unerhört. In den reichsdeutschen Ostgebieten (Ostpreußen, Ostoderland, Schlesien) lebten über neuneinhalb Millionen Menschen (also mehr als in Schweden und Norwegen zusammen); im Durchschnitt siedelten davon 45 v. H. in Gemeinden unter 2000 Einwohnern. Nimmt man an, daß nur diese 4 275 000 Menschen die Mundart ihres Landstrichs gesprochen haben (eine Schätzung, die weit unter den Tatsachen bleibt und auch zu grob ist, denn Mundart und Umgangssprache waren gerade im Osten, besonders in Ostpreußen, schwer trennbare Größen) – nimmt man nur an, daß diese mehr als vier Millionen Mundartsprecher verstummt sind, dann haben unsere ohnehin schwer gefährdeten Mundarten einen Schlag erlitten, von dem sie sich kaum erholen können: mehr als ein Fünftel der deutschen Dialektsprecher fallen in Zukunft aus. Im Rumpfdeutschland leben fast 20 Millionen Menschen in Gemeinden unter 2000 Einwohnern. Immerhin gibt diese Zahl einen Anhaltspunkt für die wirklichen Sprachverhältnisse. Man vergegenwärtige sich auch, daß von den 400 000 Ostbauernfamilien, die von Haus und Hof gejagt worden sind, bisher nur 60 000 auf Vollbauern- oder Nebenerwerbstellen wieder angesetzt werden konnten, d. h. daß nur ein Siebtel dieser Vertriebenen die Möglichkeit haben, ihre Heimatsprache mit einiger Souveränität beizubehalten. Daran ist nicht zu zweifeln, daß die Mundarten des deutschen Ostens von unserer Sprachkarte gelöscht wurden. Die Um- und Neueinsiedlung hat ihre Sprecher über weite Gebiete verstreut; die 2000 Einwohner e i n e s ungarndeutschen Dorfes z. B. sind auf 158 Orte der Bundesrepublik verteilt, und in e i n e r Kleinstadt (Lauda), die 509 Heimatvertriebene aufnahm, fanden sich Menschen aus 88 Orten zusammen! Wie kann, wo der erwachsene Vertriebene im Beruf, der Jugendliche in Schule und Spielkreis nach Zahl und Bedeutung zurücksteht, seine Sprechform sich gegen die der neuen Umgebung behaupten oder gar durchsetzen? Der Alte hegt sie wehmütig fort; wer noch im Leben steht, lernt es, ihr einen bescheidenen Platz im Verkehr mit den Seinen vorzubehalten; wer hier erst das eigene Haus gründete, gleitet schnell aus der alten Bindung, und wer sie nur im Elternhaus kennenlernte, eignet sie sich nicht mehr an. Aber noch im Sterben gibt sie von ihrem Bestand dies und das weiter; einzelne ihrer Ausdrücke und Lautungen mischen sich der Mundartform der neuen Umgebung bei. Auch d i e s e Verhältnisse sind gestört, und gut ist es noch, wo wirklich alteingesessene und neueingesiedelte Sprechweise zu neuer Einheit sich verbinden. Denn in vielen Orten wird auch bemerkt, daß sich die Sprecher, verwirrt über den mißtönenden Zusammenprall, gemeinsam auf den Verzicht einigen und damit wieder eine Dialektfarbe von unserer Landkarte schwindet. Sicher trägt vielerorts eine Verkennung der Sachlage durch wohlmeinende, aber fehlgeleitete ortsfremde Lehrer oder Verbände einen Teil Schuld an der Versteppung unserer Umgangssprache. Meist aber zeigte sich, daß die zwölf Millionen Heimatvertriebener, die, anfangs in großen Trupps, dann nach und nach in die Bundesrepublik kamen, sich in den Städten den dortigen Umgangssprachen, auf dem Lande, soweit es da noch solche gab, den Dialekten anschlossen. Das galt zunächst für alle, die im Arbeitsleben standen – was blieb ihnen anderes übrig als Anpassung? Mehr noch aber galt es für die Kinder, die hinter den Mitspielern und -schülern sprachlich schon gar nicht zurückstehen wollten. Hin- und hergerissen zwischen dem im Elternhaus vielleicht noch gepflegten Dialekt der *alten Heimat* und den ungewohnten Mundarten der neuen Umgebung wichen sie oft ins Hochdeutsche, in die Umgangssprache aus. Nur die Alten blieben zäh; aber sie änderten den Verlauf nicht [1].

Aber während die Heimatvertriebenen Abschied von ihren ererbten Sprechweisen nahmen, machten sie durch ihre schlichte Gegenwart die Alteingesessenen, soweit sie noch Mundartsprecher waren, unsicher. Zeigte sich zwar, als man das gestörte Feld übersah, daß die alten westdeutschen Mundarträume in ihrem Umfang und in ihrer Sprechsubstanz schließlich kaum von der Umwühlung betroffen waren, so ließ sich doch beobachten, daß sich der Zug zur hochdeutschen Umgangssprache allgemein verstärkte. Er hatte schon in den beiden Kriegen eingesetzt; nun wurde er unüberhörbar. Alles drängte zur „Umgangssprache".

Aber auch s i e hatte ihr Gefüge gewandelt. Solange die deutschen Sprecher ortsfest waren, hatte sie zwischen Mundart und Schriftsprache ihren Standort. Nun fächerten sich die Lebenskreise und ihre Bezüge: es gab mundartnahe und mundartferne Umgangssprachen (Schweiz–Hamburg/Hannover), solche, die sich gern an eine bestehende Überlieferung anlehnten (Stuttgart) und andere, die selbstbewußt ihre Unabhängigkeit zur Schau trugen (Berlin). Einen Ausgleich zwischen den verschiedenen Sprechweisen vermittelte der Verkehr; auch in dieser Beziehung hatte die Eisenbahn eine sprachliche Bedeutung. Die Wanderbewegung, der *Tourismus*, die Binnenwanderung zielten nicht nur vom Land in die Stadt und umgekehrt, sondern auch von der einen in die andere Stadt. Die 870 Millionen Menschen, die auf Deutschlands Vollspur- und Kleinbahnen im Jahre 1900 befördert wurden, streuten auch ihre Sprachformen rechts und links der Bahnlinien aus; aber zehn Jahre später hatten allein die Vollspurbahnen schon anderthalb Milliarden Menschen hin- und herzutragen; etwa ebenso viel muß heute die Deutsche Bundesbahn, die nur etwas über die Hälfte des alten Wohnraumes befährt, befördern. In Preußen stammten im Jahre 1905 55,7 v. H. der Bevölkerung nicht aus dem Ort, in dem sie wohnten; jeder Siebente etwa war aus dem Kreis, jeder Fünfte aus der Provinz, jeder Achte aus andern preußischen Provinzen zugewandert; der Rest – und das war mehr als die Hälfte – stammte aus nichtpreußischen Gebieten. Je breiter der Bogen wurde, um so bunter, aber auch um so schwanker wurde er. Nach den Gesellschaftsklassen der Sprecher neigten die Aristokraten (die „Junker") im Osten, die Kleinbürger (Handwerker) und die Bauern überall mehr oder minder entschieden der Mundart zu; die „Bourgeois" und *Proletarier* (denen Lorenz v. Stein 1842 den Namen gefunden hatte) waren, die einen aus Bildungsbewußtsein, die andern aus Traditionshaß, die dritten aus Bequemlichkeit und weil es nützlich war, dem Gemeinen Deutsch, d. h. der Umgangssprache zugewandt. Auch dadurch fächerte sie sich in sich selbst. Sie bot, nachdem einmal ihr Gleichgewicht zwi-

[1] In der DDR liegen die Dinge sehr ähnlich.

schen Schriftsprache und Mundart gestört war, überall andern Sprechweisen (ortsferneren, später besonders den Vertriebenendialekten, Standes- und Berufssprachen, auch dem Jargon) Einbruchsmöglichkeiten. Die Großstädte zeigten dafür vornehmlich günstige Bedingungen, und gerade sie hatten die stärkste Strahlkraft. So bekam unsere Umgangssprache jene in weiten Strecken verdächtige Ähnlichkeit mit dem Jargon, d. h. der grundsätzlich ungepflegten Sprechweise der Pflastertreter, und dem Rotwelschen, dessen Wortschatz ihr in den Kneipen der *Elendsquartiere* und Vororte, in den Kasernen und im Verlauf der Emanzipation unserer deutschen Juden reichlich zufloß.

Eine besondere Rolle spielte bei alledem B e r l i n. Die Hauptstadt des jungen Reichs, seit 1878 Millionenstadt, hatte sich früh auch aus der Sprachkammer ihrer Umgebung gelöst. 1840 waren etwa die Hälfte aller ihrer Bewohner Auswärtige; 1875 zählte man 59 v. H. Zugezogene; der Hundertsatz der „echten Berliner" sank weiter. Die Bevölkerung war damals zu zwei Dritteln in der Industrie, zu einem Viertel in Handel und Verkehr tätig; in West-Berlin, wohin unablässig Menschen aus der Bundesrepublik ziehen, arbeitet ein Viertel der Bevölkerung in der Industrie. Die im 18. Jahrhundert angewurzelte Hugenottenkolonie, die uns im 19. Jahrhundert mit Theodor Fontane und dem in Leipzig wirkenden Anton Philipp Reclam Schrifttum und Sprache bereichert hatte und bis ins 20. Jahrhundert hinein fest und mit dem Missionsgefühl der echten Emigranten zusammenhielt, hatte dem trockenen niederdeutschen Humor der Stammbewohner die gallischschlagfertige Spritzigkeit und die Gabe treffsicherer Überraschung beigefügt; von ihr stammt wohl der *gehackte Hund* (= Hackfleisch, aus franz. *haché de chien*). Das verband sich nun mit jüdischem Scharfsinn und schlesischer Hintersinnigkeit zum „Unschuldsglanz des Naiven", zu einer neuen Einheit, bei der die Ironie überwog und die auch sprachlich schöpferisch wurde. Dazu kam, daß Berliner Einrichtungen und Redensarten von den vielen Besuchern mitgenommen und verbreitet wurden, die – lange bevor das Werbewort „Jeder einmal in Berlin!" zündete – geschäftlich oder zum Vergnügen die Stadt, die so viel von sich reden machte, erkundeten. Daß – besonders seit 1889 – Berlin auch viele der führenden Schriftsteller beherbergte (Gerhart Hauptmann, Holz, Schlaf, Brahm, Bleibtreu; Fontane, Wildenbruch; dann Dadaisten und Expressionisten [Kurt Schwitters berlinert sogar in seinen Gedichten]; in den „goldenen Zwanzigern" vornehmlich Toller und Tucholsky, später Benn, Brecht u. a.), stützte auch sprachlich den Berliner Einfluß; dazu kamen die berlinernden Koryphäen aus Kunst und Wissenschaft (Schadow, Liebermann, Sauerbruch). „*Was tut sich in Berlin?*" – nicht zufällig gewann diese Wendung in den ersten Jahrzehnten unseres Jahrhunderts den Rang einer Redensart. Von Berlin gingen vermutlich die Eigenheiten aus, die in süddeutschen Umgangssprachen als norddeutsche Eindringlinge betrachtet, z. T. bekämpft wurden und werden, das -s a l s M e h r z a h l z e i c h e n

z. B. (die *Onkels*, die *Fräuleins*, die *Mädels*, die *Kerls*), das sich in Hauptwörtern, die ihre Mehrzahl bislang ohne Endung bildeten (die *Bengels*; die *Kumpels*), in Neuwörtern (die *Schupos*, die *Nazis*) und wo es zur Unterscheidung dienen konnte (die *Blocks* gegen die *Blöcke*), ziemlich eingenistet hat, die enklitische Verwendung von du *(haste schon)*..., oder die Verdrängung der n-Formen bei den Umstandswörtern der Richtung durch die -r-Formen (*reinfallen*, *rausschmeißen*, über jemanden *herauskommen*, Geld *herausgeben*, *sich herablassen*, bei jemandem kurz *reinsehen*; *nu aber rrraus!*). Die starke Vergangenheitsbildung *er frug*, die sich gegen die Neigung abhebt, auch starken Zeitwörtern schwache Vergangenheiten zu bilden, ging wie die nach *er trägt* u. ä. geprägte Gegenwartsform *er frägt* unter Berliner Druck in weitere Kreise ein. Dem Berliner *tut* dies oder das *nischt* (nichts) *zur Sache*; auch diese Wendung trugen Durchreisende weiter. In Berlin übte man sich zuerst darin, Verhältniswörter zu beugen, vom *durchen Käse*, *anen Anzug* oder der *zu(n)en Tür* zu sprechen und (nach süddeutschem Muster) *brauchen* ohne *zu* zu gebrauchen. Bildungen wie *Schließe* (für Schnalle), denen man im Süden bis heute Widerstand entgegensetzt, scheinen von Berlin aus die Sprachschöpfungen der Technik (vgl. *Wichte* u. ä.!) angeregt zu haben; die *Mietskasernen*, zuerst auf städtische Bauten gemünzt, „welche den Fluch der neuen Stadtteile Berlins bilden" (1872), sind sicher mitsamt ihrem Kind, dem *Berliner Zimmer*, als Wort und Sache hier entstanden. Ihnen hatte die *Wohnkaserne* den Boden bereitet, ein Wortwitz sehr berlinischer Prägung, der nach niederdeutscher Art mit der Grundbedeutung eulenspiegelt. Zur *Mietskaserne*, die bis nach Schweden wirkte *(hyreskasern)*, gehörte der *Schlafbursche* (allerdings in Leipzig zuerst gebucht, 1881), der eine *Schlafstelle*, d. h. ein Bett gemietet hatte, gehörte der *Trockenwohner* (1863), der die Mietskaserne so lange kostenlos bewohnen durfte, bis zahlende Mieter einziehen konnten, und gehörte in gewissem Sinn die *Laubenkolonie* (nach 1871), die in Leipzig *Schrebergarten* (1864) hieß, obwohl man mit der Bezeichnung keine Spielplätze nach dem Muster der Anlagen des Dr. Schreber (1808–1861), sondern Kleingärten nach dem Vorbild des Leipziger Lehrers Hauschild (1808–1866) meinte. Ähnlich ging es mit der *Kneipe*, die aus Leipzig stammt, durch Benedix bekannt und schließlich, unter kräftiger studentischer Beihilfe zum Berliner Lieblingswort und -ort wurde; die *Budike* steht eine Stufe tiefer, wird aber doch zärtlicher geliebt als das *Tingeltangel* (um 1850); die *Destille* (einberlinert aus *Destillation*) zu Zilles Zeiten noch sehr en vogue, räumt nun wohl der *Kneipe* den Platz. In dieser Zeit verbreiteten sich auch Berliner Kalauer wie „mir geht etwas *durch Mark und Pfennig*", „Leben Sie *so wohl als auch*!", „einen *Sonnenstich* (oder: *Webfehler*) *haben*" = verrückt sein, „*Entschuldigen Sie, daß ich geboren bin – es soll nicht wieder vorkommen!*",

„gerührt wie Appelmus", das *Klafünf* u. ä. Berlin, von dem Fontane vor wenigen Jahrzehnten behauptet hatte, was sich dort finde, sei „quoique, nicht parce que", wurde Mode; auch seine Sprechweise färbte ab, hier in bewußter Nachahmung, dort in ahnungsloser Freude an ihrer drastischen Treffsicherheit. Was Kalischs Posse *„Berlin bei Nacht"* (1870) und Georgis *„Berliner Range"* begonnen hatten, setzten Couplets wie Kollos *„Berlin bleibt Berlin"* oder Linckes Operette *„Berliner Luft"* mit ihren Schlagworttiteln fort; aus dem Herrenfeldtheater kam der ironische Ausruf *ausgerechnet!*; die Wittenauer Irrenanstalt *Dalldorf* wurde weithin denen, die *einen Piep hatten*, als Wohnstatt angeboten; *frech wie Oskar* wurde durch Stindes „Familie Buchholtz" zur Kennmarke des Berliners. Neue Erscheinungen im öffentlichen Leben wie der *Kientopp* (1896; *Kino* + engl. tipp*topp*) oder die *Hallelujamädchen* der Heilsarmee (1902) bekamen in Berlin den Namen, der sie in Deutschland volkstümlich machte; der *Schieber* (schon 1912 gebucht) wurde in der Zwangswirtschaft zweier Weltkriege gesamtdeutsch; das lautmalende *knorke* entstand um 1916 in Berlin; Berliner Typen wie *Nante*, der *kleine Moritz*, der *Wurstmaxe*, der *dumme Aujust* (Hagenbecks Clown Tom Belling im Zirkus Renz!) oder der *Wahre Jakob* gingen über die Jahrmärkte, Stammtische und Schützenfeste. Das schon seit Jahrzehnten gemeindeutsche *Fatzke* (zu *fatzen* = necken) zeugte im Beiwort *fatzkig* eine treffende Kennzeichnung des Zeitgenossen, der seiner gestrigen Umgebung ein gültiges Morgen vorspielen wollte; eine *Nulpe* dagegen (zusammengezogen aus *Null* + *Nuppel* = Schnuller) war ein törichter Nichtstuer. Man amüsierte sich über Berlin, dessen Sprache seit Friedrich Wilhelm II. als grob, unfein und zweitklassig galt; aber man machte es nach, seine kaum verhüllenden Euphemismen (die *vier Buchstaben*, die *weiche Birne*), seine lateinisch anmutenden Sprechfeinheiten (etwas *intus* haben), seine klangvollen Um- und Neubildungen *(Klamauk)*, besonders aber seine hervorragend bildhaften Merkwörter für modische oder andere Zeiterscheinungen (*Schmachtlocken*, *Rausschmeißer* = letzter Tanz, *Schreckschraube*). Der Berliner ist nicht zimperlich; er läßt auch Menschen, die ihm nahestehen, *abschrammen* (= sterben; schon Mitte des 19. Jahrhunderts), schilt jemand, der über andere schlecht redet, eine *Dreckschleuder* (etwa gleichzeitig), nennt eine böse Frau eine *Gewitterziege* (um 1900), eine schlechte, kleine Zeitung ein *Wurstblatt* (vor 1900), einen unerschrockenen Trinker einen *Hartsäufer* (nach 1930), einen Angeber eine *Kubikschnauze* (nach 1910), den Zahlkellner *Piepenmax* (um 1920); den „Vogel", der anderswo Andersmeinenden unterstellt wird, präzisiert er zur *Meise* (*eine Meise haben*, seit 1920). Seine Bilder sind kräftig und anschaulich; als vor 1800 die städtische Polizei neuorganisiert wurde, wurde ein Polizeispitzel nach seinem Lohn zum *Achtgroschenjungen*, hundert Jahre später eine Bescheinigung nach dem § 51 des Strafgesetzbuches zum *Jagdschein*, der von Eiermann 1957 gebaute neue Turm der Kaiser-Wilhelm-Ge-

dächtniskirche zur *Gebetsmühle,* die im selben Jahr erbaute Kongreßhalle zum *Karpfenmaul.* Als *bestgehaßter Mann* bezeichnete sich Bismarck im Reichstag 1874; dem *Knüller* (= sensationelle Zeitungsmeldung) fand Dupont von der Berliner Zeitung um 1920 die lautmalende Bezeichnung. Den *Ringelpietz* (= öffentlicher Tanz) nahm man vor 1900 aus dem Slawischen (*pietz* = singen), die *Juckbox* (= Schlagbaß) um 1960 vom Englischen *(jukebox).* Manchmal ist man auf eine herbe Art freundlich; hat man sich etwas angeeignet, sagt man, man habe es *sich angelacht* (schon 1850), der Dienstherr heißt *Brötchengeber* (seit etwa 1910); wer staunt, *versteht immer Bahnhof* (um 1920) oder meint, dies sei *eine Wolke* (um 1940). Kindern sieht man gern zu; für sie sagt man zum Löwenzahn *Pusteblume* (schon 1850). Hundert Jahre später nennen sich Berlins Studenten, die sich stundenweise als Hilfskräfte für alles verdingen, *Heinzelmännchen.* Solche Wortbildungen gleichen sich, so weit sie zeitlich auch auseinanderliegen, geschwisterhaft; sie bleiben, einmal geprägt, in Gedächtnis und Gebrauch. Es gibt Schelten, die sich in ihrer Berliner Form gesamtdeutsch gemacht haben (*Schafskopp!*); die *Palme* ist eine Berliner Steigerung zum Baum *(das ist, um auf die Palmen zu klettern!*).

Die Berliner Wortprägung kam dem Kraftmeiertum der Zeit entgegen, das sich Ende des vorigen, Anfang dieses Jahrhunderts auch im bürgerlichen Alltag gern „eisern" gebärdete. Berliner Skatfloskeln machten die Runde durch Deutschland *(Quatsch nich, Krause!; Hosen runter!; der geht baden!);* man *schmetterte* bald auch außerhalb der Reichshauptstadt seinen Schnaps, nannte den verachteten Gegner einen *Rotzbengel,* machte gern *Radau,* war *unentwegt* für oder gegen etwas (Fontane, 1891), bevorzugte das Zeitwort *laufen* vor seinem altmodischen Artgenossen „gehen" und beteuerte gern, daß der Partner einen *dotschlagen* könne, wenn ... oder wenn nicht ... Denn *uns kann keener – und im Ernstfall könnse uns alle!* So war und ist die *Berliner Schnauze* berühmt geworden und geblieben, kitzelnd wie eine Gänsehaut, von der man nicht sagen kann, ob sie vom unterdrückten Lachen oder vom Gruseln kommt. Wer *frei nach Schnauze* redet, spricht ohne Konzept oder Vorbereitung – eben wie ein Berliner. In diesen Zusammenhang gehört auch der Ruf *Au Backe!,* der nichts mit der Wange, wohl aber mit nd. *backen* = zusammenkleben zu tun hat und erst durch die bewußte Nasführung des Hörers („Au!") witzig wird; gern wird dann die Fehlleitung noch durch einen Zusatz *(Au Backe, mein Zahn!)* vervollständigt.

Die grellen Farben, die Berlin der Umgangssprache beisteuerte, waren auch in seinen Mauern noch nicht sehr alt. Seit einem Jahrhundert hatte die Berliner Geschäftswelt, durch die Emanzipation der Juden angeregt, auch manches aus dem Rotwelschen übernommen; gleichzeitig sorgte die Menge der Tippelbrüder und Stromer, die in die junge Weltstadt strebten, dafür, daß dem Berlinischen der Zuwachs aus der Gaunersprache nicht abriß. Sicher sind Wörter wie *ausbaldowern* (zu hebräisch *dôbôr* = Sache, *ba'al* = Herr), *großkotzig* (zu hebr. *kôzîn* = reich; 1893 von Kretzer in die Literatur eingeführt!), *keß* (Anlautwort für hebr. *kochem* = klug; belegt seit 1807), *mauern* = sich beim Skatspiel zurückhalten (über das Rotwelsche aus hebr. *morah* = Furcht) über Berlin hinaus verbreitet; das gilt auch für *meschugge* (zu hebr. *mêschugga* = verrückt), *mies* und *Miesmacher* (von jidd. *mi[er]* = widerlich), die *rauhen Mengen* (aus hebr. *raw* = viel), die *Hechtsuppe*, nach der es durch undichte Türen oder Fenster *zieht* (jidd. *hech supha* = Windsbraut), *Pinkepinke* (wortmalend aus rotwelsch *Penunge*, aber sorbischen Ursprungs), *Pleite* (zu hebr. *pelêtâ* = Rettung; zuerst in Berliner Verbrecherkreisen 1847, dann im Kladderadatsch 1856!), *schäkern* (aus jidd. *chek* = Busen), *Schmiere stehen* (zu hebr. *šim'rah* = Wache), *Zaster* (aus zigeunerisch *sáster* = Eisen, ursprünglich ein altindisches Wort; zunächst bei uns in der Bedeutung „Eisen[bahn]"), *beschummeln* (letztlich vom zigeunerischen *chindalo* = Abort hergeleitet), *Kittchen* (rotwelsch zu deutsch *Kate, Kote*). Andere Wörter, die sich in Berlin und mit seiner Hilfe in unserer Umgangssprache ansamten, brachten altes niederdeutsches Wortgut wieder in Umlauf wie z. B. *verknusen* (eigtl. = zerquetschen) oder, mit Unterstützung der Studenten, *Ulk* mit seinem Adjektiv *ulkig;* der *Steppke* (= kleiner Junge) ist eigentlich ein Pünktchen (nd. *stip*), das *Abendbrot* eine norddeutsche Fügung. In dem vielbedeutenden *Ramsch,* womit der Bürger eine Skatrunde nach besonderen Regeln, der Student eine Anrempelei, der Kaufmann und sein Kunde eine Schleuderware bezeichneten, mischten sich plattdeutsche, französische und rabbinische Anregungen (*im rampe kôpen* = alles aufkaufen; *ramasser* = raffen, *rammâ'ûth* = Betrug); das ist vielleicht die berlinischeste aller hierhergehöriger Fügungen. Früher sagte man *Rummel* dafür; man *kaufte* etwas *im Rummel* oder *kaufte den „janzen Rummel"*; schon Lessing *verstand* den *Rummel* (Minna von Barnhelm III 2). Auch dies Hauptwort (vom Zeitwort *rummeln* = lärmen) wandelte nun unter Berliner Einfluß seine Bedeutung; wo, wie man lautmalte, *Klamauk* gemacht wurde, auf dem Jahrmarkt, dem Schützenplatz, dem allmählich zu fester Form erstarrenden „Vergnügungspark" *(Rummelplatz),* da war es nun am Platz. Der seit der Mitte des 19. Jahrhunderts so genannte *schnoddrige* Berliner, der sich nicht imponieren ließ und der es im Grunde doch *nicht böse meinte,* der im Bierpalast sein *Patzenhofer, Schultheiß* oder *Kindl* trank, vom *Bollewagen* seine Milch holte und auf seinen *Borsig,* seine *Stadt-* und die funkelnagelneue *U-Bahn* (1902, abgekürzt aus *Untergrundbahn* = engl. *subway*) stolz war, der sich über die modischen Abkürzungen lustig machte (*m. w.!* = machen wir; *VC!* = vazichte!; *jwd* = janz weit draußen), er war aus unserer Umgangssprache nicht wegzudenken, schon ehe zwei Weltkriege seine Redeweise durch die Regimenter der Millionenheere verbreiteten.

Nach dem Zweiten Weltkrieg sank der Einfluß Berlins, das nun zur *Frontstadt* wurde, auf die Menschen, die außerhalb seiner Mauern wohnten. Durch Flieger und Feindtruppen grauenhaft zerstört, mußte sich die gefolterte Stadt auch politisch vierteilen lassen (sie wurde *die geteilte Stadt*), sah sich durch die *Mauer* (1961) in einen größeren West- und einen kleineren Ostteil (den *Ostsektor*) geteilt und damit zwei verschiedenen Wirtschafts- und Denksystemen zugeteilt; die Bezeichnung *Viermächtestadt* täuscht eine Einheit vor, die nur noch in Gedanken, in der Sehnsucht und im Hoffen besteht. *West-Berlin,* in Währung und Wirtschaft mit der Bundesrepublik verbunden, ist zwar trotz des beträchlichen Bevölkerungsrückganges um fast ein Fünftel nach wie vor deren größte Industriestadt, von der in Wissenschaft, Kunst und Industrie viele Impulse ausgehen. Sprachlich haben besonders ihre avantgardistischen Studenten, von denen noch gesprochen wird, auf ihre Kommilitonen im Westen abgefärbt, und was die Stadt an Schmerz oder Aufgaben zu bewältigen hat, die *Sektorengrenze,* die *Luftbrücke* (1948), das *Besatzungsstatut* (1949), wird schnell zum gesamtdeutschen Begriff. Aber der Berliner Humor ist nun auf sich selbst angewiesen; was nach Westen durchsickert, ist nicht sehr nennenswert.

Neben Berlin spielen die andern Großstädte des Reichs zunächst eine bescheidene Rolle. Allenfalls konnte sich vor der Abtrennung der DDR das rührige L e i p z i g mit seinen jetzt wieder über 600 000 Einwohnern hören lassen, das durch seine 1894 neuaufgezogene Buchhändlermesse, seine Gewandhauskonzerte (seit 1781) und als Verleger-, Drucker- und Messestadt die Sprachgenossen zu sich lockte, zumal aber durch seine wanderlustigen Einwohner Augen und Ohren auf sich lenkte. Dem Leipziger mangelte die freche Eleganz des Berliners, über die man sich ärgern mochte, die aber doch verblüffte und auch ergötzte; dafür machte er sich durch seine Selbstironie sympathisch, versöhnte durch seine Gemütlichkeit mit der Großstadt und färbte ihrer Sprache etwas vom Kleinbürgertum der guten alten Zeit bei. Der berlinische Gemüse- oder Tapeten*fritze* hörte sich leicht verächtlich an; der Leipziger *Koofmich,* der in seiner *Quetsche* die Kunden bediente, war zunächst ganz ernst und hochachtungsvoll gemeint und bekam erst außerhalb seiner Heimat seinen anzüglichen Nebenton. So wird auch der *Spießer* (ein in Leipzig ausgeklammerter norddeutscher *Spießbürger,* 1881) an seinem Geburtsort nicht so ablehnend und überlegen geklungen haben wie anderwärts. Der Berliner nannte seine Töchter schon vor Zille halb drohend, halb anerkennend *Jöhren* (und machte damit die *Berliner Jöhre* weltbekannt); der Leipziger gab der *höheren Tochter* ihren sachlich-verkürzenden Namen und machte sie damit etwas lächerlich: man sah sie *himmeln,* wo die *Jöhre herumstänkerte.* Der Berliner verwunderte sich: *„Da schlag eener lang hin (und steh kurz wieder auf!)"*; der Leipziger stellte statt dessen erstaunt fest, dies sei *nicht von schlechten Eltern* oder es *stehe ihm bis h i e r!* Wer eine Prüfung nicht bestand, war *durchgeknallt,* wer mißgestimmt dreinblickte, *verknautscht*; den Zeitungsteil mit den kleinen Anzeigen hieß man die *Eselswiese,* und wer recht klein geraten war, galt als *finzelig.* Die Bilder des Berliners stechen gern ins Mythische, wenn er etwa einen Kleinwüchsigen einen *abgebrochenen Riesen* oder eine Wanze *Tapetenflunder* nennt, oder sie greifen ins Derbe (*Quasselbude* = Reichstag); die des Leipzigers muten dagegen sachlicher, wirklichkeitsnäher an: was ein *Poposcheitel, ein Nasenquetscher* (= Klemmer), ein *Wonneproppen* oder eine *Katzenwäsche* ist, weiß man auch ohne geistreich-witzige Deutung. Seine freundliche Pfiffigkeit fand einer gerade für den jungen Beamtenstaat wichtigen Dienstmaßnahme die zutreffende Bezeichnung: *fortloben*; sie deutschte das englische *to pace* behaglich als *pesen* (= eilen) ein und fügte der Berliner Steigerung *schnafte* die treuherzige Entsprechung *sündhaft* bei. Daß die *Hupe,* die eigentlich eine *Huppe* (= Pfeife) mitteldeutscher Jäger war, von der sächsischen Staatspolizei auf ihr eines p beschränkt wurde, um nicht der Verwandtschaft mit dem auch obszön gebrauchten *huppen* verdächtigt zu werden, stimmt ins Bild; das Wort tritt zuerst bei Leipziger Bahn- und Nachtwächtern auf (1872). Während andere Landschaftssprachen sich leicht den Vorwurf des Unfeinen, Groben, Ungebildeten einhandelten, verbreitete das Sächsische mehr Rührung als Ablehnung, und wenn man sich sächsische Witze erzählte, geschah das mit mehr Sympathie, als der Sachsengauleiter Mutschmann in seiner Humorlosigkeit bei seinem Verbot solcher Scherze voraussetzte. Das hat sich auch nach der Überflutung der DDR mit sächsischen Experten *(Mir Sachsen sind helle!)* kaum geändert, und nach wie vor bringt die Rührigkeit des Sachsen, seine hervorragendste Eigenschaft, seine Sprachschöpfungen auch unter andere Deutsche, nun freilich kaum noch über die Grenzen der DDR hinaus. Daß von den 401 Verlegern, die 1927 in Leipzig blühten, heute nur noch 38 dort ansässig sind, zeigt aber, wie sehr auch im Rahmen des neuen Staatsgebietes der Leipziger Einfluß schrumpfen mußte. – Übrigens wäre es unbillig, neben dem behenden Leipzig nicht auch das kunst- und wissenschaftsfrohe Dresden als Strahlherd sächsischer Art und Sprache zu nennen, das *Elbflorenz,* das durch die Bombenwürfe der westlichen Alliierten vom Februar 1945 die große Mehrheit seiner Häuser und Menschen, darunter viele Flüchtlinge aus Oberschlesien, verloren hatte, aber nun durch die Tapferkeit seiner Bewohner seinen Ruf als schöne, industrie- und wissenschaftsreiche Stadt wiederaufgebaut hat.

Hamburg, mit seinen heute fast 2 Millionen Einwohnern der größte deutsche Hafen, sah zu angestrengt nach draußen, um tief nach innen zu wirken; der Rundfunkmann, dem 1948 wortverkorksend die *Schnulze* von den Lippen sprang, war vielleicht Berliner. Aber die Freie und Hansestadt hat einzelne englische Wörter – in unverfälschterer Aussprache als Leipzig – in Umlauf gebracht (z. B. *tipptopp*) und das *smarte* Einstreuen englischer

Redewendungen auch schon vor dem Ersten Weltkrieg begünstigt (*please; sit down!*). Vielleicht ging auch die norddeutsche Eigenart, bei Verwandtschaftsnamen das Geschlechtswort wegzulassen (*Mutter* hats erlaubt; *Onkel* ist gekommen), über Hamburg in die Umgangssprache; das könnte auch für die -s-Genetive bei geschlechtswortlos vorangestellten weiblichen Hauptwörtern zutreffen (*Mutters* Geburtstag; *Tantes* Mann nach *Onkels* Garten). Vermutlich haben Hamburgs Studenten durch ihren spektakulären Aufzug beim Rektoratswechsel 1967 den *Muff* in der Bedeutung „abgestandener Gestank" dem übrigen Sprachraum vermittelt. Sicher ist die Abdrängung des Umstandswortes *weg* durch das „feinere" *fort* von hier ausgegangen; gesiegt hat sie aber erst dadurch, daß Berlin sie sich zu eigen machte: es wurde, wenn man gewählt zu sprechen gedachte, üblich, *fortblasen* für wegpusten, *fort-* für weg*bleiben* (= nicht wieder kommen), *fortbringen* für wegschaffen, *fort-* für ab- oder weg*fahren*, *fort-* für ent- oder weg*fallen*, *fortlegen* für beiseitelegen, *fortmüssen* für abreisen müssen, *fortrennen* für weglaufen, *fortschicken* für gehen heißen, *fortstecken* für wegstecken zu sagen; Tatsachen ließen sich schwer *fortleugnen* (wo man bisher ab- oder wegleugnen gesagt hätte), und Bestimmungen *fielen* nun *fort* (und nicht mehr weg). Humor und Abneigung halten sich in Hamburg auf Distanz, ob man nun zu einem Einfaltspinsel *Honigkuchenpferd* (um 1900) oder zu einem Bärbeißigen sagt, er habe ein *Nußknackergesicht* (um 1950); wer wunderliche Einfälle hat, heißt *gediegen;* erhält man eine Rüge, wird man *angegrobst.* Man schleuste fremde Wörter ein, das dänische *gamle* (= veraltetes Ding) schon vor 1864, ohne dessen Aufschwung, der ein Jahrhundert später kommen sollte, zu ahnen; hier nahm wohl auch das Adjektiv *idiotensicher* (vom amer. *fool-proof*) in den zwanziger Jahren seine deutsche Gestalt an. Gelegentlich schob man auch Seemännisches in die Alltagssprache der Landratten, etwa *absacken* (= sinken, einen Schwächeanfall erleiden, müde werden, um 1910).

Alles in allem blieb Hamburgs Einfluß auf die Umgangssprache bescheiden, vermutlich auch deshalb, weil die Selbstabschnürung seiner führenden Schicht die Arbeiter auf den Werften oder im Hafen, die unserer Umgangssprache den *Streikbrecher* (1896) beisteuerten, keineswegs aus der angestammten Mundart lösen wollte. Die zuwanderten, konnten kaum Einfluß gewinnen oder erfahren, sondern blieben unter sich, wenn sie nicht die mitgebrachte Art ganz dreingeben wollten. Der Stadtstaat zog, solange Berlin Berlin war, weder fremde Beamte noch Männer der Kunst, geschweige des Schrifttums aus der Fremde stürmisch an; um Liliencron nicht, schon gar nicht um Otto Ernst oder Gustav Falke bildete sich ein Kreis, der sich mit Berliner, Münchener oder Leipziger Entsprechungen hätte messen können. Das wandelte sich nach der Gründung der Universität (1919) und nach dem Zweiten Weltkrieg, durch die Güte seiner Bühnen und die Ausstrahlungskraft seiner Rundfunkanstalt. Aber Hamburger Sprechart erobert kaum neuen Boden, wenn auch die *Alster*, der *Große Michel* (= Michaeliskirche) und besonders *St. Pauli* mit seiner berühmten *Reeperbahn* längst gesamtdeutsche Begriffe sind. Auch seine großen Zeitungen waren zuerst nur Visitenkarten nach Übersee (Hamburger Fremdenblatt, 1828–1936) oder in die Weltpolitik (Hamburger Nachrichten mit Bismarcks Beiträgen!, 1792–1936), aber keine Klammern nach Binnendeutschland. Auch das änderte sich nach dem Zweiten Krieg nur wenig, wiewohl die Stadt nun im Verlags- und Zeitungswesen eine bedeutende Rolle spielte. Obwohl die *Springerpresse* überall viel umstritten, obwohl ihre Bildzeitung (*die Bild* schlechthin) das meistgelesene deutsche Blatt wurde, *der Spiegel* nach turbulentem Beginn noch heute die Gemüter oft erregt, *der Stern* bei vielen, die lieber blättern als lesen, ein regelmäßiger Gast ist, tröpfelt doch nur wenig Hamburgisches durch diese Kanäle. Jedes von den großen Blättern strickte sich eine eigene Masche; davon sprechen wir noch. Aber eigentlich hamburgisch ist keines von ihnen.

Die westdeutschen Großstädte waren vor den Kriegen zu jung, innerlich noch zu unfertig, um schon weit strahlen zu können. Ihr Leben diente der Technik; im Ruhrgebiet, in den Schächten und Stollen der neuen Gruben, in Krupps Stahl- und Thyssens Walzwerken wurde der neuen Arbeit auch die neue Sprache geschaffen. Die Städte konnten in ihrem wirbelnden Aufschwung – Essen vervierfachte seine Einwohnerzahl damals in 25, Dortmund in 30 Jahren – Menschen, die sich nicht unmittelbar den Zielen des Tages geneigt zeigten, kaum anziehen; Köln und Mainz machten in der Karnevalszeit von sich reden *(Mainz bleibt Mainz!)*, galten aber sonst als zu „schwarz", als daß man hätte übernehmen mögen, was sie hätten beitragen können; am weitesten tragen die *Mainzelmännchen* des Zweiten Deutschen Fernsehens den *rheinischen Frohsinn*, der in den Freilichtmuseen der Weinstädte und auf den Dampfern der *Weißen Flotte* seriell hergestellt wird. Daß man das Chefzimmer *das Allerheiligste* nennt, zu einem Geizhals *Knickstiefel* sagt und, wenn man einen Geldschein wechseln möchte, darum bittet, ihn *klein* zu *machen*, stammt aus Köln. Das rheinische Kraftgericht *Strammer Max* (= Spiegelei mit Schinken) machte sich nach 1945, vermutlich über die Touristen, in ganz Deutschland beliebt. Düsseldorf, das später der „Schreibtisch des Ruhrgebietes" wurde, hatte mit seiner Malerakademie (seit 1767) ganz Deutschland als Hinterland; sein berühmtes Künstler- und Ausstellungslokal *Malkasten* wurde nach dem Zweiten Weltkrieg gesamtdeutsche Spottschelte für eine zu stark geschminkte Frau. Bis Dortmunds Sportveranstaltungen, Essens Folkwangmuseum die Blicke auf sich zogen, vergingen Jahrzehnte. Doch fand das gestaute Kapital im Reitsport eine ihm angemessene Betätigung, die auch Fremde auf die Rennplätze in Dortmund, Düsseldorf, Köln, Mülheim, Krefeld lockte; es ist vielleicht kein Zufall, daß die Redensart *auf etwas herumreiten* zuerst in Elberfeld festgehalten wurde

(1910). In rheinischen Gesellschaftskreisen wuchs vermutlich das zögernde, so bescheiden anmutende und dabei genau berechnende *in etwa*. Der *Muckefuck* (= dünner Kaffee) weist allerdings mehr in die *Bullenklöster* (= Ledigenheime, um 1910) als auf die Zuschauertribünen und Aufsichtsratsitzungen; er ist, da er sich das Mundartwort *Mucke* = Schwein zum Reimspiel dienen läßt, unverkennbar rheinischen Gepräges; die Berliner *Juchhebrühe* und der Leipziger *Bliemchenkaffee* haben sich ihm gegenüber kaum durchsetzen können. Auch der *Kumpel*, der im Ersten Weltkrieg seine gesamtdeutsche Stunde erlebte, ging vom *Kohlenpütt* in unsern Wortschatz, ist aber wohl, wie seine Verkleinerungsform andeutet (*kumpe* = Kumpan [schon 1684 im Unterharz!] + Verkleinerungssilbe *-el*), in Oberschlesien geformt worden. Er verband also – ähnlich, wie sich in Hamburg englische Bindungen fruchtbar zeigten – östliche mit westlichen Bedingtheiten; genauer gesagt: ein mittellateinisches Wort (*companio* = Brotgenosse) wurde in mitteldeutscher Gestalt *(kump[e]-el)* durch westdeutsche Strahlung gesamtdeutsch! Man könnte ihm etwa *kaduck* (= gedrückt) zur Seite stellen, das durch ostpreußische Zuzügler in den Westen und von dort in die Umgangssprache gekommen zu sein scheint (zu lat. *caducus* = hinfällig). Die Kumpelsprache hat nach dem Zweiten Weltkrieg Jürgen Manger mit seinem Anton Tegtmeier berühmt gemacht, weniger in Einzelfügungen als mit ihren gebrochenen Sätzen, ihrem Streben nach der unerreichbaren Höhe des Stils, ihren höhepunkts- und ergebnislosen Redeketten. Ruhrscherze wie die *Steinpilskur* (= Steinhäger mit einem Pilsener) rutschten gelegentlich in die Umgangssprache. – Vielleicht stammt übrigens das junge Verhältniswort *zwecks* aus rheinischen Amtsstuben, die nun durch den Einfluß des *Bundesdorfes* Bonn, der einstweilen mehr ironisierten als geliebten Hauptstadt der Bundesrepublik, vermutlich größere Wirkung ausstrahlen als ehedem: schon scheint es uns angemessen, den Kopf mit dem *Homburg* zu bedecken, um mit seiner schwarzen Steifheit unsere Würde männiglich bekanntzugeben. Unsere Studenten bewerben sich um und mokieren sich über das *Honnefer Modell*, eine Art Begabtenhilfe für weniger bemittelte Hochschüler (seit 1957). In Bonner Amtsstuben spricht man von *kungeln*, wenn man etwas heimlich vereinbaren will; das Wort ist, scheint's, auf dem Vormarsch.

Von den süddeutschen Großstädten hat München, zärtlich *die heimliche Hauptstadt Deutschlands, Weltstadt mit Herz* oder *Millionendorf* genannt, am tiefsten auf unsere Umgangssprache eingewirkt. Es entwickelte, im Gegensatz zum Rhein-Ruhr-Gebiet und zu Hamburg, auch einen starken Kultursog; mehr als einmal hat es Berlins Rang gefährdet oder in Frage gestellt. Bei aller dem Oberdeutschen anhaftenden Gesellschaftsfestigkeit war die Münchner Mundart doch von einer gewissen weltstädtischen Aufgeschlossenheit auch andern Sprechweisen gegenüber; sie floß zwar unüberhörbar breit ins Alltagsdeutsch auch der Mittel- und Führungsschichten, aber sie setzte dem Zugewanderten doch nicht das Hamburger „Alles oder nichts!" entgegen. Natürlich erschwerte ihre lautliche Eigenwilligkeit vielen ihrer Bildungen den Übergang in breitere Kreise; aber das wog sie durch robusten Mutterwitz und überwältigenden Freimut wieder auf. Sie hatte etwas von der Berliner Unverfrorenheit, aber auch etwas von der Leipziger Gutbürgerlichkeit an sich; sie war fröhlich, unbekümmert und grob; das wirkte auf die Fremden. Sie bot zahllosen durchreisenden Sommergästen ihres Hinterlandes die Schätze ihrer Museen und die Freuden ihrer Bräuhäuser; sie gab aber auch vielen, die mehr wollten, einen Mittelpunkt zur Wirkung über die Stadtmauern hinweg. München begann, norddeutsche Dichter, Schriftsteller, Künstler, Gelehrte zu verzaubern. Vor mehr als einem Jahrhundert arbeitete Heyses „Krokodil" (1854) am Ausgleich zwischen einheimischen und zugezogenen Dichtern. Münchener Kulturzeitschriften beherrschten seit den Tagen der „Fliegenden Blätter" (1844) die jungen deutschen Führungskreise: Michael Georg Conrads „Gesellschaft" (1884) die der Naturalisten, die „Jugend" (viel breiter streuend als ihr um ein Jahr älterer Kollege, der Berliner „Pan") die der Neudeutschen (1896); der „Kunstwart", zwar von Dresden aus geleitet, erschien in München und hatte viele bayrische Mitarbeiter (seit 1887); der scharfe Witz des „Simplizissimus" griff von 1896 bis 1944 ins politische Feld. Von den wenigen überregionalen Zeitungen der Bundesrepublik ist die Münchener „Süddeutsche Zeitung" die einzige, die, wenn auch sparsam, manchmal heimisches Sprachgut in ihre Zeilen fließen läßt. Das alles baute Münchner Worten Brücken ins übrige Deutschland – zumal Ludwig Ganghofer, man möge es begrüßen oder bedauern, noch 1967 der meistgelesene deutsche Schriftsteller war. Daß *Kitsch* von München ausging, erweist schon seine mundartliche Herkunft: es bezeichnete ursprünglich den Straßenschlamm (*kitschen* = den Kot zusammenkratzen); das *Brettl* (eigentlich ein Ka*barettl* im Münchnermund) nahm von Wolzogens „Überbrettl" (1901) seinen Ausgang; der *Fasching* wetteiferte alljährlich mit dem Kölner Karneval (mhd. *va[st]schanc* = letzter Weinausschank vor der Fastenzeit). Die *Watsche* (zu *wetzen!*) machte sich bis Berlin, Breslau und Bern bekannt; dabei half ihr der *Watschenmann* von der *Oktoberw*iese (der *Wiesn*), auf der *Märzenbier* ausgeschenkt wird; das gibt eine *Mordsgaudi!* Aber zuletzt muß dann neuerdings der *Heimweghelfer* den Wiesengast heimgeleiten. Der *Bock* (= Kurzwort für Bockbier) wurde gar in Frankreich *(le bock)* volkstümlich und verwischte damit unter dem Zeichen des *Münchner Kindls* endgültig die verräterisch nach Norden weisenden Spuren seiner Herkunft (eigtl. = Einbecker Bier!). Aus der Münchener Küche drang das *Geschnetzelte* bis an die Nordseeküste. Von München aus führte der gemeinsüddeutsche *Bub* seinen Feldzug gegen den nord- und mitteldeutschen *Jungen*; dem *Dirndl* glückte der Durchbruch gegen das *Mädel* erst im Bekleidungsgewerbe, und in seinem Gefolge kam etwas zögernd das *Bussi* (= Küßchen). Der *Schmarren* (zu

Schmer) wurde, als Gericht wie zur Kennzeichnung einer Nichtigkeit, über Bayerns Hauptstadt berühmt; das *Betthupferl* (= Süßigkeit vor dem Einschlafen), schon vor der Jahrhundertwende bekannt, hat vermutlich der Bayrische Rundfunk durch eine Sendereihe 1955/56 gemeindeutsch gemacht. Dagegen kam der *Salontiroler* von einem Bilde Defreggers (1882). Der *Stehbums* (= Stehbierhalle, um 1900) und das *Veilchenbukett* für kleinere Blutergüsse besonders im Gesicht (etwas älter) verzeichneten jenseits der blauweißen Grenzpfähle das Bild des deftigen Müncheners ein wenig. – Für nichtbayrische Ohren haben die meisten dieser Wörter einen leisen Ruch Hinterwäldlertum; nicht zufällig gilt *Hintertupfingen* in ganz Deutschland als Beispiel großstadtfernster Provinz. Aber man hängt dort an seinen Spracheigenheiten; wie sehr, bewies 1969 eine Bundestagsdebatte über die neue Handwerksordnung, in der 24 Parlamentarier aus Bayern heftig und nur zögernd nachgebend um ihre Handwerkerbezeichnungen, um *Pflasterer, Kaminkehrer, Spengler, Schreiner, Metzger* und *Hafner* kämpften.

Die Lust am U m l a u t, der sich als Mehrzahl- und Konjuktivzeichen seit Jahrzehnten auch dort empfiehlt, wo er eigentlich nicht hingehört (*Wägen* statt Wagen, *Wässer* statt Wasser, *Mägen* statt Magen, *bräuchte* statt brauchte) schmeichelte sich von München aus in unser Schrifttum und unsere Sprechweise. Aber der genialste Beitrag der Isarstadt zur Umgangssprache bleibt doch das Zeitwort *radeln,* von Haus ein bayrisches Mundartwort, das – auch in Wien bekannt – eine Kreisbewegung bezeichnete und sich, anfangs scherzhaft gemeint, dann bald in allen Situationen, an die Stelle des schwerfälligen „velozipedieren" setzte, das, aus Frankreich kommend, bis 1884 uneingeschränkt herrschte. *Radler,* schon im Rotwelschen als Name des Fuhrmanns geläufig, konnte nun dem Meister des modernen Volksbeförderungsgerätes dienen, und bald (1889) fand auch Sarrazin, einer der fähigsten Köpfe des Sprachvereins, das Wort *Fahrrad,* das seinerseits dem Radler im *Radfahrer* einen Doppelgänger bescherte, aber schließlich dem kurzen *Rad* weichen mußte. Die ganze Entwicklung, höchst münchnerisch von unten nach oben und ganz ohne behördlichen Zugriff laufend, ist ein so seltenes wie schönes Beispiel dafür, wie nützlich der Technik ein ungegängelter Griff in die Mundart werden kann.

Vielleicht wäre dem Wort kein so schneller und vollständiger Sieg beschieden gewesen, wenn es nicht auch von W i e n unterstützt worden [1] wäre. Die Hauptstadt der alten Donaumonarchie hat viel zur Umgangssprache beigetragen. Seit Schubert die klassische Stätte deutscher Liedpflege, durch

[1] In einigen Fällen ist zweifelhaft, ob München oder Wien, die bayrische oder die österreichische Sommerfrische oberdeutsches Sprachgut nach Mittel- und Norddeutschland gebracht hat. Das scheint mir z. B. bei dem futurischen Gebrauch von *tun* zuzutreffen (*helfen tut er dir sicher),* der sich in ungezwungener Rede mehr und mehr nach Norden verbreitet.

Philharmoniker und Symphoniker weltberühmt, von der Straußdynastie zum Paradies der Operette erhoben und damit als Geburtsort des *Schlagers* (das Wort kam 1881 aus Wien) auch eine sprachliche Großmacht für die neue Zeit, hatte Wien auch als Ausgangs- und Zielpunkt vieler Anekdoten, als Schauplatz und Heimat vieler Bühnen- und Filmstücke manche Kanäle für seine Spracheigenarten. Burgtheater und Theater in der Josefstadt waren und blieben führend; von „der Burg" ging die Sitte aus, Schauspieler mit dem Geschlechtswort zu bezeichnen: *der* Kainz, *die* Thimig; das ging später auch auf Nichtschauspieler über. Der Wiener *Walzer* (1787; zu obd. *walzen* = schleifen) und der von *heuer* (= in diesem Jahr) herkommende *Heurige*, der *Prater*, die *Sachertorte* und der *Schlagobers* (= das geschlagene Obere der Sahne) lockten auch die Fremden, denen die Zauber der Bauten und der Landschaft gleichgültig waren. Wie die nach Garmisch und Berchtesgaden wallenden Sommerfrischler in München, so kehrten die nach Tirol oder der Steiermark zielenden Wandrer aus dem Norden in Wien ein. Die Staatsgrenze verlor angesichts der Sprachgemeinschaft viel, zuweilen alles von ihrer Gewichtigkeit; daß sie während der Diktatur (1938–1945) zeitweilig verschwand, hat den Sprachaustausch verstärkt. Schnitzler, später Rilke und Hofmannsthal, dann Stefan Zweig und Schaukal knüpften Fäden und ergänzten die Gleichstrebenden im Norden. Schließlich trug ein anhaltender und zumal in der Südnordrichtung lebhafter Bevölkerungsaustausch manches Wiener Wort über Österreich hinaus, dem an sich nur eine geringe Werbekraft innewohnte. Dazu gehörten vorab die vielen Wendungen der Wiener Kanzlei, die sich in Zeiten, als der reichsdeutsche Amtsschimmel längst an der eigenen Krippe wieherte, einbürgerten: *diesbezüglich* und *obzwar*, *ehebaldigst* und *letztens* (für *neuerdings*, das seinerseits im Wienerischen „wiederum" bedeutete), *nachdem* für weil, *beiläufig* für ungefähr und *allfällig* für etwaig, *Einvernahme* für Vernehmung, *einsparen* und *einbehalten*, *bereinigen* und *überprüfen*, *benötigen* und *unterfertigen;* die Wiener *Anstände* (= Bemängelungen) zeugten das Zeitwort *beanstanden*, die *Abstrafung* das Zeitwort *abstrafen*; die *nachgeordneten* Dienststellen, die den Stellenplan so schön transparent machen, empfahlen sich im Norden zu dem Zeitpunkt, als ihre militärisch anmutenden Vorgänger *(unterstellt)* autoritärer Haltung verdächtigt wurden. Auch die *optischen Gründe* stammen aus Wiener Amtsstuben, und aus ihnen holte Hitler seine Vorliebe für das Zeitwort *diskriminieren*.

Andere Redewendungen trugen ein Rüchlein Wiener Kleinbürgertums in die Weite: daß man *sich giftete*, wenn man sich etwas *abgehen* (= mangeln lassen mußte; daß man *grantig* wurde, wenn man seinen *Zwicker* (den wienerisch verkürzten *Nasenzwicker*) nicht fand, daß man seine „Jöhre" einen *Fratz* (aus ital. *frasche* = Ast als Schankzeichen) und einen *Schlawiner* (= Slawonier), auch einen *Hallodri* nannte, das machte auch der Norddeutsche vergnügt mit. An die Stelle des zunftgerechten Hänselns trat, vom *Fratz* hergeleitet, das *Frotzeln*; die *Schlamperei* (= Nachlässigkeit, Geschlürfe) mit ihrem Adjektiv *schlampig* wurde wohl, Tücke des Zufalls, durch zornige Leutnants der preußischen Armee berühmt. Wenn man sich in müder Gelockertheit und leicht alkoholisiert *anblödelte* oder seinen Freund *aufsitzen* ließ (= seine Verabredung mit ihm nicht einhielt), wußte man, daß man wienerte; auch die wenigen Wörter italienischer Herkunft, die über die schwarzgelbe Grenze wanderten, der *Katzelmacher* (= Italiener, zu venezianisch *cazza* = Schöpfkelle) oder der *Strizzi* (= Strolch, vom italienischen *strizzare* = pressen) verleugneten ihre Herkunft nicht. Das *Fortwursteln* empfing man mehr in Abwehr als mit Zustimmung. Trefflich aber suchten uns die *Zünder*, von den deutschen Schulvereinen statt der langatmigen Streichhölzer verbreitet, das Leben zu erleichtern; dem *Erzeugnis*, das die Wiener ganz sprachgewandt an die Stelle des *Produkts* gesetzt hatten, vermittelte erst, obwohl schon die Klassiker an ihm Geschmack gefunden hatten, das Bürgerliche Gesetzbuch zeitweilig gesamtdeutsche Geltung. Der *Verschleiß* (= Kleinverkauf) brauchte längere Zeit zum Gemeinerfolg; *Kassa* für *Kasse* hat sich nur vereinzelt über Österreich hinaus verbreitet. Wer unsere *Geheimratsecken Hofratsecken* nennt, zeigt, wie gut er Wien kennt. Dagegen machte der Wiener *Protz*, eigentlich ein „Geschwollener“ und jedenfalls freundlicher gefügt als der Münchner *Fex*, der ursprünglich mehr ein *Depp* ist, vor diesem das Rennen; aber auch der herbere *Trottel* (= Kretin) setzte sich durch. Meist ist man liebenswürdiger; wem der Wiener androht, ihn *zum Frühstück* zu *verspeisten*, dürfte der Berliner Deftigeres verheißen. Das *Vorjahr* schmeckte lange bei uns nach seiner süddeutschen Herkunft; das Beiwort *schütter* (= dünn) pflanzten Anzengruber und Rosegger an den dichterischen Rand auch norddeutscher Umgangssprache. Am schönsten hat das Kurzwort *fesch* (aus engl. *fashionable*), mit bezeichnender Bedeutungsschwankung, bis heute untrennbar mit dem Bild des Wieners (oder der Wienerin?) verbunden, den besonderen Klang des Weanerischen in die deutschen Lande getragen – man halte es gegen das hamburgische *tipptopp* und das Leipziger *pesen*, um die Möglichkeit abzuschätzen, die den deutschen Landschaftssprachen an fremdem Wortgut gegeben sind, aber auch, um die freundliche Wiener Art, diese Mischung von Herrentum und Bescheidenheit, zu begreifen. Zu mythischen Ehren aber stieg der deutschen Journalisten gut bekannte *Grubenhund*, wie bei ihnen allgemein eine absichtlich törichte Leserzuschrift heißt. Wir kennen bei ihm Schöpfer und Geburtsjahr. Nach dem Erdbeben im Ostrauer Kohlenrevier im Jahr 1911 schickte der Ingenieur Arthur Schütz einen Leserbrief an die Neue Freie Presse, in dem er allerhand bewußt unverständliche Erläuterungen zu dem Unglück gab. U. a. berichtete er von einem Grubenhund, der vor der Katastrophe auf unerklärliche Weise angefangen habe, schauerlich zu heulen.

Syntaktische Einzelheiten lassen sich schwerer beurteilen. Es ist nicht ausgeschlossen, daß die Unsicherheit im Gebrauch der Vergangenheitszeiten, die Beantwortung der Frage, wann das Präteritum, wann das Perfekt zu stehen habe, durch österreichischen Einfluß auch bei uns problematisch wurde. Sommerfrischler einerseits, Kriegskameradschaften andernteils haben manches hin- und hergetragen, und es ist vorschnell, vom „verfallendem Sprachgefühl" zu reden, wenn es sich möglicherweise um Beeinflussung vom Süden her handelt. Dahin gehört auch die in unserem Land wachsende Neigung, die Verben *stehen, liegen* und *sitzen* mit *sein* statt mit *haben* zu verbinden *(ich bin gesessen)* und Adverbien ohne Endungs-e zu gebrauchen (*gern*).

Natürlich hat Wien, dem slawischen Osten ähnlich breit geöffnet wie das Ruhrgebiet dem romanischen Westen, auch von dorther manche Farbe bekommen; neigte doch der alte Vielvölkerstaat ohnehin zur Fremdwortfreude. Zeitwörter wie *vergessen* und *denken* mit *auf* zu verbinden, eine Unart, die auch in den außerösterreichischen Sprachraum hineinschlüpfte, übertrug das tschechische *na* (= auf) ins Deutsche; man kann auch *auf ein Glas Bier (na piva) gehen.* Die Wendung *es steht nicht dafür* übersetzte die tschechische Fügung *nestojí za to;* auch die bildhafte Redensart *einen Affen haben,* mit der man den Zustand nicht zu schwerer Trunkenheit wiederzugeben lernte, entnahm das Wienerische dem Tschechischen *(opit se* = sich betrinken, scherzhaft verwechselt mit *opice* = Affe). Vermutlich kam aber auch die Sucht, in abhängigen Sätzen Umschreibungen mit *würde* zu gebrauchen (*ich würde geben* statt *ich gäbe; ich würde mich nicht wundern* für *ich wunderte mich nicht, wenn ...*) aus dem Tschechischen, aus seinen häufigen Bildungen mit den Nachsilben *-bych, -bys* oder *-by.* Weniger bedrohlich waren die paar vom Rotwelschen her vermittelten Wiener Wörter, von denen *Tinnef* (= Schund, vom aramäischen *tinnûf* = Schmutz) im Börsendeutsch mäßigen, *Kohldampf* (*Koller* = Heißhunger; *Dampf* = Hunger) zuerst bei süddeutschen Soldaten, dann im Ersten Weltkrieg einen stürmischen Gemeinerfolg hatte.

Da leistete Frankfurt, die *Mainmetropole,* als Brücke südwestdeutscher Gaunerwörter mehr: es vermittelte uns den *Kaffer* (zu rabbinisch *kafrî* = Dörfler) und das *Schmusen* (zu hebr. *šĕmû' ôth* = Erzählungen), *schnorren* (für deutsch *schnurren* = [mit der Schnurrpfeife] betteln) und *dibbern* (von hebr. *dibbêr* = reden), *dufte* (aus hebr. *tôb* = gut) und *uzen* (zum deutschen Vornamen *Uz* = *Ulrich*) – alles Wörter, die in Süddeutschland längst mehr oder weniger volksläufig waren, aber nun erst über Börse und Großstadthandel weitere Kreise erfaßten. Der *Krakeel,* italienischer Herkunft, wurde aus Bayern über Frankfurt nach Norddeutschland geschleust, wo er denn in Berlin besonders freundliche Aufnahme fand. Aus süddeutschen Amtsstuben verbreitete Frankfurt Genetivformen substantivierter Infinitive *(kein Aufhebens [Aufsehens] machen)* – freilich mehr nach Süden als nach Norden. Das *Bitzelwasser* aber kommt aus Frankfurter Kinderstuben (= Selters), und nach dem Zweiten Weltkrieg baute man dort aus Trümmern den *Monte Scherbelino,* eine Leistung, die dann in andern Städten, meist unter dem gleichen Namen, nachgeahmt wurde. – Über Stuttgart kam wohl die Neigung, Mehrzahlformen auf *-er* zu bilden (Ding*er,* Stück*er*), die besonders dann genutzt wurde, wenn man seiner Aussage einen Tadel beiheften wollte (Äs*er,* Viech*er,* Scheusäl*er,* Biest*er*). Und es kamen die *Spätzle,* deren Siegeszug in den Norden in breiter Front durchs badische Land hindurchging und nicht nur in norddeutschen Gaststätten, sondern auch in vielen Bürgerküchen triumphierte. – Die Schweizer Großstädte trugen kaum zum neuen Gemeindeutsch bei, nicht nur, weil sie durch ihre Andersstaatlichkeit andern Lebenskreisen zugeordnet waren, sondern besonders, weil die Gründe, die bei unsern Großstädten die sprachliche Lage bedingten, bei ihnen entfielen: sie bewahrten die Verbindung zum „Land", ihre Bevölkerung flutete weniger und erneuerte sich überwiegend vom eigenen Hinterland; daher blieb die Beziehung zwischen Stadt- und Landsprache im Gleichgewicht, und das Neue konnte verarbeitet werden, ohne daß man sich darüber des Alten entäußern mußte. Aber die Schweiz schenkte uns den *Amtsschimmel,* den im 18. Jahrhundert die reitenden Boten dort ritten, und von daher kam auch die Übung, unfeste Verbzusammensetzungen wie feste zu behandeln (*wir anerkennen ...*). Bezeichnend mag es erscheinen, daß *Stalldrang* oder *Stalltrieb,* die Freude am eigenen Heim, aus Zürich ihre Reise in die Umgangssprache antraten. Und aus irgendeiner Schweizer Sommerfrische nahm auch die vorsichtige Einschränkung durch *schon* seinen Weg nordwärts *(Das ist schon schön! – Schon, schon!).*

Die sprachliche Rolle der Großstädte erschöpfte sich keineswegs in diesem Austausch, dieser Bereicherung des Umgangssprachlichen, dieser Einebnung landschaftlicher Besonderheiten durch Schaffung eines gemeinsamen neuen Wortschatzes: *Gartenvorstadt, Bahnhofsviertel, Warenhaus* (1897 Wertheim, Berlin), *City,* die später zur deutschen *Geschäftsstadt* wurde, *Stadtrandsiedlung, Pendler-, Schlaf-, Trabanten-, Satellitenstadt, Grüngürtel, Großgrünzug* (die *grünen Lungen* der Steinwüsten) [1]. Die Großstadt formte vielmehr – und das machte die Lage bedrohlicher – als solche, als Siedlungseinheit von unübersehbaren Ausmaßen, ein neues Menschenbild, das sich auch sprachlich die eigene Note prägte. Sie stellte der Verwaltung große und schwere Auf-

---

[1] Der Begriff *Großstadt* selbst, den bisher die Hunderttausendmanngrenze markierte, verschwimmt allmählich, weil die Einwohnerzahlen der Innenstädte, wo sie nicht gar rückläufig werden, zu stagnieren beginnen, während die der Randgebiete und Vororte wachsen. Die Großstädte werden *ausgekernt,* die Ballungsgebiete *zersiedelt.* Das wird sich auch sprachlich mit der Zeit zeigen. – Wie sehr die Zahl der Großstadtbewohner abnimmt, zeigt sich z. B. daran, daß Düsseldorf im letzten Jahrzehnt 32 000 Einwohner verloren hat.

gaben; die Unterbringung, Versorgung, Bekleidung, Befriedigung der Hunderttausende verlangten einen Behördenaufbau von bislang ungekannter Vielzahl und Buntheit. Damit bekam das Spracherbe der alten Kanzleien, das *Amtsdeutsch,* noch einmal Auftrieb, trieb neue Schößlinge und erneuerte und stärkte seinen Einfluß, der den Amtsstuben größere Tore zur Umgangssprache öffnete als den Kasernenhöfen. Durch Goethes Altersstil längst auch nichtamtlichen Ohren geläufig und dazu des Verdachtes ledig, nur für Schreibstuben zu passen, fand das Behördendeutsch den Boden zur Breitenwirkung bereit: sie hatte dienstliche und literarische Fruchtböden. Sie leuchtete in jener Verklärung, die der Staat Wilhelms II. seinen Behörden schenkte: wo alles vorbildlich und nachahmenswert war, konnte es auch nach Bürgeransicht an der Sprache nicht fehlen. Die Praxis des Diktats entweder zur Sekretärin (der *Tippse, Tippeuse,* dem *Tippfräulein*) hin oder ins Diktaphon vergrößerte die Neigung zu Stereotypwendungen. Behördendeutsch als Vorbild wuchs in den Großstädten, bei diesen Menschen, die oft ohne Heimat und meist ohne Vorbilder Anlehnung an Muster suchten, die auch in gewandelter Zeit glaubwürdig blieben. Der Vorgang hatte insofern eine Vorgeschichte, als Behörden immer schon dem Untergebenen schulterklopfend ein oder das andere Wort bestätigt hatten – etwa den *Amtmann,* den sie 1921 von den ostdeutschen Gütern in ihre Verwaltung übernahmen –, dem sie meist aber die Form des sprachlichen Verkehrs aufnötigten. Nun drang diese Form aus dem Schriftwechsel zwischen dem Staat, der Stadt und der „Partei“ in die privaten Bezirke zwischenmenschlicher Verständigung, auch dies eine Folge unserer Verstädterung. Mit ihr hielt die nach den Bedingtheiten des Parkinsonschen Gesetzes wachsende Aufschwemmung der Behörden Schritt; der Verkehr zwischen dem Vertreter von Staat, Stadt oder Gemeinde und dem Bürger verlagerte sich weitgehend auf die schriftliche Anweisung und ihre schriftliche Beantwortung, auf Eingabe und Bescheid, auf Verfügung und Einspruch. *Das Papier* stieg zu hohen Ehren; ihm wurde unterstellt, immer bedruckt oder beschrieben, immer ein Entwurf, eine Unterlage, ein Vorschlag, eine Skizze, eine Eingabe zu sein. Auf ihm redeten d e r Staat, d i e Stadt, d i e Gemeinde: der Gesprächspartner wurde unpersönlich; an die Stelle des Fürsten von Gottes Gnaden oder seiner Vertreter setzten sich die Ämter, die Ministerien, die Volksvertretungen (das *„Hohe Haus“*); die *Zuständigkeiten (Kompetenzen)* des öffentlichen Lebens wurden dem Laien uneinsichtig. Die Ent-menschlichung wurde gefördert. Der Staat (die Stadt, das Ministerium) machte den Lehrer – nur, weil es am Wort mangelte, das männliche und weibliche Lehrer zugleich benannte – zur *Lehrkraft* (vgl. S. 70!), die *Hilfe* zur geschlechtslosen Person (*Standhilfe* = Messemädchen, nach *Starthilfe* gebildet?; aber die *Berlinhilfe* war keine Person, sondern eine Aktion), den Passanten (Spaziergänger, Autofahrer) zum unprofilierten *Verkehrsteilnehmer.* Ob der *Jugendliche* Junge oder Mädchen ist, kümmert die

Behörde nicht; die *Lehrperson* kann ein männlicher oder weiblicher Lehrling oder auch ein Lehrer sein. Man bevorzugt Zusammensetzungen, in denen die Grundwörter (*-träger, -inhaber, -pflichtiger, -beauftragter, -angehöriger, -bevollmächtigter, -teilnehmer, -mitglied)* suffixartig neue Aufgaben übernehmen. Die einen weisen auf Pflicht, Würde, Verantwortung *(Bau-, Kosten-, Erfahrungsträger; Lehrstuhlinhaber; Wehrpflichtiger);* die andern vermitteln ein unbestimmtes Gefühl von Zusammengehörigkeit: ein *Betriebsangehöriger,* ein *Vereinsmitglied,* ein *Fahrtteilnehmer* fühlt sich in der ersehnten Nestwärme des doch nur registrierenden Wortes geborgen. Das gilt auch für den *Kreis (Förderer-, Freundeskreis),* der merkwürdigerweise *betroffen* werden kann. Schließlich die ungeschlechtige *Person,* der etwas von der Distanz des Rechtsgeschäftes (*juristische Person),* etwas von der Unerfreulichkeit des Verhörs (*Vernehmung zur Person),* auch etwas von der Anrüchigkeit der Schelte anhaftet (*so eine Person!)* und die, wenn sie durch amtliche Bestimmungswörter definiert wird, fast etwas Gespenstiges bekommt – man denke an die *Fallperson,* d. h. den Menschen, dessen *Fall* gerade be- oder verhandelt wird. Bedenklicher ist es, wenn eine Mehrzahl von Menschen als *Material* oder *Gut* bezeichnet wird, als ob es sich um Rohstoffe oder Schüttgut handele. So nennt man etwa alle Patienten eines Krankenhauses *Krankengut* oder *Krankenmaterial*; Militärs sprachen gern vom *Menschenmaterial,* das sie „in die Schlacht werfen"; Ärzte verzeichnen in ihren Statistiken *Pflegefälle.* Man gewöhnte sich daran, den Staat als Maschine, seine Bürger als Räder oder Radteile zu sehen. Es war die gleiche Zeit, die das Wort *Organisation* heilig sprach, nachdem sie seinen alten Sinn ins Gegenteil verkehrt hatte; denn nun sollte es nicht mehr den Aufbau eines Organismusses bedeuten, sondern eine Ordnungsregel des Menschen: ohne des Organischen mehr zu gedenken, wollte er sich und den Umstehenden vortäuschen, das, was er da *organisiere,* sei ein Organismus, d. h. ein aus lebenden Zellen, Organen einheitlich bestehendes Ganzes. Ja, er machte sich selbst zum *Organ,* als ob ein Organ sich durch Organisation zum Organismus steigern könne! Daß sich schließlich die Gauner des Begriffs bemächtigten, zeigt, wohin die Entwicklung führte *(organisieren).* – Das *Es* der Behörde bevorzugte auch unpersönliche Fügungen. So setzten sich passivische an die Stelle aktiver Wendungen: es *wird* bekanntgegeben; ein Sekretär *wird* gesucht; *es ist* (oder: *wird*) verboten; ich *bin* gekündigt; Papiere *sind (werden)* gefragt; hiermit *wird* bescheinigt; dann auch im bürgerlichen Leben: eine Arbeit *wird* gemacht; ein Aufsatz *wird* geschrieben. Der Handelnde verbarg sich immer häufiger hinter dem unangreifbaren Anonymus, wenn er sich nicht hinter seinen Diensttitel versteckte (*in meiner Eigenschaft als . . .*).

Die Gespreiztheit seines Stils war schon immer ein Kennmal des von Otto Ernst wo nicht erfundenen, so doch in Umlauf gebrachten *St. Bürokratius* (1901). Sie hatte sich besonders im Barock entfaltet, als man auch in Redewendungen repräsentierte. Nun fraß das Übel weiter; die immer stärker aufgegliederte Gesellschaft verlangte immer genauere Rechtssicherungen. Ist z. B. ein Handwerker, der seinen Sohn im eigenen Betrieb beschäftigt, ein Bauer, dem seine Kinder helfen, ein *Arbeitgeber* im Sinne des Gesetzes, oder sollte er nicht vielmehr *Beschäftiger* heißen? Die Männer hinter den Amtstischen und Schaltern, die *Aktentaschenträger* und *Umstandskommissare* (Berlin, 19. Jahrhundert), gaben sich um so lieber in umständlichen Wortfügungen ein Ansehen, als ihre auch im Sprachlichen unsichere Kleinbürgerlichkeit sich dadurch vor sich selbst sichern konnte. Der mit Papieren besäte Schreibtisch mußte abgearbeitet werden; wenn man die *Vorgänge,* womit man nicht so sehr Ereignisse wie vielmehr Akten meinte, *vom Tisch,* auf den sie der Chef geknallt hatte, haben wollte, konnten Klischeeformeln, Wortmatern und Modelle für Schreibwendungen Zeit einsparen. So ließ man die Umschreibungen wuchern, unbekümmert darum, daß mit ihnen der Satzbau schwerfälliger und schwerer verständlich wurde, und natürlich erst recht unbesorgt um die weiterliegenden Folgen, die man kaum ahnte. Sie waren aber bedenklich. Denn da man das starre, unbewegliche Hauptwort für eindrucksvoller hielt als das lebendige Zeitwort, dieses Wunderwort, mit dem wir eine Bewegung in die Sekundenruhe des Wortes wie in eine Momentaufnahme bannen können, zog man im Ausdruck das feste Beharren dem kräftigen Antrieb vor. Wieder einmal entschied man sich für den „nominalen“ Stil statt für den „verbalen“; aber diesmal blieb die Fügweise nicht auf einzelne beschränkt. Mit ihr ließ sich sowohl ein Vorgang ausdrücken *(in Frage stellen)* wie sein Ergebnis *(Ordnung schaffen),* ein Zustand *(in Aufregung sein*) wie eine Eigenschaft (*Fähigkeiten haben*); sie bot sich vielen Situationen an. Diese „Verhauptwortung“ der Sprache griff um sich; wie die Beamteten, dem Sprachgebrauch des BGB (1900) folgend, *unter Beweis stellten, Erwähnung taten, in Erwägung zogen, in Verhandlungen eintraten, Bedenken zum Ausdruck* und anderes *zur öffentlichen Kenntnis brachten,* begannen auch die Bürger, *sich einer Prüfung* zu *unterziehen, Verzicht zu leisten, zur Ausführung (zu Gehör)* zu *bringen* und *zum Ausdruck (zur Aufführung, zum Tragen) kommen* zu lassen; *Mißverständnisse fielen vor* und *Anstrengungen* wurden *unternommen.* Dabei wurde unmerklich das Zeitwort entwertet; es diente mehr zur Füllung als zur Aussage; denn dem, der etwas *zum Ausdruck brachte,* lag weniger daran, daß er etwas brachte, als daß er sich ausdrückte; das Bringen „regierte“ nicht mehr wie bislang das Hauptwort – ich bringe dir: was? ein Kleid! –, sondern mußte ihm untertan sein, mußte den Wegweiser zur eigentlichen Aussage abgeben: ich bringe – was? nichts. Vielmehr: wozu bringe ich? zum Ausdruck. Das sind analytische Kompositionen, deren Bildung dadurch mitbedingt wurde, daß der Sprache manche Bildungsweisen wie der Umlaut zur Kennzeichnung von Veranlassungsverben (Kausativen wie *fallen/fällen*) ungewohnt geworden war. Die

Bewegung setzt schon vor 1600 ein; mächtig wird sie erst im Behördendeutsch. So entstand ein Stil, der an echten Zeitwörtern arm war, aber eine Menge Hilfszeitwörter zeugte: *kommen, gelangen, bringen, leisten, stellen, ziehen, tun,* Hilfszeitwörter, die zwar gelegentlich Unterscheidungsmöglichkeiten boten (ob man etwas *in Gang setzt, bringt* oder *kriegt,* ist nicht dasselbe), die aber sehr oft für sich kaum noch etwas bedeuteten und ihren Glanz von den Hauptwörtern erhielten, mit denen sie sich zu Formeln verbanden. Ähnlich steht's um das „Funktionsverb" *erfolgen*; zwar ermöglicht es Ergänzungen zwischen dem Vorgang, der meist durch ein *-ung-S*ubstantiv erhärtet wird, und seiner Ausführung: die *Belobigung (Bestrafung, Zahlung, Sendung, Aushändigung, Ermittlung) erfolgt* – möglichst *gleich (unverzüglich, postwendend*), manchmal auch *später (in noch zu bestimmender Zeit)*; aber das ließe sich auch mit dem schlichten, in seiner Flexion vom Handelnden bestimmten Verb machen. Übrigens ist auch diese Fügung alt; sie stammt wohl aus dem 18. Jahrhundert, steht schon in der Übersetzung des Code Napoléon und findet sich in 172 Paragraphen des BGB nicht weniger als siebenunddreißigmal. – Beachtlich ist auch, wie häufig Verbindungen mit *bringen* sind *(zu Gehör-, zur Wiedergabe-, zur Aufführung-, zur Verhandlung-, zur Anwendung bringen)*; vielleicht spiegeln sie das Massenleben in unsern technikbeherrschten Großräumen besonders gut wider. – Manchmal stützte eine Anregung von draußen die Neigung: *Rechnung tragen* z. B. ist dem Französischen *(porter à compte, tenir compte)* nachgebildet. Man liebte auch imperativische Adjektiva (*unverzüglich*) oder solche, die jeden Widerspruch ausschlossen (*offenkundig).* Wie denn überhaupt der Büro- und Schalterbeamte etwas vom metallischen Preußenton abbekommen und behalten hat. Es soll ihm nicht verdacht werden, daß er darauf bedacht ist, den *Rahmen* einzuhalten, *Rahmengebühren* festsetzt, *Rahmentarife* schafft, *Rahmenparagraphen* ersinnt, *Rahmengesetze* für zukünftige Entwicklungen erläßt und gern alles *im Rahmen von* einer bestimmten, festgelegten Ordnung sieht, die er so liebt, daß er gar nicht merkt, wie peinlich eigentlich eine *peinliche Ordnung* ist (denn daß damit ursprünglich eine Strafordnung *[poena!]* gemeint war, hat er längst vergessen). Er *schafft* gern *Ordnung,* und wenn er zustimmt, brummt er gern sein *„Geht in Ordnung!"* (abgekürzt: *„In Ordnung!"*). Was *polizeiwidrig* ist, darf nicht geduldet werden.

Den „Streckverben", wie Reiners diese Umschreibungen (nicht unmißverständlich genug) genannt hat, stellten sich die S t r e c k w ö r t e r (die „streckenden Umschreibungen") zur Seite; auch sie trachteten, Aus- und Ansehen des Ganzen zu erhöhen. Natürlich prunkte eine *Bescheinigung* mehr als ein Schein, erfreute eine *Belobigung* mehr als ein Lob, beruhigte eine *Abmilderung* mehr als eine Milderung, machte eine *ordnungsgemäße* Durchführung einen besseren Eindruck als eine ordentliche Erledigung; *benötigen* klang dringlicher als brauchen, *stattfinden,* auswechselbar mit *durchgeführt werden* oder *erfolgen*, gewichtiger als sein, *lediglich* überzeugender als das schlichte nur; *nunmehr* wies kräftiger auf das gebieterische hic et nunc hin als das altgewohnte jetzt; *naturgemäß* war ein „natürlich!!" mit zwei Ausrufezeichen, ein amtliches *Schreiben* wog mehr als ein Brief, eine *Beschwerdesache* schwerer als eine der üblichen Beschwerden, und wenn man betonte, etwas müsse *in Bälde* geschehen, dann ließ es sich nicht so bald übersehen. Menschen ließ man *absterben*, als ob es Bäume wären, nur um ihren Tod ganz unmißverständlich zu betonen; die Versicherungsmathematik erfand dann dazu die passende *Absterbeordnung*. Manchem klang *darüber hinaus* vollmundiger als *überdies* oder *außerdem*. So kam man im bürgerlichen Sprachgebrauch zu Bildungen wie *Ernsthaftigkeit* (worunter doch nicht mehr als der altgewichtige Ernst verstanden werden konnte), *Vorahnung* (als ob es auch Nachahnungen geben könne!), *Vorbedingungen* (was nur eine verstärkte Bedingung sein konnte), *Rückerinnerung, Rückantworten, Rückvergütung* und *Herabminderung*; d. h. das Streckwort wirkte durch seinen Leerlauf, der die Hochtouren einer Maschine vortäuschte. Man zerlegte auch eine Zusammensetzung ohne viel Geschick und kam dann über die *altersmäßige* Entwicklung, die *schulische* Betreuung, die *pflanzliche* Nahrung, die *aktenhafte* Ausdrucksweise, die *listen-* oder *gebietsmäßige* Erfassung, den *betrieblichen* Frieden, die *partnerschaftliche Eheform*, die *vereinbarliche Abmachung*, die *arbeitsmäßige Unterbringung*, die *bezirklichen Umstände* und die *verkehrsgerechte* Straßenordnung zu einer neuen Adjektivblähung, die den Wert des ohnehin bedrohten Beiworts weiter minderte – besonders auch dadurch, daß sich manche dieser Gesellen besonders beliebt machten und bis zum Überdruck wiederholt wurden (*zwischenzeitlich, kurzzeitig* u. ä.). Man nahm, um ganz genau zu sein, das Partizip zur Hilfe; so kennt die Bundesbahn einen *grenzüberschreitenden Verkehr* – die schlichte Zusammensetzung „Grenzverkehr" könnte ja dahin mißverstanden werden, daß die Züge nur bis zur Grenze oder von der Grenze ab verkehrten! Man sagte lieber *sich befinden* als sein, lieber *vermögen* als können, lieber *gelangen* als kommen; man bildete gern Hauptwörter auf *-nahme, -schaft* oder *-gabe*, obwohl die Endsilbe keine Bedeutung trug (*Kenntnis-nahme, Stellung-nahme, Maß-nahme, Rücksicht-nahme, Einfluß-nahme, In-angriff-nahme, In-betrieb-nahme; Träger-schaft; Maß-gabe, Statt-gabe*) und Beiwörter auf *-gemäß* und *-mäßig*, obwohl alte auf -lich oder andere Fügungen bereitstanden (*naturgemäß, ordnungsgemäß*; *vorschriftsmäßig* = nach Vorschrift, *arbeitsmäßig* = in der Arbeit, *altersmäßig* = nach seinem Alter). Zusammensetzungen auf *-artig, -förmig, -haft* wucherten. Man scheute sich – immer in Nachahmung dessen, was Verordnungen, Anschläge und „Verlautbarungen" der Behörden vormachten – nicht vor Doppelaussagen; wer von *Rückerstattungen* und *Rückvergütungen* oder von *Zwischenpausen* sprechen hörte, wunderte sich auch nicht, wenn etwas *meistbietend versteigert* wurde (wo sah man je das

Gegenteil?), und verstärkte, was er sagen wollte, unbedenklich dadurch, daß er es (unmerklich) zweimal sagte: er *pflegte gewöhnlich* oder *häufig* dies oder das zu tun, sprach von den *gewonnenen Eindrücken* und den *übernommenen Verpflichtungen*; er *bat* um die Erlaubnis *zu dürfen*, berichtete *nach angestellter Untersuchung* oder *bei auftretendem Bedarf* über die *erzielten Ergebnisse*, dankte, wo nicht für die *gewährte Hilfe*, so doch vielleicht für das *erwiesene Beileid* oder die *entgegengebrachte Liebesgunst*, und *sein ihm übertragenes Amt* drückte ihn schwer. Er *durfte* etwas *mit Recht* tun (in Anspruch nehmen) und behauptete, *angeblich solle* dies oder jenes geschehen sein. Auch dabei konnte er sich auf das Amtsdeutsch berufen: war er doch eben erst angewiesen worden, nach *erfolgter Umsiedlung* die *fällig gewordenen Steuern* zu entrichten! Mit besonderer Freude benutzte er die neue Nachsilbe *-zwecken*, die, verbunden mit einem vorangesetzten „zu", sich fast unbegrenzt verwenden ließ, ohne irgendetwas auszusagen: denn wer *zu* Studien*zwecken* nach München fuhr, begab sich zum Studium dorthin, wer seinen Stall *zu* Wohn*zwecken* umgebaut hatte, nutzte ihn jetzt als Wohnung; Vieh, das die Stadt *zu* Schlacht*zwecken* gekauft hatte, war zum Schlachten bestimmt. Die umständlichere Fügung machte nichts deutlicher, aber sie wog – etwa so viel wie die abgestandene Form, die sonst niemand mehr gebrauchte *(ansonsten)*.

Wie bei Umschreibungen und Streckwörtern wirkte das Deutsch der Amtsstuben auch durch seine Arten der Wortbildungen. Seine Verpflichtung zur Unverbindlichkeit, die ihm Abstraktbildungen empfahl, liebte B i l d u n g e n a u f - u n g und - k e i t (- h e i t), die nun auch die Umgangssprache überfluteten (*Beachtung, Vorkehrung, Abschreibung, Abzahlung, Auslobung* (ausgeschriebene Belohnung), *Klagerhebung, -änderung, Verjährung, Vollstreckung, Annäherung, Bewährung* [auf die man eine Strafe aussetzen, die man aber auch bekommen kann], *Berentung, Überbevölkerung, Bezuschussung, Bevorschussung, Verbeamtung, Bestlösung, Zielsetzung, Beglaubigung, Entpflichtung, Kündigung, Steuerung* [eines Notstandes], *Rationierung, Fertigstellung, Verauslagung, Beschleunigung, Verniedlichung, Reprivatisierung* [seit 1952], *Verbringung* [eines Häftlings], *Selbstverwaltung* [aber diese ist viel begrenzter als das englische *self government*, aus dem sie stammt]; *Vordringlichkeit, Zuständigkeit, Vollständigkeit, Gegebenheit, Sachlichkeit, Verstiegenheit;* die *Persönlichkeit* [des öffentlichen Lebens] drängte sich großspurig vor die Person; sie wurde *aufgebaut*, statt sich zu bilden). – Die Häufung von -ung-Substantiven im selben Satz oder Redeteil hörte sich unerfreulich an; die Sätze wurden durch sie unschön und unzweckmäßig belastet, und so hatten es Sprachpflegekreise verhältnismäßig leicht, mit einleuchtenden Gründen gegen sie anzugehen. Sie förderten durch ihre Bemühungen die Neigung, -ung-Bildungen durch s u b s t a n t i v i e r t e I n f i n i t i v e zu ersetzen, also *Ausloben* statt *Auslobung*, *Vollstrecken* für

Vollstreckung zu sagen, eine Möglichkeit, die längst erprobt war *(Leben, Handeln, Sterben)* und die weniger Gefahr lief, aufdringlich kompakt zu wirken. Aber auch diese Weiche ist kein Allein- und Immerheilmittel. Außerdem hatten die -ung-Wörter den Vorteil, daß sie sich unter Umgehung anderer deutscher Möglichkeiten (wohl englische Fügungen mit *in* nachbildend: *in answer* u ä.) schönstens mit „in" verbinden ließen: *in Beachtung Ihrer Bestellung; in Anlehnung an seine Ansicht; in Erledigung meines Auftrages; in Ermangelung von Unterlagen; in Würdigung deiner Gründe; in Erwiderung Ihres Schreibens, im Zug der Neuordnung.* Solche Wendungen hatten einen doppelten Vorzug: sie vereinten die Gewichtigkeit ihrer hauptwörtlichen Aussage mit einer erfreulichen (scheinbaren) Sparsamkeit, denn sie erübrigten einen ganzen Nebensatz: Indem ich Ihre Bestellung beachte, . . .; indem er sich seiner Ansicht anschloß, . . .; indem er meinen Auftrag erledigte . . .; meist war freilich der Nebensatz entbehrlich, weil er eine Selbstverständlichkeit ausdrückte. Wenn keine Lösung mit *-ung* oder *-keit* zur Hand war, griff man, anstatt ein neues Wort zu wagen, zur Partizip-Substantivfügung (*ruhestörender Lärm)*; nur gelegentlich gelang eine kürzere Bildung, die oft erst der Kontext sicherte (*Angabe* = Erklärung).

Diese Abwürgung des Nebensatzes, die neben der Entwertung des Zeitworts herlief, führte zur Einbürgerung einer ganzen Zahl neuer Verhältniswörter, die teils schon geläufige Bildungen auf *-lich* nachahmten (*vorbehaltlich, zuzüglich, zusätzlich* [seit 1959], *ausweislich, anläßlich, abzüglich* u. ä., nach dem Muster von *rücksichtlich* und *gelegentlich*), teils aber auch die Umschreibungsmethode mitmachten *(in Gemäßheit, in Hinblick [auf], nach Maßgabe, aus Anlaß, an Hand [von]). Nach Maßgabe* der vorhandenen Mittel . . ." umschreibt den Nebensatz „Soweit Mittel vorhanden sind"; aber *an Hand von Unterlagen* streckt mit dem drohenden Hinweis auf das Beweismaterial nur das alte Verhältniswort „mit". Die Konservierung alter Doppelpräpositionen (*von* Amts *wegen*), Neubildungen wie *ungerechnet, ungeachtet* und *unbeschadet, in Ermangelung* und *in Geltendmachung* zeigten den Bund von Spreizung und Sparsamkeit deutlich.

Daneben aber bedienten sich die Behörden, um ihren Wortbedarf zu dekken, des alten Mittels der Zusammensetzungen, das fast unausschöpfbare Möglichkeiten freigab. Tagtäglich mußte auf neue Wörter gedacht werden; ähnlich wie bei der Technik, wenn auch nicht im gleichen Umfang, verlangten die veränderten Gegebenheiten auch veränderten Ausdruck. Dazu ergaben sich – bei den Stadtverwaltungen z. B. den Wasser-, Elektrizitäts-, Hoch- und Tiefbauämtern – viele Berührungen mit den Sprachbereichen der Ingenieure; nicht nur Wörter, sondern auch Grundsätze und Angewohnheiten drangen vom einen ins andere Wirkfeld. Das alte Anliegen des Gesetzgebers und Verwaltungsbeamten, die Aussage so unmißverständlich wie möglich zu formen, erhielt hier eine neue Stütze. Es entstanden Wortgebilde, die den Ehrgeiz hatten, nach dem Muster technischer Bezeichnungen alles in sich zu bergen, was nur irgend zur Klärung des Begriffes dienen konnte, und die dabei gegen die Auffassungsgabe der Hörer und Leser und gegen die sprachlichen Mittel mißtrauisch waren. Nicht immer gelang dann ein guter Wurf wie damals nach 1945, als man davon zu sprechen begann, ein von der Sekretärin falsch getipptes Wort müsse *ausgeixt* werden. Beim vielgeliebten Zeitwort *beifolgen* indessen geschah das Unglück, daß man eine Präposition, die Gleichzeitigkeit meint *(bei-)*, mit einem Verb koppelte, das jedenfalls etwas Nachzeitiges andeutet *(-folgen)*. Ein Wort wie *Verfallerklärungsbeschluß* sollte betonen, daß ein rechtskräftiger Beschluß der Verfallserklärung vorausgegangen war, aber übersah, daß ohne einen solchen keine Erklärung möglich gewesen wäre: das Wort „Erklärung" bedeutete auch ohne Zusatz beides, den Beschluß und seine Verkündung. Eine Verfügung, die von *Kohlen-* oder *Kartoffelmengen* sprach, bedachte nicht, daß zur Bezeichnung einer unbestimmten Menge von Kohlen oder Kartoffeln die Mehrzahl der Wörter be-reitstand; niemand hätte den Sinn mißverstanden, wenn von der Zufuhr, Zuweisung oder Einkellerung *der* Kartoffel*n* oder *der* Kohle*n* gesprochen wäre (und zur Vermeidung der Getreide*menge* hätte schon die Einzahl genügt: *das* Getreide ist jedenfalls eine Menge von Getreide!). Auch an diesem Einbruch samten sich wieder entbehrliche Lieblingswörter an, die *-stelle* z. B., die noch einmal aussagte, was jeder schon wußte *(Schuttabladestelle, Milchverteilungsstelle)*, oder der *-betrieb (Mühlenbetrieb)* oder die *-fläche,* die sich sachlich gebärdete und dabei den Sachverhalt nur verdunkelte *(Getreidenutzungsfläche* = Feld; *Neubebauungsfläche)*; man erfand den *Erzeugerdirektverkehr,* den *Obstanbauschwerpunkt,* den *Jugendgemeinschaftsdienst.* Die *Totvermarktung* geht das Schlachtvieh an; *Dienstleistungsberufe* sind wenig gefragt, die Aufarbeitung der Anträge wird in *Dringlichkeitsstufen* gegliedert. Wortgebilde dieser Art waren leicht zu machen und klangen zuverlässig und genau; sie versuchten, die Menschenmengen und Aktenhaufen zu gliedern. In Wirklichkeit mißachteten sie die Möglichkeiten der Sprache und stumpften die Aufmerksamkeit gegen sie ab. Man verlernte es, da sich Zusammensetzungen so billig anboten, nach dem besten und treffendsten Ausdruck zu suchen; man behandelte die Wörter wie Bauklötzchen: wenn jemandem zur Ergänzung seiner Dienstbezüge eine Wohnung zugewiesen wurde, so war dies eine *Dienstwohnung*; wurde einer beauftragt, einem andern zu helfen, dessen Strafe auf Bewährung ausgesetzt war, so hieß er *Bewährungshelfer,* und er sollte die *Bewährungsprobe* mitbestehen. Bald merkte niemand mehr, wie schief die Partner dieser Wortklitterung zueinander standen. Die Tatsache, daß jeder Einwohner Zu- und Wegzug bei der Polizei zu melden hatte, wurde als *Einwohnermeldepflicht* bezeichnet; damit war nun klar, wer was zu tun und – bei Nichtbeachtung! – zu gewärtigen hatte; nur die Stelle, wo man die Pflicht hatte, sich zu melden, die Polizei, das

Einwohnermeldeamt, war nicht genannt; weshalb eigentlich nicht? Wer einen andern bevollmächtigen wollte, schloß einen *Bevollmächtigungsvertrag*; aber eine Vollmacht ist nicht weniger als eine Bevollmächtigung und ein Rechtsgeschäft zudem; wozu also der Aufwand? Die vom StGB (§ 51) erfundene *Bewußtseinsstörung* ist, medizinisch gesehen, eine Unmöglichkeit: mit geschrumpftem oder unterbrochenem Bewußtsein ist niemand handlungsfähig, kann also auch kein „Täter" werden. Der Gesetzgeber meint eine Störung der Besonnenheit. Auch ist ein *Altvertriebener* keineswegs immer alt, sondern nur schon seit vielen Jahren hier ansässig.

Im Einzelfall waren all diese und die ihnen ähnlichen Erscheinungen nicht neu oder doch nicht neuartig. Längst waren amtssprachliche Fügungen in die Bürgersprache gedrungen; dieser Vorgang verstärkt sich jetzt. Seit langem mußte man *sich* an der Grenze oder auch auf der Straße *ausweisen*; man konnte auch einen Freund als den, für den er sich ausgab, *ausweisen* (= identifizieren). Nun übertrug man die Wendung auf Sachen: etwas, eine Sache, Erfindung, Notwendigkeit soll, muß, wird sich *ausweisen*, d. h. sie muß halten, was sie verspricht. Solcher alten Beispiele gibt es mehr. Neu war ihre Häufung, ihre Tiefenwirkung und damit die Tatsache, daß sie zu sprachlichen Verkümmerungen beitrugen, denen sie nur Mengengewinne entgegenzusetzen hatten. Sie beförderten die Gleichgültigkeit der Sprecher und Schreiber gegen die Möglichkeiten des Sprachbaus; sie boten dafür handlichen Ersatz in bequem nutzbaren Augenblickshilfen. Manchmal suchten sie auch durch Vokabelaustausch unschöne Dinge zu verschleiern; dabei konnte ein ungewohntes Fremdwort gute Dienste leisten: am *Müllplatz* nehmen viele Anstoß, aber die *Deponie* nimmt man ahnungslos an, wie denn auch *Emissionsschutz* erfreulicher anmutet als die zwar gleichbedeutende, aber doch für jedermann besser einzusehende *gefahrlose Müllbeseitigung*. So bauten die Behörden den Spracheigenheiten der Technik auch dort Brücken, wo keine Notwendigkeit dazu vorlag. Sie lechzten nach transitiven Verben, um Unermüdlichkeit, Nachdruck und Initiative zu zeigen: Anlagen wurden *begrünt*, Bürger *angeschrieben*, Beamte *voll ausgelastet*, Tagungen (wie Hochöfen) durch Abgesandte *beschickt;* Berichte ließen sich *einkürzen*, Ausgaben *herabmindern*, Termine *hinauszögern*; man nahm auch die Bildung von Kurzwörtern nach Art technischer Fachsprachen an: ein *Vermehr* = eine Vermehrung *findet statt*; Akten werden *zum Verbleib* von einer zur andern Behördenstelle getragen. Die Behörden waren es wohl auch, die das Beiwort *technisch* zum Flickwort abzuwerten anregten (wenn sie nämlich eine Erkältung des Bürgermeisters oder die Absage eines Ehrengastes als *technischen Grund* dafür bezeichneten, eine Veranstaltung ausfallen zu lassen, oder wenn sie davon sprachen, die *technischen Voraussetzungen* für die Schaffung einer neuen Dienststelle – nicht etwa Licht- oder Heizanlage, sondern Büroraum und „Menschenmaterial" – schaffen zu müssen; vgl. S. 71!). Das Entscheidende geschah bei alledem nicht in den Amtsstuben, sondern auf den Großstadtstraßen und in den Mietskasernen, in denen die Grundsätze der behördlichen Sprachreglungen übernommen und fortgebildet wurden. Dazu war niemand gezwungen. Vielleicht bestand hie und da im Schrift- oder Dienstverkehr mit einer Behörde die Notwendigkeit, dies oder jenes Wort dem Amtsgebrauch gemäß anzuwenden. Das politische Leben, das immer mehr ins Licht der Öffentlichkeit rückte, verstärkte gleichfalls den Austausch zwischen den Großstädten, ihren Behörden und Institutionen (vgl. S. 190 ff.!).

Aber damit sind Breite und Tiefe der Beeinflussung nicht erklärt. Nachhaltiger wirkten andere Mächte: der Hang, nachzuahmen, was auffiel; der Verzicht darauf, selbst eine Lösung zu überlegen; das Verlangen danach, etwas zu gelten, etwas darzustellen, was den Hörer aufhorchen machte; das Unvermögen, zwischen Arbeitsgeräusch und Leerlauf, Sein und Schein sicher zu scheiden, und die Neigung zum bequemeren Weg – alles Lebensäußerungen, die ungegliederten, aber an gleiche Lagen gebundenen Menschenansammlungen eignen. Solche Vielzahlen, die nicht zur Einheit zusammenwachsen, nennt man *Masse:* die Bedeutungsabschattung wuchs dem alten Wort in den Jahren um die Jahrhundertwende endgültig zu. Sie war ihm nicht ganz neu; Goethe, auch Schiller, später Platen hatten das Wort gelegentlich schon so, meist mit einem Genetiv: die *Masse des Heeres*, die *Massen des Volkes*, gebraucht. Aber nun hatte es in Technik und Physik, aber auch bei den Verwaltungsbehörden einen neuen Glanz erhalten; die Philosophie bediente sich seiner in Zusammenhängen, die auf die spätere Soziologie zuliefen. Le Bons Buch von der Psychologie der *Massen* (1895) wirkte auf unsern Sprachgebrauch, auch ehe es in deutscher Übersetzung gelesen werden konnte (1908); nicht nur die Wissenschaft nahm sich seiner an *(Massenpsychologie, Massenpsychose, Massensuggestion);* auch die politischen Parteien nutzten es im Guten und Bösen *(Massenaufgebot, Massenmord, Massenwirkung, ausgebeutete Massen).* Die Rechtsprechung ging an ihm nicht vorüber *(Massenentlassung);* die Soziologie sprach von der *Massengesellschaft;* die Kernphysik übertrug das Wort auf ihre Untersuchungsobjekte (*Masse eines Kerns, Massendefekt); Massenversammlungen* fanden statt, *Massenorganisationen* wurden geschaffen und beherrschten Straße und öffentliche Meinung. Aber nebenher lief die alte Bedeutung, die nicht auf Menschen, sondern auf Stoffe zielte; der Maschinist sprach vom *Massenausgleich,* der Straßenbauer von einer *Massenermittlung* (und meinte damit die Berechnung von Erdmengen), die Eisenbahn beförderte *Massengüter,* der Fabrikant plante *Massenfertigung* oder *Massenfabrikation.* Man untersuchte den Begriff wissenschaftlich und fand, daß ihm im Sprachgebrauch etwas von Dummheit anhafte, sei es, daß man unter ihm eine große Zahl dümmlicher Menschen begriff, sei es, daß man ihn für eine Situation hielt, in der sich auch sonst ganz vernünftige Menschen einer gewissen Verdummung nicht ganz entziehen könnten. Statistisch wollte man nachweisen, daß in jeder Masse eine Mehrheit wenig begabter Menschen vorherrsche, deren Handlungen und Denkweisen allerdings von dem „gesunden Menschenverstand" reguliert würden. Etwas von dieser abschätzigen Meinung drang über die Informationsmedien wieder zu denen, die eigentlich gemeint waren. Man sah die Menschen auf den Plätzen der Großstädte wie Haufen von Blusen oder Bleifedern, Stückgütern oder Erdklumpen; aber indem man diesem „trägen" Haufen eine Eigenbewegung zutraute, sprach man allem, was die Rechtsprechung, die Physik, die Philosophie bisher mit dem Wort ausgesagt hatten, Hohn. Man verspielte die Grenze zwischen Mensch und Ding. Aber man tat es meist aus einer gedankenlosen, sturen Ordnungswütigkeit, nicht aus „Unmenschlichkeit", wie denn überhaupt keine der zahllosen Vokabeln, über die wir verfügen, „unmenschlich" oder das Gegenteil davon ist; das wird sie erst im Munde von Unmenschen. Man wird die Behördenangehörigen nicht so bezeichnen wollen. Der Vorwurf, der ihnen gemacht werden kann, ist der, daß sie über Formularen, Tabellen und Statistiken leicht den Unterschied zwischen „erfaßten" Altmetallbeständen, Haushunden oder Menschen vergaßen. Diese Unbedachtheit hat allerdings auch viele andere zu unachtsamem Wortgebrauch verführt. Das ist eine gefährliche Schwelle.

Das Sprachleben der Masse, die für die Zeit „schlechthin verbindlich" ist, wird vom Gesetz der Serie geprägt: daß die Prägung des einzelnen nur lebt, wenn sie von allen übernommen wird, bedingt, daß alle nachmachen, was einer vorformte. Das Gesetz der Serie machte die Umschreibungen, die Streckwörter, die Bildungen auf *-ung, -keit, -nahme, -stelle, -betrieb, -fläche,* die Verhältniswörter auf *-lich* allgemein; es ließ die Nebensätze verkümmern und die Sprache im Lebermeer der Hauptwörter erstarren; es schuf die Fülle neuer Hilfszeitwörter und verbreitete die Neigung, durch Umständlichkeit zuverlässig zu wirken. Es trug, besonders, die Schlagwörter der Zeit durch die Großstädte, nicht nur die flammenden Fahnenwörter, an denen sich die Leidenschaften entzünden konnten („jedes Wort ist ein Vorurteil" [Nietzsche]), sondern auch und gerade die Lieblingsausdrücke des Tages, die nur bescheidene Begriffsinhalte bargen: *Auswirkung, Ausmaß, Betrieb, Dreh, Nummer – darstellen, sich etwas angelegen sein lassen, bedeuten, buchen, beinhalten; veranlassen* bezeichnete schon der Aachener Konsistorialrat Besserer Bismarck gegenüber als „ungemein wichtiges Wort"; *bestandpunkten* liebten die Nazis – schnellebige Gesellen, heute rot, morgen tot, aber vielleicht übermorgen wieder am Leben. Das Seriengesetz regelte Art und Wert der Wörter für Lob und Tadel – man sagte aber *Anerkennung zollen* und sein *Befremden ausdrücken* –, und da die Masse den einzelnen zwar nicht urteilen, wohl aber zur Hebung seines Selbstgefühls Urteile weitergeben läßt, wirkte sie an diesem Punkt besonders in die Breite: *glänzend, immens, fabelhaft, zauberhaft, phantastisch, tadellos, beispielhaft, vordringlich, beachtlich,* *hervorragend, denkbar, gänzlich, restlos, erheblich* oder, am andern Ende: *katastrophal, verheerend, unglaubwürdig, unerfindlich, miserabel, blamabel* u. ä. steigerten oder schwächten die Aussage, erteilten dem Gegenüber, Mensch oder Ding, Noten und warfen den Sprecher zum Richter der Welt auf. Ausdrücke wurden beliebt, die dem Partner einen Einspruch ersticken wollten: 1871 fand Fontanes Sohn alles *rauhbeinig* („etwas unanständig“, bemerkte der Vater); später kamen *selbstverständlich, selbstredend, evident, fraglos, zweifellos, sicher, bestimmt, ohne Frage, kompromißlos, unbedingt, unweigerlich, todsicher, auf jeden Fall, unzweifelhaft; zweifelsohne, unter allen Umständen; unstreitig, unbestritten, das wär's.* Es häuften sich die Wendungen, mit denen man die Ansicht des andern auszuschalten bemüht war: *ausgeschlossen! kommt nicht in Frage (= knif!)! keinesfalls!*; ultimative Formulierungen (*rigoros vorgehen, Standpunkt energisch klarmachen)* wucherten. Daneben liefen Überbrückungswendungen, die dem Sprecher ermöglichten, mit redendem Munde den Fortgang der Mitteilung zu bedenken: *schlußendlich, letzten Endes, voll und ganz, diesbezüglich.* Andrerseits prägte man einen überzogenen Höflichkeitsstil aus, als wollte man die amtliche Barschheit mit ihm ausmerzen (*ich begrüße Sie!, ich bedanke mich! Wir sprechen uns noch!).* Oder man wählte verschwimmende Fügungen wie das doppelgründige *im Prinzip (prinzipiell), irgendwie, mehr oder weniger, sozusagen* und erschwerte damit Hörern und Lesern die Einsicht in die Absicht des Sprechers. Äußert sich jemand *dahingehend, daß* . . ., bleibt ungewiß, ob nur eine unbestimmte Richtung seiner Aussage unverbindlich angedeutet werden soll oder ob der Hinweis die Meinung des Zitierten erschöpfend und inhaltgetreu wiedergibt. Vollends zum Schwammwort ist die Kanzlistenübersetzung von *respektive* geworden: unter *beziehungsweise („bzw.“)* kann man sich etwas Beigeordnetes (= und), aber auch etwas Entgegengesetzes (= oder), eine Verbesserung (= vielmehr) oder eine Ergänzung (= genauer gesagt, auch = richtiger) denken. Wer die Wahl hat, müßte sich hier in der Tat quälen, aber der Detailteufel steckt hier darin, daß man's kaum noch merkt, wie sehr das *bzw.* darauf abzielt, den Leser hinters Licht zu führen. Ängstlichkeit verrät auch die Neigung zum *wie,* das eine Metapher vorschützt, auch dort, wo gar keine angewandt wird.

Das Gesetz der Serie wirkte also aus dem moralischen Bezirk des Sprechers, s e i n e m Geltungsdrang, s e i n e m Wunsch, sich zu behaupten, s e i n e m Bestreben, es andern gleich zu tun; früher hatte sich die Sprache nach den Maßstäben der Schönheit oder denen der Logik, der ratio formen lassen; aber die Zeit der „Idole“ war vorüber, und darum kam keine „Sprachpflege“ der Umgangssprache mehr bei. Denn das Gesetz der Serie machte natürlich auch Sprachmängel zum Sprachgebrauch: die Eingleichung von *haben* und *besitzen,* die Verwechslung von *brauchen* und *gebrauchen,* von *anscheinend* und *scheinbar, obwohl* und *trotzdem, grausen* und *grauen, völlig* und *voll-*

kommen, auf und *offen* (laß die Türe *auf!*), *Mehrzahl* und *Mehrheit, durch* und *wegen, auf* und *um, derselbe* und *der gleiche, Zahl* und *Ziffer (Heiratsziffer!)*; Fehlbildungen wie *Bohnenkaffee* (wo echter Kaffee gemeint war), *Durchgang* (wenn man das Durchgehen verbieten wollte), *Gesichtswinkel* (für Gesichts-, Standpunkt), *umändern* (eine Doppelaussage), *notwendig* (statt: nötig) *haben, aufzeigen* (ein Klappwort aus „aufmachen" und „vorzeigen"), *unwiderstehlich, verfügbar,* Falschbildungen wie *Sichausleben* (statt Ausleben), *Sichversteifen* (für Versteifen: denn substantivierte Infinitive rückbezüglicher Zeitwörter haben kein *sich:* das Bemühen, das Hinlegen, das Einarbeiten), falsche Beugungen wie die des Umstandswortes auf *-weise (strichweise Niederschläge, auszugsweiser Nachdruck,* der *teilweise Preisabbau,* die *teilweise Verringerung* seiner Bezüge), Beschönigungen, wenn man etwa die alten Landstreicher *Nichtseßhafte* zu nennen befahl und für sie in ihrer *Nichtseßhaftigkeit* eine *Nichtseßhaftenfürsorge* schuf; wer die staatliche oder städtische Fürsorge beanspruchen mußte, war gewiß ein armer Teufel; die Behörde machte ihn zum *Fürsorgeempfänger* und betonte damit, daß er eigentlich mehr empfing als bedurfte.

Das Gesetz der Serie kettete stehende Beiwörter unablösbar an Hauptwörter, als ob das eine nicht ohne das andere mehr denkbar sei: das *harte Gebot,* der *dumpfe Drang,* der *schnelle Entschluß,* ein *heftiges Bedürfnis,* ein *freundliches Entgegenkommen* und, noch schlimmer, weil noch entbehrlicher: die *geeignete Maßnahme,* die merkwürdigerweise *ergriffen* werden muß, oder die *stattgefundene Versammlung,* deren Beiwort zur Entbehrlichkeit noch den Fehler fügt. Das Gesetz der Serie befürwortete, um das Urteilen zu beschleunigen, den „Exponenten" der Gattung und ließ von d e m Arbeiter, d e m Unternehmer, d e m Franzosen, d e r (deutschen) Frau, d e r Heimarbeiterin reden, als ob es sich um Musterstücke handelte, die man außen an den Warenpacken kleben dürfe, um dessen Inhalt zu kennzeichnen; das war eine letzte Leugnung der Persönlichkeit. „Der" Neger ist kein einzelner Neger mit seinen Liebenswürdigkeiten und seinen Narben, seiner Liebe und seinem Haß, sondern eine Abstraktion aus der Masse „Neger", unwirklich und unmenschlich. Es kam die Zeit, in der das unbestimmte Fürwort *man* aufglänzte, weil kein anderes Wort das Unbestimmte so unbestimmt, den Ungenannten so unbenannt ließ: *man kommt; man hört; man meint; man ist weg; man sagt; man pflegt das zu sagen, jenes nicht zu erwähnen; man beurteilt; man tut dies* und *tut das nicht; man hat, man muß, man soll, man darf; man wird ersucht, man läßt bitten, man bedauert.* Oder man versteckt sich hinter das neutrale *Es,* das man dann, um alles verschwimmen zu lassen, gern mit einem Konjunktiv koppelt: *es wäre zu untersuchen; es könnte erwogen werden; dies oder das müßte noch erfolgen,* das *dürfte (müßte, könnte, sollte)* eigentlich so *sein.* Der Bedingungssatz, auf den der Konjunktiv hinweist *(. . ., wenn . . .),* bleibt aus. In solchen Konjunktivfügungen verbirgt sich wohl weniger Höflichkeit, kaum auch ein tastender Versuch demokratischer Sprachfügung (vgl. S. 229!) als vielmehr der Wunsch, der Antwort eines Opponenten keine Möglichkeit zu lassen, ins Schwarze zu treffen. Man sagt zwar etwas, schränkt aber durch den Konjunktiv die Aussage dadurch ein, daß man andere Möglichkeiten durchaus offenläßt.

Wer ist dieser Man, dieses Es eigentlich? Nicht ich, nicht du, vielleicht ein Freund, ein Bekannter, eine Zeitung, die Regierung, jemand, der ihr nahezustehen behauptet, oder einer, der gern ungenannt bliebe – etwas, das, größer und stärker als wir einzelnen, uns einschließt. „Man" ist die Masse als Herr aller. Die damals sprachen gern vom „eisernen Zeitalter" oder vom „Zeitalter des Dampfes"; sie hätten auch, bei besserer Selbsteinschätzung, vom Man- oder Eszeitalter reden können. Vermutlich hat auch die zahlenfrohe Statistik ihr Scherflein beigetragen, aus vielen Menschen eine *Vielzahl*, aus den meisten eine *Mehrzahl* zu machen.

Erst die nächste Generation prägte der Tatsache das Wort: 1930 fand E. Barthel (in der „Deutschen Rundschau") die Bezeichnung *Vermassung*. Schon ein Vierteljahrhundert davor hatte Bücher von *Verstädterung* gesprochen; aber der Begriff setzte sich anfangs kaum, später – nach dem Ersten Weltkrieg – nur langsam durch (übrigens sind beide Wörter, mit ihren schablonenhaften Vor- und Nachsilben, Massenartikel!). Wäre, was da vorging, eher und vollständiger erkannt worden, hätte auch manche Gefährdung der Sprache gemindert werden können. Aber auch diese Verspätung kennzeichnet die Massenzeit.

Das Bild hat doch nicht nur dunkle Farben. Ohne den Großraum der Riesenstädte, ohne ihren Reichtum, der auf ihren Bühnen und bei ihren Festvorträgen aufleuchtet, ohne die auf- und abflutenden Heere ihrer Beamtenfamilien, die in Behörden und Schulen die Notwendigkeit eines breiteren binnendeutschen Sprachausgleichs begreiflich machen, wären die Einigungsbestrebungen innerhalb unserer Muttersprache nicht so schnell und gut gefördert worden. Was Goethe für unabweisbar gehalten, was Wilhelm Viëtor durch sein Aussprachebuch (1885) mutig in die Wege geleitet hatte, vollendete die „Deutsche Bühnenaussprache" von Theodor Siebs, die, 1898 erschienen, über die Bühnen hinaus auf Deutschlands Kanzeln und Kathedern, aber auch bis in die Akademikerhäuser hinein einer gemeingültigen Aussprache den Weg bahnte. Auch sie stärkte, da sie gewisse niederdeutsche Lautungen als vorbildlich hinstellte, das sprachliche Übergewicht des Nordens über den Süden. Aber wichtiger doch war, daß sie die erste Sprechnormung größeren Umfangs war, die bei uns Erfolg hatte. Damit gab sie – trotz ihrer Beschränkung auf die Lautung – weithin sichtbar ein Beispiel: denn an ihrem Vorstoß wurde deutlich, daß eine deutsche Mustersprache denkbar sei, ohne daß, wie sich alsbald erwies, eine öde Versteppung des Sprachganzen zu befürchten sei. Denn das Buch von Siebs drosselte die

Fortentwicklung unserer deutschen Aussprachеweisen nicht; Sprachleben und Sprechnorm entfalteten vielmehr ein Kräftespiel, das zwar den Wirkraum der Einheit vergrößerte, den der Vielheit aber nicht ausschaltete. Die Frage, ob unsere Muttersprache normbar sei, wurde an einem schmalen, aber keineswegs unbedeutenden Beispiel damals bejaht.

IV.

Wirtschaft und Umgangssprache

Zwischen dem Buch von Siebs und der Gründung des „Normalienausschusses für den Maschinenbau“ (1917), aus dem sich später der Deutsche Normenausschuß (1926) entwickelte, lagen zwei Jahrzehnte. In ihnen hatte es sich gezeigt, daß die Erfahrungen der einzelnen Unternehmer bei der industriellen Fertigung allgemein gemacht werden müßten, um bei Herstellern und Verbrauchern Zeit- und Geldverschwendung zu vermeiden. Aber gleichzeitig war auch die Vorstellung volkstümlich geworden, daß der Mensch eigentlich das Urbild der Maschine sei, ein merkwürdiger Gott gleichsam, der seine Neuwelt nach seinem Bilde zwar geschaffen habe, aber eben durch dieses Bild zu einer vollkommenen Unfreiheit des Handelns verurteilt sei. La Mettries *l'homme machine* (1747) ist vielleicht durch Zola (1840–1902) berühmt geworden, durch die Gestalten seiner „Experimentalromane“, die nicht aus seelischen Antrieben, sondern auf Grund von mechanischen Vorgängen handeln, Wesen, die an sich vollziehen lassen, was Kräfte außer ihnen (Entwicklung, Umgebung) über sie bestimmten. *L'homme machine:* das war der Mensch der Großstädte, der Massenmensch, bereit nachzuahmen, was ihm vorgeformt zugereicht wurde, aber doch entschlossen, sich zu betonen und bei den andern gelten zu machen; es war das Wesen, in dem Person und Ding verschmolzen, ein Mann, ein Es, ein Etwas, das nicht nur von Außenmächten bestimmt wurde, sondern sich auch im Verkehr mit seinesgleichen gebärdete, als sei es selbst eine dieser Außenmächte, die mit den andern nach Belieben verfahren könne. Ein widerspruchsvolles Bild, in dem jeder gleichzeitig Gott und Maschine, Kraft und Körper sein wollte, wobei denn ganz unklar blieb, wie man das G a n z e versinnbildlichen solle. Hier wurzelt das schauerliche Schlagwort von der „Fabrik des neuen Menschen“, das in volksläufigen Redewendungen wie *„am laufenden Band* arbeiten“ (aber auch etwa *am laufenden Band* ausgehen, feiern, essen), „immer *im Betrieb* sein“ (und dann auch *„Betrieb* machen“ = Heiterkeit verbreiten), „wie eine *Maschine* arbeiten“ (aber auch wie eine *Maschine* reden, laufen, Fußball spielen) längst vorbereitet war, ehe es Jahrzehnte später für ein ganzes Staatenwesen werben mußte. Schon damals zuckte es durch die Köpfe einiger Begeisterter.

Werner Sombart, Professor der Volkswirtschaft in Breslau, schrieb in jenen Jahren: „Erde und Himmel sind eine einzige große Fabrik, und alles, was darin lebt und webt, wird in einem riesigen Hauptbuch registriert nach seinem Geldwert." Schon 1869 hatte Fontane seiner Frau geklagt: „Man ist eine bloße Sache, man hat den Wert eines Maschinenrades, das man mit Öl schmiert, solange das Ding überhaupt noch zu brauchen ist, und als altes Eisen in die Rumpelkammer muß, wenn die Radzähne endlich abgebrochen sind."

Dort, wo dieses Bild für richtig gehalten wurde, registrierte man auch die Sprache „nach ihrem Geldwert". Der Einfluß der Wirtschaft auf die Muttersprache, die „Sprachindustrie" setzte dort ein, wo Wörter Goldes wert wurden. Das galt zunächst für die W e r b u n g , die sich am frühesten und schnellsten von der Sprache der Klassiker löste und nun, wo sie ins Breite und Volle gehen konnte, ihrem Zielbild zureifte. Die Sache selbst war alt. Schon 1709 hatte Addison den Stilschwulst der Werbesprache im „Tatler" beklagt, 1711 seine Warnung vor ihr im „Spectator" wiederholt; er hatte richtig den Ehrgeiz als ihren Vater, die Weckung von Neugier als ihr Ziel erkannt. Zur gleichen Zeit (1710) erprobte Charles Povey seinen ersten langbefristeten Werbeversuch, indem er dieselbe Anzeige ein halbes Jahr hindurch so täglich wie wörtlich wiederholte, eine Praxis, die sich bis zur Stunde bewährt; 1725 druckte die New York Gazette einen Werbetext über zwei Spalten. Damals gab es auch in Deutschland Zeitungsanzeigen seit schon fast einem Jahrhundert. Voltaires Tadel dieser „falschen Beredsamkeit" kam schon zu spät. Um die Mitte des 19. Jahrhunderts hatte Girardin mit seiner Zeitung „La Presse" dann das erste Blatt geschaffen, das nur von Anzeigen lebte; alsbald brachte es sein Konkurrenzblatt „Le Siècle", von Dutacq geleitet, auf die doppelte Zahl von Stammbeziehern (40 000). Aber damals galt doch noch die Einsicht eines Kenners wie Girardin, der 1845 erklärt hatte, eine Anzeige müsse, „um dem, der sie aufgibt, nützlich zu sein und um das Vertrauen dessen zu wecken, an den sie sich richtet, kurz, einfach und offen sein". Dennoch meinte die französische Vokabel *réclame*, die um 1840 nach Deutschland wanderte, zunächst den Lockruf des Jägers, und das war eine Metapher, die sich besonders in der Folgezeit als treffend bewährte. Denn nun erst begann das eigentliche Zeitalter der *Reklame.* Sie brach aus den Zeitungen aus; kurz, bevor der Buchdrucker Ernst Litfaß seine Plakatsäulen in Berlin aufstellte (1. VII. 1865), hatten schon die ersten Plakatträger London durchwandert, von Dickens als „lebendiges Sandwich" verspottet. Die Erfindung und Verbreitung der Eisenbahnen förderte Werbemöglichkeiten und -erfolg; es war die Zeit, in der sich die Londoner wie die Pariser Stadtverwaltung nur mit Mühe der Plakatkleber erwehren konnte. Ladenschilder gab es längst; nun wurden sie gesprächiger, und werbekräftige Auslagenbeschriftungen ergänzten sie wirkungsvoll. Als die Nutzung des elektrischen Lichts zur Leuchtreklame es ermöglichte, die Werbung in die Nacht zu verlängern, als erst die Flut von Wochen- und Monatszeitschriften, dann der Rundfunk, endlich das Fernsehen bis in die Häuser fast aller vordrang, wurde die Werbung zu einer Macht, der sich auch sprachlich kaum einer entziehen konnte.

Deutschland hatte an dieser Entwicklung fast von ihren ersten Anfängen an teilgehabt; nun kam auch hier mit der Eisenbahn ein ungeahnter Werbeaufschwung. Reklamemeister wie Franz Stollwerck (seit 1860), der daran zweifeln konnte, ob er nun den Warenautomaten in Deutschland durchgesetzt hatte oder von ihm durchgesetzt worden war, oder Fritz Henkel (1848–1930), der für seine Sodafabrik in Düsseldorf Wanderlichtspielbühnen nicht nur, sondern auch geschulte Werberkolonnen reisen ließ, schufen, indem sie sich an der Bürgersprache orientierten, einen Reklamestil, der in alle Schichten wirken konnte. Nutzten die Schokoladefabriken die Kinderheere für ihre Ziele („Vati, mal ziehen!"), so schlug Henkel die Brücke zwischen dem Wortbildungsbrauch der Chemie und der Umgangssprache; sein Waschmittel *Persil* hatte, da es im wesentlichen aus *Per*boraten und *Sil*ikaten zusammengesetzt war, seinen Klappnamen (vgl. S. 121 f.!) von seinen Hauptbestandteilen. Damit war die Bresche für eine Art von Geheimwörtern geschlagen, die auch dem Sprachkenner nur einen Zipfel ihres Zaubermantels lüfteten (denn natürlich hatte, wer die Perborate und Silikate entziffert hatte, noch nicht das Persilrezept in Händen!), die im Grunde aber davon lebten, daß sie unverständlich, mithin vieldeutig und voller Überraschungsmöglichkeiten blieben. So hatte schon 1840 Christian Friedrich Schönbein dem *Ozon*, dem „Riechstoff" (griech. ὄζειν = riechen) aus drei Sauerstoffatomen (= O_3) den Namen gegeben; aber das hatte doch ein Kunstwort für die Wissenschaft sein sollen. Nun kamen die Kunstwörter für die Kundenwerbung; ihnen dienten seit der Mitte des 19. Jahrhunderts vorwiegend griechische und lateinische Wurzeln. So zeigte sich nach dem redlichen *Persil* das schon weniger offenherzige *Odol* (1892; griech. ὀδών = Zahn mit einer nichtssagenden -l-Endung), nicht mehr bedeutend als „was für den Zahn", das Lösemittel *Lysol* (griech. λύσις = Lösung), das seinen Hauptbestandteil (Kre-*sol*) unenträtselbar in die Endung versteckte, während die vordere Hälfte nur Selbstverständlichkeiten ausplauderte, das erfrischende *Sin-alco*, das sich in Endung und Schreibart italienisch tat, während es doch lateinische und arabische Wortstummel zusammenfügte (*sine* = ohne, arab. *alcohol*), um seine Unschädlichkeit verschämt allen Jugendlichen und Jugendbewegten kundzutun. Aber schon kam Eastman mit seinem *Kodak*, einem Lautspiel ohne jeden andern geheimen Sinn als den, Neugierde zu wecken (1880; 1. deutsche Fabrik: Berlin 1896), und bald folgte das *Veronal* (1903), das nur noch daran erinnerte, wie sein Erfinder Emil Fischer die Beratung über die Bezeichnung des neuen Schlafmittels abbrechen mußte, weil sonst sein Zug nach Verona abzugehen drohte. Damit war bewiesen, daß zur Kundenwerbung kein

Wortinhalt von Nöten war; man konnte, arbeitete die Herstellerfirma z. B. in der Erthalstraße, die nach einer Altmainzer Familie so hieß, das Erzeugnis gut *Erdal* nennen; meinte man, das Ideal eines Hautpflegemittels gefunden zu haben, ergab ein kleines Buchstabenspiel leicht die Bezeichnung *Elida* (= Ideal!). Augenscheinlich wollten die Käufer den unbegreifbaren Warennamen; jedenfalls hatte Monsieur Tallois erst Erfolg, als seine mit Gold überzogene Kupfer-Zink-Mischung, die er sauber *Tallois-demior* genannt hatte, zu *Talmior* zusammengeschrumpft war (1876), seine Spuren also endgültig verwischt waren, und schon ging *Talmi* als Haupt- und Beiwort, auch als Bestimmungswort in Zusammensetzungen in den Wortschatz der Zeit ein! Einer deutschen Gebäckfabrik gelang es in zweimaligem Anlauf nicht, das englische (dem deutschen Durchschnittskäufer also nicht minder unverständliche) *Cakes* durch eine Eindeutschung *(Knusperschen, Reschling)* sinnvoller zu machen. Dagegen gelang Hugo Asbach aus Köln (1868–1935), als der Versailler Vertrag den Deutschen die Bezeichnung *Cognac* verbot, die als Bildung wie in ihrer Werbekraft vorzügliche Lehnübersetzung *Weinbrand* (aus lat. *aqua ardens*, nach dem ältren Branntwein), die sich nicht nur schnell in Deutschland durchsetzte, sondern nun gute Aussicht hat, als Wertsiegel nach Frankreich hinüberzuwandern. Auch der *Appetitzügler* (= eßlusthemmendes Mittel) ist nicht übel gebildet. Und dachte noch einer daran, daß Julius *Maggi* (man hätte mit italienischer Aussprache *madschi* sprechen müssen) der Schweizer Begründer der *Maggi-GmbH.* in Singen (1897) gewesen war – ja, wäre sein Name volksläufig geworden, hätte er sich nicht durch südlichen Klang eingeschmeichelt? Die Werbewörter hatten dem Käufer das Tor zu einer Welt aufgestoßen, die gerade, weil sie die „eiserne" Zeit der Moderne ausschloß, bezauberte und beglückte, eine Märchenwelt, die nach Tausendundeiner Nacht schmeckte, die das Unwirkliche jedem verhieß, der ein kleines Opfer (Geld! Wie bescheiden!) bringen wollte, ein käufliches Sesam und Mutabor als Ende und Ergebnis einer großen Maschinenleistung: die Welt schien, im steilen Bogen ihrer Leistung zurückkehrend zu ihren Anfängen, sich wieder versöhnen zu wollen. Hätte Wöhler sein *Aluminium* nicht 1827, sondern 1897 entdeckt, er hätte es anders genannt, weniger bestrebt, Ehrfurcht vor der Gelehrsamkeit des Erfinders zu wecken, mehr bemüht, dem Wundermetall die Aura auch im Namen zu schenken. Was sich ursprünglich sachlich *Asbestzement* nannte, mußte später im Handel *Eternit* (lat. *aeternus* = ewig; aber in deutscher Schreibung!) oder *Fulgurit* (lat. *fulgur* = Blitz), also „Ewigfest" oder „Blitzfest" heißen; aber wer hinter dem ähnlich gebildeten Kunststoffnamen *Bakelit* ein lateinisches Wort suchte, fand „nur" den Erfinder L. H. Baekeland, freilich in fast unauflösbarer Verrätselung. Denn natürlich kam es in d i e s e n Breiten nicht darauf an, den Ersten, Großen zu ehren: die Kunst, Straßen zu *makadamisieren* (= mit einer *Makadamdecke* zu versehen: Betonung auf dem dritten a!), barbarisierte den Namen des schottischen Ingenieurs MacAdam (1757–1836) nicht aus Unbildung (denn Fremdartigkeit schreckte hier nicht!), sondern aus Gefallsucht. Ob die *Margarine,* die im ersten Jahrzehnt dieses Jahrhunderts auch bei uns Volksnahrung wurde, die Perle nach ihrer Farbe, ihrer Festigkeit oder ihrem Wert in den Namen hineinnahm, mag ausklügeln, wer die Perle (griech. μάργαρον) im Namen wiederfand; d i e Kenntnis benötigte nicht einmal mehr die Werbung. Aber daß *Sanella,* das bekannteste Erzeugnis der Stammfirma in Oss, an ein gesundes rundbäckiges Mädchen denken ließ, gab selbst zu, wer sonst kein Latein konnte: die Erinnerung an den *San*-itäter, den *San*-itätsrat und das *San*-atogen einerseits, an Mädchennamen wie Arab-*ella,* Petron-*ella* andrerseits zwang dem Auge des Käufers das Bild strotzender Kernigkeit auf, noch ehe er es auf der Packung selbst wahrgenommen hatte. Gute Reklamenamen waren Zauberwörter; in ihnen und durch sie erhöhte sich das Leben zur Oper, zum Märchenstück: hier wurde lange vor der Aristie des Films die „Traumfabrik" Wirklichkeit, die ihr buntes Glasdach vor den verrauchten Himmel der Großstädte hing. Seit dem Patentgesetz (1897) bürgerten sich diese *Schutzmarken* (= engl. *trade-mark*) oder *Warenzeichen* schnell ein.

Für ihre Wirkung war ihre Bildungsweise, wie gesagt, unwichtig; entscheidend war, ob der Klang des fertigen Gebildes die Gedanken des Käufers vom Wirklichen weg und ins Unwirkliche lockte. Das konnte z. B. dadurch geschehen, daß durch Endungen, wie sie von Heilmitteln, Chemikalien oder aus der Industrie her bekannt waren (*-ol, -on, -it, -al* mit Endsilbenton, neuerdings das amerikanisierende *-matic,* das erfreuliche Erinnerungen an die kraft- und arbeitsparende Automation weckt), der Eindruck der Wissenschaftlichkeit oder Heilkraft geweckt wurde, oder man suchte etwa durch Betonung und Vokalklang eine ferne fremde Sprache (Südeuropa, Amerika) vorzutäuschen – nicht nur aus einem Hang zur Ausländerei, sondern weil der fremdartige Klang einen eigenen Reiz ausstrahlte –. Man rückte z. B. Wortteile und Endungen zusammen, Wortteile aus Familien-, Orts- und Gattungsnamen oder wissenschaftlichen Bezeichnungen, Endungen, die man von bewährten Vorbildern übernahm oder auch nach eigenem Klangempfinden fügte; jedenfalls aber verfuhr man nicht nach sprachlichen Gesichtspunkten, sondern verband das Gesetz der Serie mit dem Ziel der Firma. Man lernte es, mit der Sprache umzugehen wie mit einem beliebigen Rohstoff, den man zu fast allem zwingen konnte: gerade die Sprache der Werbung hat, da sie die volkssprachlichen Klammern der Wortbildung sprengte, dazu beigetragen, der Behandlung der Sprache im öffentlichen Leben die ihr gemäßen Grundlagen zu entziehen. Andrerseits haben sich, da Werbewörter auswechselbar sein müssen und davon leben, kurzlebig zu sein, nur wenige ihrer Spuren von der Umgangssprache festhalten lassen – was blieb, haftete freilich um so zäher. Das zeigte sich z. B. bei den K u r z w ö r t e r n , die, aus Anfangsbuchstaben oder -silben zusammengefügt, gute Möglichkeit boten, viel in aller Kürze wo nicht auszusagen, so doch zeichenhaft anzudeuten, und die außerdem zu Wortgebilden führten, die alle Reize eines lockenden Werbewortes für sich hatten. Sicher war die *Hapag* (= Hamburg-Amerikanische Paketfahrt-Actien-Gesellschaft, gegr. 1847) eine besonders wirksame Werbung für diese „Anlaufwörter", die Siebs noch 1909 als „abscheuliche Neubildungen" bezeichnete, und ebenso sicher hatte der Reeder Bolten die Bildung seines Firmennamens nicht selbst erfunden, sondern verdankte sie Anregungen aus England, wo schon 1665 das Privy Council Karls II., dem die Minister Clifford, Arlington, Buckingham, Ashley und Lauderdale angehörten, wortspielend als *Cabalministerium* bezeichnet worden war. Nun kamen die *Agfa* (Aktien-Gesellschaft für Anilinfabrikation, 1873), die *Bewag* (Berliner Elektrizitätswerke AG., 1884), das *Suwa* (= Sunlicht-Waschpulver, 1899), das *Indanthren* (Indigo + Anthrazen, 1901), die *Hanomag* (= Hannoversche Maschinenbau-AG., 1871), die *Leica* (= Leitz-Camera, 1913), die *Refa* (= Reichsausschuß für Arbeitszeitermittlung, 1924), der *Diamat* (= Dialektischer Materialismus). Die *Mitropa* (= Mitteleuropäische Schlaf- und Speisewagen-AG., 1916) machte sich ihren Namen schon weniger leicht. Das *BGB* erwies dann auch Buchstabenverbindungen als sprechbar, die bislang nicht dafür gegolten hatten (1896); aber die *AEG* (= Allgemeine Elektrizitäts-Gesellschaft, 1887) hatte der Aussprache so wenig Schwierigkeit bereitet wie in den lateinischen Grammatiken der *A. c. i.* (= Accusativus cum infinitivo) oder in der katholischen Kirche die Ordensbezeichnungen (*OSB.; SJ.* usw.). Dem *Pebeco* sah niemand an, daß es in die gleiche Familie gehörte (= P. Beyersdorf u. Co.); die *USA* (= United States of America) standen als vorbildhafte und besonders nach dem Zweiten Weltkrieg stürmisch nachgeahmte Gäste außerhalb der Reichweite sprachlicher Beurteilung, der *VW* (= Volkswagen) war zählebiger als sein Synonym *Käfer*, und der *VDI* (= Verein Deutscher Ingenieure, gegr. 1856) hielt es ohne weitere sprachliche Erörterung für zweckmäßig, abgekürzt und damit zum Allgemeinbegriff zu werden. Der *BH* (= Büstenhalter) wurde es aus anderen Gründen. Die ganze Bewegung war durch die militärischen Kürzel beider Weltkriege inner- und außerhalb Deutschlands sehr gefördert worden.

Schließlich ergab sich auch die Möglichkeit, Anlaute mit ganzen Wörtern zu koppeln; so entstanden Bildungen wie *D-Zug, U-Bahn, S-Bahn, R-Gespräch, U-Musik* (= Unterhaltungsmusik), *V-Mann*; ja man kam darauf, lange Wörter gleichsam zusammenzuklappen, indem man das Mittelteil wegließ und Anfang und Ende zu einem neuen Wort zusammenfügte: *Auto-bus* für Automobil 1885 + Omnibus 1829; später entsprechend *O-bus* = Oberleitungsomnibus; *Osram* = Osmium + Wolfram, auch Name einer Tochtergesellschaft der AEG; *Wo-tanlampe* = Wolfram + Tantan, *Well-ikel* = Welle + Partikel, *Indusi* = induktive Zugsicherung; die Politiker riskierten die

Mifrifi (= Mittelfristige Finanzplanung, 1968). Aus dem Ersten Weltkrieg stammte das *Krad* = K[raft]-(fahr)rad. Man nennt solche Bildungen K l a p p w ö r t e r.

Die Bildungsweise der Anlautwörter hat die Umgangssprache ziemlich stark beeindruckt. In doppeltem Betracht: einmal, weil sie sich im Gebrauch bestätigte und immer mehr benutzt wurde, die Sprache also steigend durchsetzte, dann aber auch durch Nachahmungen des täglichen Gebrauchs. Schon gegen Ende des 19. Jahrhunderts waren Wendungen wie *m.w.* (= machen wir!) geläufig, später bürgerten sich andere wie *l. L.* (= lange Leitung), *l. l. L.* (= lausig lange Leitung), *j. w. d.* (= janz weit draußen), *knif* (= kommt nicht in Frage) ein und halfen dazu, den Klangcharakter unserer Muttersprache zu verändern. Mochte das Lächeln, mit dem solche Anlautbildungen dem Gespräch eingeflochten wurden, auch die Ungewohntheit des Vorganges andeuten: die Fälle mehrten sich, bei denen am Ernst der Wendung nicht zu zweifeln war (*d. u.* = dienstuntauglich; daher *D.-u.-Stellung; u. k.* = unabkömmlich; daher *U.-k.-Stellung*; *U.-T.-Ware* = die nur unter dem Tisch verkauft werden darf; er arbeitet im *AHK* = Allgemeinen Handelskartell; er ist im *ATV* = Akademischen Turnverein; er spielt für den *Tuspo* = Turn- und Sportverein; er sprach mit dem Abgeordneten der *DNVP* = Deutschnationalen Volkspartei). Seit sich militärische Kreise (im Ersten Weltkrieg), politische Parteien, ja kirchliche Einrichtungen der Anlautwörter bedienten, war ihr Erfolg besiegelt, und der Widerstand etwa des Sprachvereins schmeckte immer mehr nach jenen politischen Protesten, die zwar „das Gesicht wahren", aber sonst keinen Erfolg haben. Dabei konnte nicht übersehen werden, daß sich die Sprache nicht nur klanglich änderte, sondern sich auch auf eine unvermutete Art bereicherte. Denn es entstanden unter den „Aküs" Wortgebilde, die den erstarrten Vorrat unserer alten Sprache an Stämmen zu ergänzen sich anschickten: *Pen* (vom PEN-Club: Poets, Essayists, Novellists; gegr. 1922), *Flak* (= Fliegerabwehrkanone; *Flakartillerie, -einheit, -beobachter; leichte, schwere Flak; Flakvisier, -turm, -rakete, -kreuzer:* Erster Weltkrieg), *Flei* (=Flugzeug- und Eisenbahnbeförderung; *Fleiverkehr; Fleiperverkehr* = Flugzeug-, Eisenbahn-Personenverkehr), *Ufa* (= Universum-Film-AG. 1917; *Ufastar, Ufafilm, Ufagelände, Ufatheater), Trafo* (= Transformator, ein Silbenanlautwort!; *Ofen-, Prüf-, Meß-, Klingeltrafo), DIN* (= Deutsche Industrienorm; *Dinnorm(!), Dinpapier, -format, -passung; dinen* = normen, *dingerecht*, 1926), *Tüv* (= Technischer Überwachungsverein, also die *Tüv;* es gibt aber auch *den Tüv,* das ist der Mann von der Tüv).

Natürlich schienen all diese Bildungen auch Zeitersparnisse zu versprechen; ein genauer Nachweis wurde nicht erbracht, war auch schwer zu errechnen (denn Zeit konnte erst dann e r s p a r t werden, wenn das Anlautwort verstanden wurde, d. h. nicht mehr aufgelöst, enträtselt zu werden brauchte).

Die, von denen die Bildungsweise verbreitet wurde, wollten weniger Zeit ersparen als auffallen. Doch war nun auch dies erreicht und ins Bewußtsein der Sprecher eingedrungen. So kam es wohl, daß neben den neuen Anlautwörtern auch die alte Art der Kopfwörter (vgl. S. 59!) wieder modern wurde, die sich in Wörtern wie *Sarg* (aus Sarkophag), besonders aber in vielen Vornamen (*Sam* aus Samuel, *Inge* aus Ingeborg) längst bestätigt hatte. Nun erst brach ihre Blüte an: Es gab das *Selters*(wasser) und das *Bock*(bier), den *Mosel*(wein) und den *Korn*(schnaps); der Oberkellner wurde zum *Ober*, der Zoologische Garten zum *Zoo* verkürzt; man ging *in den Konsum*(laden); man sprach von der *Uni*(versität), dem *Akku*(mulator), nach französischem Vorbild vom *Pneu*(matikreifen), dem *Sozi*(aldemokraten, aber auch = Beisitzer auf dem Motorrad), dem *Tacho*(meter), dem *Sani*(täter) und, mit gleichem Auslaut, dem *Profi* (= Professional), dem *Kilo*(gramm), von seinem *Auto*(mobil), dem *Labor*(atorium); davon abgeleitet: die *Labor-antin*), später der *Lok*(omotive mit Ableitungen wie *Lokführer* oder *Diesellok*), noch später der *Porno*(graphie) mit der *Pornoliteratur* und dem *Pornohändler*. Hierher gehören auch die Farbadjektiva ohne Grundwort, also Bildungen wie *bronze, lavendel, marine, flieder,* die sich schon durch ihre Undeklinierbarkeit merkwürdig und ungriffig erweisen (*das flieder Kleid, die lavendel Schuhe*) [1].

Kopfbildungen wurden besonders bei der Schaffung neuer Maßeinheiten erprobt; so entstanden das *Dyn* (= Dynamis; physik. Krafteinheit), *Erg* (= Ergon; Einheit der Arbeit), *Phon* (griech. φωνή = Stimme; Einheit der Lautstärke), *Stilb* (griech. στίλβη = Glanz; Einheit der Leuchtdichte), *Bar* (griech. βαρύς = schwer; Einheit des Luftdruckes; vgl. S. 59!). Auch Schwanzwörter wurden, wenn auch nicht in so großer Zahl, beliebt: wie die *Lotte* aus der Charlotte, die *Betti* aus der Elisabeth entstanden war, ließ man nun den Omnibus zum *Bus* schrumpfen. Manche dieser Kurzwörter ließen sich fortbilden: zum *Kilo* fand sich das Umstandswort *kiloweise*, aber auch Zusammensetzungen wie *Kilohertz, Kiloampere, Kilowatt*; zu *Auto* bildete man das Zeitwort *auteln* (das sich freilich nicht lange hielt, weil der *Wagen* das Auto verdrängte); zum *Ober* trat das Beiwort *oberhaft*, das unerfreuliche Berufseigenarten mancher Kellner geißeln sollte. Die Schwanzbildungen wirkten auch in andrer Richtung: die Grundwörter wurden in der Bedeutung der ganzen Zusammensetzung verselbständigt, ein Vorgang, der sich in Wörtern wie *Ring* (aus Finger*ring*) oder *Schirm* (aus Regen*schirm*) schon bewährt

[1] Die Kopfabkürzung *Kniebe* für einen *kniebe*deckenden Rock ist freilich ein Fehlgriff. – Die Menge der vom Textilhandel in Umlauf gesetzten Farbadjektiva fällt auf. Die meisten arbeiten mit dem Grundwort *-farben, -farbig (fliederfarben)*, andere bestimmen die Farbe durch einen Vergleich *(flaschengrün)*; noch andere sind Kopfwörter wie die oben besprochenen. Bezeichnend sind die Zusammensetzungen mit *schock- (schocklila, schockgrün)*, weil sie die Farbe nicht mit einer Metapher, sondern mit der erhofften Wirkung zu bestimmen suchen.

hatte. Nun nisteten sich Kürzungen wie *Wagen* (für Kraft*wagen*), *Fahrer* (für Kraftwagen*fahrer*), *Rad* (für Fahr*rad*), *Binde* (für Damen*binde*) ein; die Hausfrau bezeichnete ihr Bügel*eisen* als *Eisen* schlechthin, der Mann seinen Feder*halter* einfach als *Halter;* die Öffentliche Fernsprech*zelle* wurde kurzweg als *Zelle* bezeichnet. Auch bei einer anderen Wortbildungsart betonte die Sprache der Werbung ihre Sparsamkeit; sie neigte zu Zusammenrückungen, bei denen das Bestimmungswort seine Abhängigkeit vom Grundwort durch Beugungslosigkeit verleugnete: der *Bechsteinflügel* war doch ein Konzertflügel der Firma Bechstein, hätte sich also nach dem Vorbild vom *Kathreiners Malzkaffee* Bechsteins Flügel nennen sollen; man wählte statt der als zopfig empfundenen Zweiwortfügung die als Einheit wirkende Nebeneinanderstellung (sofern man nicht den Firmennamen allein für ausreichend erachtete: er spielte einen *Bechstein!*). Es gab zwar noch *Liebigs Fleischextrakt* und *Riemanns Grün*; aber nun entstanden die *Zeisswerke* (1846), die später (1889) von der *Carl-Zeiss-Stiftung* verwaltet wurden; es gab *Stollwerckschokolade* (1860), *Schultheißbier* (1853), *Auerlicht* (1885), den *Dieselmotor* (1897) und die *Knorrbremse* (1893, und später kam die *Knorr-Kunze-Bremse!*), aber auch *Knorrsuppen* und *-würfel* (1899); man arbeitete nach dem *Taylorsystem* (Taylors Hauptwerk erschien 1913 in deutscher Übersetzung) und aß *Bismarckheringe* und *Schillerlocken,* Genußmittel, die nur mit Zwang auf den zu beziehen waren, dessen Namen sie trugen; aber *Kleppermäntel* und *-boote* stammten aus den Klepperwerken (gegr. 1919). Von hier zur *Rankeschule* (= die Schüler Rankes), zum *Treitschkebuch,* zur *Nietzschenachfolge,* zur *Liebiggedenkmünze* (die seit 1903 an verdiente Chemiker verliehen wurde), zum *Schillerbrief,* zur *Hauptmannpremiere* und zum *Deutschlandlied* war nur ein Schritt, und dann waren auch die *Flip-Top-Box* (eine Zigarettenschachtelform) und im Gleichschritt dazu die *Johann-Wolfgang-Goethe-Straße* und das *Max-Planck-Institut* nicht mehr weit. Die Entwicklung überschlug sich wieder: man hatte knapp sein wollen und wurde umständlich und schwerfällig; das Gesetz der Serie ließ sich nicht an seiner gefährlichsten Stelle bremsen.

Neben dem Wunsche aber, zum Geheimnis zu locken und dabei Zeit zu ersparen, will die Werbung das, was sie anpreist, als die Spitze des Erreichbaren glaubhaft machen. Der *Anreißer* (Kundenwerber), der *alles, was Sie wünschen,* bereit hält, filterte unserer Sprache die Neigung zur Übersteigerung ein, den Hang zum Kraftmeiertum, die Sucht, durch Superlative Einwände des Gesprächspartners auszuschalten. Dabei befolgte man, bewußt oder auch nicht, Lichtenbergs Anweisung: „Wenn dein Bißchen an sich nichts Sonderbares ist, so sage es wenigstens ein bißchen sonderbar." Wer also etwas *aus dem ff* konnte, daß es *eins a* wurde, wußte noch, daß er Wendungen nachahmte, die er hinter Ladenfenstern gelesen hatte. Aber bei dem Gebrauch steigernder Vorsilben verlor sich das. Die Vorliebe für *groß* stammte wohl noch aus der napoleonischen Zeit, deren Heros nicht nur die „*Große* Armee“ geschaffen (1805), sondern auch *Groß*herzöge (nach toskanischem Vorbild) eingesetzt hatte; das 19. Jahrhundert machte alte Wörter wie *Großmacht* (nach dem Muster von franz. *grande puissance*) und *Großstadt* volksläufig, der Genossenschaftler Schulze-Delitzsch, 1808–1883, prägte das Schlagwort *Großmachtkitzel,* die Lustspielmacher Blumenthal und Kadelburg sprachen 1891 von der *Großstadtluft.* Nun kamen der *Großhandel,* das *Großunternehmen,* der *Großbetrieb* und der *Großindustrielle;* was früher als *großsprecherisch* bezeichnet worden war, wurde im Zeitalter der Eisenbahn *großspurig.* Der *Großbürger* wünschte vom Kleinbürger unterschieden zu werden; *großdeutsch* (1848) stand gegen kleindeutsch, der *Großgrundbesitz* gegen das Bauerntum. Es gab *Großeinkaufsgenossenschaften* (1894) und andere *Großunternehmen;* man stellte der Flotte einen *Großadmiral* voran (1905) und baute einen *Großschiffahrtsweg* (vollendet 1914); man schuf *Groß-Berlin* (1912), später *Groß-Hamburg* (1937) und *Groß-Bonn* (1969); man redete gern *große Töne,* rühmte den *großen Komfort* seiner Ware, vertrat das *große Ganze* und *spuckte große Bogen;* was man bemerkenswert fand, bezeichnete man als *groß* oder *ganz groß.* Daß man sich dabei in die *Größenordnung* verliebte und sie mit der Rangordnung verwechselte, war nur eine Randerscheinung der Bewegung. Ähnlich wie *groß* ließ sich *voll* nutzen, das sich auf See (*Volldampf* voraus!) und dem Rennplatz (*Vollblut* nach engl. *fullblood*) beliebt gemacht hatte: was *vollgültig* war, ließ sich gar nicht mehr anzweifeln; Reife genügte nicht mehr, wo von *Vollreife* gesprochen werden konnte; die *Vollmilch* und das *Vollkornbrot* riefen das *Vollfrischei* auf den Plan; wer *vollschlank* war, brauchte sich unziemlicher Dicke nicht verdächtigen zu lassen, eine Steigerung zum *Vollwaschmittel* schien undenkbar, und das großartig ehrende Beiwort *vollkommen* griff sich an Beinkleidern und Strumpfhaltern, denen es beigelegt wurde, trostlos und *vollinhaltlich* ab. Magische Wirkung strahlte besonders das bewährte Wörtchen *neu* aus, das sich schon in den *Newen Zeitungen* (seit 1502) als merkantil erfolgreich erwiesen hatte und nun überall, möglichst gesteigert, herhalten mußte, bei *völlig neuen* Präparaten, *völlig neuen Wegen,* die von der Firma beschritten wurden, bei *total neuen* Angeboten, bei einer *ganz neuen* Farbe, die sich dann als schlichtes Weiß entpuppt – freilich das *weißeste Weiß,* das es je gab. Man kann auch ein *völlig neues Bett-* oder *Frisiergefühl* kaufen. Neuerdings scheint *programmiert* ein Reizwort der Werbung zu werden; man konnte bereits von *programmierten Gürtelreifen* hören. Wo dann die Grundstufe nicht genügte, mußte nach dem Motto „*Wir bieten mehr!*“ die Steigerung herhalten: die angepriesene Ware arbeitete *schneller, präziser, schonender;* sie war einfach *besser*; sie machte den Alltag *moderner, farbiger, schöner* und war vielleicht auch *dicker, frecher, größer.* Ein zugesetztes *viel* steigerte die Steigerung *(viel straffer; viel glatter)*; auch *weit* tat diesen

Dienst *(weit über die kühnsten Träume hinaus)*. Da lag der Superlativ nicht fern: was man anbot, übertraf die *kühnsten Träume* des Kunden, stammte aus den *wertvollsten Lagern der Welt*, war *das Beste seiner Art*, das es je gab, kurzgesagt: hier hatte man *das erste selbsttätige Waschmittel der Welt*. Wer wollte die Genauigkeit solcher Behauptungen überprüfen? Dabei konnte es geschehen, daß einzelne Branchenwerbungen besonders geschmeidig in die Umgangssprache hineinglitten; so hat z. B. die Kerzenindustrie den kitschigen Sprachstil der Erstkommunionfeste *(der schönste Tag)* verstärkt oder doch bestätigt; es wäre zu prüfen, wie breit der Blumenhandel die Sprachregelungen des Muttertages beeinflußt hat.

Dann merkte man auch bald nicht mehr, daß man Superlative zu superlativieren begann, *größtmöglichste* Wirkungen versprach, *Unmöglichstes* möglich machen wollte, der *Einzigste*, was in Frage kam, zu sein behauptete, die *optimalste* Lösung anbot oder das *allerweißeste Weiß* verhieß. Ebensowenig scheute man vor komparativierten Superlativen zurück: Dinge wurden *perfekter*, *maxi-* oder *minimaler*, *egaler*, *absoluter*, *quadratischer*, *butterweicher* oder *gleicher* als andere. Dazu kamen die steigernden Vorsatzwörter: *kolossal*, *superb* (bis etwa 1940), *unerreicht*, *einzigartig*, *unwahrscheinlich*, *garantiert*, *vollendet*, *haargenau*, *meisterhaft*, *erlesen*, *wertvoll*, *ohnegleichen*, *ideal*, *pyramidal*, *außergewöhnlich*, *erstklassig*, *hochprozentig* (seit um 1900), *attraktiv*, *stupend*, *faszinierend*, *konkurrenzlos*, *virtuos*, *originell*, *gewaltig*, *riesig*, *großformatig*, *hundertprozentig*, oder, mit der Wendung in die Persiloptik, *blendend*, *sauber*, *blitzsauber*, *lupenrein (weiß, sauber)*, oder auch, in der Ehrbarkeit schlichter Feststellung, *prima*, *ordentlich*, *richtig*, *gänzlich*, *völlig*. Oder man ging die Sache vom Gegenteil an: *niemals zuvor* war eine Ware so gut, so fein, so billig, so nötig. Adjektiva, die bislang bescheiden und pflichtgemäß ihre Substantive bestimmt hatten, wurden zu Markenzeichen oder Steigerungsvokabeln: daß etwas als *modern* oder *international* (mit internationalem Horizont) hingestellt wurde, sollte seinen Wert für den Käufer umschreiben. Da spielte auch *perfekt* mit all seinen Ableitungen *(perfektionieren*, *Perfektionist*, *perfektibel* und die Tautologie *vollendete Perfektion)* eine wichtige Rolle. Pronomina oder unbestimmte Zahlwörter machten sich lieb Kind, wenn sie nur Ausschließliches meinten (*jeder: jede Gelegenheit*, *jeden Sonntag; nie:* so etwas war *noch nie da!*, eine *nie wiederkehrende Gelegenheit*, ein *nie gesehener ...*, *noch nie war* etwas so gut, so perfekt, so überraschend; *so* seidig *wie noch nie*). Neue Waren weckten neue Ziele; heute empfiehlt sich, was *sportlich*, *individuell*, *komfortabel*, *rasch*, *zuverlässig*, *prompt*, *intensiv*, *leistungsfähig*, *repräsentativ* oder, je nachdem, *rasant* (wobei man gar nicht mehr an die gestreckte Flugbahn denkt, von der das Wort herkommt, sondern vermutlich *rasend* im Ohr hat), vielleicht gar *brisant* ist. Die neuen Waren, aber auch das Angebot muß *gezielt* sein; vom Jazz lernten es Autos, *heiß* (= engl. hit) zu sein. Einzelne Wirtschaftszweige legten sich einen eigenen Schatz rühmender, lockender Adjektiva zu; so wirbt der Tourismus mit *verträumten, schmucken, gepflegten, anheimelnden, versponnenen* Urlaubsplätzchen.

Früher hatten *Bär-, Blut-* und *Heide-* alltäglicher Rede zur Steigerung ausgereicht; jetzt genügten *Bombe-, Bulle-* und *Hölle-* kaum. Man hatte *Bombengeschäfte* (1888), machte eine *Bombenreklame* (1936), spielte *Bombenrollen* mit *Bombenerfolg* bei *Bombenapplaus* (1910), zumal mit *Sexbomben* (60er Jahre), litt unter der *Bomben-* oder *Bullenhitze,* dem *Höllenlärm* und *Höllendurst,* machte das *Höllentempo* mit und paßte *höllisch* auf. Die Verwendung von *ober-* als Verstärkungsvorsilbe (*oberfaul, -mies, -schlau; Obergauner, -schieber, -idiot*) holte man aus der Wertewelt der Behörden, *hoch-, fein-* und *ganz-* unmittelbar aus dem Kaufmannsdeutsch *(hochfein-, -elegant, -modern, -prozentig, -tragisch; feinfrostig;* der *ganz große* Wurf, das ist *ganz groß!*), *Quadrat- (Quadratschädel, -esel)* aus dem Wortschatz der Mathematik (also vielleicht aus dem Schülerjargon?), *denkbar* aus der Wissenschaft (ein *denkbar günstiges* Angebot), *Riesen-* vom Jahrmarkt *(Riesenroß, -arbeit, -bau, -bock, -schlappe, -erfolg, -wirbel, -schritt, -stärke, -baby, -spaß, -rindvieh), Monstre-* aus der Gruselkiste (*Monstrefeuerwerk),* die *Spitze* vom Sport (*Spitzensekt),* den *Gipfel* vom Tourismus *(Gipfelleistung),* die *Kur-* aus der Medizin (eine *Kurpackung* verspricht nicht nur Heilerfolg, sondern auch Mengenrabatt!). Das war eine *stürmische Entwicklung! Mords-* erinnert nun kaum noch an die Verbrecherwelt (das *Mordswetter* des 18. Jahrhunderts war wirklich ein Wetter gewesen, das den Wandrer morden konnte!); es nahm vielmehr etwas Gutmütig-Bramarbashaftes an, wenn es unter oberdeutschem Einfluß (*Mordsgaudi* [1884]) die Freude zur *Mordsfreude* (1882), die Arbeit zur *Mordsarbeit* (1895), eine mächtige Stimme zur *Mordsstimme* steigerte (1888), und da lagen denn der *Mordsskandal* – 1872 – und der *Mordskrach* – 1911 – nicht fern; aber der *Mordshunger* (1883) und die *Mordskälte* (1938) bewahrten noch die alte Grimmigkeit. Wer seinen Tadel unmißverständlich ausdrücken wollte, griff zu kränkenden und starken Bekundungen; der *Lausebengel* vom Anfang des Jahrhunderts wurde zum *Lauselümmel*; verächtlich wurde die Kleinstadt als *Lausenest* abgetan; der Hochmut des Großstädters nahm den Mist als Sinnbild des Verwerflichen (*Mistvieh* als Schelte 1903, später, 1935, *Miststück; Mistzeug* = schlechte Ware, 1916; mit soldatischer Derbheit gesteigert: *Scheißkram, -dreck, -ding*). *Mistig, lausig* und *beschissen* trafen etwas dieselbe Wertstufe (vgl. S. 235!).

Eine Steigerung, mehr aber noch verdeutlichende Verknappung der Werbung brachten nach dem Zweiten Weltkrieg die zahllosen neuen Adjektiva, die, von der Industrie vorgeformt (vgl. S. 76 f.!), nun in breiter Form in die Schaufensterauslagen, die Zeitungsanzeigen, die mündlichen Anpreisungen der Kaufleute aller Schichten und Branchen einrückten und bald auch den

Verbraucher zu ähnlichen Bildungen verführten. Sie boten viele Vorteile; anders wären sie auch kaum so schnell allgemein geworden. Sie waren kurz; sie sparten einen ganzen Nebensatz ein. Sie ließen sich leicht auflösen; man wußte ohne viel Nachdenkens, was da gemeint war. Sie waren, wenn sie nicht falsch oder schlecht gebaut waren, bildstark und eindrucksvoll; daß ein Vogelfutter die beflügelten Zimmergenossen *hüpfgesund* zu machen versprach, solche Verheißung ließ eine freundliche Vorstellung vor dem Leser oder Hörer der Anpreisung erstehen. Und sie waren kinderleicht zu bilden; man brauchte nur ein Substantiv als Bestimmungswort und ein Adjektiv oder Partizip als Grundwort oder auch zwei Adjektive aneinanderzufügen. Die Auflösung lag auf der Hand; man mußte es dem Verbraucher nicht ausdrücklich erklären, daß eine *babygerechte* Nahrung dem Kindchen schmeckte und bekam, *stoßempfindliche Möbel* g e g e n Stöße geschützt werden sollten, daß ein *tiefenwirksamer Krem* wohltätig i n die Hauttiefen eindrang, eine *leistungssteigernde* Pille die Arbeitsleistung hob, ein *windschnittiger* Wagen Stromlinienform zeigte, *wäschereigerechte* Oberhemden für die Wäsche geeignet waren, ein *scheckheftgepflegtes* Auto ein besonderes Fach für das Scheckheft hatte, ein *schaumgebremstes* Waschmittel wenig Schaum entwickelte, eine *mundreife* Frucht unverzüglich gegessen werden konnte, ein *stadtkorrekter* Anzug ein modisch einreihiger war und ein *verlagsneues* Buch gerade die Buchläden erreicht hatte. Dieses Spiel mit der Reaktionsfreudigkeit des Partners stumpfte, und das ist die andere Seite des Vorganges, das Feingefühl für Satz- und Sinnzusammenhänge ab. Ein *verlagsneues* Buch, um noch einmal dies Beispiel zu nehmen, war weniger ein neues Erzeugnis eines bestimmten Verlages (der die meisten Leser gar nicht so sehr interessierte) als vielmehr eine Neuerscheinung, die man gelesen haben mußte, um mitreden zu können. Ein Stärkungsmittel, das den Käufer *leistungsfroh* zu machen versprach, wollte weniger die Freude über eine vollbrachte Tat als die Freude an der anstehenden Betätigung wecken. In vielen Fällen erwies sich auch das Bestimmungswort als Bluff, entweder, weil es gar nichts Neues aussagte, also das Grundwort nur verstärkte, unterstrich, noch einmal betonte (*wertneutral:* jede Neutralität läßt die Werte nebeneinander gelten), oder weil sie sachlich überflüssig, aber den Kunden doch beeindruckend, das Grundwort durch eine eigentlich unerklärbare, aber geheimnisvolle und nur für den Kenner bereits im Grundwort eingeschlossene Bestimmung vernebelte (ein *biostarker* Schmutzlöser leistet nicht mehr als ein starker - er geht nämlich den Schmutzerregern zu Leibe [βίος = Leben]). Bei manchen dieser Adjektivzusammensetzungen führt dann der Wunsch, geheime Begierden zu wecken, zu Bildungen, die sich kaum noch sinngemäß auflösen lassen: *fleischnahe* Bildbände sind weder voll noch im, durch, gegen, aus Fleisch oder etwas der Art, und sie sind auch niemandem nah, nicht dem Fleisch und nicht dem Leser, aber jedermann weiß Bescheid und ist froh, daß ihm das Adjektiv

„pornographisch“ erspart blieb. *Mottenecht* hieß nicht ein Gewebe, das echt wie Motten war, sondern das ihnen standhielt. Was *gardinenneu* ist, kann nur aus dem Kontext erschlossen werden, da es bekanntlich auch und oft alte Gardinen gibt. Und was ist *soßenschluckend*? Oft ist das Ganze dieser Adjektive nur eine Tautologie, eine Doppelaussage: immer ist der *leistungsbeste* Kegler der, der die besten „Leistungen“ erzielt. Oder sie helfen, ein sprachliches Tabu zu vermeiden: wer zu fein ist, von „teuer“ oder gar „billig“ zu sprechen, wird eine *kostengünstige* Ware freundlich begrüßen. Man erspart dem ängstlichen Kunden einen vielleicht verkaufsstörenden Schock, indem man Reizwörter umgeht, sagt also nicht, ein Geschirr sei zerbrechlich (das könnte ihn leicht verschrecken), sondern nennt es lieber *bruchempfindlich*; man packt die kundenfreundliche Aussage, daß man – recht besehen – an der Ware nichts verdiene, verschämt in eine Hülle und nennt sie *kostendeckend bepreist*. Schweine, die bald schlachtreif sind, heißen zartfühlend *verbrauchernah*; ein *halsfernes* Kleid hat einen beträchtlichen Ausschnitt, ein guter Krem ist *hautbewußt*. Das sind taktvolle Euphemismen, zuliebe des feinfühligen Käufers. Bei alledem sind die Bestimmungswörter – wo sie überhaupt einen Sinn haben – die wichtigeren; die Grundwörter wiederholen sich oft, weil sie die erwünschte und verheißene Qualität angeben: eine Ware ist *winter-, geruchs-, maschen-, seuchenfest*; sie wirkt *poren-, zellen- hauttief*, sie erweist sich als *atmungs-, bio-, oberflächenaktiv* (d. h., sie entspannt das Wasser an seiner Oberfläche), sie ist jedenfalls *vital-, ultra-* oder sonstwie *-positiv*. Auf das Grundwort kommt es an; mit ihm steht die Zusammensetzung auf dem Boden, auf dem auch der Käufer steht; das Bestimmungswort mag dann verschwimmend irgendwo ins Blaue ragen. Rein, so will der Trinker seinen Wein („trink, was klar ist!“); daß er, genauer gesagt, *naturrein* ist, sagt im Grunde eine Selbstverständlichkeit aus (und verschweigt, daß auch der naturreine Wein einen gesetzlich bestimmten Hundertsatz von Beimischung enthält). Wenn nun der Winzereibegriff auf Zigaretten oder andere Spirituosen übertragen wird, bleibt zwar dem Verbraucher der gute Geschmack auf der Zunge, die Sache aber wird nun endgültig fragwürdig und undurchsichtig. Wie rein ist ein naturreiner Tabak? Und was ist eigentlich ein naturreiner Weinbrand? Wenn dem Kunden gar kein Einblick in die Herstellerwerkstatt verstattet oder zugemutet werden soll, kann man ihn notfalls auch seelisch beunruhigen. Man kennt die Flüsterstimme aus dem Rundfunk: *„Wer spricht denn da?“ – „Dein Gewissen! Hast du deine Wäsche auch mit XYZ gespült?“* Da bei solchen Anrufen der (die) Hörende meist allein ist – die Hausfrau säubert die Wohnung oder kocht –, wirkt das Ganze wie ein Beichtstuhlspuk. Von da bis zu den *gewissensbißfreien Pullis* ist nur ein Schritt. Das sind – und nicht einmal hübsche – Eintagsblüten. Aber als einheitlicher Sprachvorgang gesehen sind die zusammengesetzten Adjektiva aus der Werbung eher zu begrüßen als zu verdammen. Sicher haben sie dazu beigetragen, uns die Freude am Adjektiv, die am Erlöschen war (vgl. S. 10[1] u. ö.!), zu erneuern, und ganz sicher sind sie mit ihren einfachen Rezepten meist besser gebildet als gewisse unzusammengesetzte Reklameadjektiva, die oft nur dem Bedürfnis entspringen, längere Substantivbildungen zu zerlegen, ob man nun von *fruchtigem Geschmack* oder von *stückiger Ware* spricht.

Daß die Werbesucht die Steigerungsmöglichkeiten der Sprache zerschliß, blieb nicht lange verborgen. Man wollte Prestigekitzel erzielen, um Vertrauen werben; man sah ein, daß man die Superlative nicht häufen durfte, um nicht Verdacht zu erregen. Man versuchte also zu dämpfen, bot seine Dienste *kostenlos und unverbindlich* an, und da damit neue und ungewohnte Töne angeschlagen wurden, tönte die Neuerung reiz- und wirkungsvoll die Verstärkung ab. Statt *prima, vollkommen* oder *unerreicht* wählte man nun lieber Wörter, die sich vorsichtig gebärdeten wie *wertvoll, kultiviert* oder *angenehm*. Was nur als *beachtlich* gerühmt wurde, weckte Vertrauen, und ein biederes *bestimmt* (*Der nächste Winter kommt bestimmt!*, 1968) überzeugte den Partner eher als ein überrumpelndes *selbstverständlich*, zumal, wenn es sich zu einer behutsamen Verneinung gesellte: was mit schiefer Bescheidenheit *gekonnt* genannt wurde, empfahl sich durch seine Werkgerechtigkeit; was *bestimmt nicht schlecht* war, wurde mehr gewürdigt als eine Ware mit dem Schild „Selbstverständlich ausgezeichnet!“ Man stellte sich gleichsam auf den zögernden Kunden ein; man ließ ihn, den eigentlichen Herrn des Handels, auch die sprachliche Fügung beherrschen. Man gab ihm das Gefühl, als würde er mit Hilfe der angepriesenen Ware erst das, was er eigentlich war, er, unerkannt von den andern, ein heimliches Traumbild, das gegen ein bei Licht besehen bescheidenes Entgelt in die Wirklichkeit entzaubert werden konnte: „Sieht Ihr Mann *so* schmuck aus, *wie er ist?*“ „Sie fühlen sich darin (nämlich in einem bestimmten Wagen) als *der Mensch, der Sie sind.*“ Man erzwang eine persönliche Begegnung mit ihm, indem man sich selbst als Bestandteil seiner Welt bezeichnete; man nannte sich „*Ihr* treues Versandhaus“, „*Ihr* Kleiderberater“, „*Ihr* Autohändler“. Oder man stellte sich keck neben ihn und schuf damit ein neues trügerisches Wir: „*Wir* erfahren es täglich ...“ Ein Rollenspiel begann, eine Art Theater; der *Anreißer* trat zurück, und im Vexierspiel der neuen Werbung meinte der Kunde sich selbst zu sehen. So wuchs die Werbesprache zu einem Instrument, das schwer zu handhaben war, das erlernt werden mußte – nicht nur, um die Vielzahl an Vokabeln behalten, anwenden und nachbilden zu können, sondern besonders auch deshalb, weil der Werbefachmann ein festgegründetes Sprachgerüst haben muß. Man erkannte bald, daß dem Verkäufer eine fast größere Aufgabe zufiel als dem Hersteller; was bei den technischen Fachsprachen die Werkstätten, leisteten bei der Ware die Männer und Frauen hinter dem Ladentisch oder mit den beiden Koffern. Sie mußten wissen, daß sie zweckmäßig so tun mußten, als ob sie im Grunde gar nicht so sehr verkaufen als vielmehr dem Kunden einen Gefallen tun, ihm helfen, ihn am eigenen Wissensschatz teilnehmen lassen wollten, daß sie keine Händler, keine Kaufleute, sondern *Berater (Kleider-, Bau-, Versicherungs-, Avonberater)* seien, daß sie bereit waren, ihrem Kunden jede Gedankenarbeit abzunehmen. *Wer bei X. tankt, braucht sich darüber keine Gedanken mehr zu machen.* Manche Geschäftsbranchen hatten gar *Schöpfer (Mode-,* aber auch *Knödelschöpfer)* nötig, um sich ihren Käufern gegenüber ins rechte Licht zu setzen; dahinter versteckte sich eine Fehlübersetzung von franz. *création* (= Erzeugnis, nicht = Schöpfung!). Diese Selbststeigerung war nun die eigentliche Aufgabe der Verkäufer und Vertreter; sie sollten sie wie einen Sport auffassen, den man unablässig üben muß, und darum gab man ihnen *Verkaufstrainer* zur Seite, die sie in *Trainingszentren* zu schulen hatten. Solche *Händlerwerbung*, für die eigene *Macher (Manager)* tätig waren, blühte besonders auch in den Fachzeitschriften.

So schwoll in der Werbesprache nicht nur das Pathos, sondern auch sein Gegenteil, ein Sprechstil, der bescheiden halb und halb vorsichtig-blasiert anmutete, und es bildet sich ein Grund, auf den spätere Jahrzehnte, sachlicher gesonnen als diese und mißtrauischer, aufsetzen konnten. Bezeichnete man die Ware als *nützlich und angenehm*, so weckte das unterkühlte Lob die Neigung, sie zu versuchen; das hatte schon die alte, jetzt längst abgegriffene Wendung *gut und billig* – wir erinnern uns: Reuleaux hatte sie schon 1876 persifliert (vgl. S. 63) – geleistet. Nun fand man, was zur Beurteilung stand, *nicht übel, nicht von Pappe, nicht zu knapp* oder *nicht von schlechten Eltern;* was man gern abgelehnt hätte, wurde als *nicht berühmt, nicht* (gerade) *aufregend* oder, mit einer Schwenkung ins Ironische, als *eine schöne Geschichte* bezeichnet (*recht erheiternd!, nicht mehr feierlich!*). An die Stelle des etwas zu nackt, zu grob wirkenden *finanziell* trat – eine Allensbacher Umfrage bewies das 1961 – das verhüllende *wirtschaftlich.* Das bescheidene Beiwort *ziemlich* bekam den Wert eines Verstärkungswortes; was *ziemlich* neu, *ziemlich* überraschend, *ziemlich* abwegig genannt wurde, erregte den Sprecher vermutlich. Man konnte auch mit *kaum* unterkühlen, wenn man sein Angebot als *kaum glaublich, kaum zu erwarten, kaum faßbar* pries. Und neuerdings scheint der alte bescheidene Komparativ wieder an Klang zu gewinnen: mit diesem oder jenem neuen Wagentyp kann man gelöster, ermüdungsfreier, sicherer fahren. Ähnlich wirkt *beträchtlich,* das die Bedeutung von *sehr* übernahm, weniger auszusagen schien und es doch steigerte (das hat mich *beträchtlich* geärgert! Dafür habe ich *beträchtlich* arbeiten müssen!). Umgangssprachliche Floskeln weckten durch ihre Wohnstubenatmosphäre eine verträumte, biedermännische Nähe: dies oder jenes ist, schmeckt, sieht *so gut* aus oder ist *so sparsam;* an ihm kann man *so viel* Freude haben, sparen oder was auch immer; etwas ist *so wirtschaftlich*; in einem Sessel läßt sich *so recht* ausschlafen, der Ruhe pflegen, plaudern. Ein ähnliches Gegenüber sucht das lässige *nun einmal;* es biedert sich an und sucht darüber hinwegzutäuschen, daß Vertraulichkeit noch kein Vertrauen bedingt. In alledem verbarg sich eine Neigung zum Beschönigen, die in der Denk- und Redeweise des Kaufmanns gründete: wie dieser nicht an die Außenstände mahnte, sondern an sie *erinnerte,* und *Beinkleider* statt Hosen verkaufte, *erleichterte* man den verlierenden Skatbruder *(„nicht unwesentlich“),* sprach nicht von Dummköpfen, sondern von denen, *die nicht alle werden,* nannte ein ältliches Mädchen *hoch in den Neunundzwanzigern* und behauptete, *volle Gläser nicht leiden, leere* dagegen *nicht sehen* zu *können.* Fritz Mauthner führte die Erscheinung auf die gestenreiche Redeweise lebhafter Juden zurück. – Andere gaben sich wissenschaftlich, sagten statt *Angebot* oder *Kollektion* lieber *Programm* und hofften, durch solche Planarbeit zu überzeugen. Wenn man mit der einmal gewählten Sprechgebärde den Kunden beeindruckte, brauchte man sich kaum noch zu bemühen: die Ware *verkaufte sich* wie von selbst.

Jede Werbung lebt davon, daß sie nicht nur den Käufer zu seiner einsichtigen Wahl beglückwünscht, sondern unterschwellig auch den Nichtkäufer als unbedarft entlarvt. Wer auf die *Seife mit dem Feingefühl,* auf die *Seele der* angepriesenen *Möbel* verzichtet, kann nur ein plumper Bursche sein; wer sich keinen *echten Biergenuß* leistet, ist der ernstzunehmen? Wer aber kaufwillig ist, nimmt am *Erfolg* und *Geschmack,* an der *Sicherheit, Schönheit* und *Gesundheit, Fröhlichkeit, Entwicklung* und *Erfahrung,* am *Wohlstand* und *Fortschritt,* ja selbst am *Glück* und an der *Freiheit,* die in der Ware schlummern, teil. Das alles kann man kaufen; in Waschmaschinen, Zigaretten und Trockenrasierern sind Märchenmächte lebendig, die für ein paar Mark, für einen Griff in die Rocktasche oder zum Scheckheft zu erwerben sind, Versprechungen, Hoffnungen, die vielleicht doch erfüllt werden: möglicherweise verbergen diese Apfelsinen doch irgendwo *Lebenskraft,* kann ich mit jenem Wagen mein *Ansehen* steigern, befreit mich diese *Befreiungsrente* wirklich im Alter von allen Nöten, entspricht diese Modelinie wirklich der *Vernunft?* Dem Traumziel entspricht die unwirkliche Sprache: man meidet Alltagswörter und bemüht sich um Erlesenheit; man verkauft nicht, man *spendet,* was man nun gerade zu verkaufen hat (daher auch der *Zigarettenspender* = Automat!); die gerühmte Margarine schmeckt nicht nur gut, sie *mundet* geradezu! Zusammenbaubare Möbel ergeben eine *Wohnlandschaft* – wer möchte da nicht einmal reisen? Oder man behauptet kühn, *sprechende Möbel* herzustellen. Der *Kundendienst* wird zum *Service*; was ausländisch klingt, macht sich besser (Stave spricht da vom „Snob-Appeal“). Darum verfremdet man auch gern das Schriftbild durch wirkliche oder vorgetäuschte Fremdschreibung (*Cigarette*), ohne Rücksicht darauf, daß dadurch unsere ohnehin schwierige orthographische Situation noch unübersichtlicher wird. Oder man arbeitet mit Scheinentlehnungen, die im Grunde Eigenbildungen sind (*Twen*).

Kurz – eine Märchenwelt tut sich dem Kunden auf, erhöht ihn zum Prinzen, zum Kind im Weihnachtsstück *(Die grauen Zeiten sind vorbei!)*. Unvermerkt wird damit ein weiteres Dutzend wertbezogener Abstrakta verdächtig; diese Zerrbilder des Lebens, in denen der Genuß einer Praline, eines Glases Weinbrand, Obstsaft, Bier oder Milch, der Zug an einer Zigarette, ein Schluck Sekt, natürlich von jenem mit *Reife, Rasse und Eleganz*, ein Brot mit Butter oder eine Semmel mit Margarine *glücklich* machen wollen, sind in der Tat für viele „heimliche Verführer" [1]. Erst, als man uns *Milch von glücklichen Kühen* anpries, begann man in Deutschland zu lachen.

Die Wirtschaft gab schon vor vier Jahren für Werbung, die sie hauptsächlich in der Tagespresse betreibt, nahezu zwei Milliarden DM aus. Aber sie beeinflußte nicht nur durch ihre Kundenwerbung unsere Sprache. Längst in Agenturen zusammengefaßt und durch *Werbeträgeranalysen* erprobt und überprüft, durch *Werbeeinsatzleiter* mit ihren *Werbeassistenten* fortgebildet und verbreitet, schuf sie sich einen eigenen Fachwortschatz, den sie früher meist aus italienischen, dann aus französischen, schließlich aus englischen Anregungen speiste. Er hat (wie die technischen Fachsprachen) unsern F r e m d - w ö r t e r vorrat vermehrt und – bei der steigenden Bedeutung der Vereinigten Staaten für unsern Handel – anglisiert. Begriffe wie der allerdings leicht Mißtrauen weckende *Trust* (eigentlich = *trust company* = Treuhandgesellschaft; wenn man von einer *Gruppe führender Geschäftsleute* sprach, klang das freundlicher), *Run* und *Standard* (eigentl. = Flagge, Maßstab) erhielten bald auch außerhalb des Geschäftsverkehrs Bürgerrechte; manchmal wurde die englische Sprachform kokett beibehalten (*standard of life*, später = *Lebensstandard; standard work*, später = *Standardwerk*), manchmal gegen die Übersetzung eingetauscht (*Standardmuster* = Gattungsprobe). *Boykott,* von Hause der Name eines irischen Gutsbesitzers, der von seinen Standesgenossen geächtet wurde (1880), kam wohl durch Bismarck in Umlauf, empfahl sich aber ähnlich wie *Standard* und *Trust* auch dadurch, daß sich Ableitungen von ihm leicht gewinnen ließen (*boykottieren* nach engl. *to boycott*; vgl. *standardisieren – vertrusten;* aber *Boykottierung* sagte kaum mehr als das Grundwort!). Von den Häfen her drang *chartern* auch in die Umgangssprache, häufiger als seine Ableitungen *Charterer* = Schiffsbefrachter, *Charterung, Charterparty*. Der *Scheck* wurde nicht in seiner englischen Form *(cheque)*, die deutschen Fachkreisen schon in den dreißiger Jahren des 19. Jahrhunderts geläufig war, sondern gegen das Jahrhundertende im amerikanischen Gewand *(check)* volkstümlich (*Scheckbuch; einen Scheck auf die Zukunft* ausstellen; ein *ungedeckter Scheck*, ein *Blankoscheck*); *Order,* längst vom Franzö-

[1] Der Prediger- und Erzieherstil, den man amerikanischen Werbungen anmerkt, ist bei uns kaum noch zu spüren. Vgl. L. Spitzer, in der Zeitschrift „Sprache im technischen Zeitalter XI/XII, S. 962 ff.

sischen hergenommen, wurde nun durch englische Seefrachtausdrücke verstärkt (*for orders* = Fahrtweisung); das *Limit* (= Auftragspreis, Preisvorschrift, Frist) tarnte sich gelegentlich lateinisch *(Limitum)* und hatte *Limitation* und *limitieren* im Gefolge. Was im politischen und Sportsleben der *Gentleman* war, wurde für die Wirtschaft der *Selfmademan*; auch der *Außenseiter* (der sich nur zögernd an die Stelle des älteren *Outsiders* setzte) ist, wiewohl er im Sport geprägt worden war (= Pferd, auf das nicht gewettet wurde), durch seine vielen Bedeutungen im Kaufmannsdeutsch (= Nichtfachmann; Spekulant; Publikum; Dummkopf) verbreitet worden. Dem sportlichen *fair* entsprachen das kaufmännische *smart* und *klever* (seit 1954), beide wohl mehr durch amerikanisches als durch englisches Vorbild empfohlen, unübersetzbar, weil sie pfiffig den Eindruck des Zuverlässigen mit dem Durchtriebenen, so Geschickten wie Schlauen koppeln; aber *smartness*, eine Zeitlang gern gebraucht, hat sich nicht bei uns einleben können. Flugzeug-, aber auch Ferienplätze werden *gebucht* (engl. *to book*); ist alles belegt, sind sie *ausgebucht*. Der *Streik* behielt bis an die Jahrhundertwende sein englisches Gewand (*Strike, striken, Striker;* doch druckten die Preußischen Jahrbücher schon 1884 *Streik*); er galt zunächst als unübersetzbar und fand dann doch reiche Möglichkeiten in der Umgangssprache (= heftig ablehnen, nicht mitmachen; *Streikbrecher* [Hamburg 1896] = Spielverderber; nach dem Zweiten Weltkrieg kam der *Bummelstreik*, unlogisch auch *Arbeit nach Vorschrift*, in Mode). Die in unsern Tagen vielgeliebte Rühmung *weltweit* ist wohl schon in der Mitte des 17. Jahrhunderts aus *world-wide* herübergeholt worden; wie im Mutterland – *wide* fast ein Suffix wurde, so – *weit* auch bei uns (*reichs-, bundes-, europaweit,* besonders von dem Magazin „Spiegel" gepflegt). Übrigens sollte auch das WC in diesem Zusammenhang erwähnt werden: nach Londoner Muster von Berlin aus (seit 1860) langsam vordringend, zeigt der Handelsartikel im Wort nicht nur seine Herkunft *(watercloset)*, sondern auch in der euphemistischen Abkürzung die Breiten, in denen er Wort wurde. – Andere Fügungen aus dem Englischen blieben auf Fachkreise beschränkt oder waren nur kurze Gäste; Hauptwörter wie *Receipt* oder *Skeleton-case* (Feigenkiste), Beiwörter wie *middle* = mittelfein oder *sticky* = matschig waren auf die Dauer entbehrlich; man vergaß sie, wenn sie ihre Pflicht, *Goodwill* zu wecken, getan hatten. Doch hielten sich manche Bezeichnungen aus dem Bekleidungsgewerbe, das im 19. Jahrhundert von England aus bereichert worden war (*Boxcalf, Buckskin; Schirting, Waterproof* u. ä.); die erfolgreichste Neubildung aus dieser Ecke ist der *Twen* [1], den ein Kölner Geschäft

[1] Neuerdings erfand man zum *Twen* die *Twennie (Twennieröcke)*; das ist sozusagen ein ausgereifter *Teenager* oder, sprachlich interpretiert, eine amerikanisierende Weiterbildung eines englischen Wortes, wie sich der kleine Mann aus Deutschland Amerika (oder England) vorstellt.

für junge Mode (heute würde man sagen: eine *Boutique*) in den frühen sechziger Jahren in Umlauf setzte. Alle diese Entlehnungen wollen das *Image* der Firma oder Ware steigern, d. h. alle Vorstellungen zusammenfassen, die irgend von einem Gegenstand ausgelöst werden können [1]. – Der Landwirt *molschte* den Boden (= machte ihn mürbe; engl. *to mulch*) und regte damit zur Bildung des Beiworts *molschig* (molschige Birnen) an, ohne sich der Zusammenhänge noch bewußt zu sein.

Zahlenmäßig überwogen zuerst noch die Entlehnungen aus dem Französischen, teils, weil sie die Börse mitaufgebaut hatten und daher unersetzbar schienen *(Baisse, Hausse, haussieren, Depot, Kurs, Fonds)*, teils, weil sie sich so eingebürgert hatten, daß jeder Ersatz lächern machte: *Büro* schrieb man bis über die Jahrhundertwende hinaus noch „gebildet" *Bureau;* sein Leiter war der *Chef*, der in Schule und Behörde eindrang; man traf *Arrangements,* um dem *Renommé* der Firma zu dienen – so büßte das Zeitwort *renommieren* etwas von seinem burschikosen Klang ein: das *gutrenommierte* Haus! –; man stellte *Attrappen* ins Fenster, verkaufte entweder *en gros* oder *en détail,* aber auch *en bloc,* war immer *kulant* (das war etwa die altmodische Entsprechung zum modernen *Smart*sein!), nahm die *Saison* wahr – gegen die die *Season* nur wenig und vorwiegend im Hotelgewerbe etwas ausrichtete –, *engagierte* sein Personal, aber auch immer öfter sich, um sich in ein Geschäft einzuschalten oder seine Teilnahme zu bekunden; heute ist *engagiert* eins der beliebtesten Wörter unter Akademikern, besonders unter jungen. Man beherrschte jedenfalls die *Branche* und in ihr das *Ressort,* für das man sich entschieden hatte. Der große Schlag, der im Ersten Weltkrieg gerade gegen das französische Fremdwort geführt wurde, hat viele von ihnen verdrängt: die *Nouveauté* wich der *Novität,* dann der „reizenden *Neuheit*", wie denn auch der lateinische *Sozius* den französischen *Associé* ersetzte, der *Coupon* den *Abschnitt,* der *Retourbrief* die *Antwort; hors concours* hieß nun, etwas schwerfälliger, *außer Wettbewerb,* und das *Détail* wurde zur *Einzelheit* (*ins Détail gehen* = ins einzelne; *en détail* = Klein-, Einzelhandel). Dabei war man nicht immer geschickt: so wandelte man den *commis voygeur* zuerst zum *Reisenden,* dann, als die Eindeutschung dem Namensträger mißfiel, zum *Vertreter*; heute nennt man sich vollmundig *Verkaufsförderer* oder sagt verschämt, man sei *im Außendienst* beschäftigt. Damit sah sich der Vertreter alsbald seiner Persönlichkeit beraubt und zum Strohmann

[1] In der großen Masse amerikanischer Wörter, die nach dem Zweiten Weltkrieg durch die Wirtschaft zu uns geschwemmt wurden und deren Lebenskraft bei uns recht verschieden kräftig war, haben die aus dem Gastwirtsgewerbe besondere Zähigkeit; man vgl., um nur ein Beispiel zu nennen, die Sippe von *Bar (Barmixer, -keeper, Snackbar* usw.). Auch die Verschiebung der Speisekartenfremdwörter vom Französischen zum Englischen (*Corned Beef, Grapefruit, Toast* [auf dem *Toaster* hergestellt] usw.) gehört hierher.

eines Ungenannten gemacht, von dem er seine Aufträge empfing: *Vertreter* als Berufsbezeichnung stieß einen ganzen Stand in die Anonymität und regte darüber hinaus einen Sprachgebrauch an: man *vertrat* alsbald einen Standpunkt oder auch eine Behörde, einen Verein, den Staat oder andrer Leute Interessen, ohne daran zu denken, daß ein Vertreter Wesen und Namen preis-, aber nicht aufzugeben hatte.

Es blieb nicht aus, daß die Kaufmannsbezeichnung *Sorte* von der Ware auf den Menschen überging („Was ist denn das für eine *Sorte* Mensch?"; „Bist du von der *Sorte?*"), ja, daß der Gesprächspartner, der sich wie ein Stück Seife *einwickeln* ließ, nicht anders wie dieses nach seinem *Format* bewertet wurde; dem *Kerl* und der *Frau von Format* folgte dann die *großformatige Sache*. Nach dem Zweiten Weltkrieg wurde die *Verpackung* fast wichtiger als der Inhalt (*Frischhaltepackung*), so wichtig, daß sie schnell in den Schatz an volkstümlichen Redensarten eindrang (*Auf die Verpackung kommt's an!*) [1]. Dabei mißlangen dann auch ein paar Prägungen; ein Warenmuster z. B. als *Ausfallmuster* zu bezeichnen, hieß, den erhofften Kunden irritieren. – Andere Bildungen waren glücklicher; der schon von Campe gebuchte *Nennwert*, der sich erst jetzt durchsetzte (für *Nominalwert*); die *Aufwertung*, die man 1907 für die brasilianische *Valorisation* fand und die später die *Abwertung* nach sich zog; die *Deckung* (für *Garantie*), das *Tage(s)geld*, der *Notenumlauf* und der *Zinssatz (Zinsfuß); à jour* verdeutlichte man mit *auf dem Laufenden*, nämlich dem laufenden Tag, auf dem man einen andern halten und selber sein konnte.

Andrerseits durchwob die Redeweise der Wirtschaft ihre Muttersprache aber auch fortlaufend mit lateinischen Wörtern: zu den *Aktiva*, die in Fachkreisen seit dem 18. Jahrhundert geläufig waren, gesellte sich nun das *Äquivalent* (= Gegenwert), die *Bonität* (= Zahlungsfähigkeit), die *Konjunktur* (= Geschäftslage), der *Konsum* mit seinen Gesellen: *konsumieren, Konsumartikel, -rabatt, -verein* (vgl. S. 193 f.!), volkstümlich geworden durch die *Konsumgenossenschaften* (seit der 2. Hälfte des 19. Jahrhunderts) und ihre *Konsumläden*; die Verstärkungswörter *extra (extrafein, Extraware), super (Supermarkt; Super-Mascula* ist eine *Voll*formkost!) oder *supra (supraweiß)*; der *Modus*, der wie die *Prämisse* (= Voraussetzung) aus den Bezirken der Grammatik in die der Geschäfte trat (= Ausführung, Ausführungsart; danach der *modus vivendi* = Verständigung, Verständigungsgrundlage; einen *modus vivendi* finden), die *Mortifikation* (= Kraftloserklärung), die *Rektifikation*

[1] Der Reklameslogan für Faltschachteln *Packungen sehen dich an!*, nach einem in den zwanziger Jahren sehr bekannten Bildband von Eipper geprägt, setzte sich nicht durch – vielleicht, weil jenes Buch allzu bekannt war? Wohl aber könnte die Redewendung, man wolle nun mal *auspacken* (= endlich die ganze Wahrheit sagen), durch die Bedeutung der Verpackungen nach dem Zweiten Weltkrieg wieder zugenommen haben.

(= Berichtigung), die *Prosperität* (= Wirtschaftsblüte) und *sekunda* als Ergänzung zum beliebten *prima (Sekundaware, -wechsel, Sekundärbahn);* die *Option* (= Vorhand) wurde später im politischen Gebrauch wichtig. – Neben die Fremdwörter stellten sich viele Lehnübersetzungen wie *Fabrikmarke* (nach franz. *marque de la fabrique*), *Flauheit* (nach engl. *flatness;* aber das häufigere *Flaute,* aus älterem *Flaue* vom niederländischen Adjektiv *flau* entwickelt, ist ein altes Seemannswort), *Freihafen* (nach engl. *free port,* franz. *port franc*), *Geldschrank* (nach engl. *money-chest*), *Nachfrage* (nach franz. *recherche), Preisliste* (nach franz. *prix-courant,* engl. *price-current*), *Rundschreiben* (nach engl. *circular*), *Sortenzettel* (nach engl. *bill of species*), *Verjährung* (nach franz. *surannation*), *Wertpapier* (nach engl. *value papers*), *Geldleute* nach engl. *moneyed man; Geldsache* nach franz. *affaire d'argent; Selbstbedienungsladen, Supermarkt*; manche davon regten ungewohnte und meist nur kurzlebige Wortbildungen an (*Gutgewicht* nach franz. *bon poids*). Auch Redensarten wurden fremdsprachigen Wendungen nachgeformt: *Anstalten treffen* nach engl. *to make arrangements; eine Anschaffung machen* = eigtl.: zur Erfüllung von Verbindlichkeiten einen Wechsel schicken, nach franz. *faire remise; etwas in Umlauf setzen* nach franz. *mettre en circulation; Irrtum vorbehalten* nach engl. *errors excepted* u. a.

Genug! Die Fülle, der die Neuwörter nur als Schmuck über dem vielen Altgewohnten dienten, diese *Dividende,* die von der Wirtschaft über unsere Sprache *ausgeschüttet* wurde, bereicherte sie; jeder Reichtum bringt auch Gefährdung, und dennoch schilt niemand das Geld. Viele Wörter der Wirtschaft, fremde und eigene, gut- und schlechtgebildete sind bei uns eingewurzelt, sind *im Kurs gestiegen* oder auch *gefallen,* können *als Aktien verbucht* oder müssen *abgeschrieben werden,* sind eine *Hypothek* auf unsere Sprache, die sie manchmal aber auch *aufwerten,* helfen uns – je nach ihrer *Preislage* (= ihrem Wert) – dazu, die *Details* unserer Gespräche zu verdeutlichen, und dürfen jedenfalls nicht *en bloc* abgelehnt oder einfach *boykottiert* werden. Manche *Außenseiter* haben sich doch bewährt; andere (wie *Option)* wurden von andern Lebensgebieten *gechartert* und fanden so ihren *modus vivendi.* Niemand ist gezwungen, das zu übertreiben (er könnte sonst einstens die *Quittung erhalten*), aber keiner wird sagen dürfen, daß diese Wortbilder nicht reizvoll sein können. Wer wollte da eine *Gesamtbilanz ziehen*?

Aber die Wirtschaft strahlte noch andere Einflüsse auf unsere Sprache aus, die ihr nur schwer zugute gehalten werden möchten. Zur Plakatierung drängend, war die Werbung fast ausschließlich auf eine Beeinflussung des Wortschatzes angewiesen; nur dort, wo sie eingängige Werbesprüche, von denen noch geredet werden wird (s. S. 141 f.!), an die Alltagsrede abgab, war das etwas anders. Wo sie sich aber selbst herbeiließ, in längeren oder kürzeren Ausführungen, also in Sätzen, ihre Erzeugnisse anzupreisen – und das geschah fast ausschließlich in Zeitungsanzeigen –, blieb sie auf die Syntax der

Umgangssprache ohne Einfluß: denn entweder benutzte sie in solchen Fällen umgangssprachliche Satzformen, oder sie gab sich auch stilistisch so versnobt, daß man sie kaum nachahmen konnte [1]. Beim Schriftverkehr lagen die Verhältnisse anders. Der K a u f m a n n s b r i e f wurde deshalb so oft nachgeahmt, weil er, für die meisten Schreiber einziger Vertreter seiner Art, in Büchern, Schulen und Kursen gelehrt wurde, weil die Fähigkeit, ihn nach der Mode zu schreiben, Achtung, Erfolg und Fortkommen verhieß. Auch er lebte von der Verhauptwortung, aber aus andern Gründen als die Behörden: man wollte sich nicht so sehr wichtig machen als höflich sein, nicht „mit der Tür ins Haus fallen", sich lieber noch einmal händereibend verbeugen als ungezogener Kürze bezichtigt werden. Das Ergebnis war das gleiche: man war *in den Besitz eines Briefes gelangt, gab Antwort,* daß man bereit sei, *Preisnachlaß* zu *gewähren,* und bat, unsere *Hilfe in Anspruch zu nehmen*; der Rabatt *kam* dann freilich *in Wegfall,* doch vielleicht ein *Abschluß zustande.* Man *stellte in Aussicht, brachte in Anrechnung, leitete in die Wege*; man verkaufte *auf dem Wege der Zwangsvollstreckung, brachte zur Gutschrift* und *ging an die Hand; man bat unter Bezugnahme auf ... um Bekanntgabe* des Preises und *übermachte eine Bestellung.* Man lebte besonders unter der Zwangsvorstellung, es sei unerträglich unfein, sich selbst zu nennen, und verkroch sich daher, soweit man sich nicht ganz verleugnete (zeichne ergebenst ...; verbleibe hochachtungsvoll ...), hinter das unpersönliche Fürwort (*es gelangte zur Ausschüttung; es fand sich ein Fehlbetrag*) oder ein ungreifbares *Wir,* das höflich gemeint war und dabei den Käufer einer gefährlichen Hydra von Feindkaufleuten auslieferte (Wir teilen Ihnen höflichst ... mit), und dabei wurde dann „unser Herr Müller" geboren, der ein Besitz, aber auch ein Teil dieses Wir war (vgl. S. 130!). Anscheinend aber hielt man nicht nur die Erwähnung des eigenen Ichs, sondern auch die des Briefes für unanständig und vermied sie daher (Ihr Geehrtes vom 27. ds. Mts.; mit Heutigem). Den Behörden lag am Hauptwort, an der Festigkeit und Unbeweglichkeit ihrer Aussage; dem Kaufmann lag am Schnörkel an sich, gleich, ob er ihn im Haupt- oder einem andern Wort anbrachte. Er lieh also nicht einfach, sondern *überließ leihweise,* er klärte nicht, sondern *stellte klar* und *richtig* (oder, indem er ein kostbares Wort statt der zwei oftgenannten gebrauchte: er *stellte sicher*). Er nutzte lieber ein Wort zuviel als eines zuwenig; seine *smartness* verbot es ihm, mit Wörtern zu geizen; so kam er – wie die Behörde, aber wiederum von anderm Grund aus – zur D o p p e l a u s s a g e (vgl. S. 106 f.!), bestätigte also *die gehabte Unterredung, die diesbezügliche Entscheidung* oder *die gegenseitige Übereinkunft,* berechnete *nach erfolgter Prüfung* des *Endprodukts* die durch *die entstehende Mehrfracht entstan-*

[1] Vielleicht stammt die steigende Bedeutung der Konjunktion *und* in Reihungen aus Werbeanzeigen (= und außerdem noch)?

denen Kosten, rühmte seine *qualitativ hochwertigen* Waren und brachte eine Zahlung *zur gefl. Gutschrift* – wobei, recht besehen, die Gefälligkeit bei ihm lag! Aber er meinte es anders: die Gutschrift sollte dem Kunden gefallen; d. h. er verwandte das Beiwort falsch. Aber da sich die Abkürzung nach dem Gesetz der Serie selbstverständlich gemacht hatte, dachte er sich schließlich gar nichts mehr. Er hätte auch *„geschätzt"* schreiben können; das hätte ihm auch niemand geglaubt. – Er bot seine Ware *staunend billig* an (und er meinte: erstaunlich oder staunenswert); er war seinen *langen Kunden* (und er meinte: seinen alten oder langjährigen) gern gefällig; er wies auf seine *billigen Preise* hin (und vergaß, daß ein Preis nie billig oder teuer ist, sondern eine Geldsumme [12,35 *DM*; 7,80 *DM*] bezeichnet). Er schrieb verhalten von der *fraglichen Angelegenheit* (die doch gar nicht fraglich war, sondern, nach seiner Redeart, „in Frage stand", eher also „bewußt" genannt werden konnte); er *behändigte* lieber etwas, als daß er es einhändigte oder gar schlicht übergab; er *deckte sich ein,* und dabei verschmolz er die Tatsache, daß er seinen Bedarf *deckte,* mit der andern, daß er *sich* etwas *ein*kaufte; er *verweigerte* die Sendungen seines ehemaligen Geschäftsfreundes (nein: er weigerte sich, sie anzunehmen; er verweigerte die Annahme). Hier wurzelte oft Mißbrauch, etwa des Beiworts *selten:* eine *selten gute Ware,* lies: eine seltene, gute oder: eine in dieser Güte seltene Ware; eine *selten schöne Frau,* lies: eine Frau, so schön, wie selten eine; oder des Mittelworts *laufend* (wir haben *laufend Buttermilch*), des Zeitwortes *verfügen* (ich *verfüge über Geschäftsverbindungen*; aber eigentlich habe ich sie nur). Höfliche Wendungen zerschlissen so, daß man sie unhöflich abkürzen konnte (Ihr *gesch.* Schreiben; in *höfl.* Beantwortung; unter *gefl.* Bezugnahme); aber auch die ausgeschriebenen las und meinte man kaum noch (*bestens dankend, gütigst, nicht verfehlen, geben uns der Hoffnung hin, zu Gegendiensten stets gern bereit).* Wollte man auf seine Freundlichkeit hinweisen, mußte man schon entlegene Wendungen benutzen *(komme ich Ihnen gern näher; wir gestatten uns mit Heutigem);* auch sonst half die ungewohnte Wendung dazu, dem Partner die Aufmerksamkeit zu wecken *(es ist uns auffallend,* daß ...; *ich kann nicht umhin,* daß ...; *einiges Bedenken tragen*). Vieles blieb Leerlauf, nicht nur in den Einleitungen und Schlüssen mit ihren abgenutzten Höflichkeiten und unglaubwürdigen Ergebenheitsbekundungen (Hierdurch *bekennen wir uns zum Empfang* Ihres Geehrten ...; *Hoffend, in Kürze* ... oder, mit doppelter Aussage: *wir hoffen gern,* daß ...; wir *freuen uns, in der Lage sein zu können ...; und geben wir uns der Hoffnung hin*).

Über die Wortverstellung („Inversion") nach *und* ist viel geklagt worden. Sicher hat der Kaufmannsbrief sie nicht erfunden; ebenso sicher trug er viel zu ihrer Verbreitung bei. Aber vielleicht waren, wenn die Inversion auch den Satzbau unsicher machte, andere seiner Gewohnheiten gefährlicher? Er hatte (auch darin ähnelt er den Behörden) eine Vorliebe für Verhältniswörter (vgl. S. 108 f.!), nicht so sehr, weil er die Bildung von Nebensätzen verabscheute, sondern weil diese Neubildungen seinem Satz jene Merkwürdigkeit gaben, die er bevorzugte: er schrieb also *antwortlich* Ihres Geehrten, wo ein besserer Stilist „Auf Ihren Brief antworte ich ...", ein ähnlich begabter „In Beantwortung Ihres Briefes" gewählt hatte; er gab dem modischen *seitens* den Vorzug vor dem älteren *von Seiten*; er schrieb *darauf bezüglich* statt „dazu"; er rückte das amtliche *in Folge von* ... zusammen zu *infolge*; er liebte das von Campe für *inclusive* geprägte Verhältniswort *einschließlich* besonders, weil es ihm erlaubte, kulant zu sein („*einschließlich* aller Spesen und Unkosten berechnen wir preisniedrigst ..."). Man hätte von hier eine Belebung der Hauptwortbeugung erwarten dürfen; aber das Gegenteil traf ein: trotz der Vermehrung der Verhältniswörter schrumpfte dem Kaufmannsbrief die Flexion. Dazu trug bei, daß er unter der Stilwirkung des Telegramms stand: die Wortverschwendung seiner Anfänge und Schlüsse trat oft in seltsames Mißverhältnis zu der Abgerissenheit seiner Mitteilungen: *liefere freibleibend ab Berlin* ... (da wirkte wohl die Stilgebung des Fahrplans); *senden* Ihnen *per Post* ...; stückweise *à 3 M.* In solchen Fügungen blieb die Beugung entbehrlich; besonders der Genetiv ließ sich bei Orts-, Berg-, Fluß- und Wochentagsnamen einsparen (Feier [des] hundertjährigen Neustadt; Ausbruch [des] Vesuv; Überschreitung [des] Mississippi; Verhandlungen [des] vergangenen Dienstag). Auch hier wuchsen Zusammenrückungen, das *Frischei,* das sich schneller und billiger drahten ließ als das frische Ei, die *Vollpension,* die der vollen Pension an Gedrungenheit überlegen war, *gutbringen,* das gegenüber dem älteren und geläufigen *gutschreiben* unter der Zehnbuchstabengrenze des Telegrammworts blieb; aber das *Gelbei* ist nichts anderes als ein aus Neuigkeitsbedürfnis umgedrehtes Eigelb!

Diese Eigenheiten hätten nicht so weit um sich gegriffen, wären sie nicht durch Lehrer und Bücher auch in andern Kreisen verbreitet worden. Die Zeit vor dem Ersten und nach dem Zweiten Weltkrieg war die Großzeit der Briefsteller und Musterbücher, die sich fast alle am Kaufmannsbrief schulten. Bis heute spuken sie im Anzeigenteil unserer Zeitungen; vor vier Jahrzehnten wirkten sie gerade bei denen, die keine anderen Führer als diese billigen Hefte fanden. Ein paar Beispiele aus Briefwechseln, die sich in den Jahren um 1910 aus Heiratsanzeigen ergaben: in bezug Ihres werten Inserates ... ich vertrete ein natürliches Mineralwasser ... wage Ihnen mit diesen Zeilen näher zu treten ... erlaube ich mir zu bemerken ... dem Papier anvertrauen ... bitte ich mir zu gestatten ... ein Interesse widmen ... zur gefälligen Kenntnisnahme ... ganz offen mein Herz ausschütten ... ich Endesunterschriebener ... meine Wenigkeit ... zu Gegendiensten stets gern bereit ... Diskretion – selbstverständlich ... mit ehrenvoller Diskretion behandeln ... erbitte gütigst Ihre hochgeschätzte Bekanntschaft zwecks glücklicher und zufriedener Vermählung. Man könnte lange fortfahren. Der Stil des Kaufmannsbriefes war für viele – zahlenmäßig wohl für die meisten – deutschen Briefschreiber Vorbild geworden. Auf diesem Wege wurden dann Kaufmannswörter umgangssprachlich: man ging *per Arm,* wie man eine Zahlung per Kassa leistete, bezeichnete, was man rühmen wollte, als *Klasse!* oder *Marke!*, *machte* in Politik wie der Vertreter in Hemden oder Kaffee, und nahm, zuerst wohl in Berlin, das Wort *Laden,* wo man früher „Angelegenheit" oder „Sache" gesagt hätte (der *Laden* ist in Ordnung! = diese Sache klappt; den *Laden* werde ich schon schmeißen = das kann ich gut erledigen; der *Laden* klappt = die Sache stimmt). Wollte man die Aussage betonen, ließ sich der *Laden* zum *Saftladen* steigern (eigtl. = Gastwirtschaft). Auch andere Kaufmannswörter glitten aus der Fach- in die Umgangssprache, die dann, ähnlich wie bei Wörtern aus technischen Bereichen (vgl. S. 57 ff.!), nicht zögerte, Mensch und Ding unziemlich gegeneinander auszutauschen. Es ist weder geschmackvoller noch überlegter, von Frauen etwa als von einer *Mangelware* zu sprechen als Patienten *Krankenfälle* oder Soldaten *Menschenmaterial* zu nennen.

Auch daß die Kaufleute mit ihren Werbesprüchen die tägliche Rede schmückten, war nicht neu; das hatte schon Eastman im vorigen Jahrhundert seinen Kunden beim Kodak vorgemacht *(You press the button, we did the rest!).* Wie rasch und gründlich solche Redensarten (man sagt heute *Slogan* dazu, verstattet dem amerikanischen Wort auch eine verbreiterte Bedeutung) sich in die Umgangssprache schmeicheln, wie leicht sie zu „stehenden Wendungen" im Redefluß werden, ja fast zum Rang von Zitaten aufsteigen, beweist die Prägung, daß *alles in Butter* sei, womit denn gemeint ist, alles sei in Ordnung. Sie stammt, das merkt man ihr an, aus Berlin und ist dort um die Jahrhundertwende aus einer Kinderheimreklame geflossen, in der versichert wurde, alles, was man dort den Zöglingen zu essen gebe, sei in Butter gebacken oder gekocht. Das war ein Treffer ins Schwarze; aber er hat, besonders in der Zeit nach dem Zweiten Weltkrieg, viele Artgenossen gefunden. Da war zuerst die Zigarette, die *aus gutem Grund rund* war; sie war noch nach alter guter Sitte gereimt wie die Vorkriegsschlager:

So nötig wie die Braut zur Trauung,
ist Bullrichsalz für die Verdauung.

Oder:

Das schönste Kleid verliert den Zauber,
wenn alles andre nicht ganz sauber.

Oder:

Der ganze Nimbus war verflogen,
als er sein Taschentuch gezogen.

Coca-Cola hatte gar mit einem Zitat aus „Antonius und Kleopatra" geworben. Aber als der Reimspruch von der Zigarette in aller Leute Mund war, konnte man auf den Reim verzichten: *Aus gutem Grund* – – –! Da pries man seine Ware als *von Kennern bevorzugt,* da rief man der kränkelnden Menschheit zu: *Sorge dich nicht – lebe!,* da verhieß man – zuerst, wenn ich mich nicht irre, für die Verspeisung niederländischer Gurken – *Genuß ohne Reue,* da lockte man: *Nimm zwei,* nämlich Pralinen, da versprach eine Suppe *Kraft in den Teller,* ein Waschmittel *zwingt grau raus, zwingt weiß rein,* der Käfer (VW) *läuft und läuft und läuft* (diese Wendung wurde dann bis zum Überdruß nachgemacht), das Versandhaus *Neckermann machts möglich,* nämlich die große billige Reise ins Ferienparadies, auch *harte Männer* jubeln: *Zwei Worte, ein Bier!*; Brikettverkäufer warnen: *Der nächste Winter kommt bestimmt,* und die Bundesbahn behauptete: *Alle sprechen vom Wetter – wir nicht* (aber dann kam ein harter, schneereicher Winter mit viel Verkehrsstörungen, und da verblaßte der Slogan etwas). Eine Kraftölfirma pries ihren *Service* an, der sei, *wie man ihn sich wünscht,* ein Waschmittel wusch so vortrefflich – *weißer geht's nicht!* Man zielte auf den Geltungsdrang, auf die Eitelkeit, auch auf die Trägheit der Umworbenen *(...nimmt Ihnen alle Arbeit ab!),* und konnte man sich nicht anders vernehmlich machen, versuchte man es mit Lautstärke; *sei kein Dreckspatz!,* rief (1970) die Aktion „Saubere Landschaft" den Wanderer an; man nannte einen Wagen mit Erfrischungsgetränken *Durstkiller,* oder man versuchte es auch einmal mit einem Schuß Schlüpfrigkeit: *Wie oft am Tag?, Fragen Sie den, der einen hat!, Papier müßte man haben!, Mundfrische, die den Mann weckt.* Seit der Büchmann (vgl. S. 49!) weggesteckt war, hatte kaum ein andrer Lebenszweig so viel Redefloskeln der Umgangssprache beigesteuert. Übrigens sind solche Sprüche durchaus nicht immer Eintagsfliegen; August Scherls etwas vollmundige Warnung *Gedenket der hungrigen Vögel!* wird nun fast ein Jahrhundert Winter für Winter von Vogelfutterhändlern und Parkwächtern erneuert. Gelegentlich greifen die Sloganpräger auch zu fremden Federn; die Wendung, eine Ware *habe (atme) einen Hauch von...* ist einem Filmtitel entlehnt *(Ein Hauch von Nerz);* die Volksläufigkeit, die dadurch erreicht wird, erobern andere durch unablässige Wiederholung *(der Duft der großen weiten Welt).* Man scheute auch keineswegs Anleihen bei andern volkstümlichen Sprechweisen, war z. B. wie ein guter Fußballer *immer am Ball,* oder versuchte, im Stil süßlicher Groschenromane Pralinen an den Mann oder die Frau zu bringen *(Ferero-Küßchen vergißt man nicht!).* In einer Zeit, in der Dichtung und Schrifttum darauf bedacht waren, ihre Sprache und ihre Themen möglichst weit von Irrealismen jeder Art anzusiedeln, machte sich die Sprache der Werbung zum Rückzugsgebiet vergangener oder vergehender Sprechstile. Auch hier mag eines ihrer Erfolgsgeheimnisse schlummern: in dem Drang der Vielen zum goldenen Gestern. Dazu kommt, daß sie sich oft an erfolgreiche Vorläufer rhythmisch oder klanglich anlehnen und daß ihre eingängige Struktur die Chance hat, beim Kunden wie ein Zitat haften zu bleiben: entweder verknüpfen sie – asyndetisch und zweigliedrig – die Ware mit dem Umworbenen, oder sie fügen als drittes Glied den Werbenden hinzu; die Reihenfolge der beiden oder drei wechselt; damit wird Einförmigkeit vermieden.

V.

Presse und Umgangssprache

Zu Brief und Werbung trat die Zeitung. Sie dankte ihre stürmische Entwicklung im 19. Jahrhundert drei Ereignissen: der Erfindung der Schnellpresse, die 1823 von der Spenerschen, ein Jahr später von Cottas „Allgemeiner Zeitung" in Dienst gestellt worden war und sich seitdem, betreut von der Fabrik ihres Erfinders Friedrich König in Würzburg (1817), über die Zweifarbenmaschine (1864) zur Rotationsmaschine Edgar Königs (1876) vervollkommnet hatte; der drahtlosen Nachrichtenübermittlung, die Bernhard Wolff 1849 durch sein „Lithographisches Bureau" der Zeitung erschloß, und dem Sturz der Papierpreise, die zwischen 1870 und 1900 (da man gelernt hatte, Holz zur Papiererzeugung zu nutzen) um zwei Drittel fielen und damit den Millionenauflagen der Großstadtblätter den Boden bereiteten. Die Zeitung wurde im 19. Jahrhundert umfangreich, allseitig und billig; sie übernahm den Leserüberhang, den die verbesserten und verbreiterten Bildungsmöglichkeiten der Zeit geschaffen hatten, zunächst fast allein: nicht so sehr das Buch, sondern Zeitung und Zeitschrift sogen die Massen an sich, die lesemündig geworden waren. Sie trat mit einer Unfehlbarkeitsmiene auf, die ihre Leser beeindruckte; aber sie gab ihm auch, indem sie dazu überging, auch seine Zuschriften zu veröffentlichen, ein Gefühl von Geborgenheit, ja von Anerkanntsein in der wachsenden Anonymität der Zeit. Zwischen 1824 und 1869 hatte sich die Zahl der in Preußen erscheinenden Zeitungen fast verdreifacht; sie war von 845 auf 2127 gestiegen. Nun verdoppelte sich zwischen 1881 und 1895 allein in Berlin ihre Zahl noch einmal (454 : 834). Schon 1885 waren nahezu 520 Millionen Zeitungsnummern in Deutschland befördert worden; fünfzehn Jahre später hatte sich diese Menge beinahe verdreifacht; sie betrug damals nahezu anderthalb Milliarden und näherte sich 1910 der Zweimilliardengrenze. 1967 erreichte die Zahl der Tageszeitungen in der Bundesrepublik eine Auflage, die zwischen 17 500 000 und 21 200 000 Exemplaren lag; auf drei Einwohner kam also eine Tageszeitung (Schweden: 2 Einwohner für eine Zeitung, Rußland: 10:1); d. h. jeder Erwachsene liest bei uns seine Tageszeitung. Erhebungen unter Arbeitern ergaben im selben Jahr, daß vier Fünftel aller Werktätigen regelmäßig ihre Zeitung studierten; andere Meinungsforscher stellten fest, daß sieben von zehn Jugendlichen diesen Brauch übernommen hatten. Man hat ausgerechnet, daß der Durchschnittsbürger unseres Landes täglich durch die Presse und durch Rundfunk oder Fernsehen rund 100 000 Informationen erhält; davon nimmt er ein Drittel zur Kenntnis; 100 beachtet er. Die Zeitung ist nicht nur Deutschlands größter Bildungsherd, sondern auch sein mächtiger Sprachmeister geworden; so unrecht hatte Karl Kraus nicht, als er meinte, hierzulande verdränge das Lesen das Leben.

Nun darf nicht übersehen werden, daß der sprachliche Einfluß der Zeitung im 20. Jahrhundert eher gesunken als gestiegen ist. Daß der Erregung zweier Weltkriege jeweils eine gewisse Nachrichtenmüdigkeit folgte, schlug weniger zu Buch als die Tatsache, daß sich in den Jahren der Diktatur das Vertrauen zur Zeitungsmeldung abkühlte und der Zeit breitgeöffneter Gläubigkeit nun eine Periode oft gelangweilter, aber immer einspruchbereiter Skepsis folgte. Schon bald erkannte man, daß der Leser seiner Zeitung gegenüber „immun" wurde, daß sich danach auch der Journalist in resignierender Gewöhnung oft in eine, wie Dovifat das einmal nannte, „Sprache der Ermattung" sinken ließ. Dazu kam, worüber wir noch eingehender sprechen müssen, der Einfluß anderer, akustisch wirksamerer Massenmedien und die Tatsache, daß viele Jahre nach dem Zweiten Weltkrieg hindurch der Mangel an politisch-sachlichen Alternativen eine Gleichläufigkeit auch des Berichterstils nahelegte. Es gelang damals nicht mehr, eine für die Bundesrepublik ähnlich repräsentative Zeitung zu schaffen, wie Deutschland sie vorher in der „Tante Voß", der Frankfurter Zeitung, dem Hamburger Fremdenblatt besessen hatte. Unsere wenigen „überregionalen" Tageszeitungen von heute, DIE WELT, Frankfurter Allgemeine Zeitung und Süddeutsche Zeitung, unterscheiden sich thematisch wenig, politisch kaum und sprachlich gar nicht. Die Zeitung hatte zudem im Lauf der Zeit sehr viele und sehr verschiedenartige Funktionen übernommen. Sie informiert nicht nur über Ereignisse des öffentlichen Lebens; sie dient auch als Prüfstein eigener Ansichten, und man kann sich behaglich bei ihrer Lektüre so auf dem Wege zur Arbeit, beim Frühstück oder bei Zigarre und Bier entspannen. Gleichzeitig öffnet sie sich vielfachen praktischen Anliegen: man kann an Hand ihrer Wetterberichte besser über seine Zeit disponieren; man findet in ihren Anzeigen, was in bekannten Familien vorgegangen ist oder was es gerade Kaufenswertes gibt; man kann, wenn man daran glaubt, durch den Wink ihres Horoskops dies oder das erhoffen oder vermeiden; man hat die Möglichkeit, seinen Speisezettel nach ihren Vorschlägen mannigfaltiger und womöglich auch schmackhafter zu gestalten, und man hat bei alledem das gute Gefühl nicht nur, mitreden zu können, sondern auch auf eine nicht näher zu beschreibende Art mit andern Menschen der Stadt, des Landes verbunden zu sein. All diesen Funktionen mußte die Zeitung in steigendem Maße entsprechen; das ließ sich auch sprachlich nicht über e i n e n Leisten schlagen. Wenn es dennoch erlaubt ist, das in seiner Entwicklung wie in seinem Wesen so vielschichtige Gebilde unter einheitlichem Namen zu begreifen, läßt sich etwa Folgendes feststellen:

Die Eigenart der Zeitungssprache entwickelte sich zunächst in dem und durch den Facettenreichtum des Spiegels, den die Zeitung ihren Lesern darbot. Der literarische Ehrgeiz, den sie seit der Romantik betätigt hatte und der sich durch Namen wie Görres, Kleist, Schleiermacher, Heine, Börne und Hauff bestätigte, war nicht erloschen; im F e u i l l e t o n, das nach 1815 auch in Deutschland heimisch wurde, fand er sein bestes Betätigungsfeld [1]. Um 1835 machte sich – wieder nach französischem Muster – der Z e i t u n g s - r o m a n zum Mittelpunkt des Feuilletons und beschleunigte die Verdrängung des Buches erheblich. Aber da nur die großen Zeitungen die Begabten an sich fesseln konnten, waren die meisten Blätter auf verdienstsuchende Mitarbeiter angewiesen, deren schriftstellerische Eignung oft zu bezweifeln stand. Eine Mitte entstand zwischen Kunst und Betrieb, Dichtung und Schreibhandwerk; ihr wurde die Bezeichnung *Journalismus* immer ausschließlicher beigelegt, ohne daß damit die Erscheinung selbst geklärt worden wäre. Aber neben diesem Teil, der auch in dürftigen Blättern von einigem Ehrgeiz gestachelt war, standen Sparten, die keine Beziehungen zur alten Welt der Schreibekunst hatten: der p o l i t i s c h e T e i l, dessen Aufsätze zwar sprachlich anfangs vom Historikerstil – erst Rankes, dann Treitschkes – beeinflußt wurden, dessen Nachrichten aber von der Depeschenkürze geformt waren, die ihnen Wolffs oder Hirschs Telegraphenbüro oder die späteren Presseagenturen gegeben hatten; der *Handels-* oder W i r t s c h a f t s t e i l, der ohne besondere schriftstellerische Ziele sich der Kaufmanns-, Bank- oder Handelssprache befleißigte und ihren Wirkraum verbreiterte; an Bedeutung immer noch wachsend der S p o r t t e i l, der mit der Wirtschaftssparte den Verzicht auf die literarische Form teilte, im übrigen aber sehr eigene Quellen (sie werden uns noch beschäftigen) hatte; ihm verwandt eine dem Auto gewidmete Sparte (seit 1952); ferner die Ortsnachrichten („das L o k a l e"), wo kaum Gelegenheit war, sich zu grundsätzlicher Breite zu weiten, daher die sprachliche Nähe zum Telegramm auch hier, wo gar kein Telegraph zu ihrer Übermittlung notwendig war; die Veröffentlichung und Beantwortung von L e s e r b r i e f e n und -anfragen, deren Gegenwart kaum bemerkt wurde, die aber, um eine nette menschliche Nähe zu betonen, der *Briefkastenonkel* (um 1916) oder die *Briefkastentante* (1961) verwaltete; schließlich die bunten A n z e i g e n seiten mit ihren Werbungen und Familien-

[1] Karl Kraus hat 1910 – in seinem Aufsatz „Heine und die Folgen" – Heine für die Einschleppung der „Franzosenkrankheit", lies: des Feuilletons, verantwortlich gemacht. Das trifft nicht ganz zu.

nachrichten [1], auf denen König Kunde selbst zu Worte kam und notfalls auch seine Tarnwörter einschwärzen konnte – jedermann weiß seit dem Film „Ehepaar sucht Gleichgesinnte" (1969), was *gleichgesinnt* oder auch *aufgeschlossen* bedeutet. Aber kaum einer bemerkt, wie die farblose Landschaft unserer Familienanzeigen ein trauriges Gegenstück zum Wachsblumengarten unserer Feierstundenredner wird, wie sich in ihr die alten guten Adjektiva *(herzensgut, lieb, unvergeßlich, treusorgend, unermüdlich)* verschleißen, wie Floskeln hier Tabucharakter erhalten und Gefühle andeuten, deren Echtheit schon durch ihre Häufigkeit bezweifelbar wird.

Das ist ein sehr buntes Bild, dessen einzelne Farben kein Ganzes ergeben. Wenn überhaupt, schuf eine allen Sparten gemeinsame Notwendigkeit die Einheit: die Schnelle, mit der aus vielen kleineren und größeren, besseren und schlechteren, jedenfalls inhaltlich höchst verschiedenartigen Beiträgen in täglich neuem Bemühen d i e Zeitung erbaut werden mußte. Schon der Herausgeber unserer ältesten Zeitung, der Straßburger „Relation", hatte 1609 die „Eyl" seiner Arbeitsweise beklagt. Nun bestimmt die Rotationsmaschine den Zeitablauf; sie, nicht mehr ihr Erbauer und Betriebsherr ist der Meister. Sie duldet keinen Aufschub; der „Journalist", der sich nun zum allseitig bewanderten *Kolumnisten* wandelte und sich gern als *Publizist* bezeichnet hört, als sei er jetzt befördert worden, sah sich zwischen Depesche und Maschine eingezwängt und wurde zum Glied eines Getriebes, das ihm keine Möglichkeit ließ, über den schmalen Raum seiner Zuständigkeit hinauszuwirken, und der *Reporter* [Wort und Gestalt wurden vom Englischen hergenommen] arbeitete auf der Straße, im Zug, in der Droschke, aber selten am Schreibtisch. Zwischen ihn und die Zeitung schob sich der *Presseagent*, der die zur Veröffentlichung geeigneten Tatsachen auswählt und die Situation reportergerecht zurechtmacht. Allein in der Bundesrepublik gibt es um 900 Presse- und Informationsdienste, 40 davon geben ausschließlich Börseninformationen. Manche von ihnen haben nur verhältnismäßig kleine Auflagen (1500–1600 Stück); aber ein Nachrichtendienst wie die „Standortpresse" wird täglich in zweieinhalb Millionen Exemplaren verschickt. Oder anders herum: an über 60 Redaktionsgemeinschaften sind fast 400 Haupt- und über 350 Nebenausgaben angeschlossen, das heißt, es werden von ihnen fünf Millionen Zeitungsexemplare inhaltlich und weitgehend natürlich auch sprachlich beliefert. Der Plan, dieser oder jener Zeitung ein einheitliches Sprachkleid zu geben, konnte gar nicht gefaßt, geschweige verwirklicht werden; verantwortlich denkende Schriftleiter *(Redakteure)* mußten sich mit allgemeinen Richtlinien zur inhaltlichen und formalen Konzentration begnügen, zumal es eine ihrer Hauptsorgen sein mußte, die einlaufenden, von Agenturen oder Pressediensten vor-

---

[1] Auch Anzeigen werden durch Agenturen verbreitet: über zwanzig Anzeigenringe versorgen heute über 250 Blätter!

geformten Nachrichten dem eigenen Material sinnvoll und nahtlos einzufügen. Zudem war der äußere Aufschwung über die innere Entwicklung hinausgebrandet; es mangelte vielfach an geeigneten Kräften; man mußte sich mit denen behelfen, die sich anboten, und nur langsam entwickelten die großen Blätter und ihre hervorragenden Mitarbeiter einen Berufsstolz, der auch die sprachliche Fügung einschloß und dem sich geringere Blätter nicht versagen konnten. Den großen Agentur- und Konzerngründern folgten nach beiden Weltkriegen die bedeutenden Journalisten, die Sprache, Stil und Inhalt zu einer oft meisterlich gefügten Einheit zu verbinden wußten. Natürlich entwickelte sich daneben auch ein Fachjargon, der sich aus den verschiedensten Lebensbereichen speiste: aus der Studentensprache stammte der *Rückzieher* (= Dementierung einer Meldung), aus der Sprache der Wissenschaft die [*gute, verläßliche, meist gut orientierte*] *Quelle,* auf die man sich geheimnisvoll berief, wenn man keinen Namen nennen wollte oder konnte; die Schulsprache steuerte die [amtliche] *Berichtigung* (das *Dementi*) bei, zu dem man genötigt wurde, wenn sich ein Leser zu Unrecht bloßgestellt sah. Eine überraschende Meldung, eine als *Exklusivmeldung* gebrachte *Enthüllung,* die im *Extrablatt* bekanntgegeben wurde, hieß eine Zeitlang mit ihrem französischen Kennwort eine *Trouvaille,* zu deutsch *eine ganz große Sache*; heute spricht man von *heißem Nachrichtenmaterial.* Auch die *Zeitungsente* (Steigerung: *fette Ente*) war eine Lehnübersetzung von franz. *canard.* Ziemlich wichtig wurde – in sprachlicher Beziehung – das lange Zeit so genannte *Revolver-* oder *Boulevardblatt,* gleichsam als Einzahl zu der von den „Grenzboten" erfundenen Schelte *Revolverpresse* (1873) zunächst nur die verantwortungslos geleiteten Zeitungen meinend; später regte die Bezeichnung an, das, was in diesen Revolverblättern geschah, als *Schießen* zu bezeichnen; wer erlag, war *abgeschossen,* wem das Treiben galt, gegen den wurde *quergeschossen* – eine Wendung, die sich schnell unter dem Eindruck der Weltkriege auch andere Lebensbereiche, politische, wirtschaftliche, private eroberte. *Gazette* wurde zur Zeitungsschelte; große Zeitungstrusts bezichtigte man des *Meinungsmonopols* (ein schwer definierbares Wort, das der Abgeordnete Müller-Meiningen in der Süddeutschen Zeitung geprägt hat), und ihr Besitzer wurde *Meinungsmacher* gescholten, da durch das ihm angelastete *Zeitungssterben* viele kleinere und mittlere Blätter beseitigt wurden. Blieb eine Nachricht unvollständig, sprach man von einer *Informationslücke;* die schnell unübersichtlich gewordenen Anzeigenseiten nannte man *Anzeigenfriedhöfe.* Zur wirkungsvollen Zubereitung einer Meldung brauchte man – auch in andern Massenmedien – den richtigen *Aufhänger;* die *Pressekonzentration* beunruhigt die Gemüter, weil sie die Gefahr verstärkt, unbedeutende, aber in ihr Konzept stimmende Nachrichten *hochzuspielen.* Aber im allgemeinen ist hier keine große Ernte zu halten; das sprachliche Gesamtbild der Zeitungen war und bleibt uneinheitlich, widerspruchsvoll und oft unerfreulich. Noch heute beobachten wir Einzelheiten, die an vergangene Jahrzehnte erinnern. Ja, es muß festgestellt werden, daß die Stellung des Zeitungsmannes zwischen Nachrichtendraht, Agentur, Redaktion und Rotationsmaschine, daß diese Summe von Auslesevorgängen auch die sprachformenden Kräfte der Zeitung bis zu einem beträchtlichen Ausmaß binden muß und immer binden wird.

Einsprüche gegen d a s *Zeitungsdeutsch* (das es demnach eigentlich nicht gab, nicht gibt und kaum je geben wird) wurden früh und nachdrücklich angemeldet. Schopenhauer machte das Wort, das um die Jahrhundertmitte geprägt wurde, volkstümlich; aber seine scharfen Einwendungen (1856/60) ernteten eher den Lorbeer klassischer Formung, als daß sie praktisch wirksam geworden wären. Auch sein Gefolgsmann Ferdinand Kürnberger, Wiener und wohlbegabt zur fesselnden Plauderei, löste mit seinen mehr ins Breite als ins Tiefe wirkenden An- und Aufrufen (1866, 1878) mehr unverbindliche Zustimmung als eifernde Nachfolge. Was sie beide, verschieden nach Art und Gewicht, rügten, betraf nur Erscheinungen, die durch Achtlosigkeit entstanden waren: unerlaubte oder unzweckmäßige Kürzungen in Wort und Satz, Einebnung sprachlicher Unterschiede, vorschnelle Wortbildungen, Auflösung der Satzgefüge, ungenauen Wortgebrauch u. ä. Während der Philosoph es bei Aufzählung und Tadel beließ und keinen Ansatz machte, die Sprachforderung der Klassik an den Bedingtheiten der gewandelten Zeit zu messen, versuchte Kürnberger, wenn auch mißbilligend, der neuen Sprachform ihr Gesetz abzuhorchen; er unterschied z. B. beim Journalisten die Sprache der Aufregung, der Abspannung und der Höflichkeit. Wäre man seinen Weg weiter gegangen, hätte sich die Lage klären, auch bessern lassen. Daß man darauf verzichtete, daß die Wissenschaft die Frage liegen ließ, wo Kürnberger sie hingelegt hatte, daß der Sprachverein sich mit Schopenhauers Wort vom *Zeitungsdeutsch* abfand und es wie einen Prügelknaben überall verwandte, wo ein Schuldiger für den Sprachverfall gesucht wurde, daß viele Leser Nietzsches wütende Abneigung gegen das „Zeitungsdeutsch, Verzeihung, Schweinedeutsch" arrogant imitierten, ohne Fontanes Einwände (vgl. sein Nachlaßgedicht „Die Zeitung" von 1896!) zu beachten, daß die Zeitungen selbst schließlich mehr nichtachtend als ärgerlich über die Anregung der Sprachpfleger zu ihren Tagesgeschäften übergingen, beweist, daß sich niemand der Fragestellung öffnete. Man lebte zu stark, als daß man Grundsätze erörtern wollte; die gleiche Zeit, die randvoll auch von sprachlichen Erlebnissen und Neuformungen war, war nicht bereit, ihrer sprachlichen Lage schöpferische Teilnahme zuzuwenden. Auch die leidenschaftlichen Mahnrufe von Karl K r a u s gegen die Presse, diese „unheilge Schrift" der Zeit, verklangen kaum gehört.

Kraus (1874–1936) wirkte in Wien, seit langem aus Zorn über den Zustand der heimischen Presse Leiter und alsbald auch Alleinverfasser einer eigenen

Zeitschrift („Die Fackel", 1899, Alleinverfasser seit 1913), in der er, mit scharfen Sätzen örtliche und allgemeine Mißstände anprangernd, anfangs gegen den österreichischen Liberalismus, später für den Pazifismus zu Felde zog. Dabei fand er, daß der Verfall der Sprachform in der tonangebenden Presse Wiens ein Spiegel des allgemeinen Verfalls sei, und zog ihm zu Leibe, seinen Berufsgenossen ihre Sprachvergehen auf spitzer Feder entgegenhaltend. Seine sachliche Leidenschaft und der Schliff seiner Worte bezwangen auch den getroffenen Gegner. Verdächtigungen, als spräche übersteigerte Kränkung aus ihm, verstummten langsam, und es blieben Verwunderung und Hochachtung vor dem Einzelgänger, der um eines fehlgesetzten Kommas willen eine ganze Nummer seiner Zeitschrift vernichten lassen und über die wienerische Verbindung von „vergessen" mit „an" zornig werden konnte. Was Schopenhauer gelehrt, was Nietzsche verkündet hatte, den Zusammenklang von Sprache und Ethos, die natürliche Verbindung von Wort und Sache, diese Grunderkenntnis fand in Kraus einen zähen, begeisterten, unermüdlichen Verfechter, der, indem er in den gärenden Sprachschatz und in die Unsitte der Zeit griff, eine Verbindung schuf, die den Zweifler überzeugen, den Lernwilligen fördern mußte. „Wenn die Menschheit keine Phrasen hätte, brauchte sie keine Waffen. Man muß damit anfangen, sich sprechen zu hören, darüber nachzudenken, und alles Verlorene wird sich finden." D a r u m rang er um die Erneuerung des Satzgefühls, d a r u m suchte er dem Geheimnis des Wortes wieder auf die Spur zu kommen („Jedes Wort ist eigentlich ein Gedicht!"); d a r u m zeigte er seinen Landsleuten, was Nestroy für ihre Sprache getan hatte, und d a r u m warnte er vor Heinrich Heine. Anders als Mauthner, der viel theoretischer, man möchte sagen: akademischer zur Sprache stand, griff er ins Sprachleben hinein, entnahm ihm seine Beispiele und zeigte an ihnen und durch sie, was es mit der Sprache auf sich hatte. Er machte es seinen Lesern also – auch durch die Beimischung seiner witzigen, schöngespitzten Gedankensplitter – auf den ersten Blick leichter als jener. Aber dennoch kam auch er über den „Kreis" nicht hinaus, getragen wohl von der Verehrung und Liebe derer, die sich zu ihm stellten, aber ohne echten Einfluß auf die Breite und damit auch ohne spürbare Wirkung auf die Gemeinsprache. Vielleicht ändert die Renaissance, die dieser Begnadete und Besessene, dieser Meister der Sprache seit dem Zweiten Weltkrieg erfährt, dieses Mißverhältnis zum Besseren. Einstweilen wird von ihm mehr geredet als von Mauthner; aber seine Bäche haben unsern Acker doch weniger bespült als die unterirdischen Kanäle des andern. Ihre Höhepunkte lagen zwei Jahrzehnte auseinander; als Mauthner an seiner „Kritik der Sprache" schrieb, begann Kraus mit seiner „Fackel".

Die Sprachformen der Zeitung haben Schopenhauer, Kürnberger und Kraus in so genauen Einzelbeobachtungen beschrieben, daß sich auch vom gegenwärtigen Standpunkt aus nur wenig hinzufügen läßt. Es gab damals und wohl auch noch heute ein Kinder- und Gesellschaftsspiel, bei dem der Angerufene auf die Frage „Was bringt die Zeitung?“ schnell ein Hauptwort auf *-ung* zu sagen hatte. Tatsächlich wurde die Zeitneigung, Abstrakte aus den verschiedensten Zeitwörtern zu bilden, von den Zeitungen gestärkt und verbreitet (vgl. S. 107!). Aber das traf doch nur *eine* ihrer Eigenarten. Die von Schopenhauer, Kürnberg und Kraus zusammengetragenen Wort-, Satz- und Stilformen entstammen den verschiedensten Lebensgebieten, die meisten der Wirtschaft, nicht wenige der Behördensprache. Die Zeitung wurde zur Pflegestätte sprachlicher Bildungsweisen, die zwar auch ohne sie ins Überfachsprachliche gewirkt hatten, aber nun mit ihrer Hilfe gleichsam die letzte Bestätigung für alle erhielten. Sprachrohr der Wirtschaft, der Behörden, der Parteien, der vielen, vielen Lebenskreise der Nation, gleichzeitig auch Kanal zu Wissenschaft und Dichtung, Kunst und Bücherwelt und natürlich auch zu deren Sprachformen, das ist ihre eine, ihre wichtigste Sprachleistung. Sie wirkte in drei Richtungen: sie verflachte durch ihre Vielgestaltigkeit das sprachliche Unterscheidungsvermögen der Leser, stumpfte dadurch ihr Sprachgefühl und bestätigte, indem sie es aufnahm und neben dem altgewohnten Gut gleichberechtigt gelten ließ, das neue und neueste Sprachgut des Tages. Sie lockte dazu, die Wahrheitserwartung ihrer Leser, die in ihr eine Institution zweifelsfreier Belehrungen ähnlich der Kirche oder Schule sahen, mit zu schnell geprägten oder aber – noch gefährlicher – mit zu genau überlegten Stereotypen zu enttäuschen oder, je nachdem, zu betrügen. Obwohl es nun seit über dreieinhalb Jahrhunderten deutsche gedruckte Zeitungen gibt, hat der Durchschnittsleser hierzulande noch nicht begriffen, daß alles, was er in der Zeitung findet, eine Auswahl ist, die andere für ihn getroffen haben – andere, die bei ihrem Geschäft vielleicht nur in Eile waren, vielleicht aber auch bewußt diese Nachricht unterdrückten, jene über ihr Gewicht hinaus betonten, eine dritte durch Umformulierungen ihren Absichten anpaßten. Schon 1609, im selben Jahr, aus dem wir die beiden ersten gedruckten Zeitungen aus Deutschland kennen, schrieb Gregor Wintermonat in seiner Vorrede zur „Zehnjährigen Historischen Relation“: „Die Neuenzeitungen sind der Herren und Potentaten Steuerruder“ – sie waren es immer, und sie waren es überall, nicht nur (wie Kleist die Deutschen glauben machen wollte) im Frankreich Napoleons, und nicht nur in alten oder heutigen Diktaturen. Auch bei uns spricht man von Verfälschungs- und von bewußt farbloser Isolierungstaktik einzelner Redaktionen. Dadurch schärfte die Zeitung bei den Mißtrauischen die Skepsis gegen den Aussagewert der Sprache; bei den Zeitungsgläubigen stärkte sie die Neigung zum Schlag-, zum Tages-, zum Modewort. – Und sie bereicherte, drittens, den Wortschatz ihrer Leser um so eindringlicher, je mehr es ihr gelang, den gelegentlichen zum ständigen Leser zu verwandeln. Um die Jahrhundertwende veranschlagte man den Wortvorrat eines Durchschnittsstädters auf 6000 bis 8000, den eines Bauern auf 3000 bis

5000, den eines Akademikers auf 10 000 bis 12 000 Wörter; seitdem ist er um das Vielfache gestiegen, und die Klassenunterschiede sind auch sprachlich geschrumpft. Die Zeitung erschloß jedem Leser unmerklich Gebiete, die er sonst kaum im Vorbeigehen berührt hätte; auch wer nichts von Sport oder Wirtschaft wußte, gewöhnte sich an ihre wichtigsten Ausdrücke, ahmte sie nach und gebrauchte sie im eigentlichen und übertragenen Sinn. Dadurch weiteten sich allen die Ausdrucksmöglichkeiten; Shakespeares Wortzahl, früheren Zeiten ein Wunder, wird heute vermutlich von jedem Durchschnittsgroßstädter erreicht und übertroffen. Seit ihren Anfängen hatte sich die Presse als tüchtige Fremdwortbrücke erwiesen; die Nachrichtenverbreitung durch Agenturen und die wachsende Hast der Nachrichtenaufbereitung betonierte diese Funktion. Nicht verwerfliche Ausländerei, sondern die oft unbedachte Übernahme vorgeformter Klischees ließ sie Formelwörter besonders der angloamerikanischen Presse hinnehmen und in unsere Umgangssprache tragen; daß man nun lieber *Boom* statt *Hausse* sagt, daß man eine Vorliebe für – meist recht realistische – *Visionen (visions)* hat, daß man *sich weigert*, etwas anzuerkennen *(refuse)* statt es abzulehnen, daß man ein Neues gern als *brandneu (brandnew)* bezeichnet, von *spektakulären* Ereignissen spricht, Ansichten *zementiert* und die Meinung des Partners *herausfordert (to challenge)*, daß man Einrichtungen *institutionalisiert* und Vorstellungen *realisiert (to realize*, aber in anderer Bedeutung!), daß man Branchen, Zufahrtswege oder Länder *kontrolliert (unter Kontrolle bringt)*, auch die Neigung, alle nur erdenklichen Auskünfte, Mitteilungen und Nachrichten als *Information* zu bezeichnen – all das und mehr dazu stammt vorwiegend aus amerikanischen Zeitungen oder Pressediensten. Kaum jemand würde von einem *Happening*, einem *Sit-in* reden, läse er es nicht Tag um Tag in seiner Zeitung, und das beliebteste all dieser Worter, die *Manipulation*, ist vollends durch sie herumgetragen und emotional aufgeladen und diffamiert worden. Dazu kommen Lieblingswendungen, die sich ganz unvermutet einfinden und einnisten: *das läßt aufhorchen* (womit man den Leser als Schläfer verdächtigt); *das stimmt nachdenklich* (womit man ihn dumpfen Dahinbrütens für anfällig hält); dieser oder jener *artikuliert sich* oder irgend etwas anderes; an vielen Dingen spürt man ein *Unbehagen*, und was derlei mehr ist. Manchmal läßt sich der Ursprung einzelner Formulierungen feststellen: der *häßliche Deutsche* entstand nach dem Muster des *ugly American* 1964 im „Spiegel", *die Aufmüpfigkeit*, die neuerdings von Sprachsnobs gern bemüht wird, ist ein Lieblingswort des Spiegelchefs Engel; *seid nett zueinander!* ist Springers Devise. Gelegentlich haut man auch in der Wortwahl daneben und stiftet dadurch Verwirrung und Unsicherheit in breiteren Kreisen, etwa, wenn man, wie man nun oft lesen kann, die ihrem Wesen nach zwielichtige *Sprachregelung* mit der ganz legitimen „Terminologie" verwechselt. Die häufigen Eventualwendungen (*es scheint, es dürfte, könnte, würde, sollte, möchte;* vgl. S. 229!) und die merkwürdige Aufwärtskurve, die das mühsam-flickende Wörtchen *sogenannt* in unsern Tagen nimmt, sind Zeichen dafür, wie oft den Schreibern der Boden unter den Füßen schwankt. Nachweislich hat, um ein anderes Beispiel zu bringen, die Berliner „Volkszeitung" in den zwanziger Jahren unter dem Einfluß von Wiener Journalisten die Neigung, das deutende Beiwort durch ein herangerücktes Substantiv zu ersetzen (*Silberhochzeit* statt „silberne Hochzeit"; vgl. *Hannover-Messe*), in den Norden und Westen getragen. So wirken der Fülle Kräfte der Nivellierung entgegen, der Serienhang zum Schlagwort z. B., zur landläufigen Redewendung oder die manirierte Verwendung von Bindestrich und Gänsefüßchen, und da oft die Neigung mangelte, sie im Sprachlichen zu vertiefen oder zu bändigen, zerfloß sie, und es gab ein merkwürdiges Mißverhältnis zwischen Wortreichtum und Armut der Aussagemöglichkeiten im gegliederten Satzgefüge oder durch Wortbeugung. Die reiche Fächerung des schriftdeutschen Satzes ist, seitdem auch Zeitungen von sprachlichem Rang Einfachsätze bevorzugen, auch im Schrifttum geschrumpft; das ist ein Einbruch unserer Sprech- in die Schreibsprache, der von unserer Presse nicht nur gutgeheißen, sondern auch fortentwickelt und andern vorgemacht worden ist. Die Leugnung einer Genetivbildung bei Namen und Titeln, die sozusagen unablässig gesprochene Gänsefüßchen voraussetzt, wenn man unserer Sprechweise wenigstens äußerlich entsprechen will (*die Bilder des „Spiegel"*), geschieht in unsern Zeitungen mit einer fast grausamen Folgerichtigkeit. Was Wunders, daß sich das allgemeine Gefühl für die Möglichkeiten des Genetivs immer mehr auflöst. – Die vereinzelten sprachpflegerischen Bemühungen weniger Blätter (FAZ!) sind, so klug sie sich geben, so gut sie die Dinge meist sehen und so trefflich sie oft formuliert sind, angesichts dieser unaufhörlichen Beeinflussung durch Gegenmuster kaum mehr als Tropfen auf einen glühenden Stein. Mag man es auch begrüßen, daß nach dem Vorbild unserer Zeitungsartikel bei Namensnennungen jetzt die Titel, auch die Bezeichnung „Herr" oft und öfter wegfallen, so scheint doch die nach amerikanischem Muster eingeführte Sitte, nun auch den Zunamen zu verschweigen und durch den Vornamen zu ersetzen, Distanzen zu verwischen, die nicht durch Standesunterschiede, sondern durch Intimsphären gebildet werden. Dies Gegeneinander von löblichem Fortschritt und peinlicher, für uns unstatthafter Imitation scheint ein brauchbarer Spiegel für die schillernden Sprachwirkungen der Presse.

Die alte Gesinnungszeitung hat sich um die Jahrhundertwende auch sprachlich zum Geschäftsunternehmen gewandelt. Das zeigte sich eindrucksvoll im Feuilleton, dort nämlich, wo die Leistungen der Kunst und der Künstler, der schöpferischen wie der nachahmenden, gewürdigt wurden. Kaum anderswo drang die Sprechart und -form der Werbung, der Geschäftswelt und einer peinlichen Scheinwissenschaftlichkeit so tief und so echt ins Gefüge der Zeitung wie hier, wo die Kritik sich die Mittel der kritiklosen Reklame und kritiklos die Floskeln der Forschung aneignete. Die blinde Nutzung von Steigerungswörtern und -formen verzichtet zwar auf das kollegiale Augenzwinkern, das im Geschäftsverkehr die Brücke zwischen Kunden und Kaufmann baut, aber dafür schwelgt sie im Schein einer höchsten Eingeweihtheit, die den Leser zur Anerkennung nötigt oder zum Eingeständnis der eigenen Unzulänglichkeit. Lob und Tadel gebärden sich nun nicht mehr beckmessernd oder splitterrichtend, sondern blähen sich reklameartig mit ihren schnell auswechselbaren Lieblingsnoten *(kongenial – unerhört – nie dagewesen – erschütternd – ergreifend – wahrhaft ... unübertrefflich – spektakulär – subtil).* 1889 schilderte Fontane seiner Tochter Mete den „Reklamenovellisten" des „Berliner Tageblatts": „Der Reklamenovellist ist nur der höchste Bedienstete des Inseratenchefs, und die höhere Form des Inserats, sozusagen der kunstvoll sich einschmeichelnde Ausdruck desselben, das ist Sache des Reklamenovellisten." Auf etwas höherer Ebene konnte der einzelne nach Eignung, Geschmack und Kenntnissen dem Werbestil etwa literarische Formen verschmelzen, wie das z. B. Maximilian Harden-Witkowski, 1861–1927, Gefolgsmann Nietzsches und Wagnerstilist, versuchte, oder sich zu einer selbständigen Stilform vortasten, die Alfred Kerr (1867–1948) z. B. folgerichtig weniger in den alten Gleisen des Literarischen als in der auffallenden Bunt-, ja Grellheit eines durch unvermutete Einfälle bestürzenden Feuerwerks anstrebte. Sein Einfluß lebt in dem auch heute oft spürbaren Drang der Kritikersprache nach einer besonderen, unauswechselbaren Note. Tiefer aber stachelt gerade die Journalisten, die ihre Leser in Kunst-, Film-, Theater- oder Musikfragen der Zeit einführen wollen, der Ehrgeiz, sich so wissenschaftlich wie möglich auszudrücken. Nicht so sehr das Streben nach der eigenen Handschrift als vielmehr der Wunsch, unterrichtet, fachmännisch zu wirken, das Bedürfnis oder die Notwendigkeit, Eignung durch echten oder vermeintlichen Fachsprachenputz nachzuweisen, verführt oft Stil und Formulierungen zu jenen Kapriolen, die auf einer bescheideneren Stufe aufgeplustert, in einer anspruchsvolleren Diktion verblasen bis zur Unverständlichkeit klingen. Das *echte Anliegen* und die – *subtile* – *Aussage,* die *Outrierung* und der *Aspekt,* die *gezielte Aktion* und der *Sektor, Habitus* und *Duktus, Niveau* und *Profil, Prägnanz* und *Amüsanz, artifiziell* und *spritzig, originär* und *minuziös, relevant* und *profiliert* – es sind ein paar Dutzend Standardvokabeln, die, mit ein paar Vorsichtsfloskeln *(fast – wohl – gleichsam – wie von selber – etwas – eine gewisse ...)* gemischt, das Gerippe vieler solcher Kritiken bilden. Man könnte die Achseln zucken und sie überschlagen. Aber gerade dies, daß man sie am liebsten abtun möchte, ist ihre gefährlichste Wirkung. Im einzelnen Wort ahmen sie nur Schmock und Snob nach; die sind nicht sehr bedrohlich. Aber daß ihre Menge es dahin bringt, daß ein großer Teil der Zeitungsleser ihre Sparten einfach überschlägt, weil er sich bei jedem neuen Versuch hilflos verlassen oder, noch schlimmer, für dumm verkauft fühlt, gerade das läßt den Raum zwischen den Künsten und denen, die nach ihnen verlangen, zur Kluft werden. In einem andern Zusammenhang wird noch einmal von der „Verwissenschaftlichung“ unserer Sprache zu handeln sein; es bleibe unvergessen, daß hier, an der Stelle, an der wir jetzt stehen, ein Meißel zuschlägt, der viele und böse Risse in unsere Gesellschaft stemmt.

Wer die Geschichte der deutschen Zeitung im 19. Jahrhundert überblickt, stößt früh auf zwei Blätter, die durch kluge Vorausschau Vorbilder zeitbestimmender Entwicklungsglieder geworden sind. Das eine ist Nonnes *Dorfzeitung* von 1818, das erste deutsche Blatt für den „kleinen Mann“, das mit seiner betonten Nüchternheit und in der Schlichtheit, mit der es alle Fragen anschnitt, auch in seinem Bestreben, den Leser so viel wie möglich zu entspannen und zu erheitern, den Stil mitbegründete, der später die vielen Großstadtblätter zum Erfolge führte. Das andere ist das *Pfennigmagazin* von 1833, das nach englischem Muster als erste deutsche Zeitung die Lektüre durch Bilder ergänzte und erleichterte. In der *Leipziger Illustrirten* (1843), später in der *Gartenlaube* (1852–1941; s. S. 12 f.!) wurde dieser neuen Gattung dann die für Jahrzehnte klassische Form geprägt. Damit war wiederum eine Entwicklung eingeleitet, die für unsere Sprache eine Bedeutung erhielt. Der aufmerksame Kürnberger ahnte es schon 1873: „Das illustrierte Blatt“, schrieb er (am 10. V.) an die Wiener „Deutsche Zeitung“, „ist der Übergang vom Lesen zum Nichtlesen. Viel Bild, wenig Text! . . . Und nicht lesen, immer gaffen!“

Diese Wendung kam aus der Kundenwerbung; fast hundert Jahre später wurde sie dann noch einmal aufgegriffen und in einem stürmischen Erfolg als richtig erwiesen. Die *Bildzeitung* wurde zwar 1952 als „Zeitung eines völlig neuen Typs“ begründet; aber sie bestätigte in Wahrheit nur alte Erfahrungen, freilich in einer sehr zeitnahen Form. Schon nach etwas über einem Jahrzehnt (1963) kaufte sie sich jeder fünfte Bundesbürger täglich; viel mehr als ein Drittel dieser Menge verzichtete auf die Lektüre einer Zusatzzeitung. Seither hält sie sich auf einer täglichen Auflagenhöhe von 4–4½ Millionen; man darf also eine tägliche Leserschaft von 10–14 Millionen Menschen unterstellen. Nur wenige davon bestellen sie sich fürs Haus; die allermeisten kaufen sie am Kiosk und lesen sie auf der Fahrt zur Arbeit oder in der Frühstückspause. Nach ihrer Meinung befragt, äußern sich zwar vier Fünftel der Bildleser abfällig über ihr Blatt; aber das hält sie nicht davon ab, es mit schöner Regelmäßigkeit und Ausschließlichkeit weiter zu studieren, wenn sich auch viele nur ungern dabei ertappen lassen. Das ist der größte nicht nur, es ist auch der zwiespältigste Zeitungssieg, den Deutschland je erlebt hat. Er wächst nicht so sehr aus der Tatsache, daß – nach eigener Aussage – „Bild sagt, wie es ist“; freilich darf man das Wie, das für ein erwartetes Was steht, nicht überhören. Aber im Grunde liegt das Geheimnis dieses bei uns beispiellosen Triumphes in der fast perfekten Mischung von Inhaltsauswahl und

-aufmachung, mit der dem besonderen Informationsbedürfnis des Durchschnittslesers in seiner eigenen Denk- und Redeweise entsprochen wird. Das beginnt bei dem Verzicht aller Ressorts auf die eigene Spalte: täglich wird neu entschieden, welche Mitteilung wo stehen soll, und es bleibt der augenfälligen Schlagzeile überlassen, das Auge des Lesers zu leiten. Man will betonen, daß keine Information mehr oder weniger wert ist als irgendeine andere; man erreicht, daß die ganze Zeitung, ohne daß ein Teil übersprungen werden könnte, gelesen oder doch überflogen wird (semper aliquid haeret). Ein solcher „Zirkusumbruch“ wirkt aber nur dann, wenn alle Mitteilungen nun auch, gleich welchen Inhalts, im gleichen Stil gebracht werden. Die Bildzeitung hebt also die Vielfalt zeitungssprachlicher Formen auf und setzt eine neue Einheit für alles, was sie bietet. In all ihren Beiträgen sucht sie im Leser den Mitmenschen anzusprechen, der durch schöne Beispiele zur Nachahmung des „Guten“, durch schlimme Vorkommnisse zum Abscheu vor dem „Bösen“ manipuliert werden soll. Er wird durch Hof- und Hollywoodberichte in ein Märchenreich gewiegt, durch Mord- und Verbrechenschilderungen eingegruselt, durch Berichte von Verkehrsunfällen in Angst gejagt, jedenfalls aber durch das, was der Mediziner „Reizkörper“ nennt, unaufhörlich erregt. Die Ruhepunkte, die Stunden unseres Aufatmens, wo immer wir sie genießen können, sie werden hier bewußt ausgespart; „Bild“ zeigt nicht „die Welt, wie sie ist“, sondern eine fiktive Welt unablässiger Emotionen. Dadurch reizt sie ihre Leser, die sie vornehmlich prickelnd unterhalten, nicht informieren will. Axel Springer hat es einmal – nicht in seinem Lande, sondern in Amerika – zynisch ausgesprochen, er sei sich darüber klar, „daß der deutsche Leser eines auf keinen Fall wolle, nämlich nachdenken, und darauf habe ich meine Zeitungen eingestellt“.

Der Leser von „Bild“ erlebt also tagtäglich eine Walpurgisnacht, und damit er den Hexenbesen als sein Hausgerät erkenne, bietet ihm „Bild“ alles in seiner eigenen Sprache. Die vielen Schlagzeilen, unter denen die Texte fast unerheblich wirken, machen aus allem, was sie mitteilen, eine Sondermeldung; sie strotzen also von gefühlsbetonten Reizwörtern. Was dann berichtet wird, macht sich durch eine Flut von Metaphern oder abgekürzten Vergleichen sinnfällig. Man holt sie nicht weit her; jedem Leser sind sie aus der Arbeit, vom Stammtisch oder Kegelabend, aus der Kleinbürgerstube geläufig. Vulgäre Vokabeln sind häufig; dabei läuft manches aus der Gaunersprache unter. Im Satzbau neigt man mehr zu verbalen als zu nominalen Aussagen; „Basisverben“ wie *machen, tun, gehen* machen genauere Formulierungen unnötig. Man bevorzugt transitive Verben mit den Vorsilben *be-*, *ver-* oder *zer-* (vgl. S. 75 f.!); man schätzt Substantiva auf *-er* (vgl. S. 74 f.!), auch solche auf *-ei.* Vorzüglich strapaziert man steigernde Vokabeln und solche mit superlativierender Wirkung (*übervoll – stocksauer – verdammt komisch – einfach Zucker – Klasseleistung – Riesenschlappe – Bombenkondi-*

tion – schrecklich einfach – unerhört – ungewöhnlich – absolut usw.). Man bildet gern neue Zusammensetzungen und freut sich, wenn sie doppeldeutig geraten: ein *Löwentor* soll ein vom Fußballverein München 1860 (den „Löwen“) erzieltes Tor loben, der *Polizeiskandal* meint keine unerlaubten Umtriebe oder Gepflogenheiten der Polizei, sondern vielmehr ihre unzureichende Besoldung. Man wählt seine Worte nicht zimperlich; man nimmt, wenn's nicht anders geht, auch mal eine unlogische Fügung oder ein schiefes Bild hin. Man baut nur selten und auch dann nur kurze Satzperioden; viel mehr liebt man einfache Sätze ohne Nebensatzgefüge und mit einem leicht überschaubaren Wortarsenal. Insbesondere bricht man mit dem alten Vorurteil, es sei die „Distanzstellung“ des Verbs, die den deutschen Satz auszeichne; vielmehr verfremdet man durch seine Spitzenstellung („Lockwort“) die Aussage *(erschlagen wurde ...)*. Man dramatisiert den Bericht, indem man die personae actionis reden läßt, besonders gern in Form von Regieanweisungen *(die Mutter drauf: ...)* und in Zwergabsätzen, deren Einleitungsformel man gern wiederholt oder leicht variiert. Dem entspricht dann die Vorstellung der Personen in Theaterzettelmanier *(Schreinermeister XY [37])*. Am emsigsten aber pflegt man die Adjektiva, seien es die alten Kraftmeier (*sich sauwohl fühlen)*, seien es die neuen aus den Werkstätten der Technik oder den Büros der Werbemanager (*ballhungrig, fernsehmüde)*. Man nutzt Präpositionen zur Einsparung von Substantiven *(das mit der Kündigung)* oder zur Aussparung von Genetivbildungen (*das einsamste Mädchen von ganz Rom)*. Stets ist die griffige Wendung erwünschter als das übliche Wort (*auf Eis legen* = aufschieben). Man verwischt die Distanz zwischen Leser und Täter, indem man diesen mit seinem Vornamen anredet, als wäre er Vetter Hinz oder Kunz *(Komm zurück, Monika!)* oder in Kleinbürgerart den Zunamen mit dem bestimmten Artikel versieht (*die Brandts)*; wenn im Wir-Stil berichtet wird, fühlt sich der Leser endgültig als Teil des Geschehens. Gelegentliche Wortwitze lockern anspruchslosen Gemütern die Nervenspannung (*Hilfe, wir verkalken!* – weil nämlich unser Trinkwasser so kalkhaltig ist); für solche Effekte ist dann auch etwa ein kauderwelschender Ausländer nicht zu gut. Mit Doppelpunkten und Gänsefüßchen wird nicht gespart: jene verschwendet man, weil sie Nebensätze einsparen (*dies Bild zeigt: ...*); diese verstreut man, um auf die gelegentliche Exklusivität der Wortwahl oder ihre witzige Doppeldeutigkeit aufmerksam zu machen. Jeder Anspruch wird vermieden; „Bild“ darf man sozusagen in Pantoffeln lesen. Hier wird nichts Neues versucht, so wenig in der Aufmachung wie in der Form der Nachrichten; hier wird dem Zerrbild des „gemütlichen“ Deutschen seine Wohn- und Gaststubenatmosphäre ins Gesicht geblasen. Der Erfolg läßt fürchten, daß es kein „Zerrbild“ ist, was da angesprochen wird. Jedenfalls aber geschieht auch sprachlich nichts Ungewohntes, Niemalsdagewesenes. Die sprachliche Bedeutung der Bildzeitung liegt nicht in den neuen Quellen, die sie sprudeln läßt, sondern in der Kanalisierung alter Gewässer. An der allgemeinen Vulgarisierung und Enttabuierung unserer Umgangssprache hat „Bild“ lebhaft mitgearbeitet. Nur zwei v. H. aller Menschen unserer Republik kennen die Bildzeitung nicht; man hat errechnet, daß, während eine Regionalzeitung nur zu einem Viertel, „Bild“ durchschnittlich zu drei Vierteln seines Inhalts gelesen wird – übrigens zu allermeist von Männern, obwohl *„‚Bild‘ weiß, was Frauen wünschen“*.

Eine Männerzeitung ist auch der *„Spiegel“*; seine Millionenauflage wird von mehr als $12^1/_2$ v. H. aller bundesdeutschen Männer gelesen; nur ein Drittel seiner Leser sind Frauen. Er ist das andere der deutschen Informationsblätter, das sich einen eigenen Stil geformt hat. Aber er kann, was seine sprachliche Ausstrahlung angeht, nicht einfach neben die Bildzeitung gehalten werden. Das liegt einmal daran, daß sein Durchschnittsleser eine beträchtliche Anzahl anderer Blätter neben ihm zu beobachten pflegt, also weniger anfällig dafür ist, sich ausgerechnet seine Eigenarten anzugewöhnen. Andrerseits gehören die Spiegelleser einer andern Bildungsschicht an: keine deutsche Zeitschrift hat so viele Leser mit Gymnasialbildung, und 16 v. H. seiner Getreuen gehören zu den Oberen der gehobenen Mittelschicht. Augstein, sein Herausgeber, hat einmal gesagt, seine handelspolitischen Artikel müßten so geschrieben sein, „daß nicht unbedingt jede Putzfrau, aber doch jeder interessierte Laie folgen kann“. Da sich die Spiegelartikel, so verschieden ihr Inhalt sein mag, sprachlich nur wenig untereinander unterscheiden, gilt diese etwas arrogante Bemerkung für alle Beiträge. Wie verschieden die Leser ihre Bildzeitung und den „Spiegel“ einschätzen, sieht man auch daraus, daß die meisten Spiegelkunden ihn sich nicht nur seit vielen Jahren ins Haus holen, sondern auch meist kürzere oder längere Zeit aufheben. Das geschähe ihm nicht, wenn er abgesehen von seinem Dokumentationswert nicht auch als ein Stück anerkannter deutscher Gegenwartsliteratur, als eine Art von Sachbuch gesehen würde. Zudem: der „Spiegel“ ist, ganz anders als die Bildzeitung, weit mehr ein Bestell- und Lesezirkel- als ein Kioskblatt. Die beiden lassen sich nicht blind vergleichen.

Dennoch: Es gibt einen „Spiegel“stil; er ist oft beschrieben worden. Er ist beabsichtigt; darin gleicht er dem der Bildzeitung. Seine wichtigste Anregung holte er sich von der amerikanischen „Time“, dem *group journalism* mit seinem Verzicht auf alle persönlichen Stilmerkmale der Beiträger, der Information durch *narrative stories* von durchschnittlich zwei Spalten, dem Verzicht auf Spalten zugunsten von Rubriken, die indessen nach Inhalt und Beschriftung höchst flexibel gehalten werden und ohne feste Ordnung durcheinander laufen. Der Mitarbeiter soll keinen eigenen Ehrgeiz entfalten; er arbeitet im Team, das heißt, er stimmt der Tatsache zu, daß, was er schrieb, von andern begutachtet und notfalls abgeändert oder umgeschrieben wird. Ja, er weiß, daß fast die Hälfte seiner Bemühungen im Papierkorb landet. Das ist, er weiß auch das, kein Werturteil, sondern Einsicht in die Rangordnung der Aktualitäten. Es wird viel Sorgfalt in jede Nummer eingebracht; aber während die Bildzeitung versucht, ihre Bemühungen um den sprachlichen Gleichklang ihrer Spalten vor den Leseraugen zu verwischen, spürt man, was der Spiegelbeiträger an Fleiß und Einfällen einbringt, in jeder Zeile.

Es ist vermutlich auch – und das wäre ein weiterer Unterschied zur Bildzeitung – unerlaubt, den „Spiegel" schlechthin als Stilform zu mißdeuten. Er ist weniger einheitlich, als man, beeindruckt von seinen auffallenden Stilsonderheiten, zunächst meint. Augstein selbst hat eine Uniformität seiner Zeitschrift geleugnet und sie, wo sie doch festgestellt werde, als eine Art von Augenwischerei an seinen Lesern oder als Unzulänglichkeit seiner Redakteure bezeichnet. Das berühmte Spiegelstatut von 1949 gibt nicht mehr als ein paar allgemeine Starthilfen für neue Mitarbeiter: den Rat, unverzüglich zu sagen, was und weshalb man schreiben will; den Hinweis darauf, daß es nützlich sei, den Leser mit dem ersten Satz wie mit einer Fangschnur festzuhalten; die Empfehlung, ihn durch die Formulierung des Schlußsatzes zu amüsieren, zu verblüffen oder zu verwundern. Das sind nicht nur „ein paar neckische Plattheiten", aber doch auch nicht mehr als die Mahnung an den Redakteur, ein wenig Leserpsychologie zu treiben und zu beachten. Das wird vom Leser bemerkt und prägt sich als Kennmarke der Zeitschrift ein, aber es hat keine Beziehung zur Umgangssprache, weder im Ursprung noch in seiner Wirkung – so wenig wie etwa die „Masche" mit den Bildunterschriften nachgeahmt werden kann.

Dabei täuschen diese dem „Spiegel" als Originalabsonderlichkeiten angelasteten Zierformen darüber hinweg, daß sein Fruchtfleisch sehr ähnlich wie das der Bildzeitung schmeckt. Zwar meidet man die abgegriffene Redensart und die billige Formel, aber ebenso sucht man durch die Wahl naheliegender Wendungen und Wörter, durch die Umsetzung fachsprachlicher Vokabeln oder Fremdwörter in die Sprache seines Verstehens, durch die Aussparung langer Zitate das Vertrauen des Lesers zu gewinnen. Ob er es merkt, daß sein „Spiegel" Modewörter und gedankenlos benutzte Adjektiva möglichst vermeidet, mag dahingestellt sein. Dabei ist auch wieder eine Neigung der Zeitschrift zu gewählten, altertümlichen, kostbaren Wörtern, die aufhorchen machen, nicht zu übersehen. So vorschnell es ist, so verschiedene Dinge in einen Topf zu werfen, so richtig mag der Verdacht sein, daß sich Redaktion und Beiträger bemühen, jedem Artikel die seinem Inhalt gemäße Form zu finden, um den Leser einzustimmen und seine Aufmerksamkeit rege zu halten. Eine Meinungsumfrage ergab, daß die meisten Spiegelfreunde seinen Stil für „verständlich, klar und intelligent" halten; das wäre die Bestätigung unserer Meinung. Spätestens seit der Spiegelaffäre von 1962 bemüht man sich, die verschiedenen Artikel gegeneinander und aufeinander abzustimmen und die bis dahin angestrebte allgemein hochgespielte Stilform in sich abzuschatten. Man strebt eine „aspektbetonte Berichterstattung“ an, und im übrigen ist man bemüht, den Leser durch Einzelheiten der Aufmachung bei der Stange zu halten, bis er das ganze Heft gelesen hat. Am meisten regt das „Magazin“ dadurch an, daß es, seit seinen Anfängen in der Besatzerzeit („Diese Woche“), sich nach einem Wort Augsteins als „Sturmgeschütz der Demokratie“ bewiesen hat – nie besatzungsfromm, nie regierungstreu, immer auf dem Sprung, das Unerhörte zu entdecken, ohne eine andere Einstellung als die einer permanenten Skepsis und dabei durch ein konsequent aufgebautes Archiv in der Lage, die meisten Behauptungen stichfest zu unterbauen. Es schenkt dem Leser die Illusion, mit auf Wache zu stehen – auf Wache an Bord des wahrhaft unbezweifelbar demokratischen Großseglers. Daß es dabei oft undurchsichtig ist und wenig Effekte vorbeiläßt, ohne nach ihnen zu haschen, erschüttert merkwürdigerweise nicht seine Glaubwürdigkeit. Es spielt, als wüßte es alles, wenn es auch (noch?) nicht alles sagt; es ist durchaus nicht „snappy“; eher könnte man es, vergleicht man es mit der Bildzeitung, weitschweifig nennen. Aber es gebraucht – wie der Leser – kurze Wörter, meist Zweisilbler, und knappe Sätze unter 20 Wörtern; das heimelt nicht minder an, als seine ausgefallenen, oft höhnischen Überschriften, seine gleichgearteten Personenbezeichnungen an- oder aufregen. Das läßt sich nicht nachmachen. Vielleicht setzt sich einmal eine Formulierung in Umlauf; aber das sind nur kurzlebige Ausnahmen. Als Ganzes gesehen wirkt der „Spiegel“ sprachlich – und darin ähnelt er wiederum der Bildzeitung – mehr dadurch, daß er vorhandene umgangssprachliche Neigungen oder Bildungen stützt, als daß er sie bereicherte. Nicht dadurch, daß er auffallende Wortzusammensetzungen unablässig mit oder ohne Bindestriche koppelt, beeinflußt er seinen Leser, sondern daß er ihm mit diesen auswechselbaren Bildungen vormacht, wie man Attribute oder Relativsätze einsparen kann. Mit andern Worten: er exerziert Syntaxkürzungen, die ohnehin in der Luft liegen, erfolgreich vor. Er liebt auch, noch einmal der Bildzeitung ähnlich, Inversionen, besonders vor direkten Reden; auch das hat er nicht erfunden. Was seine vielbewunderte und -verlästerte Originalität ausmacht, kann er nicht weitergeben; was er sprachpsychologisch leistet, hat er der Sprache seiner Zeit abgelesen. Vielleicht ist seine Brückenstellung für Fremdwörter, besonders solche aus dem Amerikanischen, seine wichtigste sprachliche Funktion.

Neben „Bild“ und „Spiegel“ hat keine andere deutsche Zeitung, kaum eine andere Zeitschrift ein eigenes Sprachprofil. Selbst wenn man unterstellt, daß in jeden Haushalt unserer Republik Tag um Tag eine Zeitung kommt, auch wenn man in Rechnung setzt, daß Deutschland noch nie so viele, so lebendige, so gut aufgemachte Informationen hatte wie jetzt, selbst dann wird man den sprachlichen Einfluß der Zeitungen nicht hoch veranschlagen. Das liegt meist daran, daß sie sich alle, mit mehr oder weniger Erfolg, bemühen, gefällig und flüssig zu schreiben. Das Ergebnis ist ein unauffälliges Gemeindeutsch, das sich von dem anderer Verlautbarungen in Schrift oder Rede möglichst wenig unterscheidet. Gerade das wollen unsere Journalisten. Die alte Verblasenheit, durch die sie vor einem Jahrhundert von sich reden machten, ist in den meisten Sparten aufgegeben; das hat ihnen einen Achtungserfolg eingetragen. Sie sind seriös geworden; sie schreiben auch so. Sie folgen den Spuren der Sprache, weil sie darauf verzichteten, sie selber in den Sand der Geschichte einzutreten. Eher lassen sie sich nachreden, formal zu langweilen, als daß sie es darauf ablegten, mit „Bild" oder „Spiegel" in Wettbewerb zu treten. Sieht man von den paar Boulevardzeitungen ab, die mit größerem oder geringerem Geschick der „Bild" nacheifern, befleißigen sich alle einer Wohlanständigkeit, die sie ehrt, aber ihnen auch die Möglichkeit nimmt, auf irgendeinem, auch nicht auf sprachlichem Gebiet den Fortschritt anzuführen.

Bei den Zeitschriften ein ähnliches Bild! Man könnte mutmaßen, daß die vielgelesenen Zeitschriften tiefer ins Sprachgeschehen eindrängen. Aber man darf nicht übersehen, daß der typische Zeitschriftenleser es nicht bei dieser oder jener bewenden läßt, sondern – sei es in der Lesemappe, sei es in der Eisenbahn – mehrere hintereinander ansieht, – ja eben: ansieht. Zeitschriften werden weniger gelesen als durchgeblättert und in ihren Bildern überprüft. Diese ihre optische Qualität und ihr Mengenverschleiß verstellen ihnen, wenn anders sie ihn überhaupt anzielen, einen sprachlichen Effekt. Das gilt auch für Blätter vom Schlag *„Jasmins"*, der „Zeitschrift für das Leben zu zweit", die mit ihrer Anderthalbmillionenauflage zwar kaum weniger Leser als der „Spiegel" hat, aber so viel Traumglück und Schwerelosigkeit verbreitet, daß kritische Leser die verlogene heile Welt, die da vorgetäuscht wird, nicht ertragen. Wer nur hineinschaut, ist von der Ausgewogenheit der Gestaltung, der Schönheit der Farben, dem guten Schnitt der Aufmachung angetan – oft so sehr, daß er zu lesen vergißt. Oder aber er spitzt auf das verschlossen beigelegte „Lexikon der Erotik"; dann wird sein Sprachschatz zwar bereichert, aber er ist darüber hinaus nicht weiter ansprechbar. Wenn man „Jasmin" die Gartenlaube unserer Zeit nennt, sieht man von dem beharrlichen Ernst, mit dem diese von A bis Z studiert wurde, ab. Auch *„Eltern"*, diese seltsame Mischung von Familienheimlichkeit und Sex, kann trotz ihrer Millionenauflage nicht mit der alten „Gartenlaube" konkurrieren – sprachlich schon gar nicht, weil ihr – wie den meisten Zeitungen – eine überdurchschnittliche sprachliche Konzeption fehlt. Da sind die *„St.-Pauli-Nachrichten"* mit ihren 850 000 Stück allwöchentlich und ihrem Slogan „Fummle mit am Wort, Liebling!" vermutlich einflußreicher – nicht durch ihre an „Bild" geschulte Aufmachung als vielmehr mit ihren neubefrachteten Adjektiven aus der Sexsphäre *(intim – attraktiv – tolerant – unkonventionell – vital – brutal – zärtlich – liebeshungrig – liebebedürftig)*, die sich durch ihre ulkig gemeinte und hingenommene Doppelbödigkeit zur bequemen Aussage unbequemer Tatbestände anbieten und selbst in den Anzeigenteilen bürgerlicher

Blätter ihr Spiel treiben. Dazu schleusen sie durch ihre Bevorzugung eines munteren Bordelljargons neue Wörter der Gaunersprache in unsern Alltag. Gerade das vermeidet der sonst so sexbetonte *„twen"*, der sich zwar sehr aufgeklärt gibt und so tut, als stufe er seine Leser nicht geringer ein, der aber, seitdem er auf eine politische Meinungsbildung weitgehend verzichtet (das heißt seit Mitte der sechziger Jahre), „Jasmin" darin nicht unähnlich, das Leben als ein Dauerfest darstellt und dabei nur zu deutlich merken läßt, daß er „Konsum" meint, wenn er „Lebensfreude" sagt. *„Twen ist die Zeitschrift für Neugierige"* verkündet die Redaktion, aber diese Neugier erschöpft sich in der Tagesmode und wäre gekränkt, wollte man ihren ewig blauen Himmel mit Realitäten verdüstern. Twens Bilder sind gut, die dazu geschriebenen Texte schlecht. Hier können wohl Modewörter und -begriffe eingeschleust, aber keine dauernde sprachliche Wirkung erzielt werden. Die andern Zeitschriften verstärken die Fiktivität des Weltbildes, das viele Hirne vernebelt; aber die Sprechweise dieser Menschen verändern sie so wenig, wie sie von ihr abstammen. Das gilt auch für die vielgelesene und -besprochene Illustrierte „Stern", die stilistisch so eindeutig dem „Spiegel" nacheifert, daß ihr kein eigenes Sprachprofil gelingt. Daran ist, bei dieser Zeitschrift wie bei ihren Artgenossinnen einschließlich der verbreiteten Programmzeitschrift „Hör zu", auch der Fluch mit schuld, „leichte Unterhaltung" bieten zu müssen. Wo keine Ansprüche gestellt werden, wird keine Wirkung ausgestrahlt.

Ausgenommen *„Readers Digest"*. Nicht, weil es etwa keine Fiktion verbreitete; mit guten Gründen könnte man es vielmehr als „Gartenlaube" einer gewandelten Zeit interpretieren. Seine Aufsätze behandeln Dinge „von bleibendem Wert"; sie sollen den Lesern nicht nur erbauen, sondern auch dahingehend belehren, daß diese Welt vortrefflich angelegt ist und sich zu immer größerer Vortrefflichkeit entwickelt. Solche modernen Märchen liefern, wir sahen das, auch andere Blätter. Was „Readers Digest" auszeichnet, ist die folgerichtige, ausschließliche Genauigkeit, mit der jeder einzelne Beitrag stilisiert wird. „Die Ereignisse auf der Welt können noch einfacher und überzeugender berichtet werden – bei größerer Sparsamkeit mit Worten ... Die Leute sind ungeduldig, hinter die Distanz der Dinge zu kommen." Auf dieser Grundlage entwickelte der Gründer Callawie sein Prinzip der „Kondensation" für alle der für seine Zeitschrift bestimmten Aufsätze, die also zunächst von Wortballast befreit werden mußten. Daraus entstand ein System sprachlicher Verdichtung, dessen Machbarkeit in einer Art von Spezialsprachlehre für „Readers Digest" nachgewiesen und festgehalten wurde *(style book)*. So verwandelt er, indem er nur Gegenstände behandeln ließ, die auch das Gefühl ansprachen, Wissen zu angenehmer Unterhaltung; in voller Feierabendentspannung darf sich der Leser vorstellen, an den Brunnen des menschlichen Fortschritts zu rasten und dabei auch noch „besser" zu werden. Der Beitrag, den er liest, ist gerade so lang, daß er über ihm nicht ermüdet; seine Sätze sind kurz, seine Wörter ohne Anspruch; wenn amerikanische Artikel in andere Sprachen umgesetzt werden, erinnert außer den Orts- und Personennamen nichts an ihr Herkunft. Ganz anders als in der Bildzeitung oder im „Spiegel“ gibt es hier nichts in der Sprachfügung, was auffiele, erregte oder auch nur den Atem beschleunigte; genau ist die Mitte zwischen Leerlauf und Überdruck berechnet und eingehalten. „Wahrheit ist, was aus einer Versuchsserie mit Mehrheit hervorgeht“ – diese „Wahrheit“ haben die Readers-Digest-Leute erprobt und verwirklicht. Die Sprachform, die sie dabei feststellten, begründete nicht nur ihren Erfolg in 30 Ländern und auch bei uns, sondern überzeugt auch so stark, daß man sie nachzuahmen beginnt. Es wäre z. B. der Mühe wert zu überprüfen, wie weit sie schon jetzt in unsere Schulbücher und Aufsatzlehren eingegangen ist. Aber freilich: da die deutsche Stilfibel von „Readers Digest“ unter Verschluß liegt, können nicht mehr als Annäherungswerte erwartet werden.

Das Bild ist zu bunt, um Verallgemeinerungen zuzulassen. Soviel aber ist deutlich, daß der sprachliche Einfluß einer Zeitung oder Zeitschrift um so stärker ist, je breiter die Leserschichten ausladen, an die sie inhaltlich und sprachlich appelliert. Ein versnobter Stil wird vielleicht gern gelesen, aber nicht nachgebildet; über kurz oder lang hat man ihn satt und sucht nach neuem. Ansprüche werden ungern befriedigt; der Leser fühlt sich am wohlsten, wenn er sein Sprachmilieu auch in den Spalten seines Blattes wiederfindet – gleich, ob dieses „Milieu“ mehr seinem Zuhause, seinem Arbeitsplatz oder seinem Umgangskreis gleicht. Hier schließt sich ein Kreis: das Gewohnte wird geschätzt, das Geschätzte wird nachgeahmt. Die Presse setzt wohl diesen oder jenen Begriff aus tagesnahen Gegebenheiten (Politik, Sport, Wissenschaft) in Umlauf; im wesentlichen aber stärkt und bestätigt sie im sprachlichen Bereich das, was ohnehin vorhanden ist und gelten möchte. Durch Lichtbildnerei, Film und Fernsehen begünstigt, hat sie der Bildzeitung und dem Bilderbuch in der Folge eine Bedeutung gegeben, die, weil sie die Bezirke des Lesens von Jahr fast zu Jahr einengte, der Sprache höchst abträglich wurde. Aber von den „Tatsachenberichten“ unserer Illustrierten, von den Comic strips, in denen diese Linie in unsern Tagen gipfelt, war damals noch nichts zu ahnen; der Film stand noch am Rande seiner Volkstümlichkeit; das Lichtbild eroberte sich damals erst die seine, und nur wer genau zusah, konnte aus dem Erfolg der „Familienblätter“ vom Schlage der „Gartenlaube“, des „Daheims“ und des „Kunstwarts“, an den steigenden Auflagenziffern der Berliner oder Leipziger „Illustrierten“ ablesen, wohin die Entwicklung führte. Aber die „Anzeichen einer neuen Primitivität“ wurden nur von wenigen beobachtet; es lag dieser Zeit mehr, auch das bedenkliche Symptom als Beweis für den Fortschritt zu feiern, der schon deshalb, weil er da war, begrüßt und bejubelt werden mußte.

VI.

Jugendbewegung, Sport, Medizin, Wissenschaft und Umgangssprache

In den Jahren, in denen Technik, Wirtschaft und Massensein die Sprache vor neue Gegebenheiten stellten, wurde in Deutschland ein Buch erörtert, umkämpft, beklatscht und angefeindet, das die Leser erregte, weil es die Gefahrenherde der Entwicklung zeigte. Es verhieß nicht weniger als eine „Wiedergeburt des Volkes von innen heraus"; es wandte sich „an die ernstdenkende Minderheit der deutschen Nation"; es machte sich anheischig, „den Deutschen mehr Charakter und große Gesinnung einzuimpfen". Es erhob also Einspruch gegen die „moderne" Lebensform; daß es dabei dem Volke Rembrandt als Erzieher vorstellte, war (auch dem Verfasser) weniger wichtig als die Tatsache, daß es eine „Erziehung" aller nicht nur für möglich, sondern für notwendig hielt, ja in ihr den einzigen Weg sah, der vom Abgrund ablenken könnte.

Den Erfolg dieses Buches hatte weder sein ungenannter Verfasser, ein nachdenklicher Schwärmer, der liebend alles umfassen wollte und mehr auf die Breite als in die Tiefe zu sehen geschaffen war, noch sein Verleger vermutet. Die 3000 Stück der ersten Auflage waren in einem Monat (Januar 1890) vergriffen; im Februar erschien die verdreifachte zweite Auflage, schon im Juni mußten weitere 20 000, im Oktober wieder 28 000 Stück gedruckt werden. Der Philosoph Rudolf Eucken nannte das Werk eine „Großmacht des deutschen Lebens"; Bismarck lud den Verfasser nach Varzin ein. August Julius Langbehn blieb dennoch weiter im Halbdämmer seines programmatischen Tarnnamens: als er sein Buch „von einem Deutschen" sein ließ, wollte er andeuten, sein Werk sei aus jener „Deutschheit" geschöpft, die Quell nicht nur, auch Rettung aus dem Drangsal der Zeit bedeutete. Als „Rembrandtdeutscher" trat er schnell ins Bewußtsein des Volkes, umwittert von eben jenem Helldunkel, das er seinen Lesern als Kern germanisch-niederdeutschen Wesens erklären wollte. So wurde er ein Stück seines eigenen Mythos. Hans Thoma, der den „Philosophen mit dem Ei" malte, begriff gut, daß unter dem Bildnis dieses Mannes kein bürgerlicher Name stehen dürfe.

Heute würde man Langbehns Buch einen „Bestseller" nennen; es behielt seinen Vorrang bis an den Ersten Weltkrieg heran und über ihn hinaus. Es waren also breite Schichten der Bevölkerung mit der Entwicklung keineswegs einverstanden; sie fühlten sich überrumpelt und nahmen begierig das Buch, das ihnen die Lage deuten und meistern helfen wollte. Langbehns Erfolg bewies die Unentschlossenheit des Bürgertums, das auf einen Anstoß von außen wartete und dabei ratlos der allgemeinen Bewegung zusah: es war bereit, dem Anstoß zu entsprechen; aber es bedurfte seiner; es war nicht zur Eigenbewegung fähig. So stellte sich hier ein Buch gegen eine Entwicklung, ein

Mythos gegen die Welt der Maschinen, und da war nun die Frage, die beim Aufstand der Dichter ungehört verhallt war, klar gestellt, die Frage nach der Rangordnung der alten und der neuen Welt. Und s i e war es, die aufrüttelte.

Man hätte Deutschland einen besseren Rufer wünschen mögen. Denn wiewohl Bismarck von Langbehn behauptete, daß er „mit Keulen schreibe“ und man ihn „nicht vor dem Einschlafen lesen“ könne, waren seine Aussagen doch in ihrer Unbestimmtheit und Verschwommenheit um so gefährlicher, als sich ihnen die klare Härte des technisch-modernen Lebens entgegenstellte. Langbehn war ohne Zweifel ein guter und ehrlicher Mann; aber er war zu schlicht, um mit seinem Denken der vielsträngigen Zeit begegnen zu können. Er neigte zu Plattheiten; Reime wie

„Ich denke Tag und Nacht daran,
Wie ich den Menschen helfen kann“

oder

„Ich singe, um euch besser zu betten,
um euch aus dem grauen Elend zu retten!“

zeigten einen Mangel an Tiefe, dessen unfreiwillige Komik damals anscheinend niemand merkte. Der Rembrandtdeutsche erklärte der „Zivilisationsmechanik“ den Krieg; hätte ihn nicht die Freude, die er an seinen schlagwortartigen Sentenzen empfand, an sich selbst irre werden lassen müssen? Ihre selbstherrliche Sicherheit, die eingängige Kürze ihrer notwendig überspitzten Formulierungen, ihr Hang zur Ausschließlichkeit und Steigerung, schließlich ihre Freude am Wortspiel rückten sie geschwisterlich nahe an die Werbetexte: „Kunstgesetze gibt es, Kunstrezepte nicht“; „Individualität haben heißt Seele haben“; „Geist der Individualität ist Geist der Scholle“; „Mode vergeht, Kunst besteht“; „Deutsche Lieder sind mehr wert als französische Liederlichkeit“; „Kritik scheidet, Ethik entscheidet“; „Der Deutsche streitet und singt“; „Adel ist Abstufung“ – überall stehen solche Sätzchen, die unklare Vorstellungen unter knisternden Worten verbergen, die außen auffallen, ohne innen zu wiegen, die klanglich belustigen und sachlich enttäuschen, weil sie entweder banal oder nebelhaft oder einfach inhaltlos sind, die auf eine im Grunde unverantwortliche Art Behauptungen als Tatsachen einschwärzen, ohne sie zu belegen oder durchzudenken. „Rembrandt als Erzieher“ hat die Neigung der Zeit, komplex zu urteilen, komplex zu formulieren und sich an klangvollen Wendungen zu berauschen, bestätigt und gestützt. Auch Langbehns Vorliebe für Steigerungsformen kam von der Werbesprache („die feinste, vornehmste, schmelzendste Farbenwirkung, welche menschliche Kunst je hervorgebracht hat“); kein Wunder also, daß er Lieblingswörter abgriff und sie damit in allzu lebhaften Umlauf setzte: *ideal, deutsch, echt, Persönlichkeit, Geist, Stil (stilgerecht, stilvoll), organisch, Einkehr, Wiedergeburt.* So begünstigte sein Buch die Inflation der Schlagwörter scheingeistigen Inhalts, die den folgenden Jahrzehnten verhängnisvoll wurde.

Einige der Rufe Langbehns verhallten ungehört, weil sie aus zu verträumter Ferne in die Zeit klangen, so sein Wunsch, den Geist Venedigs gegen den Amerikas zu stellen: „Venetianisierung ist besser als Amerikanisierung!" Mit andern glückte es ihm besser. Die Neubelebung der plattdeutschen Bewegung darf ihn unter ihren Mitanregern nicht vergessen. Sein Gedanke, ein „Korpus der deutschen Volkslieder" zu schaffen, lief der Gründung des „Deutschen Volksliedarchivs" in Freiburg voran. Sein bedeutsamstes Anliegen, die „Erziehung" des Volkes „zu einem und in einem maßvollen Individualismus", schrieb sechs Jahre später die deutsche Jugendbewegung auf ihr Banner. Von Langbehn rührte ihr Wunsch, „geschlossene Individualität, d. h. Stil" zu vermitteln, ihre Liebe zum deutschen Lied und zur deutschen Mundart, der Ruf „Zurück zum Hasenfell!" (d. h. die Abneigung gegen den Zylinder) und ihre Sehnsucht, den „Riß zwischen Gebildeten und Ungebildeten zu überbrücken", die Vorliebe für die Vokabeln *rein* und *Reinheit* und die romantische Täuschung, daß, was als schön, lieb und gut empfunden wurde, notwendig auch deutsch sein müsse: „Der Deutsche in seiner Reinheit ist der Mensch κατ' ἐξοχήν"; aber auch die Kehrseite war schon bestätigt: „Der Teufel der Deutschen wohne in Paris und heiße Plebejertum". Der Rembrandtdeutsche hatte die Aufmerksamkeit der Jungen auf die Volksgesundheit gelenkt und Wege angedeutet, wie sie zu erringen sei; er hatte Kneipps Namen und Kuren volkstümlich machen helfen, und seine Vorliebe für Pflanzenkost war bekannt geworden. Besonders aber hatte er die Frage nach dem Wesen des Führers aufgeworfen: „Wer soll Herrscher sein? Der Bescheidenste!" und hatte, da die Zeiterscheinung von seinem Traumbild abstach, das Wort vom „heimlichen Kaiser" aufgebracht, den es zu suchen gelte. Es fiele nicht schwer, aus seinem Buch die Hauptsätze der Jugendbewegung auszuziehen; er, der Vielgelesene, Eingängige, leitete Nietzsches und Lagardes Ruf nach der Jugend in die Zeit; er weitete den Ruf auch zum Programm.

Es war der Gurlittschüler Karl Fischer, der 1896 die Parole „Weg von der Großstadt und vom Elternhaus!" ausgab und, ohne zunächst über den engsten Kreis wirken zu wollen, breiten Widerhall fand. Es wiederholte sich, was schon das Buch des Rembrandtdeutschen bewiesen hatte, daß nur der Anstoß fehlte, um Kräfte der Ablehnung und des Widerstandes gegen die „moderne" Zeit frei und tätig zu machen. Es bedurfte eines Jahrzehntes, um die Wogen im *Wandervogel* einzudeichen; das geschah nicht mehr in Berlin, sondern im Süden, in München, wo Hans Breuer an eine großartigere Landschaft und gediegenere Wandererfahrungen anknüpfen konnte. Aber indem sich ein Vortrupp wie eine Garde abschloß, bezeugte er, daß Fischers Bewegung so vielgestaltig geworden war, daß der einzelne nur schwer zwischen den vielen Formen seine Wahl treffen konnte. Es gab Wandervereine und Freischaren (1906), Bergsportklubs und Radfahrerbünde, und bald meldeten sich auch, nachdem ihnen Stabsarzt Dr. Lion ihr „Pfadfinderbuch" aus dem Englischen übersetzt hatte (1909), die Boy Scouts, die sich hier *Pfadfinder* nannten (1911). Es schien, als ob die Jugend ihr Nein zur Lebensform der neuen Städte geschlossen abgebe.

Aber nicht nur sie. Längst schon hatten sich, nicht minder vom Rembrandtdeutschen angestoßen, Dichter und Künstler zusammengetan, denen seine Mahnung beherzigenswert schien. Im Vorstand des „Dürerbundes" hatte der durch seinen „Kunstwart" (seit 1887) bekannte Ferdinand Avenarius (1856–1923) um sich versammelt, was im Dichtungsbereich seine Kräfte heimatbodenverwurzelt fühlte: den Holsteiner Frenssen, den Schlesier Gerhart Hauptmann, den Oberlausitzer Polenz, den Braunschweiger Raabe, den Sollingkünder Sohnrey, den Steirer Rosegger, den Frankfurter Presber; dazu hatten sich der Dresdener Stadtschulrat Otto Lyon, Freund Rudolf Hildebrands, der Prager Germanist Adolf Hauffen, der Leipziger Historiker Karl Lamprecht, der Weimarer Goetheforscher Wilhelm Bode, der Haeckelschüler Wilhelm Bölsche gesellt und, natürlich, außer dem Kunstwartverleger Callwey auch der Schriftsteller Adolf Bartels, der Heimatgenosse Hebbels, der seit Jahren von Weimar aus der von ihm auf den Schild gehobenen *Heimatkunst* (1898) Anregung und Ausrichtung zu geben suchte. Eine bunte Gesellschaft; zwei der Vorstandsmitglieder (Hauptmann und Bölsche) hatten vor nicht allzu langer Zeit das Gegenteil dessen verkündet, was sie nun im Dürerbund pflegen helfen wollten. Die Kreise der „alten Generation" waren also nicht weniger buntscheckig als die der Jungen. Aber während jene in ihrem flammenden Nein eine verbindende und verbindliche Gemeinsamkeit hatten, mußten diese, die an die Stelle der Absage einen aufbauenden Beitrag setzen wollten, erkennen, daß dazu die Grundlage zu schmal war. Es blieb ihnen der (tapfer vorgetragene und im ganzen erfolgreiche) Versuch, breiteren Kreisen künstlerische Maßstäbe nahezubringen und sie für eine Erneuerung lebendiger Kunstpflege zu erwärmen. Für die Muttersprache hat die deutsche Heimatkunst auch in ihren besten und meistgelesenen Vertretern (Hermann Löns, 1866–1914; Tim Kröger, 1844–1918; G. Frenssen, 1863–1945) nicht viel bedeutet: ihre Werbung für das Alte, Stämmige im Sprachgut fand keinen lebendigen Widerhall mehr. Neues zu schaffen lag außerhalb ihrer Ziele (die manche auch der Vorstandsmitglieder, Raabe z. B. oder die Naturalisten von gestern nicht so ganz wörtlich nahmen), und den Mundarten konnten sie nicht viel helfen, weil sie, wollten sie in die Breite wirken, auf sie verzichten mußten. Der Versuch, Romantik und Realismus im sprachlichen Bereich zu verbinden, mußte scheitern. Es blieb die schreckliche Entwertung des Wortes *Heimat,* der sie – unwissentlich und ohne es zu wollen – Vorschub leisteten. Der Rauch, der es bis heute umwölkt, qualmte aus dem Feuer, das sie gern entzündet hätten und doch mit den eigenen Händen erstickten.

Die Jugendbewegung griff tiefer ins Gefüge der Muttersprache. Diese jungen Menschen zerstritten sich um vielerlei; aber in dem, was ihnen wichtig war, in der Verneinung der zivilisatorischen Lebensformen, waren sie sich einig. Ihr Zusammengehörigkeitsgefühl ließ sie auch bei der Benennung der „neuen“ Formen die Eifersüchteleien und Begriffsspaltereien untereinander vergessen. Die Breite ihrer Bünde machte ihr Wortgut über die *zünftigen* Kreise hinaus bekannt und vertraut; wer nicht zu ihnen gehörte, las Sprachbrocken von ihrem Tisch, und eine eigene Industrie sorgte dafür, daß die oft selbstgefundenen oder selbstgeprägten Namen ihrer Wanderhabe volksläufig wurden. Manches kam ihnen aus der Studentensprache, die ihnen z. B. das hebräisch-rotwelsche *Kluft* (den Fahrtenanzug) vermittelte. Aber die meisten ihrer Wörter waren allgemein und bekamen nun erst durch sie neuen Klang: *Fahrt* für „gemeinsame Wanderung“, wozu sich dann später die *Großfahrt* gesellte; *Nest* oder unromantischer *Heim* für den Raum, in dem die Gruppe ihre Versammlungen hielt; das waren dann *Nestabende,* auch wenn sie nachmittags stattfanden; vielleicht kam das Wort aus Jugendbüchern an sie heran, die sie im übrigen leidenschaftlich abgelehnt hätten. Vermutlich hätte vielen die *Nestwärme,* deren Mangel heute so viel beklagt wird, ohne die *Nestabende* nicht so schnell und völlig eingeleuchtet. Die Wandervögel sagten *Lager* für Rastplatz, ein Wort, das erst später, vielleicht durch den Einfluß des Handels-, sicher durch den des Konzentrationslagers den bösen Beiton erhielt, der ihm heute anhaftet. Einiges wuchs aus den Mundarten ihrer Standorte, die bayrische *Klampfe* z. B. oder der hessische *Pimpf*, den sie um 1920 aus der Marburg-Gießener Studentensprache ehrlich machten. Viel nahmen sie vom Rembrandtdeutschen und weiteten ihm damit den sprachlichen Einfluß; auch Diltheysche Prägungen flossen mit ein. Daß Substantiva wie *Stil (Lebensstil, stillos), Haltung, Erlebnis, Lebensgefühl* (Dilthey), *Bewegung, Kameradschaft,* Beiwörter wie *fein, frei, wahr* Schlagwörter wurden und ausleierten, war zum guten Teil ihr Werk. Sie machten auch, Romantiker, die sie waren, neben und mit den alten Liedern, die sie sangen, altes *(zünftiges)* Sprachgut wieder lebendig, die *Gilde* und die *Herberge* etwa, die dem Gasthaus oder gar dem Hotel Widerpart bieten sollte, den *Heil*gruß und auch den *Führer*mythos, mit denen später politische Rattenfänger ihr Spiel trieben. Die Rolle, die ihr geliebtes Liederbuch, der *Zupf* (1909), bei dieser Neubelebung spielte, darf nicht unterschätzt werden. Andrerseits bekämpften sie auch Begriffe, die ihren Zielen nicht entsprachen, die *Pflicht,* die *Autorität,* die *Ritterlichkeit*; sie konnten diese Wörter nicht vertilgen, aber sie hefteten ihnen doch den Makel innerer Unwahrhaftigkeit an, sie leiteten ihre Abwertung ein. Ihr besonderes Mißfallen traf die Wörter *Pflege* (denn sie wollten sich nicht „pflegen“ lassen) und *Standpunkt*; aber gerade bei ihnen versagte sich ihnen der Erfolg. Im übrigen bevorzugten die Jungen, schon weil sie nichts „pflegen“ und keinen „Standpunkt“ beziehen wollten, einen ungezwungenen Verkehrston, der ohne Pathos, aber mit einem leichten Humor die Gesprächspunkte in jenes Zwischenreich zwischen Ernst und Spiel stellte, das die Beteiligten, weil sie es beherrschten, eigenständig erscheinen ließ. Man war *zünftig,* war *in Ordnung:* das bedeutete auch, daß man über die Gesprächsformen der Partner verfügte. So wuchs auch hier eine Zelle, die den Jargon innerhalb der Umgangssprache ausbreitete, die nicht einer geformten, sondern einer freiformigen Sprache zulenkte. Es gelang ihnen, das *Mädel* aus der Unwertigkeit einer nicht ganz stubenreinen Nebenform für „Mädchen" zur Typenbezeichnung zu steigern, die alle Achtung der Zeitgenossen verdiente: es war, was sie so nannten, ein *zünftiges,* ein *feines Mädel,* ein junges weibliches Wesen, das zu echter Kameradschaft gewillt und fähig war. Daraus machten andere Kreise dann, was ihnen begehrenswert schien: die Operette das *süße Mädel,* die Gauner das *dufte Mädel,* die Großstadtjungen das *patente Mädel.* An die oberdeutsche Endung *-el* hängte sich dann das niederdeutsche Mehrzahl-*s,* dem die Jugendbewegten den Vorstoß in den Süden erleichterten (*Mädels, Jungs;* danach: *Kerls, Fräuleins*); so wurde das Wort in ihrem Munde eine Art von Sinnbild für ihr ganzdeutsches Anliegen.

Und am andern Ende zerrten, seit der Gründung des Zweiten Reiches in beharrlichem Wachsen, die studentischen Korporationen, die mit ihrem Kneipjargon zu den Stammtischen der Bürger hinüberlangten und mit den Stereotypen ihrer Lieder zur Phraseologie des deutschen Kitsches beisteuerten: die *rosigen Finger* und die *lockigen Haare,* die *lohenden Flammen* und die *alten Kumpane,* die *heißen Lippen* und die *heilige Stille,* all diese unprofilierten „Ideale" und „Werte" nahmen die *Alten Herren* aus ihren Verbindungshäusern in ihre späteren Gesellschaftskreise mit und lieferten sie als Mitarbeiter oder Abonnenten an die „Gartenlaube" weiter, in der sie sich dann breiter machten. So schwoll der Schatz „romantischer" Wendungen, die, ob am Biertisch oder am Lagerfeuer gesagt und gesungen, mithalfen, einen Raum des Unwirklichen, Nurgeträumten zu verbreitern und eine Doppelbödigkeit des Redens und Denkens zu bauen, die bald verderblich wurde. Die jungen Leute waren an sich nicht uneben; sie liebten das Gute und Rechte, aber da sie zu schwach waren, es im eigenen Leben zu verwirklichen, projizierten sie es in die Welt der Urväter, deren *Treue* und *Keuschheit, Edelmut* und *Tapferkeit, Weihe* und *Segen* die Pfosten ihrer Fliehburgen wurden, in denen sie sich vor der „Welt", wie sie nun einmal war, für die seligen Stunden des Zusammenseins versteckten. Da wuchsen dann vernebelte Begriffe, die man als *deutsch, völkisch* oder *national* deklarierte, ohne auszusagen, was das nun eigentlich war. Liedertafeln und Gesangvereine halfen dabei in den Gesellschaftsschichten, in die sie wirkten, nach Kräften, und schließlich drang vieles von dem Singsang und Klingklang in die Schulbücher, in denen diese Pappkulissen von Traumwelten nun endgültig für bodenständiges Wachstum ausgegeben wurden.

Korporationsstudenten und Wandervögel waren weder die ersten noch die einzigen Jugendvertreter, die sich eine andere Zeit wünschten. Längst hatte die Turnbewegung junge Menschen gesammelt; in den letzten anderthalb Jahrzehnten des Jahrhunderts hatten sich ihre Erfolge mehr als verdreifacht. Das schlug sich bis in umgangssprachliche Wendungen nieder: auch wer nicht turnte, konnte *zum Spielball* anderer Menschen oder des Schicksals *werden*, sah seine Karriere wie einen *Wettlauf* oder ärgerte sich über die *Schaukelpolitik* seiner Regierung, deren *Tauziehen* mit der Opposition er beobachtete. Auch die Turner strebten nach einer neuen Gesundheit; auch sie betonten die vielgestaltige Schönheit des Menschlichen gegenüber der Gleichförmigkeit der Maschine, wenn sie ihre Anhänger anleiteten, den Körper zu beherrschen. Der Arbeiterturnerbund, gegründet 1893, zerstörte die schon von Jahn nicht geduldete Legende, daß Körperbetätigung ein Standesvorrecht sei. Aber damals gab es längst Vereine, die sich die Pflege besonderer Körperschulungen angelegen sein ließen; die Ruderer hatten sich schon 1883, die Radfahrer ein Jahr darauf zusammengetan; beide verbanden die Leibesübung mit dem Wandergedanken. Zur gleichen Zeit meldete sich der Fußball zum Wort (1878 wurde der erste deutsche Fußballverein gegründet), und er war es, der noch vor der Jahrhundertwende den Sieg für sich entschied. Damit war neben die Turner und die Jugendbewegung eine neue Massenbewegung der jungen Menschen getreten, die, da sie außer den Spielern auch Zuschauer in Mengen lockte, weit mehr Einfluß gewann als jene. Der Sport konnte in einzelnen Sparten auf eine lange Geschichte zurückblicken. Das *Kegeln* z. B. erfreut sich seit über 5000 Jahren bei Freunden der Leibesübungen und der Stammtische großer Beliebtheit; sein Siegesruf *Alle neune!* beherrschte seit langem nicht nur unsere Kegelbahnen und Jahrmärkte. Zuerst waren es wohl die Soldaten des Ersten Weltkriegs, die im Jargon heimatlicher Gasthäuser ihr Vergnügen darin suchten, *eine ruhige Kugel* zu *schieben*. Seit 1925 auch als ernster Sport betrieben, ist es heute besonders in seiner amerikanischen Form des *Bowlings* verbreitet. Das *Krocket* dagegen stirbt mit der Gesellschaftsschicht, die es einst gern als Gartenunterhaltung pflegte, im Gegensatz etwa zum *Rodeln*, das sich aus den bayrischen Bergen über den ganzen Sprachraum und darüber hinaus verbreitete, seit der Jahrhundertwende allgemeiner Volkssport ist und seit 1955 auch als Rennsport auf Kunstbahnen betrieben wird; der Rennschlitten *(Bob*, Kopfwort aus *Bobsleight)* hat sich seit 1888 auch in Deutschland eingenistet und machte sich als *Vierer-* oder *Zweierbob* in Mannschaftswettbewerben einen Namen. Volkstümlich wurde, wenn auch erst in diesem Jahrhundert, auch das *Federball*spiel, das „Tennis der kleinen Leute“ und der Kinder, das ernsthafte Leute als *Badminton* (so nach dem englischen Badeort, in dem 1872 die ersten Punktspiele ausgetragen wurden) betreiben.

Viele Sportarten hatten vor ihrer Bühne das Parkett, ohne das sie bald kaum mehr leben konnten, und es dauerte nicht lange, bis sich die Mußestundenbetätigung zu einer Art von Neben-, ja für manche gar Hauptberuf entwickelt hatte. Was sie, die *Amateure* und *Professionals (Profis),* an Sachbezeichnungen und Redewendungen von denen übernahmen, von denen sie sich anregen ließen, was sie dann weiter- oder neuentwickelten, ging zum guten Teil schnell in den Redeschatz ihrer Zuschauer über und blieb dort häufig nicht auf sportliche Verwendung beschränkt.

Das Wort *Sport* selbst war den Deutschen seit einem halben Jahrhundert geläufig; es war nicht gelungen, dem englischen Gast (= Belustigung) die deutsche Entsprechung zu finden. Das galt auch für andere Bezeichnungen, die Renn- und Tennissport in Deutschland bekannt gemacht hatten: *Jockei* (eigtl. = Hänschen, bei uns seit 1830; viel später erfand man den *Schallplattenjockei,* der sich in Schlagerplatten auskannte wie sein Namensvetter im Rennstall), *Pony* (eigtl. = Fohlen; bei uns seit 1834 belegt; übertragen auf die Frisur des Tituskopfs: *Ponys, Ponyhaare*), *Rekord* (eigtl. = Traberleistung; die Mehrzahlbildung auf *-e* [*Rekorde*] zuerst in Bayern), *Tennis* (verkürzt aus *Lawn-Tennis,* eigtl. = Rasenball; erst am Ende des Jahrhunderts eingedeutscht). Später eigneten sich die Sportflieger den längst bei uns heimischen, vor dreihundert Jahren über das Französische aus dem Griechischen auf uns gekommenen *Piloten* (= Flugzeugführer) an und bewogen dadurch die Rennwagenfahrer, ihre Tätigkeit so behäbig wie unschön als *pilotieren* zu bezeichnen. Die Turner hatten seit Jahn muttersprachlichen Ehrgeiz; die Sportler hoben sich nicht ohne Nachdruck auch hierin von ihnen ab. So wirkten zwei Sprachstile gegeneinander: deutschgesinnt die Jugendbewegten und die Turner, mit Betonung des Übervölkischen, Fremden, Internationalen die Sportler. Die Verschiedenheit dauert bis in die Gegenwart, gestützt durch neue Sportarten, den anfangs auch hierzulande (heute noch in der Schweiz und auch in Österreich) fremdwortfreudigen *Football* (die Übertragung drang erst um 1910 durch) mit seinem *Dribbeln* (= Ball führen) und *Kicken* (= Stoßen), dann das *Boxen* (von Paul Maschke = Joe Edwards[!] 1910 eingeführt) mit *Kontern* (= Stoppstoß; als Zeitwort umgangssprachlich auch mit dem Akkusativ der Person!) und dem *Knockout* (= Niederschlag), schließlich der Motorsport, der den Radsport fortsetzte und erweiterte und uns noch jüngst aus dem Englisch-Amerikanischen das *Camping (Motorcamping, Autocamping; Campingreise, -klub; campen;* der *Camper; Campzelt; Camp[ing]platz; Wintercamping*; das aus gleicher Wurzel gewachsene, bei uns schon vor dem Dreißigjährigen Krieg geläufige Zeitwort *kampieren* wird nun an die Wand gedrückt), noch später den *Caravaner* (= im Wohnwagen Reisender) bescherte. Hinter dem Einfluß des Auslands stand der Bildungsruf aus dem griechischen Altertum zurück; immerhin gesellte sich dem schließlich zur *Kampfbahn* eingedeutschten *Stadion* die *Olympiade* (freilich als Wortbild nicht eben klassisch!). Sie hat, zumal seitdem Millionen von Fernsehzuschauern ihre Veranstaltungen miterleben konnten, viel Wortgut aus dem Sportleben in die Alltagssprache gestreut. Besonders beeindruckte der *Marathonlauf*, der überlangen Sitzungen seinen Namen hergab *(Marathonkonferenz, -rede, -sitzung)*. Aber man beobachtete auch die Tätigkeit der *Punktrichter* und sah zu, wer von den Athleten *Pluspunkte erringen* konnte; man sah die Athleten der *Weltklasse* und erlebte den Reigen der *Rekorde*. Die Wirkung in die Breite erzwang, wenn auch hierzu das Ethos anfangs mangelte, eine Wendung zum Deutschen, und dabei zeigte es sich, daß im Sport farbige und kräftige Prägemöglichkeiten angelegt waren. Denn borgte sich der Fußball auch das *Rempeln* von den ostmitteldeutschen Flößern (eigtl. = Holz fortstoßen), lernte er andere Bildungen den Turnern ab *(Wechselsprung; Scherenschlag)*, so gelangen ihm doch bald ein paar eigenständige Wörter, die über das gewöhnliche Zusammensetzschema hinausragten und volkstümlich wurden: *Elfmeter* = Strafstoß, 1891; der *Linksinnen*, der *Rechtsaußen; Einwurf, Abstoß, Freistoß, Kopfspiel* = *Köpfen*, das *Aus*, die *Elf*. Wie im technischen Bereich die Werkstättensprachen Mittler zwischen Fach- und Alltagssprache wurden, so schob sich beim Fußball die Tribüne zwischen die aktiven und die passiven Sportler: sie freut sich, wenn's *im Tor* – wie in einer Ladenkasse – *klingelt* (d. h., wenn ein Tor fällt), wenn der *letzte Mann* (= Torwart) eine *Mordsbombe* hält, wenn der beliebte *Torjäger*, der mal wieder *in Bombenform* ist, den *Ball wegdrischt* oder *in den Kasten wuchtet (knallt, donnert)* und der Ortsverein die *Salatschüssel* (= Meisterschaftsschale) erringt. Allerdings muß er dazu einen guten *Abstauber (Libero, Ausputzer* = Spieler ohne feste Aufgabe) haben, dessen Schüsse *nach Maßvorlage* kommen, wenn er *in Höchstform* ist. Gegen solche Farbenfreude nimmt sich die Sprache der *Profis* fast nüchtern aus. Sie *bespielen* ihren Platz, falls er *bespielbar* ist, sie tragen *Freundschaftsspiele* aus, um in Übung zu bleiben; sie haben ihren *Trainer*, der sie *fit (topfit)* macht; sie lassen sich auf die *Transferliste* setzen, wenn sie den Verein wechseln wollen, und vereinbaren dann, wie hoch ihr *Handgeld* sein soll, obwohl es gar nicht um ein Handgeld wie einst bei der Soldatenwerbung, beim Matrosen- und Gesindeanheuern oder beim Viehkauf, sondern um eine Vergütung, manchmal auch um Schmiergeld geht, das von Bank zu Bank überwiesen wird. Wie die Tennisspieler reden sie vom *Finale, Halb-* und *Viertelfinale* (= dem Schlußspiel und seinen unmittelbaren Vorläufern), die ihnen den *Aufstieg* zur *Bundesliga* freikämpfen sollen; man faßt sie als *Aufstiegsrunde* zusammen. Aber nur, wer einen *ersten* oder *zweiten Rang* unter den gleichklassigen Vereinen *behauptet*, darf auf die Teilnahme hoffen. Man sieht, wie bunt sie ihre Wörter zusammenwürfeln: aus altem Sprachgut, aus dem Theater- und dem Börsenjargon und aus englischen Sportlerausdrücken. Das Boxen gab sich anfangs englisch mit *Clinch, Punchingball* und *k. o. (= knockout)*, fand aber schnell mit der *Geraden* und dem *Schwinger*, dem *Haken*, dem *Ring*, dem *Schlagabtausch* und dem *Nieder-* und dem *Tiefschlag*, mit *auszählen, sich durchboxen* (um 1950) und *punktwerten* zum heimischen Idiom; geringwertige Gegner nannte man *Abfallobst*; die *Boxbirne* (der *Birnenball*) bot dann die Brücke zur Redewendung von der *weichen Birne*. *Punktrichter* gab es später auch beim Kunstturnen, Eiskunstlauf und Kunsttanzen; sie *punkteten* den Verlierer *aus*. Die andern Sportarten, von unterschiedlicher Volkstümlichkeit und daher nicht so ergiebig, färbten doch auch ihre Wörter ein: die Handballer und Hockeyspieler, die Fechter, bei denen es auf den *Anhieb* ankam (daher: *auf Anhieb* = beim ersten Versuch), die Ringer, die darauf achten mußten, beim Kampf *auf dem Teppich zu bleiben* (daher: *bleib auf dem Teppich* = schweif nicht ab!), die Reiter, die gute Pferde *ins Rennen bringen* mußten, wenn sie *vorne liegen* wollten, die *sattelfest* waren (und dann gab es bald auch *sattelfeste Sänger!*), die Segler, die den *Rückenwind* schätzten (aber ein Mädchen, das *mit Rückenwind heiratet*, d. h. ein Kind erwartet, ist meist weniger erfreut), die Ruderer *(Trockenrudern, Faltboot, Paddeln* [vom engl. *to paddle*]) und Radler *(Steher, Sechs-, Siebentagerennen)*, die Schneeschuhläufer (die *Bretter, Stemmbogen, Gleitwachs, Schilift, Après-Ski;* das norwegische *Slalom* [1904]; aber ob die Mehrzahl *Schi* oder *Schier* heißt, ist ungewiß), die Schwimmer (*kraulen* [to crawl = kriechen], *Delphin-*, *Schmetterlingsstil, Bohrer* [= ein Kunstsprung], *Sprungturm)*, von denen die Skatspieler freilich nur wußten, daß sie *baden gingen*, und die Eisläufer *(Achter, Doppeldreier, Schlangenbogen, Pflicht* = vorgeschriebene Übungsfolge; sie entwikkelte sich zu der regelwidrigen und widersprüchlichen *Kürpflicht* [*Kür* = freigewählte Übungsfolge]). In den Rennställen heißt ein überleichter Jockei mit volkstümlicher Übertreibung eine *Briefmarke*. Solche Prägungen und Redensarten machen die Sprache bunter und plastischer; sie zwingen den Sprecher zu einer Art von Genauigkeit und erleichtern ihm doch seine Aussage, indem sie sie griffig machen. Sie wirken also der Werbesprache entgegen; sie fallen zwar auf und wollen und müssen das auch. Aber sie sind sachlicher, und so verbinden sie Heiterkeit und Ernst in anziehender Mischung. Sie teilen mit den Jugendbewegten das Bewußtsein eines großen Zusammenhanges; sie teilten ja auch, so verschieden ihre Ziele im einzelnen waren, nicht wenige Einrichtungen, Gewohnheiten und Wertungen miteinander. Sie hatten, alle zusammen, das *Training* vom Englischen genommen und den englischen *Klub* endgültig eingebürgert; sie vermittelten mit der Wortsippe *Start* (engl. *to start* = sich plötzlich erheben) vielfache Anregung nicht nur den eigenen Reihen, dem Motorsport und Kraftwagenbau, sondern der Umgangssprache, die vom Sportplatz auch die gelegentliche transitive Nutzung des Verbs übernahm *(jemanden starten)*; wer schnell ist, hat einen *Blitzstart*; auch nichtsportliche *Aktionen* lassen sich *starten*. Sie gaben sich *Tips* (engl. = Wink) und stießen damit das Zeitwort *tippen* an (= wetten; dazu später der *Tippzettel* = Lottoblatt; aber *tippen* kann auch das Schreibmaschineschreiben meinen). Besonders aber prägten sie, wie die Kaufleute mit ihrem *smart*, sich nach englischem Vorbild im *fair*, in der *Fairneß* den Kernbegriff einer eigenen Sittlichkeit. Sie verbanden sich mit den Turnern zur Pflege der *Leibesübungen* und *schulten* ihre Körper wie jene in einer *Grund-*, *Organ-*, *Haltungs-*, *Bewegungs-*, *Kraft-*, kurz in einer umfassenden *Körperschulung*; sie lösten das Wort vom Schulhof und machten den *Trainer* zum Lehrer der Massen. Später versuchte man, die Beliebtheit der Sport*schulung* politisch zu nutzen; dadurch sank das Wort zurück. Sie wirkten ins Breite; auch wer die Renn- und Fußballplätze mied, wußte bald, daß, wer *in Form* war, das *Rennen*, das vielleicht zum *Brust-an-Brust-Rennen* wurde oder als *totes Rennen* (unentschieden) endete, *machte* und schließlich *durchs Ziel gehen werde*. Das Weltbild glich alsbald einem Wettlauf; es gab da *Gehirnakrobaten* (vor 60 Jahren hatte Hegel sie als *Denkvirtuosen* gekennzeichnet!) und *Gemütsathleten*; man verhalf sich gegenseitig zum *Start* und erzielte, ja schlug *Rekorde* schließlich auch im Schlafen, Lesen oder Essen; man gebrauchte einen *Schrittmacher* wie der Radrennfahrer (engl. *pacemaker;* vgl. S. 180!); man *tastete* sich wie die Boxer vor einer Auseinandersetzung *ab*, man *schlug* wohl *einen Salto, turnte* etwas *herum, nahm* ein paar *Hindernisse*, bekam auch einmal einen *Kinnhaken*, wurde aber dann doch *Punktsieger*, wenn man sich nicht *handikapen* ließ, und achtete darauf, daß man *konditionsstark*, kurz: ein *As* bleibt; aber ein *As* [*ace*] ist für den Tennisspieler ein bestimmter Ballschlag von besonderer Wucht und Güte. Manchmal fiel man auch *haushoch* oder *schwer* hinein wie der Fußball ins Tor oder der Boxer in den Ring, mußte dann einen Vorteil *schwimmen lassen*, wurde vielleicht auch *überrundet*, konnte aber, wenn man das rechte *Sprungbrett* nutzte und sich nicht *stoppen* (= anhalten, aber auch = Geschwindigkeit verringern) ließ, doch noch dies oder das *managen*. Wer sich freilich wie ein Radler *abhängen* ließ, mußte wie ein Boxer *Rückschläge* hinnehmen, ja, wurde vielleicht am Ende auch *ausgepunktet*; wer aber *spurte* (= wie ein Kraftwagen die richtige Spur hielt), *überholte* sicher seine *unfairen* Gegner um manche *Pferdelänge*.

Wie tief dann seit den ersten Jahrzehnten des neuen Jahrhunderts der Motorsport, auf den Rennbahnen ein Sport, sonst für manche ein Statussymbol, für die meisten eine Alltäglichkeit, in die Umgangssprache gewirkt hat, ist oft geschildert worden; tatsächlich hat sich, während sich die *Benzinkutsche* zum *Straßenkreuzer, Touren-, Traumwagen* oder gar zum *Schlachtschiff* entwikkelte, das Auto auch als „Motor“ unserer Umgangssprache betätigt. Da kann man am Einzelwort gut beobachten, wie verschlungene Wege die Sprache auf ihrem Gang durch die Geschichte geht. Jeder Fahrer ist sich dessen bewußt, daß er seinen Wagen, benötigt er ihn gerade nicht, *parken* muß. Das ist ein aus dem Amerikanischen zu uns gewandertes Zeitwort *(to park)*, das längst bei uns Heimatrecht hat. Wahrscheinlich hat ihm die lautliche Nähe zum *Park*, an dessen Schatten wir uns erfreuen, geholfen, sich bei uns einzunisten; in der Tat ist er jenem Verb sprachverwandt, aber er ist uns schon ein alter

Freund, allen geläufig, seit die englischen Gärten die französischen bei uns verdrängten, d. h. seit dem 18. Jahrhundert. Und auch damals war das Wort in der Bedeutung „eingefriedigter Platz“ schon bei uns heimisch; es ist im hohen Mittelalter den Niederrhein hinauf ins Hochdeutsche gewandert; seine eigentliche Heimat liegt irgendwo im keltischen Sprachraum. Einmal bei uns angesiedelt, bemächtigten sich seiner zunächst die Artilleristen, die ihre zusammengefahrenen Geschütze als *Artilleriepark* bezeichneten; dann zogen die Fuhrleute nach *(Fuhrpark).* Wie die Eisenbahnen bei der Post, so machten die Kraftfahrer bei den Fuhrleuten Anleihen; heute denkt niemand, der von einem *Fuhrpark* liest, mehr an Pferde, sondern sieht die motorisierte Wagenkolonne eines großen Betriebes, etwa der Feuerwehr oder der Polizei, vor sich. Ob dann, im weiteren Verlauf, mehr an den *Park* oder mehr ans *Parken* gedacht wurde, als man *Parkplätze* baute und zur besseren Übersicht *Parkscheiben, Parkuhren* und *Parkometer* ersann, wird sich im einzelnen kaum entscheiden lassen. Wer seinen Wagen in eine Reihe parkender Autos einreiht, *parkt* ihn *ein.* Die *Panne* hingegen entlieh das Auto dem Pariser Schauspielerjargon (*être en panne,* eigtl. = Flaute haben, stecken bleiben); aber das *Fahrgestell* (übertragen = Körper), das *Schlußlicht* (übertragen = der Letzte) und der *Spitzkühler* (übertragen = Spitzbauch), der *Kilometerfresser* und der – wohl vom Fahrrad hergenommene – *Plattfuß,* daß man *einen neuen Gang einschalten* kann und *Gas geben* muß, die *Kurve 'raus haben* sollte und allmählich *in Fahrt kommen* kann, das wuchs sozusagen in seinem eigenen *Stall* (= *Garage*; aber die *Hochgarage* ist ein *Autosilo* zum Parken). Lieb Kind hat viele Namen; es ist nicht verächtlich gemeint, wenn man seinen Wagen mit derber Zärtlichkeit seine *Karre* oder seinen *Schlitten,* seine *Rutsche* oder seine *Schaukel* nennt; erst beim *Klapperkasten* oder *Leukoplastbomber* beginnt die Beleidigung. Wer keinen eigenen hat, kann sich einen *Miet-* oder *Leihwagen* beschaffen, ähnlich, wie man sich früher Postpferde mietete. So wird fast jeder von uns für dies Gebiet ein Sachverständiger von Graden; jedermann weiß, was *Zündkerzen, Bremszylinder* oder *Scheibenantrieb* sind und wann man *blinkern* (= Leuchtzeichen geben) muß und *Kurven* wurden geradezu Wertmarken weiblicher Anziehungskraft. Wie der Börsenmann verhüllend – rund für rund – von *Eiern* statt von Markstücken sprach (*das hat seine Eier* = seine Schwierigkeiten; heute kostet etwas *50 Eier),* ersetzte der Kraftfahrer die Geschwindigkeit seines Wagens durch die verallgemeinernde *Sache* oder das *Ding,* in denen sich uneingestanden Anerkennung und Überlegenheit trafen (*mit 100 Sachen* [*Dingern*] = 100 Kilometer in der Stunde). Man legte sich nicht mehr *ins Geschirr,* sondern ließ *die Karre laufen,* mußte dann allerdings achtgeben, daß sie nicht plötzlich *verfahren* war; man ließ sich nicht mehr *vom Hafer stechen,* sondern *tankte* lieber (seit dem Ersten Weltkrieg, der die *Tanks* = Panzerwagen, eigtl. = Wasserbehälter der Hindu, bekannt gemacht hatte) ausgiebig. Dafür konnte auch *einen stemmen*, wer lieber den Ringer als den Kraftfahrer spielte; freilich durfte man nicht vergessen, daß man möglicherweise *in die Tüte blasen* mußte, wenn ein Polizist *das Promille* (= den Alkoholspiegel im Blut) feststellen wollte. Man ließ sich, selbst wenn man 100 000 *auf dem Buckel* hatte (= 100 000 km gefahren war), nicht gern als *Packesel* bezeichnen; auch wenn man – wie ein Rad – mitten *im Dreh* war, sprach man ungern von einer *Pferdearbeit*. Wenn man den Motor *abwürgte*, lief die *Muckepicke (Nuckelpinne, Blech- oder Bruchkiste, Benzinkutsche*) nicht mehr; auch auf *Fehlzündungen* mußte man achten. Notfalls mußte man den Wagen *anschieben* oder gar *anschleppen* (= durch Schleppen in Gang bringen); das war immer noch besser, als sich vom *Abschleppdienst* oder einem freundlichen Helfer *abschleppen* zu lassen. Der Vorzug der *Wendigkeit* gar wurde zur menschlichen Tugend gesteigert; das konnte, wo die Maschine zum Zielbild des Menschen gemacht wurde, nicht ausbleiben. Hier trafen sich Sport und Technik zu engem Verein; waren die Ströme zuerst, als die Jungen die Einheit von Leib und Seele gegen die Maschine stellten, auseinandergeflossen, nun fanden sie sich wieder. Daß der Kraftwagen einen neuen Volkssport begründete, daß eine *Autotouristik* entstand, vertiefte den Einbruch der Technik in den allgemeinen Bereich; aber gleichzeitig leitete es auch ein paar der frischen Sportfarben in die Sprachbezirke der Technik. Bewegung und Gegenbewegung verstärkten sich, als man begann, sich in den Weltraum zu wagen. Die durch Fernsehsendungen weltweit gemachte Spektularität der *Raumflüge*, die Bilder der *Astronauten* in ihren *Raumanzügen* und *Raumkapseln*, aber auch die *Orbitalstationen* für die Meteorologie und die Nachrichtenübermittlung rissen den Zuschauern und Zeitungslesern neue Welten auf. Der *Raum* erhielt nun eine neue Dimension, die allerdings zur Klärung des ohnehin überbelasteten Begriffs kaum beitrug: *Raumflieger* und *Raumgestalter* leben in verschiedenen Bereichen, und „der Himmel ist für einen Astronomen nicht derselbe wie für ein Liebespaar". Indessen zeigen auch solche Sprachengen, wieviel der Sport bewegt hat. Ein echtes Gegengewicht zu den Schwerpunkten der Zeit konnte nicht mehr entstehen; aber eine Art Schalldämpfer ist er, ist – in geringerem Umfang, aber vielfach im Gleichlauf mit ihm – einst die Jugendbewegung für unsere Sprache doch gewesen. Nach der Zahl seiner Beiträge ist der Sport, bedenkt man, daß ihm nur etwa 3 v. H. des Volkes in aktiver Bemühung huldigen, ein bemerkenswerter Sprachquell geworden. Er wäre es nicht ohne die vielen, die ihm am Bildschirm, Lautsprecher oder auf den Tribünen zusehen, und er wäre es auch nicht ohne die mancherlei Ansätze zur Breitenwirkung, mögen sie nun von volkstümlichen Aufrufen zum Mitmachen *(die goldene Schuhsohle, Trimm dich gesund!)* oder von spektakulären Ereignissen wie Weltmeisterschaften oder Olympiaden ausgehen. *Sportlich* – das ist längst ein Ehrenname für guten Wuchs, gute Haltung, gutes Aussehen; es ist so abgegriffen, daß man neuerdings versucht, ihm durch eine fremdländisch klingende Endung neuen Glanz zu geben (*sport-iv*). An alledem haben weniger die Sportreporter als die Tribünenbesucher mitgewirkt. Das unschöne Wort *Versportung* trifft den Sachverhalt nicht recht, auch wenn man ihm zugesteht, daß die neue *Körperschule* ihre geistigen Ahnen von Jahn bis Langbehn schnell vergaß. Man hat ihr ein „Ethos der Sterilität" angekreidet; aber über ihren Anfängen jedenfalls schattete es kaum; es wuchs aber, je mehr die Pole (Persönlichkeit–Masse; Mensch–Maschine, Leib–Technik) sich näherten.

Den Hintergrund des Bildes malte die Medizin. *Hygiene*, Wort und Wissenschaft, hatte Hans Peter Frank (1766) zu einheitlichem Begriff zusammengefaßt; nun klärte und festigte das 19. Jahrhundert beides, besonders in der Lebensarbeit Max von Pettenkofers (1818–1901). Ihm danken wir das Wort *Gesundheitspflege*, einen Begriff, der auch im umgangssprachlichen Bereich widerhallte. Denn nun bekam, was gepflegt werden sollte, den Beiton des Kranken, Heilungsbedürftigen; ohne *Körperpflege* mußte man leiden, ohne *Zahnpflege* gingen die Zähne zugrunde, ohne *Schönheitspflege* die Schönheit. Rief man nach *Musikpflege*, so wollte man andeuten, daß ohne dem die (deutsche) Musik gefährdet sei; bemühte man sich um eine *Sprachpflege*, so setzte man voraus, daß die Muttersprache an den Erscheinungen der Zeit „litt". Früher hatte, wer seine Freundschaft, die Dichtung, verwandtschaftliche Beziehungen *pflegte*, daran gedacht, daß er sie, indem er sie wie ein Kind etwa oder eine Blume hütete, hegte, zur Gewohnheit werden ließ; nun roch nach Krankenhaus, Versuchslabor und Heilmittel, was sich *pflegen* lassen mußte. Man verlor auch im Dorf das alte Mißtrauen gegen den Arzt und ließ sich nun willig *verarzten*, wie man alsbald auch seine Familie, Freunde, Angestellten in übertragenem Sinne hilfreich *verarztete*.

Übrigens hatte der allgemeine Erfolg der Kuhpockenimpfung Pettenkofer vorgearbeitet. Was man anfangs bekämpft hatte, war längst selbstverständlich geworden, besonders, seitdem das Reichsimpfgesetz von 1874 den Impfzwang im ganzen Reichsgebiet eingeführt hatte. Schon sagte man, daß, was man ihm eindringlich klarmachen wollte, dem Gesprächspartner *eingeimpft* werden müsse. Dabei dachte man augenscheinlich weniger an den Impfvorgang (Schnitt oder Spritze) als an seinen Erfolg; sonst hätte sich die *Schluckimpfung* kaum so schnell einbürgern können. Jedenfalls brachten die Teilnahme der Verwaltungsbehörden einerseits, die aufmerksame Regsamkeit von Industrie und Handel andernteils Pettenkofer den Beifall der Öffentlichkeit. Gleichzeit wurde, was der schlesische Bauer Vinzenz *Prießnitz* (1799 bis 1851) eingeleitet hatte, vom Pfarrer Sebastian *Kneipp* (1821–1897) weitergeführt: dem *Prießnitzumschlag* folgte die *Kneippkur*; man *kneippte* im *Kneippsanatorium*, im *Kneippbad*. Die Turnweise des Dänen Jörgen Petersen *Muller* (1866–1938) regte zur Hausgymnastik an („*Mein System*", 1904); bald trat die aus Holland stammende Amerikanerin Bess *Mensendieck*

(1864–1958), übrigens auch von ihrer dänischen Schule aus, bei den Frauen mit ihm in Wettbewerb (ihr Buch: „Körperkultur der Frau", 1906); die Männer *müllerten,* die Frauen *mensendieckten.* Längst war die *Massage,* für die der holländische Arzt Georg Mezger (1838–1909) auch in Deutschland (Vorträge 1869/70) gewirkt hatte, verbreitet; etwa gleichzeitig hatte Baltzer (1814–1887) dem *Vegetarismus (Vegetariertum)* Bahn gebrochen, Lahmann (1860–1905) in der *Naturheilkunde* den *Stoffwechsel* mit Bädern, Ernährungsmaßnahmen und einer eigenen Gesundheitskleidung unter allgemeine Beobachtung gestellt, und der Posener Otto Hanisch erfand, geschäftstüchtiger als sie alle und daher die deutsche Zarathustrabegeisterung nutzend und aus Amerika persische Herkunft vortäuschend (Otoman Zar-Adusht Ha'nish aus Teheran, 1844–1936), im *Mazdaznan* einen Körperkult von der Wiege bis zur Bahre, bei dem er die Atemtechnik an die Stelle des göttlichen Odems setzte und den – vegetarischen – Küchenzettel zur täglichen Losung machte. Diese Verquickung wissenschaftlich-medizinischer und kultisch-religiöser Gedanken, die im Ergebnis nicht sehr klare, dafür aber publikumswirksame Formen zeitigte, suchte Leib und Seele als Einheit zu begreifen; dabei blieb es nicht aus, daß Vorkehrungen und Maßnahmen weltanschaulichen Hintergrund erhielten: *Mazdaznan* als *Weltanschauung! Lebensreform* wurde zum Fahnenruf, ihre Verwirklichung unter den verschiedensten Formen verheißen: durch die Meidung des Alkohols, die vom Blaukreuzverein des Genfer Pfarrers Rochat (1877) erstrebt wurde und der Poperts schlechter Roman „Helmut Harringa" (1910) viele junge Anhänger warb; durch die Ächtung des Fleischgenusses, die von der *Vitaminforschung* sozusagen wissenschaftlich gestützt und in der *Rohkost* schließlich öffentlich bestätigt wurde; durch die ausdruckfördernde Verbindung von Freiübung und Tanz in der *Gymnastik* (die Schulen von Hellerau, Schwarzerden, Loheland; die Lehrer Duncan [Amerikanerinnen], Bode, Medau), die in der anthroposophischen Bewegungskunst, Rudolf Steiners (1861 bis 1925) *Eurhythmie,* gipfelte; durch Bekämpfung des Tabakrauchens, des Korsetts, der allopathischen Heilweise. Hahnemanns *Homöopathie,* 1810 verkündet, wurde nun auch außerhalb Leipzigs hochschulreif, und man verabreichte auch seine Ermahnungen in *homöopathischen Dosen.* Es entstanden *Reformhäuser,* die wie die Sportläden den neuen Parolen den wirtschaftlichen Erfolg abschöpften; Gymnastikvereine wurden gegründet, neue Berufe gefunden und ausgeübt; Blaukreuz- und vegetarische Speisehäuser setzten sich neben die Gaststätten alten Stils. Auch dies war eine Volksbewegung, in ihren Anfängen nicht weniger umstritten wie die der Jugend und des Sports, in vielen Einzelheiten und zahllosen Anhängern mit beiden verknüpft und wie sie durch viele, allzu viele Kanäle den großen Mächten der Zeit verbunden, der Technik, der Kundenwerbung, der Massenpropaganda, besonders der Zeitschriftenpresse. Sie erreichte es immerhin, daß die Zeitkrankheiten der Jahrhundertwende, *Blutarmut* und *Nervosität*, bald unmodern und durch andere Übel, *Blutdruck-* oder *Kreislauf-*, noch später *Bandscheibenschäden* ersetzt wurden.

Sprachlich war sie weniger schöpferisch als der Sport oder die Jugendbewegung. Ihre Leistung bestand vorzüglich darin, medizinische Begriffe, oft in vereinfachender Form oder Inhaltsgebung, unters Volk zu bringen. Die *Struktur* der Barockmedizin war schon durch die Bautätigkeit des 18. Jahrhunderts verallgemeinert; nun wurde auch das *Organ* zu breiterer Bedeutung geführt; man sprach etwa von den *Organen* des Staates, wenn man seine Beamten meinte. Die *Funktion* bekam ihren etwas aufdringlichen medizinischen Beiton. Wer die Jugend nicht verstehen wollte, wurde *verkalkt* gescholten; eine Sache, die ernster Behandlung bedurfte, mußte *verarztet* werden. Man ließ sich, neigte man zu *Depressionen,* gern *aufpulvern;* wo keine *Beruhigungspillen,* die man heute amerikafreudig *Transquillizer* oder humorig *Ganglienblocker* nennt, mehr halfen, mußte man schon eine *Pferdekur* versuchen. *Früh-* und *Spätgeburten* rückten in den allgemeinen Bilderschatz; was Sorgen machte, lag einem *schwer auf dem Magen.* Liebigs *Chloroform* (1831; Benennung 1834), seit der Jahrhundertmitte zu Vollnarkosen verwandt (*Narkose* wurde 1863 zum erstenmal gebucht), stiftete Redensarten: wer überredet, bewußtlos geschlagen, bezecht war, galt als *chloroformiert* oder auch *narkotisiert.* Der vom Holländer Mathysen erfundene *Gipsverband* (1852) gab den Spottnamen für die allzu engen Kragen der damaligen Mode her; man sprach dann auch von *Gipsschlipsen* und meinte Krawatten, die im Gegensatz zum *Selbstbinder* vorgeformt waren. Aber die meisten medizinischen Begriffe blieben doch in ihrem Bereich: es weitete sich ihre Nutzung, nicht ihre Bedeutung. Das galt für Heilmittel z. B. wie das *Chinin,* das wie das *Kokain* aus dem Peruanischen zu uns kam, aber den Weg über Italien genommen hatte, für Krankheitsnamen wie im 19. Jahrhundert, die *Diphtherie* (griech. διφθέρα = Haut), die früher *häutige Bräune* geheißen hatte, für Forschungsfunde wie die *Bakterien* (griech. = Stäbchen), die Robert Kochs Entdeckungen (1882 Tuberkel-, 1883 Cholerabazillus) volkstümlich machten; man schied freilich nur unzureichend zwischen *Bakterien* und *Bazillen,* bevorzugte aber diese vor jenen, sprach also von *Spaltbazillen,* wo man Unruhstifter meinte, und formte statt der fremdartigen Einzahl *Bakterium* wohl nach dem Muster von *Bazille* die zwar falschgebildete, aber eingängige *Bakterie,* deren *Reinkulturen* bald auch Bedeutungsübertragungen erfuhren. Die auf Koch beruhenden Entkeimungs- und Entseuchungsversuche und -maßnahmen machten die *Desinfektion* und *Sterilisierung* nach Wort und Inhalt volkstümlich *(desinfizieren; sterilisieren, steril, Sterilität,* auch in übertragenem Sinne; dazu *auskochen:* ein *ausgekochter Kerl).* Landsteiners Feststellung der *Blutgruppen* (1910; dazu seit etwa 1930, seit den Soldaten die Blutgruppe in den Wehrpaß eingetragen wurde, die Redensart *Das ist meine Blutgruppe* = mein Geschmack), die klinische Beachtung der *Blutsenkung* durch den Schweden Fåhraeus (1917), die der Physik abgelauschten *Kalorien* (lat. = Wärmeeinheiten) und die von dem Polen Casimir Funk 1912 nach dem Muster *Amine* (= Ammoniakbasen) benannten *Vitamine* (also = Stickstoffverbindungen des Lebens; 1935 entdeckte Domagk die Eigenschaften der *Sulfonamide*) wurden nahezu verschlagwortet: es gehörte zur „Bildung" zu wissen, was *Eiweißstoffe* und *Kohlehydrate* seien, und im Zweiten Weltkrieg bekam das *Vitamin B* (1897 von Eijkman gegen das Beriberi erfunden; übertragen = gute Beziehung) eine fast offiziöse Bedeutung. Zwar sprachen die Ärzte seit der Jahrhundertmitte vom *Stoffwechsel*, aber nun unterhielten sich auch die Laien darüber. Seitdem 1932 das Pocken*virus* (lat. = Gift) entdeckt war, schob sich die schon 1892 vom Russen Iwanowski eingeleitete *Virus*forschung ins öffentliche Interesse, verstärkt durch die Möglichkeiten, die das Elektronenmikroskop (seit 1953) bot, und durch die Angst der Kranken, die durch häufige Grippewellen wachgehalten wurde. Das Adjektiv *virulent* drang bald in außermedizinische Bereiche; jeder versteht heute, was z. B. *virulente* (= lebendig wirksame) *Ideen* sind. Aus Amerika lernte man die Bedeutung des *Nebennierenhormons* abschätzen (1948: Synthetisierung des *Cortisons*); sie führte auf Umwegen nach 1945 den Austrokanadier Hans Selye zu der Erkenntnis, wie folgenschwer ein *Streß* (= außergewöhnliche Belastung) für den Organismus sein könne; dadurch lernte auch der Nichtfachmann, was ein *Syndrom* ist (streßbedingter Komplex von Krankheitsanzeichen). Die Computertechnik bescherte den Kranken die *elektronische Krankenschwester* (1967). Immer häufiger und immer schneller drang Fachsprachliches aus der Medizin und den Krankenhäusern, ihren Werkstätten, in die Umgangssprache. Der *Krebs,* nach der mehr oder weniger vollständigen Eindämmung früherer Volksseuchen nun die gerade in ihrer anscheinend unauflösbaren Rätselhaftigkeit am meisten gefürchtete Krankheit, verkroch sich hinter seinen griechischen Fachnamen *Karzinom;* mitleidig verhüllend gewöhnte man sich daran, von *gutartigen (harmlosen)* und *bösartigen Geschwüren* zu sprechen. Die im letzten Jahrzehnt zunehmende Drogensucht hat neben dem *LSD* (= Lysergsäurediäthylamid) besonders das *Hasch* (Kopfwort von *Haschisch*; arab. = Hanf), das als Zigarettenpräparat auch *Marihuana* heißt, volkstümlich gemacht; man unterscheidet diese *weiche Droge* von den *harten* (Opium, Heroin, LSD); wie man den Krebs als *Geschwür* verharmlost, spricht man hier verhüllend von *Drogen* und gibt damit dem alten, seit dem 14. Jahrhundert bei uns heimischen plattdeutsch-französischen Wort (= Apothekerware) einen neuen pikanten Inhalt. In unsern Tagen ist der Drogenkonsum geradezu zum Statussymbol der protestierenden Jungen geworden; sie haben sich einen eigenen, wie eine Geheimsprache wirkenden Wortschatz aus amerikanischen und heimischen Wendungen und Abkürzungen zusammenkauderwelscht. Die vom Establishment begnügen sich mit weniger aufdringlichen, darum nicht minder unerfreulichen Plagen, z. B. der *Allergie,* deren Volksläufigkeit sich u. a. darin zeigt, daß ihr Adjektiv gern in übertragener Bedeutung verwendet wird *(dagegen bin ich allergisch!).* Regelmäßige Erfahrung bei Konsultationen ließ den *Blutdruck*, vermutlich nicht ganz zu Recht, im Volksmund zu einer Art von Krankheitsbarometer werden. Ältere Wörter wie *Diät, Hysterie, Migräne, euphorisch* traten aus der Fach- in die Umgangssprache. Gelegentlich holten sich die Ärzte ihre Wörter auch aus anderen Bereichen, z. B. aus dem Sport (z. B. *Pacemaker* = Herzschrittmacher). Neuere Bildungen machten den Schritt zur Alltagssprache, sofern sie nur erfolgversprechende Dinge meinten, in Blitzesschnelle, *Stoßkur* z. B. oder, früher, *Lokalanästhesie,* die, als sich jene in Gegensatz zur *Vollnarkose* gesetzt hatte, der *örtlichen Betäubung* weichen mußte, und die Zahnärzte beschlagnahmten die *Prothese,* die Sauerbruchs Kriegschirurgie berühmt gemacht hatte, euphemistisch für das, was früher „Gebiß" geheißen hatte. Schulzes *autogenes Training* dankte einen Teil seiner Beliebtheit der Tatsache, daß sein Name geschickt eine technische Meisterleistung, die *autogene Schweißung,* mit einem verbreiteten Sportbegriff verband. *Reihenuntersuchungen* werteten Röntgens X-Strahlen in breiter Front für die Volksgesundheit aus. Epidemien, besonders *Grippewellen,* leiteten Krankheitsnamen ins Sprachbewußtsein aller. Die Fachärzte machten ihre manchmal schwierigen gelehrten Bezeichnungen allgemein bekannt; je mehr der praktische Arzt zurücktrat, um so lieber suchte man seinen *Internisten, Orthopäden, Gynäkologen* auf. Neuerdings hat sich zu ihnen auch der *Sexologe* und der *Geriater* (Arzt für Alterskrankheiten) gesellt. Der Arzt und Lyriker Gottfried Benn (vgl. S. 44!) hat dazu beigetragen, *Genotypen* und *Phänotypen* (= Erb- und Erscheinungsbilder) einzubürgern.

Eine besondere – auch sprachliche – Bedeutung gewann in diesem Zusammenhang die seit 1889 von Freud und Breuer entwickelte *Psychoanalyse* (griech. = Seelenerforschung), besonders, seit Freuds Hauptwerke („Traumdeutung", 1900; „Psychopathologie des Alltagslebens", 1901) in der Öffentlichkeit umstritten wurden. Sie setzte nicht nur eine Reihe fachwissenschaftlicher Begriffe in Umlauf: *Neurose* (griech.), *Profilneurose, Hypnose* (griech.), *Triebdynamik* (nach Vorbildern aus dem Gebiet der Physik), sie brachte auch eine Reihe gutgegriffener Neubildungen oder Bedeutungsverschiebungen: *abreagieren, Verdrängung, Komplex, Affekterlebnis, Hemmung, Triebleben, Kontaktschwierigkeit* (bei *Kontaktarmen*), *kontaktfähig, Bewußtseinswandlung, Konfliktsituation.* Ihr Weg zur *Tiefenpsychologie* einerseits, zur *Psychotherapie* andernteils hat über die *Tiefenpsychologen* und *Psychotherapeuten* wiederum zur Breitenwirkung der *Psychologie* beigetragen, die ihre Bedeutung für die Erziehung, für die Berufswahl und -beratung unablässig steigerte. So bürgerten sich Begriffe ein wie *Anpassung, Ausfall(erscheinung), Einfühlung(svermögen, -sgabe, -sfähigkeit), Geltung(strieb), Labilität, Psy-*

chose, Reflex, Spannung, suggestiv, ausgeglichen, gefühlsgesichert (von der Umwelt gesagt) – nicht als ob sie alle bisher unbekannt gewesen wären, wohl aber in dem Sinne, daß sie jetzt allgemein wurden und aus ihrer ursprünglichen, aus der wissenschaftlichen Welt heraustraten. Kretschmers *Entgleichung* (für *Dissimilation,* 1930) wirkte mehr in andere Fachsprachen (z. B. die Sprachforschung) als in die Umgangssprache; aber daß auch *Ressentiment* der Psychologie entstammte, ehe es um 1930 seine Lebensbereiche ins Politische und Private weitete, wurde schnell vergessen. Auch die *Aktualität* nahm von hier ihren Weg ins Gemeinbewußtsein, die *Kombinationsgabe* und die *Kontrastwirkung;* die *Integration,* von Jaensch (1883–1940) in die Typenlehre eingefügt, vorher von Spencer zur Erklärung des Begriffs „Entwicklung“ verwendet, meinte eigentlich die Verbindung der Einzelfunktionen zur Ganzheit von Leib und Seele, und auch die *Koexistenz* (= Nebeneinander mehrerer Eigenschaften) war ein Fachbegriff der Psychologie, ehe sich die Politik (*friedliche Koexistenz* [N. Chruschtschow]) ihrer bemächtigte.

Die Bedeutung der Medizin für die Sprache wurde also von vielen ihrer Sparten gespeist und bestätigt. Der Vorgang spiegelt die Bedeutung, die der Arzt für das Bewußtsein der Zeit hatte; sie stieg unablässig. Die Zeiten Grimms und Treitschkes waren vorbei; Germanisten und Historiker fanden nur noch in seltenen Einzelfällen schmale Zugänge zur Öffentlichkeit. Aber der Arzt, der Krankheiten bannen, das Leben verlängern, die Schönheit erhalten, die Jugend bewahren konnte, war der bewunderte Held der Wissenschaft, der „Doktor“, später der „Professor“ schlechthin. Er erzog sich ein Heer von Helfern, *Kranken-* und *Operationsschwestern, Sprechstunden-* oder *Arzthilfen, Laborantinnen, medizinisch-technische Assistentinnen.* Das hatte auch sprachliche Bedeutung: man verfolgte, was die Medizin arbeitete, mit Teilnahme; ihre Begriffe liefen um. Es entstand ein volkstümliches Schrifttum über die menschliche Ernährung, das Geschlechtsleben, die Körperschulung und Schönheitspflege (*Kosmetik,* die nicht nur mit Salben, Ölen, Massagen und Pflastern, sondern auch chirurgisch betrieben wurde). Die Illustrierten brachten Bilder und Aufsätze über Heilstätten und Forschungsanstalten; die Geschichte der großen medizinischen Entdeckungen wurde im Buch, im Roman, im Bildbeitrag, im Film, auf dem Fernsehschirm mit nicht geringerem Eifer dargeboten und aufgenommen als die Berichte über die Großtaten der Chemie oder Physik. Vom Roten Kreuz, 1863 von Henri Dunant angeregt, und ähnlichen Vereinen, der Arbeiter-Wohlfahrt, der Caritas (1897) wurden Erwachsene und Schüler über Hilfeleistungen für Verunglückte unterrichtet; die *erste Hilfe,* die *künstliche Atmung, Arm-* und *Beinschienen* wurden Dinge, die man nicht nur kannte, sondern auch konnte. Nach dem Zweiten Weltkrieg erregten Leber-, Bauchspeicheldrüsen-, Nieren-, Nerven- und Herz*verpflanzungen (Transplantationen)* großes Aufsehen; wie man sein Geld Banken anvertraute, gewöhnte man sich daran, daß Ärzte und Krankenhäuser für dringende Fälle auch *Blut-*, *Augen-* und *Mikrobenbanken* anlegten, denen als *Spender* galt, wer sie – freiwillig oder unfreiwillig – belieferte. Später zog dann die Informatik mit ihren *Daten-* und *Informationsbanken* nach. Auf solchen Wegen bekam auch die Umgangssprache einen wissenschaftlichen Anhauch. Die Fremdwörter, die ihr hier zuflossen, hatten, da sie meist den klassischen Sprachen entstammten, etwas Gelehrtes, Würdiges an sich: *steril, vegetarisch, homöopathisch, labil – Narkose, Depression, Hysterie, Psychose – chloroformieren, abreagieren, analysieren, kultivieren;* sie steigerten, da sie gewöhnlich im Fachsinn benutzt wurden, den Sprecher in die Gemeinschaft der Bewunderten. Auch die deutschen Bildungen behielten diesen erregenden Krankenhausgeruch, der Geheimnis und Heilung bedeuten konnte; wer von *Ausfallserscheinungen, Aufbaukräften, Erbanlagen* oder *Heimnieren* (1968) redete, fühlte sich augenscheinlich auch einem Gespräch mit Virchow, Freud oder Sauerbruch gewachsen. Die Volkstümlichkeit der *Sauna* gegenüber den römischen Dampfbädern unserer Großväter mag u. a. in ihrem anmutig-fremdländischen Namen (finnisch = Dampfbad) gründen.

Aber die Sprache wurde dadurch nicht viel geschmeidiger. Da den Sprechenden wenig Spielraum zu Eigenschöpfungen gegeben, auch wenig Rücksicht auf sie geboten war, blieben die meisten dieser Befruchtungen gewissermaßen steril. Mehr oder weniger verantwortliche Popularisierungen medizinischer Entdeckungen und Erkenntnisse verwirrten nicht selten den Sprachgebrauch. Daran halfen manchmal auch die Ärzte mit, wie denn die Zahnmediziner uns gelehrt haben, *Gold-*, *Blei-* und *Porzellanplomben* hinzunehmen, obwohl sie in sich widersprüchliche Zusammensetzungen sind (lat. *plumbum* = Blei!). *Augenpulver,* eine alte Bezeichnung für ein früher oft benutztes Heilmittel, wurde umgangssprachlich – vielleicht, weil neuere, wirksamere Medizinen jene alte fragwürdig gemacht hatten – zum Verderben der Augen *(Diese Schrift ist Augenpulver!).* Ja, es ließe sich zeigen, daß auch die Mediziner jenen bösen Weg der Sprache bestätigten, den ihr der Einbruch der Technik, die Vermassung, die Wirtschaft aufgedrängt hatten. Die von Robert v. Mayer (1814–1878) begründete Beziehung zwischen Physik und Medizin, die u. a. den Begriff der *Dynamik* auch für medizinische Beobachtungen unentbehrlich machte (man erinnere sich an Freuds *Triebdynamik*), Rudolf Virchows Zellularpathologie, die dem kleinsten organischen Gebilde die größte Bedeutung für das Gesamtbefinden des Menschen zuschob und damit die Vorstellung begründete, nicht nur der einzelne Mensch, auch die Vielheit zusammenlebender Menschen müsse als *Zellenstaat* begriffen werden, woher dann die kommunistische *Betriebszelle* und der *NS-Zellenleiter* ihre Daseinsberechtigung ableiteten, die Mikroskopierarbeit, die durch Siedentopfs Ultramikroskop (1903) vor neue und unerwartete Möglichkeiten gestellt wurde – sie wirkten gemeinsam an der landläufigen Vorstellung, der Körper des Menschen, der sich nicht anders wie ein Pflanzen- und Tierleib darstellte, sei eine Art Maschine, deren Funktionen weitgehend berechenbar, d. h. lenkbar seien. Schon der vielgelesene Karl Ludwig Schleich hatte vom *Schaltwerk der Gedanken* gesprochen und geschrieben (1916); als dann nach dem Zweiten Weltkrieg Wieners datenverarbeitende Maschinen ins große Gespräch kamen, waren die begeisterten Propagandisten der neuen Wundermaschinen vorschnell bereit, in ihrer genialen Konstruktion geradezu ein Vorbild für das menschliche Nervensystem zu sehen, das man sich mit *Kommandozentralen, Befehlsimpulsen* und *Datenspeicherung* arbeitend verdeutlichte. Allerdings entdeckte man nun auch, daß der vielstrapazierte *freie Wille* eine medizinische Täuschung gewesen war; damit wurde das Beiwort *freiwillig* für viele zwiebödig. Eben diese Lenkbarkeit, diese Meinung, auch die Heilkunst sei schließlich nicht mehr als die Handhabung eines sehr raffinierten Mechanismusses, begründet die öffentliche Teilnahme an medizinischen Fragen und Erkenntnissen. An diesem Irrtum, den z. T. Mediziner der wissenschaftlichen und popularisierenden Richtung verschuldeten, änderte auch die ins Bewußtsein der Zeitgenossen aufsteigende Psychologie wenig oder nichts, im Gegenteil: medizinische Begriffe wie *Automatismus*, zu nah beim *Automaten,* als daß der Laie den Abstand verstehen könnte, oder Freuds *Triebleben,* zu nah am *Triebwerk,* am *Triebrad,* an der *Triebfeder* und am *Triebwagen,* als daß man nicht auch ihm einen Mechanismus beilegte, boten ihnen Nahrung. An anderer Stelle trugen die Krankenhäuser ähnlich wie in andern Lebensbereichen die Behörden, genötigt durch die Notwendigkeit, schnell zu formulieren und Patienten möglichst anonym zu belassen, dazu bei, die Grenze zwischen Mensch und Sache einzuebnen: wer kam, war ein *Zugang*; wer geheilt oder als Leiche (!) schied, hieß ein *Abgang;* statt der Krankennamen wählte man die Krankheitsbezeichnungen (auf Zimmer 6 liegt *ein Blinddarm; die offene Tb* auf Zimmer 18); das machten die Musiker bald nach und sagten zum Cellisten, er sei *das Cello,* zum Trommler, er sei *die Trommel.* Wie beim Militär oder beim Wohnungsamt werden im Krankenhaus die Zimmer *belegt.* Es stammt wohl aus den Ordinations- und Krankenräumen, daß auch Patienten von sich behaupten, *Zucker* zu *haben* (= zuckerkrank zu sein).

Bei alledem darf der Einfluß, den die Arzneimittelindustrie mit ihren von Woche zu Woche unübersichtlicher werdenden *Spezialitäten* (= abgabefertige Heilmittelpackungen) auf die Meinungs- und Sprachbildung bekam, nicht übersehen werden. Die Apotheke wandelte sich teils zum chemischen Laboratorium, teils zur Verkaufsstelle von Heilmitteln, die fabrikmäßig erzeugt wurden. Emil Fischer (1852–1919), dem die Synthese des Traubenzuckers und des Koffeins glückte, öffnete der „angewandten Chemie“ breit den Weg zu Wirtschaft und Industrie; mit seinem *Veronal,* kurz vor einer Reise nach Verona so benannt, regte er auch die ähnliche Benennung anderer Heilmittel an. Die Entdeckung des fieberdämpfenden *Antipyrins* durch Ludwig Knorr

(1859–1921) ermunterte zur Gruppenbenennung anderer Anti-Mittel: *Antiallergica, Antibiotica, Antihistaminkörper, Antineuralgica, Antirheumatica, Antispasmodica;* vorangegangen war der Engländer Joseph Lister mit seiner *antiseptischen* Wundbehandlung (1865). Hier waren einmal die Mediziner Anreger für eine Wortbildung der Technik: die *Antiklopfmittel* der Kraftfahrer haben sich wohl die heilenden Anti-Mittel zum Sprachmuster genommen. – Solche Kunstwörter wollen in ihren Teilen begriffen werden, setzen also klassische Bildung voraus. Dem Durchschnittssprecher waren und bleiben sie Zauberwörter. Diese Wirkung steigerten auch ihre Klangendungen. Da gab es Mittel auf *-on (Pyr-amid-on),* auf *-int (Form-a-m-int:* Formaldehyd und Milchzucker, also durch Kürzung gebildet!), auf *-in* (*A-s-pir-in:* Kürzungswort aus Azetyl-Salizyl-pyr = Fieber; 1899 von Dreser eingeführt); andere fügten der klangvollen Endung die einschmeichelnde Vorsilbe bei: das griedas lateinische *sana-* (= heil-: *Sanato* –[nach Sanato-rium] *-gen,* ans griech. *gen-* = werden angelehnt) oder das gleichbedeutende *salv-* (Ehrlichs *Salvars-an,* 1910), die fortschrittsfreudigen *neo-* (griech. = neu: *Neosalvarsan)* oder *novo-* (lat. = neu: *Novokain* = Neues [Ko-]kain). Führend waren die Farbenfabriken Bayer AG. in Leverkusen, die seit 1887 Arzneimittel herstellten *(Aspirin, Veronal,* das Schlafmittel *Luminal,* seit 1916 *Germanin* zur Bekämpfung der Schlafkrankheit, wohl das einzige Heilmittel mit einer ans nationale Empfinden rührenden Bezeichnung!) und die Hoechster Farbwerke Meister Lucius und Brüning in Frankfurt (*Antipyrin, Pyramidon,* Kochs *Tuberkulin, Salvarsan, Novokain,* nach dem Zweiten Weltkrieg auch das schon 1928/9 entdeckte, seit 1940 am Menschen erprobte *Penicillin* [von lat. *penicillium* = Pinselschimmel]). Solange die IG-Farben bestanden (1925 bis 1950), war die deutsche Heilmittelindustrie weitgehend zusammengeschlossen. Das wirkte sich auch in der Namengebung aus, die übrigens auch durch das Deutsche Arzneibuch („Pharmakopoe“) seit 1872 vor zu großer Formenfülle bewahrt wurde. Aber je mehr Heilmittel auf den Markt kamen, um so dringender ergab sich für die Hersteller die Notwendigkeit, wie andere Wirtschaftszweige für ihre Erzeugnisse zu werben. Waren die lockenden Rufe hier auch etwas gedämpfter als dort, so halfen sie doch nur zu oft, durch Vernebelung der wahren Tatbestände Meinungen und Hoffnungen ihrer Kunden zu verwirren. Wer eine gute Verdauung hat, bleibt, wenn er nicht unmäßig ißt, schlank; man hat also guten Grund, Abführmittel als *Schlankheitspillen* zu verkaufen. Man kann im Einzelfall sagen: *„Der Tod sitzt im Darm!“*; als Werbespruch ist die Behauptung schlechthin falsch. Auch hier wird mit der Sprache manipuliert, auch hier mit ihrer Hilfe Unklarheit, Aberglauben und Unheil gestiftet.

Es liegt im Wesen der Medizin, bedrohliche, traurige oder auch nur peinliche Fälle wo nicht zu bagatellisieren, so doch barmherzig zu verhüllen. Untereinander weichen Ärzte dann ins Lateinische aus, das die Hörer meist nicht verstehen, dem Patienten und seinen Angehörigen gegenüber lassen sie gern die Gnade unverfänglicher Formulierungen walten. Auch diese Behutsamkeit hat unsere Sprache beeinflußt. Von der *Prothese* (= künstliches Gebiß), dem *Geschwür* und der *Droge* war schon die Rede. Was früher brutal *Irrenhaus* hieß, wurde erst zur *Heilanstalt*, dann schwanzlastig zur *Anstalt* schlechthin *(Er ist in der Anstalt)*. Der *Selbstmord*, von Kirche und Staat damals verächtlich an die Grenze des Kapitalverbrechens gerückt, wurde, als man (nach 1918) gütiger über ihn zu denken begann, zum *Freitod;* neuerdings bürgert sich die medizinische Bezeichnung *Suizid* ein, die zwar, aus lateinischen Brocken zusammengefügt, nichts anderes aussagt als der alte *Selbstmord,* aber den grausen Tatbestand durch das fremde Sprachkleid doch gütig verfremdet. Und natürlich hört der Kranke sein Übel lieber als schlichten *Schaden* bezeichnet *(Bandscheibenschaden),* als daß er sich durch ein furchterregendes Fremdwort einängstigen ließe.

So stellen sich neue Formulierungen neben die alten, und es kann geschehen, daß einer im selben Atemzug seinen *Herzklappenfehler* oder seine *Koronarsklerose* beklagt und davon redet, daß ihm ein Kummer *am Herzen nage,* daß ihm erst neulich *vor Schreck das Herz stillgestanden sei,* daß sein Leid ihm noch *das Herz brechen* werde und ihn die Klage eines lieben Menschen, den er bis *in die tiefsten Falten seines Herzens* kenne, mitten *ins Herz getroffen* habe. Er weiß sehr gut, daß die alten Stereotypbilder nicht zutreffen. Aber er braucht sie unbekümmert weiter; vermutlich merkt er es nicht einmal, wie sehr in seinen Worten die ererbte Floskel gegen die neue Einsicht steht. Würde er's spüren, er würde stutzen und verstummen, und es würde ihm kaum eine Hilfe sein zu erfahren, daß die gelehrtesten Ärzte ratlos vor der selbst entdeckten Tatsache stehen, daß es mehrere Stufen des Todes gibt, mehrere *Tode* sozusagen, die man wohl feststellen kann, aber am alten Wort haftend, noch nicht neu zu benennen wagt; denn die Unterscheidung vom *klinischen* und *biologischen Tod* ist, zum mindesten von der Sprachfügung her, nicht mehr als eine Gebärde der Hilflosigkeit.

Je größer unsere wissenschaftlichen Kenntnisse und Erkenntnisse werden, um so notwendiger, aber auch um so schwerer wird es, die einzelnen Wörter genau zu definieren. Dabei spielt auch ihre wachsende Zahl eine Rolle; wer dem Schauspiel zusieht, meint es zu fühlen, wie der Wirkraum jedes einzelnen Wortes, durch die Fülle seiner Artgenossen bedrängt, kleiner und kleiner wird. Schon Galilei hat die gegenseitige Gefährdung von Alltags- und Wissenschaftssprache gesehen: „Die Anschauungen von *groß* und *klein,* von *oben* und *unten,* von *nützlich* und *zweckmäßig* sind auf die Natur übertragene Eindrücke und Gewohnheiten eines menschlichen und gedankenlosen Alltags." Wie *leicht* muß etwas sein, um *leicht* zu sein? Hat ein *leichter Schlaf* noch etwas mit einem *leichten Kleid,* ein *leichtes Spiel* mit einer *leichten Musik,* etwas, was *leicht möglich* ist, mit jemandem, der *leicht gekränkt* ist, zu tun? Warum gilt *Leichtfuß* als Rüge, *leichtfüßig* aber als Vorzug? Oder das Gegenteil: ist ein *schwerer Tod schwer wie Blei*, sind Bücher *schwer* nach ihrem Gewicht oder ihrem Inhalt, ist einer, der *schwer begreift*, mit dem andern, der *schwer büßt*, im gleichen Atem zu nennen? Dennoch: das sind die Adjektiva, mit denen sich wohl oder übel auch der Forscher behelfen muß; er muß für seine Untersuchungen einen Fixpunkt setzen, an dem er das Beiwort mißt. Wie weit ist dieser Gradmesser für die anderen außerhalb seines Fachbereiches verbindlich, für den Journalisten, der die Ergebnisse seiner Arbeit verbreitet, für den Redner, der zu Laien spricht, für den Lehrer, der Schüler oder Lehrlinge in geeigneter Form mit solchen Dingen bekannt machen will? Wir erleben eine Inflation der mit *schnell*-zusammengesetzten Substantiva. Aber wiewohl wir wissen, daß ein Pfeil, ein Blitz, ein Blick oder der Absatz unserer Ware einen sehr verschiedenen Grad von Schnelligkeit haben, scheuen wir uns nicht, aus der Technik und anderen Wissenschaften täglich neue Vorstellungen von Schnelligkeit der Fülle der unserm Sprechen schon vertrauten beizumengen. Jeder Mensch wird *laut* oder *leise* verschieden empfinden und definieren; keinem ist damit geholfen, daß man die Lautheitsgrade messen kann; eine Phonzahl, die dem einen noch durchaus erträglich erscheint, bedeutet dem andern schon eine schwere Störung oder Belastung. Was *klein* und was *groß* ist, wird – in der Wirtschaft etwa – an den Artgenossen gemessen, *Kleinuhren* z. B. oder *Kleintiere* sind von verschiedenen Größenvorstellungen bestimmt, und was *roh* ist, muß von Fall zu Fall überlegt werden (*Rohschinken – Rohöl – Rohzucker – Rohstoff* usw.); dabei nimmt man entweder die eindeutige Phase der Bearbeitung oder das schwankende Verhältnis der Sache zu ihrer Fertigstellung als Ausgangspunkt. Die schon an sich nur am Kontext ablesbare punktuelle Bedeutung des einzelnen Adjektivs wird durch die notwendigerweise von vielen aufgegriffenen neuen wissenschaftlichen Definitionen weiter verdunkelt.

Dazu kommen weitere Erschwernisse. Als ob es d i e Wissenschaft gäbe; als ob man zimperlich wäre, einen Begriff der einen mit gewandelter Bedeutung in die andere zu verpflanzen! Eine *Kontamination* ist für den Linguisten etwas anderes (= Vermischung zweier Wörter) als für den Physiker (= Verschmutzung durch radioaktive Substanz), der Prähistoriker definiert das *Neolithikum* (= Jungsteinzeit) anders als der Ethnologe (= bäuerliche Gesellschaftsform), der *Moderator* ist dem einen eine Materie zur Verzögerung schneller Neutronen, dem andern eine Art Regisseur für eine (politische) Fernsehsendung, und was dem Arzt eine *Naßzelle* (= Bad, Dusche, WC in einer Heilanstalt oder Altenstätte) ist, könnte der Jurist leicht mißverstehen. Gelegentlich sind auch die Wissenschaftler von einer gewissen Fahrlässigkeit bei der Festsetzung ihrer Termini. Schon Francis Bacon (1561 bis 1626) hat auf die Gefahren hingewiesen, die dem wissenschaftlichen Denken von der Umgangssprache her drohen; aber auch dreieinhalb Jahrhunderte später scheut man sich nicht, einen Ort größerer Schwingungsweite als *Bauch* zu bezeichnen, das in ganz anderm Sinn verbreitete Fremdwort *Äquivalent* für eine chemische Mengeneinheit zu beschlagnahmen oder kurzerhand zu bestimmen, daß künftighin für Chemiker und alle, die in ihren Bereich kommen, ein *Antipode* eine Verbindung mit spiegelbildlich verkehrtem Molekülbau zu sein habe. Saloppe Wortprägungen wie *Ionenwanderung* (eigentlich = Wanderung von Wanderern) kommen hinzu. Was Wunders, daß der Laie, von dem diese Wörter entweder stammen oder doch, dank unserer fast perfekten Kommunikation, schleunigst aufgegriffen werden, sprachlich labil wird. Soll man ihm, dem sein Elektrohändler *Neonlampen* verkauft, die kein Neon enthalten, verübeln, daß er nicht weiß, was ein *Vakuum* nun wirklich ist, und er den verwegenen Wunsch äußert, es zu *überbrücken*? Er gibt sich zwar das Ansehen, *analysieren* zu können, aber nimmt sich dann auch das Recht, Fachbegriffe wie *Quanten, Relation, Ebene, Gipfel, Sektor, Tragweite, Profil, Optik, Kolorit* anders anzuwenden, als der Fachmann ihm zugestehen möchte. Die 150 000 Fachzeitschriften, die wir heute zählen, sind in ihren Terminologien durchaus nicht einheitlich. Es ist verzeihlich, daß die popularisierenden Monats- oder Wochenblätter, unter denen der „Kosmos" seit 1904 eine, lange Zeit hindurch d i e führende Rolle spielte, dies oder jenes einebnen oder unscharf machen. Faraday hatte es nicht schwer zu bekennen, daß er „mit dem Ausdruck *Atom*" vorsichtig sei, „denn wiewohl es sehr leicht ist, von *Atomen* zu reden, ist es doch sehr schwierig, sich eine klare Vorstellung von ihrer Natur zu machen". Aber erst Dalton definierte das griechische Wort brauchbar, das im Grunde das Gegenteil von dem bezeichnete, was wir heute meinen (= etwas unteilbar Gedachtes), zu einer Zeit (1808), als es längst im Umlauf war. Wir dürfen nicht überrascht sein, wenn sich bei Laien und Halbwissenschaftlern ein Gebrauch einstellt, der den Physiker zusammenzucken läßt *(Atomkrieg, -tod, -bombenexplosion)* – gibt er doch selber zu, daß der Begriff des *Atomgewichts* eine unzureichende Eindeutschung des französischen Musters *masse moléculaire* sei! Wirrköpfe und Kurpfuscher aller Sorten sind schnell bei der Hand, irgendwo etwas aufzugreifen, halb durchzudenken und mit unzureichenden Gedanken zu amalgamieren. Natürlich wird mit den *Strahlen* viel Törichtes angestellt, weil man Begriffe der Physik, Psychologie und solche aus der eigenen dumpfen Gedankenwerkstatt zusammentut; aber ist das so absonderlich, wenn selbst Fachleute einem *Rund*funk *Richtstrahler* zuordnen? Und was ist von der oft so unerbittlich beschworenen Eineindeutigkeit physikalisch-technischer Begriffe zu halten, wenn die dem Griechischen entnommene Endung *-skop* (griech. *skopos* = Späher, Aufseher) in ganz verschiedener Bedeutung in die Zusammensetzungen hineingenommen wird *(Elektro-skop – Mikro-skop – Dia-skop)*, daß dem Benutzer eines *Thermometers* so schwierige Unterscheidungen wie die zwischen Wärme (die er empfindet) und Temperaturveränderung (die der Physiker feststellen will) zugemutet werden oder die übliche Einteilung in *Eisen-, Blech-* und *Metallwaren* vortäuscht, daß *Eisen* und *Blech* keine Metalle und daß sie Gegensätze seien?

Unzulänglichkeiten, gewiß. Je weiter die Wissenschaften vorankommen, um so mehr von ihnen werden berichtigt. Bis das Dementi die Alltagssprecher erreicht, kann viel Zeit verstreichen. Zudem fragt es sich, wie weit das Recht der Forscher geht, der Umgangssprache ihre Definitionen aufzuzwingen, wie weit ihr das verbürgte Recht, Wörter durch Verbildlichung aus der realen in die metaphorische Welt umzupflanzen, bestritten werden darf. Oft ist die Verzweiflung der Wissenschaftler über den „falschen" Gebrauch ihrer Fachwörter im Alltag nichts weiter als ein Mangel an Verständnis für die Gesetze des Sprachvollzugs. Eines von ihnen besagt, daß jedes Wort auch bildhaft gebraucht werden darf, wenn der Sprecher das Bild nur wirklich vor sich sieht (spricht doch auch der Physiker z. B. vom *Faradaykäfig*, obwohl keineswegs ein Käfig vorhanden ist!); ein andres weist auf die Tatsache, daß eine allgemein verwendete Floskel oder Redensart auch dann beibehalten werden kann, wenn sich die ihr zugrundeliegenden Vorstellungen gründlich geändert haben. Niemand errötet, wenn er vom *Auf-* und *Untergang* der Gestirne spricht, obwohl wir alle es seit Kepler besser wissen. Man redet ja auch unbekümmert von *Meeren* auf dem Mond, obwohl lange vor dem Betreten des Erdtrabanten feststand, daß dort durchaus keine Meere bestehen; auch wenn man sie ins Lateinische übersetzt *(maria)*, wird die Bezeichnung nicht richtiger. Die Sprache lebt weitgehend durch ihre Fähigkeit, immer neue Bilder zu prägen und immer weiter an alten Sprachformungen festzuhalten.

Das ist der Hintergrund zu dem Vorgang, den man die *Verwissenschaftlichung* unserer Sprache nennt. Sie ist nicht wegzuleugnen; sie hat ihren guten Anteil an der Aufblähung unseres Wortschatzes; sie hat die Neigung vieler gestärkt, ihre Aussagen mit Prädikaten zu schmücken, die nicht immer stimmen, die aber vollmundig, manchmal pompös wirken. Hat sich, nach einem Worte Heisenbergs, „die gesamte wahrgenommene Welt" für den Forscher „in ein Meer von Täuschung verwandelt", kann es nicht ausbleiben, daß der Laie gelegentlich im Sumpf halbverstandener Vokabeln steckenbleibt. Wenn die Meteorologen von *Witterungsverhältnissen* statt einfach vom *Wetter* reden, mag er sich in der Meinung bestätigt fühlen, daß wissenschaftlicher Ausdruck und Umständlichkeit synonym sind; wenn die Biologen viererlei Geschlecht, das genetische, das gonadale, das somatische und das legale unterscheiden, darf man ihm nicht verübeln, wenn er gegen die genauen wissenschaftlichen Formulierungen mißtrauisch wird. Man rühmt zwar die Wissenschaft über alle Maßen, läßt sich im Westen von Demoskopie, Psychologie, Technik usw. ehrfürchtig und gläubig stimmen und erhebt im Osten die allmächtige Partei selbst zur alleinigen Hüterin aller wissenschaftlichen Aussagen; aber im Herzensgrund nimmt man, wie die Großväter den *Gelehrten* zum Maß unpraktischer Denk- und Handelsweisen machten, den *Akademiker* als den Urtyp der Weltfremdheit. Das ist heute nicht anders als im kaiserlichen Heer, in dem die Unteroffiziere den Männern empfahlen, das *Denken den Pferden* zu *überlassen,* oder im NS-Staat, der die *Intellektuellen* verteufelte. Der Haß dessen, der sich vom Wissen ausgeschlossen sieht oder meint, gegen den Besitzer und Hüter des Wissens ist immer noch nicht ausgekämpft. Die leichte Ironie, die sich in Nachahmungen wissenschaftlicher Wortbildungen zeigt – etwa in den medizinverdächtigen Bildungen auf *-itis* wie *Rederitis, Radioritis* – ist freilich mehr gutmütig als feindselig.

Wenn dieser oder jener Begriff wissenschaftlicher Herkunft auf die schiefe Bahn der Umgangssprache gerät, wird die Verständigung sicher erschwert; daß zumal auch der Gebrauch der Fremdwörter gefährlicher wird, liegt auf der Hand. Daß man fast allgemein *Lab*or und *Mot*or in gleicher Weise und *Alibi* falsch betont, zeigt, wie schnell etymologische Zusammenhänge verloren gehen; daß beide in der Pluralbildung auseinandergehen (*Labore – Motoren),* bleibt für viele ebenso uneinsichtig wie die Forderung der Wissenschaft, zwischen den Mehrzahlbildungen *Primate* (= Vorränge) und *Primaten* (= Nachkommen von Primaten) zu scheiden. Der Ruhm, als „wissenschaftliches Jahrhundert" in die Geschichte einzugehen, drückt die Sprache mehr als die meisten Sprecher.

Daß dabei die Spannung zwischen Wissenschaft und Alltag immer lebendig bleibt, zeigt vielleicht am eindringlichsten ein Blick auf das Recht in seiner Dreiheit als Forschung, Anwendung und öffentlicher Meinung. Es hat, wo auch im Einzelfall sein Ursprung gelegen haben mag, viele Jahrhunderte in Tuchfühlung mit diesem Volke gestanden, es hat ihm viele Wörter abgelauscht und ihm viele andere abgegeben. Dabei hat es manchen guten, einprägsamen Griff getan: *Steckbrief* oder *Strandgut, Kurzarbeit* oder *Fahrverbot, Verjährung* oder *Jugendstrafe, Hausfriedensbruch, Trunkenheit am Steuer* und *Schlechtwettergeld.* Aber vieles blieb doch im Dämmer von Halb- oder auch Unverstand hängen. Es gelang nicht, allen Betroffenen eindeutig zu klären, was *Notstand* oder *Kundenfang* ist, wie *kurz* eine Arbeit sein muß oder darf, um als *Kurzarbeit* zu gelten, wie die Mischung einer hierzulande vom Gesetz begriffenen *Mischehe* auszusehen hat, was das vom Gesetzgeber angezogene *Sittengesetz* zum Inhalt hat, wie früh eine Ehe geschlossen sein muß (im Jahre? im Leben der Frau? des Mannes?), um als *Frühehe* zu gelten, was *Trunkenheit*, *Abtreibung* und *Verhütung*, genaugenommen, sind, und daß *offenkundig* vor dem Gesetz ein Synonym für „notorisch" ist. Es gibt zwar den *Zuchthäusler,* gab ihn vor Gericht bis April 1970 und wird ihn in unserm Vokabelschatz noch lange geben; aber es gibt und gab nicht den „Gefängnisler", der doch mit dem „Gefangenen" nicht ohne weiteres gleichzusetzen wäre. Ist es wirklich ehrenhafter, vor Gericht *Angeschuldigter* zu heißen als *Angeklagter?* Der Staatsanwalt ist und bleibt doch der öffentliche *Ankläger* (nicht: Anschuldiger!). Vom *Beklagten* zu reden, ist nicht minder abwegig, weil „beklagen" nur reflexiv gebraucht wird. Daß *Koalition* in Verbindung mit *Freiheit* etwas anderes meint als in der Zusammensetzung mit *Regierung*, ist schwer einzusehen – wie man auch nicht leicht versteht, weshalb die Meteorologen zu *rechts* den Gegensatz *zurück* bilden, weshalb sie *schön* gegen *schlecht* setzen (*rechtsdrehende – zurückdrehende Winde; Schön-*, aber *Schlechtwetter).* Es deutet gewiß nicht auf ein besonders enges Verhältnis zur Mathematik hin, wenn ein Gewerbelehrling eine *Weitwinkelausbildung* erhält; es zeugt auch nicht von besonderem Rechtsverständnis, vom *Taximord* zu reden, wenn der Ermordete der Chauffeur des Mietwagens war, oder dem von Voltaire vorgeprägten *Justizmord* einen *Justizskandal* nachzuformen, bei dem niemand weiß, wer nun das Subjekt, wer das Objekt spielt. Allerdings macht die Behörde nicht kleinere Kapriolen, wenn sie z. B. allen Ernstes behauptet, sie habe den, den sie *ent-nüchterte,* nüchtern gemacht. Solche Beispiele deuten doch an, in welches Spannungsfeld zwischen Beanspruchung und Anspruch unsere Sprache bei diesem Beschuß durch die ganz oder halb oder gar nicht erklärte, gut oder schlecht, verständlich oder unbegreiflich geformte Terminologie all unserer Wissenschaften geraten ist.

VII.

Politik und Umgangssprache

Auch die Politik ist zu einer öffentlichen Angelegenheit geworden. Zunächst drangen nur einzelne Redensarten aus den Sitzungszimmern der Regierenden und Diplomaten wie jenes *Ruhe ist die erste Bürgerpflicht!*, das Graf v. d. Schulenburg-Kehnert nach der unglücklichen Schlacht von Jena (1806) seinen Untergebenen zurief und das Willibald Alexis durch einen Roman (1852) wieder ins Gedächtnis gepflanzt hatte. Aber als das Frankfurter Parlament zusammentrat, gab es auch in Deutschland längst eine Fachsprache für politische Debatten; sie mischte heimische mit französischen und englischen Wendungen. Nun verbreiterte sich mit ihrem Umfang bald auch der Widerhall, den sie – ausstrahlend über nachahmende Vereine und Parteien – in der bürgerlichen Welt fand; Zeitwörter wie *anberaumen* oder *ablehnen,* Begriffe wie *Tagesordnung* (nach franz. *ordre du jour*) oder *Tisch des Hauses* (nach engl. *table of the house*) drangen aus dem Sitzungssaal in die deutschen Wohnstuben; man rief sich gegenseitig im Gespräch oder bei der Arbeit *zur Ordnung* (nach engl. *to call to order*), verlangte bei zu erregtem Stimmgewirr *Schluß der Debatte* und ärgerte sich, kam man selbst nicht zu Wort, über die *Dauerredner,* die (wie seit der Jahrhundertwende die Obstruktion im Reichstag) keinen andern ans Wort ließen. Der *unparlamentarische Ausdruck* wurde die „feinere" Bezeichnung für derbere Ablehnungen der gegnerischen Redeweise; wer beschuldigt wurde zu *agitieren* (engl. *to agitate*), mußte nicht gerade Wahlrankünen treiben, sondern sollte nur als Ränkespinner bloßgestellt werden; wer einen *Rückzieher* machte, war sich kaum dessen bewußt, daß die Wendung von der Löschung eines Antrages stammte (so zuerst Laube, 1849), und wer einen *genehmigte*, dachte auch nicht an irgendein „hohes Haus". Vermutlich war es die Hoffnung, auch außerhalb des Sitzungssaales gehört zu werden, die den Volksvertretern gelegentlich den Mut zu ein paar flotten und farbigen Wendungen eingab, den *Mut, zum Fenster hinauszureden*; man versuchte z. B. (seit 1881) den Gegner auf einer Äußerung *festzunageln*; man mußte, wenn die Zeit drängte die Vorlagen *durchpeitschen* (nach engl. *to whip up*; dt. seit 1913); ein Antrag, der ehrenvoll abgelehnt wurde, erhielt nach einem bittern, auf sich selbst gemünzten Wort Bismarcks ein *Begräbnis erster Klasse*; wenn viele Vorlagen schnell erledigt werden mußten, veranstaltete man ein *Großreinemachen* (so seit Anfang des 20. Jahrhunderts). Manchen Fremdlingen sah man es nicht mehr an, daß sie von höchst unpolitischer Herkunft waren. So stammt der *Chauvinismus* aus einem Theaterstück der Brüder Cogniard (1831), in dem ein Soldat Chauvin heißt; den Namen setzten erst Charlets Lithographien (1792–1845) in Umlauf. Andere verleugneten ihre Herkunft aus dem 48er Jahr nicht: die *Pressefreiheit* und das *Versammlungsrecht*, der *Polizeistaat* und das *Säbelregiment*, der *Wühler*, ursprünglich auf Robert Blum gemünzt, die *vertierten Söldlinge* (= Regierungstruppen), die *wehrlosen Frauen und Kinder* und die *Kirchhofsruhe*, die aus einem Wort von Schillers Marquis Posa zusammengezogen wurde. Dem Bürger würzten solche Redensarten das Zeitungsstudium; wandte er sie an, erwies er sich als belesener und witziger Kopf, und so wurde der Zweck der Wortprägung schnell erreicht. Wie wenig Zeit das benötigte, lehrt eine anspruchslose Überlegung. Seit Beginn unseres Jahrhunderts wurde das Beiwort *klein* in Gesprächen häufig, wenn man den Gesprächspartner höflich unterbrechen wollte; man erlaubte sich dann eine *kleine Zwischenbemerkung*, eine *kleine Zwischenfrage* oder etwas Ähnliches. Die Wendungen fußten auf der *kleinen Anfrage*, die 1912 im Reichstag eingeführt wurde; sie muß blitzschnell in die Umgangssprache eingedrungen sein.

Man lernte damals Zeitung lesen und übernahm dabei gern gute Wortprägungen; das lehrt die stattliche Zahl parlamentarischer Redeblumen, die seit der Jahrhundertwende volkstümlich wurden und blieben: Dahlmanns *rettende Tat* und Gagerns *kühner Griff*, Unruhs *passiver Widerstand* und Leos *frischer, fröhlicher Krieg*, Bismarcks *dilatorische Behandlung* und *ehrlicher Makler*, seine apodiktische Gliederung des Volksganzen in antidemokratische *Nationalgesinnte* und *Reichsfeinde*, und Sabors *Das läßt tief blicken!*

Andere wurden, oft mehr oder weniger entstellt, erst in den Umformungen volksläufig, die ihnen die Presse gab; so hat Andrassy nicht von einer *Politik von Fall zu Fall* gesprochen, sondern vorgeschlagen, sich *von Fall zu Fall* zu verständigen. Auch daran war wohl der Zeitungsbericht über die Parlamentssitzung schuld, daß unauffällige Wörtchen wie *stürmisch* breitere Kreise zogen (die *stürmische Heiterkeit* der Reichstagssitzungen hatte schon 1792 einen Vorläufer in der „Voss"!), daß das parlamentarische *niederstimmen* (1885) zum *niederrufen* und *niederschreien* vergröbert wurde und daß die Verwaltungsbehörden den *Dringlichkeitsantrag* zur *Dringlichkeitsbescheinigung* abwandelten. Übrigens machten sich auf dem Umweg über Parlament und Presse auch ein paar geschickte Eindeutschungen bekannt, die auch weiteren Wirkraum eroberten, der *Berichterstatter* z. B., der zunächst den *Referenten* im Parlamentsausschuß ersetzen sollte (so schon 1820!) und dann auch den *Reporter* der Zeitung übernahm, die *Tagegelder*, die schon Wieland (1772) gern an Stelle der *Diäten* gesehen hätte, die *Geschäftsordnung*, die von der Badischen Kammer schon 1819 für das *Reglement* eingeführt war, die sich aber erst allmählich im 19. Jahrhundert einbürgerte, der *Sprecher*, der den *Speaker* bald überflüssig machte und nun auch gern für den Führer von Abordnungen oder Gruppen, schließlich für die Vertrauensperson von Gemeinschaften und Schulklassen verwendet wurde, in unerfreulicheren Zusammenhängen das *Stimmvieh* (aus amer. *voting-cattle*, um 1860), dem man es nicht mehr ansah, daß es in seinem Ursprungsland eine verächtliche Bezeichnung für die deutschen (und irischen) Wähler gewesen war. Bei andern Begriffen blieb das Fremdwort zäh und unersetzbar: die *Vollversammlung* konnte das *Plenum* nur langsam und in wenigen Stellungen verdrängen; für die *Opposition*, die gegen Ende des 19. Jahrhunderts zur *Obstruktion* (engl. *obstruction*) überging, fand sich keine passende Lehnübersetzung; nur zögernd trat die schwerfälligere *Versammlung* an die Stelle des wendigeren *Meetings* (deutsch seit 1847), und der *Speech*, der zwar im eigentlichen Parlamentsleben Deutschlands keine tragende Rolle spielte, nistete sich doch in der Umgangssprache als etwas versnobte Bezeichnung für kleine Vorträge, Ansprachen und zusammenhängende Äußerungen ein, die der Sprecher für bedeutender hielt, als er zeigen mochte. Das *Junktim*, nach dem Ersten Weltkrieg von Ungarn über Österreich bei uns eingebürgert, hat erst in neuerer Zeit (Genf 1955) im *Paket* eine farbigere, griffigere Entsprechung gefunden. Humorige Töne sind auf diesem Feld selten und verlieren sich bald; wer weiß z. B. noch, daß die jetzt wieder umlaufende Redensart *einen Türken bauen* (= etwas listig vorspiegeln) von der Eröffnung des Kaiser-Wilhelm-Kanals (1895) herkommt, bei der die Kieler Kapelle statt der türkischen Nationalhyme, die ihr in Noten nicht vorlag, die schöne Melodie vom „guten Mond", der „so stille" geht, spielte? Das wurde damals durch die Presse bekannt.

Neben ihr sorgten die Parteien für die Volkstümlichkeit der Politik, am meisten und erfolgreichsten die sozialdemokratische, weil sie mit den eindringlichsten, unbedenklichsten und wirkungsvollsten Parolen die Wähler zu sich rief:

„Zur Werbetrommel soll die Feder werden,
hinreißen in Bewunderung mein Volk,
halb Deutschland soll sie in dein Lager führen" –

was Lassalle in seinem Trauerspiel „Franz von Sickingen" in Jamben sagte, setzte er mit seinen Gesinnungsfreunden in die Wirklichkeit des Parteialltags um. Die beiden Abgeordneten, die 1871 als Vertreter der auf sie entfallenen 102 000 Stimmen in den Reichstag einzogen, bildeten die Spitze einer großen Reihe Gleichstrebender; schon 1898 erzwangen über zwei Millionen Wähler den Einmarsch von 56 Abgeordneten ins Parlament. Hinter diesen Zahlen verbarg sich die unermüdliche Kleinarbeit ungezählter Namenloser, die – besonders in den Großstädten – straßauf und straßab verbreiteten, was ihnen Flugblatt und Presse, *Meeting* und Programm vermittelt hatten. Zum erstenmal war in Deutschland ein wirklicher *Parteiapparat* entstanden, dessen *Funktionäre* nach neuen Wegen suchten, die öffentliche Meinung für sich einzunehmen, die, da ihre Zuhörer ihnen ohne den Anspruch vermeintlicher Besserwisserei entgegentraten, weit mehr echte Erziehungsarbeit (in ihrem Sinne) leisten konnten als etwa ihre Kollegen von den bürgerlichen Parteien. Die sozialdemokratische Partei weitete das politische Gespräch in alle Bezüge des Lebens; ihre Rufe „Bildung macht frei!", vom Verleger Joseph Meyer (1796–1856) geprägt, oder „Wissen ist Macht!", der auf Bacon (1598) zurückgeht, wandten sich an das Hirn ihrer Schutzbefohlenen und machten ihm klar, daß es *geschult* werden müsse, um Widerpart leisten zu können. Aber mit nicht geringerer Eindringlichkeit predigten sie in ihren Arbeiterturn-, -gesang- und -wandervereinen die Notwendigkeit der Körperpflege und Lebensreform. Der, den sie ansprachen, fühlte sich in seiner ganzen Menschlichkeit, nicht nur in dem einen oder andern Betracht angefaßt und dankte, nicht verwöhnt durch ähnliche Fürsorge, mit seinem ganzen Vertrauen. Die neue Partei übernahm damit Aufgaben und Verantwortungen, an die kein anderer bislang gedacht hatte; von Anfang an war ihr Einfluß bei denen, die sie für sich gewonnen hatten und die bei den Gegnern *die Roten* hießen, größer und nachhaltiger als alle Bindungen, die zwischen andern Parteien und ihren Wählern bestanden. Im Geben und Nehmen zielten die Ansprüche beider Partner, der Wähler und Gewählten, der Werber und Geworbenen aufs Ganze.

Damit wurden auch sprachliche Tatsachen geschaffen, die im Rahmen des ganzen Bildes neu waren. Es ging nicht darum, ein paar Dutzend neue Wörter oder Wendungen zu prägen oder nach Deutschland zu überführen und in Umlauf zu setzen. Daß hier, im Gefüge der Partei, ein großer Umschlaghafen entstanden war, in dem politische Begriffe und Schlagwörter schnell ins Volk geleitet werden konnten, wog schwerer. Aber noch wichtiger war es, daß auf diesem Wege bestimmte Arten, die Sprache zu handhaben, allgemein wurden, die bis dahin nur in kleinen Zirkeln und zu ziemlich eng begrenzten Zwecken angewandt worden waren.

Die Ummünzung des Wortinhalts zugunsten eines politischen Ziels, mit einem Wort aus der Diplomatensprache als *Sprachregelung* bezeichnet, war keine Erfindung des 19. Jahrhunderts oder einer seiner Parteien. Sie wurde überall und seit je geübt, wo die Größe des Einsatzes oder die Leidenschaft des Kampfes dazu nötigten, eine neue Wirklichkeit der Aussage zu ermöglichen und den Mitstreitern das Ziel unmißverständlich vorzustellen. Soweit die Geschichtsschreibung zurücklangt, läßt sich beobachten, wie die Regierenden sich durch Orakel und auf Münzen, durch Denkmalsinschriften und Städtenamen, in Schauspielen und Komödien bemühten, ihre Gedanken und Parolen dem Volke einzuprägen. Da handelt es sich, wo auch immer, um blutigen Ernst; Humor bleibt ausgeschlossen, und damit rückt man an die Grenze des menschlichen Raumes. Luthers Kirchenbewegung war nur für die, die sie bejahten, eine *Reformation*; das Schlagwort *Bürokratie* sollte zunächst (um die Mitte des 18. Jahrhunderts) die geadelten Beamten Frankreichs verspotten. Aber das waren doch gleichsam nur gelegentliche Sprachspiele zugunsten der umworbenen Parteigänger.

Die *Buchdruckerkunst* hat zwar von Anbeginn das Geschäft, Schlagwörter umlaufen zu lassen, erleichtert; ihren vollen Sieg konnte sie erst im 18. Jahrhundert feiern, als sie langsam, aber unbeirrt den Ausrufer zu verdrängen begann. Die Männer der *Französischen Revolution* arbeiteten in der Beeinflussung der Menge schon fast modern, ließen die Aufschriften, die auf das Königreich anspielten, entfernen, befahlen, alle neuen Auf- und Inschriften einer Prüfungsbehörde vorzulegen und benannten sogar Biersorten um, damit ihre Terminologie volkstümlich wurde *(Germinalbier)*. Ihren Ruf zur *Freiheit, Gleichheit, Brüderlichkeit* ließen sie zuerst über Europa, dann über die Meere wandern. Die *Brüderlichkeit,* schon vor der *fraternité* bei uns diskutiert, klang wohl zu sehr an kirchliche Formulierungen an. Sie verhallte als erste der dreien; auch die *Woche der Brüderlichkeit* hat sie nicht über die Feierlichkeit von Kirchen und Festsälen hinaustragen können. Die *Gleichheit,* deutschen Sprechern seit Luther geläufig, geriet im 19. Jahrhundert in den Engpaß zwischen christlichen, sozialen und rassischen Definitionen und wurde dadurch vieldeutig. Aber die *Freiheit,* bislang ein Wort für ein Privileg, ein Asyl oder für Unabhängigkeit, durch Luthers Programmschrift ethisch aufgewertet, im Dreißigjährigen Krieg bereits Schlachtruf der Evangelischen *(Ich bin ein Deutscher, das ist frey!),* sie wurde nun das große Fahnenwort und blieb es bis in die Gegenwart, ein Fahnenwort aus vielen Farben, alt und voller Traditionen, leicht auszusprechen und schwer zu erklären. Je nachdem, ob man *von* einem Zwang oder *zu* einer Aufgabe frei sein wollte, konnte man das Wort drehen; schließlich kam Engels und erklärte es als „Einsicht in das Notwendige" – für viele eine ärgerliche, eine den Begriff um- und umkehrende Definition. So steht es nun über und zwischen uns; wenn wir nicht müde werden, die schon im Monumentum Ancyranum des Augustus benutzte Verbindung von *Frieden und Freiheit* für uns zu beanspruchen, wissen wir, daß andere deutsche Sprecher sie anders als wir verstehen.

„Eine Rotte Afterphilosophen erfindet ein paar Zauberworte, Freyheit, Gleichheit . . ., und Millionen von Menschen verlieren durch diesen Wörterschwall Leben und Eigentum", bemerkt das Vorwort zum „Wörterbuch der französischen Revolutionssprache" 1799 mißfällig. Sicher hat Napoleon in diesen Vorgängen seine Hohe Schule der Meinungsmache erlebt – er, der als erster Monarch ein staatliches Presseamt einrichtete und es als *Amt für öffentliche Meinung* seinen Bürgern verharmloste, der gleichzeitig die Zeitungen scharf zensieren ließ und mißliebige Blätter unterdrückte, der sich im Moniteur Universal ein Regierungsblatt schuf, nach dem sich die übrige Presse zu richten hatte, der 1810 ein besonderes Direktorium für Druckereien und Buchhandel einrichtete, um seine Sprachregelungen überall durchzusetzen, und der, weilte er im Krieg, oft und sehr präzise formulierte Heeresberichte (Bulletins de l'armée) herausgab, um seine politischen Ziele überall bekanntzumachen. „Wir sind dazu da, die öffentliche Meinung zu lenken, nicht, sie zu erörtern" – das ist ein Wort Napoleons. Als er dann auf Elba saß, verunglimpften ihn die gelehrigen Gazetten als Unhold, Tiger, Tyrann und Usurpator; als er zurückkehrte, stieg er über Bonaparte und Napoleon bei ihnen wieder zum Kaiser auf, während englische Karikaturen ihn als korsisches Krokodil zeichneten.

So ging man ins 19. Jahrhundert, ins Zeitalter der Parlamentsreden, der Wahlkämpfe, Pressefehden und Parteigründungen; in ihm gewann das größere Bedeutung und einen ungleich breiteren Rahmen. Je mehr der Kampf der Meinungen vom Sitzungszimmer in die Öffentlichkeit verlegt wurde, um so schärfer wurde er, um so mehr mußte aber auch versucht werden, Ansicht und Person des Gegners in den Ohren der Zuhörenden herabzusetzen. Die Auseinandersetzung wurde gröber und primitiver, aber auch farbiger und bildnäher; wo der Erfolg eines langgehegten Ansinnens vom eingängigen Wort abhängen konnte, verlor sich die Verantwortlichkeit dafür, daß Laut und Inhalt sich genau deckten. 1876 verbanden sich die ostdeutschen Großgrundbesitzer zur „Vereinigung der deutschen Steuer- und Wirtschaftsreformer" – auch dies eine Bezeichnung „zum Fenster hinaus": denn der Bund hatte vornehmlich landwirtschaftliche Ziele. Das machte das Schlagwort der Gegner alsbald deutlich: sie nannten jene Reformpartei, um die eigene Gefolgschaft gegen sie abzuschirmen, *Agrarier,* ein lateinisches Wort, das so die

Volksferne jener Männer wie ihre versteckte Gesinnung deutlich machen wollte – Bismarck meinte von ihm, es öffne gehässiger Anfeindung Tür und Tor (von ihm stammt die Metapher vom fressenden *Scheunendrescher*) – und das auch dann noch am Gegner haftete, als dieser seinen Verein in „Bund der Landwirte" umbenannte (1893). „Landwirt" war ein gutes Wort, mit dem sich niemand verdächtigen ließ; aber *Agrarier*, der sich gar zum *Großagrarier* steigen ließ, was mochte da alles an dunklen Geheimnissen versteckt liegen! – Die *Bauern* selber bezeichneten sich einige Jahre hindurch lieber als *Ökonomen*, vielleicht, weil ihnen das Fremdwort besser zu Gesicht stand; die Diktatur hat dann den *Bauern* wieder aufgewertet, und dabei ist es einstweilen geblieben.

Für den Träger der eigenen Gedankengänge beschlagnahmte man das Wort *Arbeiter*, das auch in anderm Zusammenhang wichtig war (S. 68 ff.). Er hatte, wie der französische Sozialist Charles Fourier (1772–1837) es ihm vorformuliert hatte, ein *Recht auf Arbeit*, und war geneigt, dessen Landsmann Pierre Proudhon (1809–1865) zu glauben, daß *Eigentum Diebstahl* sei. Wer nicht zur *arbeitenden Klasse*, für deren Wohl seit 1844 Lokalvereine entstanden, nicht zur *Arbeiterbewegung* gehörte, so ließ sich unschwer folgern, arbeitete auch nicht, und schnell standen die kennzeichnenden Worte bereit, ihn zu kränken und herabzusetzen. Freilich hatte bereits Wieland von den *arbeitenden Klassen* geschrieben und damit dem marxistischen Sprachgebrauch vorgearbeitet; die Gewerbeordnung von 1869 machte sich diese einseitige Inhaltsfügung zu eigen, die bis dahin vorzugsweise von den *Arbeiterbildungsvereinen* (nach 1830), Lassalles *Arbeiterverein* (1863) und ähnlichen parteiähnlichen Verbänden gebraucht worden war, und leitete damit die lange Reihe der Begriffserklärungen ein, mit denen man in der Folge der Verwirrung zu steuern suchte. Aber auch die unbeholfene Bildung *Arbeitnehmer*, von der sich dann die *arbeitnehmerähnlichen Personen* – Arbeitsgerichtsgesetz § 5 – abgespalten haben, hat nicht viel helfen können. Wer nicht zu den „Arbeitern" gehörte, bekam – nicht minder unzutreffend und irreführend – den Namen *bürgerlich* (Steigerung: *kleinbürgerlich*). Es gab *bürgerliche Parteien*, die der *Arbeiterpartei* gegenüberstanden und in denen die *Bourgeoisie* sich sammelte; für diese war der *Kleinbürger* jemand, der finanziell und geschmacklich einen noch großen Nachholbedarf hatte, für jene einer, den der Kapitalismus ausbeutete, ohne daß er es merkte (und sich organisierte). Aber da man auch für den Angehörigen des Staats, auch für sich selbst also, keine andere Kennmarke als den *Staatsbürger* hatte, war der gespaltene Sprachgebrauch dem Staatsbürgerbewußtsein in allen Phasen seiner Wandlungen abträglich. Das *Bürgerliche Gesetzbuch*, das seit 1896 den Wortinhalt wieder zurechtzurücken suchte, kam zu spät, als daß es den *Bürger*, der sich lieber als *Mittelstand* bezeichnet hörte (seit etwa 1830), davor behüten konnte, zur komischen Figur abgewürdigt zu werden. Der nationalsozialistische Staat beließ ihm, das Pferd am Schwanz zäumend, zwar seinen lächernden Makel, aber versuchte, auch er viel zu spät und zu pathetisch, die Bezeichnung *Arbeiter* für alle Arbeitenden zurückzufordern. Arbeiter und Bürger, ihrem Wesen nach keineswegs zwei verschiedene, womöglich gar unversöhnbar getrennte Gestalten, sind durch die Sprachregelung der politischen Kämpfe eines Jahrhunderts miteinander verfeindet. Die Gegensätze von damals, eine Zeitlang fast nur noch von geschichtlichem Wert, profilieren sich heute wieder. Die sprachlichen Wertungen bleiben.

Des politischen Spieles mit der Endung *-ismus* wurde schon gedacht (S. 36 f.); sie bekam h i e r ihren spöttischen Beiklang. Daß die Anhänger von Karl Marx ihre Gegner *Kapitalisten* (in der Steigerung: *Monopolkapitalisten*) nannten, wie sie sich selbst als *Materialisten* oder *Kommunisten* bezeichneten, verdächtigte jene, ihnen wäre das Geld eine Art von Weltanschauung. Das mußte so wenig ausgesprochen werden, wie man den *Agrarier* über den Namen hinaus zu beschuldigen brauchte: im Wort schwang, ungreifbar (und also auch unbestrafbar), aber doch fühlbar, was man gern angedeutet hätte. Einmal erprobt ließ sich das Spiel wiederholen; man erfand später den *Klerikalismus* und den *Militarismus*, deren Anhänger also scheinbar das geistliche oder militärische Prinzip zur Weltanschauung steigerten. Hobsons Buch über den *Imperialismus* (1902) entlarvte das Streben der Großmächte als Nachahmung römischer Weltmachtpolitik. Von da aus war es nicht schwer, auch den *Nationalismus* zu verfemen. Man hätte freilich gut getan, der Friedensbewegung einen andern Namen als *Pazifismus* beizulegen: ein politischer *-ismus* ließ sich damals nur schwer vertreten! Erst der *Kommunismus* hat in den von ihm kontrollierten Gebieten den *-ismus* wieder gewaltsam durch eine Flut von Neubildungen parteiehrlich gemacht.

Auch das Wort *Reform* mußte mehr hergeben, als in ihm lag. Wie vor 400 Jahren die *reformatio,* wurde nun ihr französischer Ableger *(réforme),* seit hundert Jahren in Deutschland angewurzelt, auf viele Wünsche und Versuche gestempelt, die man der Zukunft abzugewinnen suchte: die Umgestaltung (= *ré-forme)* wurde schlechthin als Verbesserung gesehen. *Reform* wurde ein Wort des „Fortschritts", der „Entwicklung"; wenn man eine *Reform* durchführen konnte, durfte man sich einer „Errungenschaft" rühmen, und was *reformbedürftig* war, galt als schlecht. Als sich die *Bodenreformer* 1888 zusammengeschlossen, hatten sie schon vergessen, daß ihre Kennmarke eine sozialistische Wortkürzung, ein Klappwort aus *Bodenbesitzreform* war. Sie dachten nicht daran, das Privateigentum anzutasten, wollten auch den Boden an sich nicht ändern, sondern erstrebten eine neue Regelung des Bodenrechts; aber wer zu ihren Versammlungen ging, hoffte mehr auf eine wortwörtliche Erfüllung der Verheißung, die in ihrem Namen angedeutet zu sein schien. Wer von *Sozialreform* sprach, meinte zwar eine Umgestaltung der Gesellschaft, erweckte aber den Eindruck, als gehe es ihm zumeist um eine

Besserung der wirtschaftlichen Lage, denn der Hörer dachte an Verbindungen wie *Sozial*fürsorge, *Sozial*versicherung u. ä. Die *Reform* an sich wurde verdienstlich: der *Reformismus* suchte die Genossen zu sich herüberzuziehen. *Reformhäuser* warben mit dem Wort, ohne dem Käufer Näheres über Art und Umfang anzudeuten; das *Reformrealgymnasium* wollte eine bessere Form des alten Realgymnasiums sein, und eine *Steuerreform* konnte den Staatsbürgern nur Erleichterungen bringen. 1906 wurde in Kassel eine „Deutsche *Reformpartei*" gegründet, hinter deren harmlos klingendem Namen sich eine antisemitische Gruppe verbarg. Das Wort war im Grunde unverbindlich; gerade darin lag sein Reiz: es verpflichtete den Sprecher zu nichts, begeisterte aber den Hörer zu Vorstellungen, denen keine Grenze gesetzt war. Es war ein augenzwinkerndes Wort; es sagte nichts und meinte doch alles; es belastete den Sprecher nicht, aber es erregte den Hörer – ein politisches Wort, mit dem man alles anfangen und doch nichts beweisen konnte. Daß Wörter, die zwischen eigentlichem und angedeutetem Inhalt so breite Bedeutungsterrassen freiließen, sich nun häuften, half mit dazu, die Sprache zu vernebeln, das Sprachgefühl des einzelnen zu erschüttern und das Spiel mit der Sprache als zweckdienlich, ja als nötig erscheinen zu lassen. Man hätte aus der Sprache der Zeit lernen können, wie unzureichend gerade die Abstrakten und die Adjektiva das Gemeinte wiedergeben. Indessen merkte man anscheinend nicht, daß sich auf diesem Feld das gleiche Bild zeigte wie etwa in den wissenschaftlichen Fachsprachen. Ein Beiwort wie *gerecht* z. B., das man bislang gut verstehen und gebrauchen konnte (= gerade; rechtlich; richtig), wurde nun fast ein Synonym zu „angemessen" *(gerechter Lohn, Preis; gerechte Steuer, Altersversorgung)* und damit eine Vokabel des subjektiven Ermessens, mit der sich Schabernack treiben ließ. Man lernte, daß sich ein Wort magisch aufladen und daß es sich färben ließ; wie die Wirtschaft auf den Kunden werbend und verzaubernd wirken wollte, so redete die Politik auf den Wähler ein; aber was dort ein Märchenlied war, vor dem man immerhin die Ohren verschließen mochte, wurde hier, wo der ganze Mensch angesprochen werden sollte, zur Beschwörung. Sprache wurde als magisches Mittel bewußt genutzt, und da der Versuch in Meeting und Presse an die Hunderttausende herangebracht wurde, entwickelte er sich zur Übung. Unsere Umgangssprache nahm politische Grundelemente an; sie verlor damit an Informationswert.

Es begann mit der Häufung politischer Schlagwörter: *liberal, Demokrat, Proletarier, Freisinn.* Sie vermehrten nicht nur den Wortschatz; sie färbten ihm auch (wie konnte es anders sein!) eine neue Abschattung ein: sie weckten den Verdacht, daß der Inhalt eines Wortes schillern konnte, und sie nährten ihn unablässig. Was war eigentlich *liberal? Los liberales* hatten sich die Mitglieder der spanischen Fortschrittspartei genannt; Soldaten Napoleons hatten das Wort in die Heimat mitgebracht; nun kam es in dieser politischen

Bedeutung zu uns und entflammte, besonders zwischen 1840 und 1870, die Gemüter. Warum? Das Wort hatte inzwischen unterschiedliche Fracht aufgenommen, in Frankreich nicht nur, auch in Deutschland, und es mußte nun geklärt werden, ob man mehr wie Montesquieu oder mehr wie Rousseau *liberal* sein wollte oder etwa Humboldts Gedankengänge in ihm zu verbrämen gedachte. Man konnte radikal- oder gemäßigt, alt- oder neu*liberal* sein; als das Wort endlich wie ein Fußball in jede beliebige Richtung, schließlich auch in die der Schelte rollte, deutschte man es geschickt ein: *freisinnig* hatte schon Hans Sachs als Gegensatz zu „unsinnig" gebraucht, und da der Beginn des Jahrhunderts dem „freien Sinn" ein Rüchlein Romantik beigeheftet hatte, übernahm man zum politischen ein gut Teil Erbe deutschen Gemütes, und so empfahl sich der Ersatzbegriff doppelt. Fügte man nun noch „deutsch" hinzu (1884: *Deutschfreisinnige Partei*), war alles beisammen, was der Wähler nur wünschen konnte. Wer Genaueres wissen wollte, mußte die Erläuterung des Begriffs im Parteiprogramm nachlesen. Aber wer tat das denn? Den meisten genügte der Nebelhaufen von Assoziationen, die das Wort aussandte; das wußten die Wortmünzer.

Oder *Proletarier*. Die Wortgeschichte liegt klar: wie der römische *civis proletarius*, Vertreter der niedersten Bürgerschicht, dem Staat nur durch seinen Kinderreichtum (*proles* = Nachkommenschaft) nützte, so war für Saint-Simon (1760–1825) und seine Anhänger der *prolétaire* der besitzlose Industriearbeiter, der nur das Werk seiner Hände dem allgemeinen Aufbau beisteuerte. Aber da – im Zuge der Heiligsprechung der Arbeit (S. 67 ff.!) – dieses Werk über den Staat schlechthin entscheiden mußte, wurde das Wort mit der Spannung lastender Ungerechtigkeit aufgeladen: *prolétaire* war, wer nur noch seine Fäuste hatte, um sich gegen das Mißverhältnis von Lohn und Leistung zu wehren, das in ihm offenbar wurde. Als Laube das Wort in Deutschland bekannt machte (1833), trug es schon zur geschichtlichen die politische Fracht revolutionärer Tageskämpfe. Sie blieben auch hier zunächst sein Lebensraum; dabei kam dem Fremdwort im Deutschen noch der Schimmer des Außenseiters zugute: der *Prolet(arier)*, für den sich keine deutsche Bezeichnung finden lassen wollte, gehörte, das merkte man schon am Namen, nicht zu den andern, stand draußen, war ausgestochen und darum darauf angewiesen, sich mit den Schicksalsgenossen *aller Länder* zu *vereinigen* (Marx, 1848). Als Marx das Wort aufnahm, war es abermals farbenbunter, d. h. wirkungsvoller geworden. Und so ging es in die Gemeinsprache ein, vermittelt durch das „kommunistische Manifest" von 1848 (*proletarische Bewegung; Proletariat, die unterste Schicht der jetzigen Gesellschaft*), aktenkundig dann in Wien (1849), schon vorher (1847, in den „Grenzboten") durch Übertragung auf andere Lebensbereiche bestätigt: wenn vom *Kunstproletariat* gesprochen werden konnte, wurde der geschichtliche Bezug ganz aufgegeben, der politische im Dämmer belassen; hier meinte das Wort einfach eine Gruppe von Hungerleidern, denen man irgendwie helfen mußte. Im *Stehkragenproletarier,* der Jahrzehnte später aus gleichem Holz geschnitzt wurde, überschlug sich der Einfall: wer so genannt wurde, wollte eben k e i n Prolet sein; er nannte sich auch nicht selbst so, er wurde mit dem Namen verspottet halb und halb gelockt: sei nicht dumm und tu nicht so, als gehörtest du nicht zu uns; es mißlingt dir doch! Das Wort hatte also alles in sich aufgenommen, was ihm begegnet war: etwas geschichtliche Unbestechlichkeit, einiges von der Einseitigkeit politischer Wertungen, viel Haß in beiden Richtungen der Vertikale, ein paar Gefühle wie Mitleid und Abscheu, und schließlich war es so ausgeleiert, daß auch, wer sich eben stolz seines *Proletariertums* gerühmt hatte, den unliebsamen Nachbar als *Proleten* beschimpfen konnte. Die Ächtung des Begriffs im Nationalsozialismus hat ihn sich nur ein paar Jahrzehnte totstellen lassen; nun erhebt er sich wieder und drängt noch einmal zum Leben.

Wenn, wie Treitschke 1879 im Kolleg behauptete, das Schlagwort *soziale Frage* wirklich auf Napoleon I. zurückging, dachte dieser vermutlich dabei an Rousseaus „Contrat social“ (1762) und die an ihn anschließende Problematik. Ob das noch für Napoleon III. zutraf, der die Wendung in Umlauf setzte, ist fraglich. Denn inzwischen hatte sich das Beiwort durch Pierre Leroux' *Socialisme* vom Soziologischen zum Wirtschaftlichen gewendet; die *soziale Frage* richtete sich nun mehr auf die Beseitigung unerträglicher Armut als auf die Schaffung der Staatsgemeinschaft im Rahmen eines volonté générale, sie zielte auf die Herstellung einer *sozialen Gerechtigkeit* (aber was war *gerecht?*). Die seit 1842 von Lorenz Stein verbreitete *Sozialpolitik* wollte (dem Ganzen zugute, ohne Frage!) Unebenheiten auf der untersten Ebene beseitigen. Damit bekam das Wort einen neuen Gehalt: es verlor nicht sein Ziel Gesellschaft (= Verbindung aller unter höherm Gesichtspunkt [Rousseau!]), aber es betonte ihr nur einen, und zwar ihren wirtschaftlich gefährdetsten Teil. Als Liebknecht und Bebel 1869 die *Sozialdemokratische Partei* gründeten, hatte das Wort schon zwei Jahrzehnte lang die Grenze zu andern demokratischen Versuchen bezeichnen müssen. Denn man konnte auch *Liberaldemokrat* sein, d. h. eine Volksherrschaft anstreben, die – im Sinne Montesquieus – in der Gewaltenteilung ihren festen Rahmen fand. Das war nicht die Demokratie Bebels und seiner Freunde: sie betonten das Soziale, um den bereits undeutlich werdenden Begriff „Volk“ (griech. demo-) ihren Anhängern zu klären: „Wir meinen nicht alle, wir meinen euch!“. Und damit waren beide Begriffe, *liberal* und *sozial,* die doch beide ins Allgemeine, Überparteiliche strebten, auf Parteien festgelegt, d. h. in ihrem eigentlichen Gehalt verkehrt. Da man sie nun so, aber auch nach ihrem alten Sinn verstehen konnte, wurden sie Herde des Mißverstehens, so gefährlich denen, die sie gutgläubig annahmen, wie den andern, die sich findig ihr Schillern dienen ließen. Daß man beide zu *-ismen* erhob und sie damit auch der viel- oder nichtsbedeutenden Endung *-istisch* bereit machte, verschlimmbesserte die Lage. Auch das ist ein Stück Wortgeschichte, das dem *Nationalsozialismus* die Wege ebnen half. Erst, als wissenschaftlicher Sprachgebrauch allgemeiner wurde, ließ sich eine leichte Entwirrung erhoffen; denn natürlich hat die Einbürgerung von Begriffen wie *Sozialhygiene, Sozialbiologie, Sozialpädagogik, Sozialordnung, Sozialpartner* usw. dazu geführt, daß man im Gebrauch des Beiwortes vorsichtiger wurde.

Die Gefahr solcher Entwicklungen lag einmal in der Tatsache, daß man, je mehr sie sich häuften, um so mehr auch die Verantwortung gegenüber dem Wort verlor. Das Spiel mit der Sprache, von den Lobsängern des fin de siècle zur Zerstreuung des ermüdeten Geistes verwandt, wurde für die großen und die kleinen Politiker ein wichtiger Teil ihrer ernstesten Arbeit, denn von ihm hing der Erfolg mit ab. Und da, zweitens, die Treibhäuser der Neuprägungen von den Presse- und Parteifehden gebaut wurden, erhielt jede von ihnen mehr Stimmungsballast, als daß ihr Sachkern an sich noch hätte wirken können: das Wort, womöglich schon von seinen Vätern vor seiner Geburt ge-, wurde nachher von seinen Gegner verzerrt. Die Bezeichnung *Kulturkampf* nahm Virchow 1876 für sich in Anspruch, als er sich dazu bekannte, sie 1873 in einen Wahlaufruf der Fortschrittler eingefügt zu haben, „und zwar mit vollem Bewußtsein, denn ich wollte damals den Wählern gegenüber konstatieren, daß es sich nicht um einen religiösen Kampf handle, sondern daß hier ein höherer, die ganze Kultur betreffender Kampf vorliege, ein Kampf, der von diesem Standpunkt aus weiter zu führen sei". Er wollte also das protestantisch-kleindeutsche Reich von 1871 als Hort der Kultur schlechthin erweisen, obwohl jeder wußte, daß sich der Kampf seitens der Liberalen gegen das Unfehlbarkeitsdogma und seitens der Konservativen gegen eine Änderung der altpreußischen Stellung von Kirche und Staat richtete. Virchows Neuprägung verschob „mit vollem Bewußtsein" die Aufmerksamkeit von den eigentlichen Brennpunkten des Streites auf dessen Ränder, die er noch dazu ungenau bezeichnete; denn natürlich konnte er weder die Zentrumsleute noch die Anhänger der äußersten Rechten, die zu jenen standen, der Kulturlosigkeit bezichtigen. Ein Nebelhaufen, dieses Wort, angenehm denen, die hinter ihm ihre eigentlichen Ziele verstecken konnten, verwirrend denen, die das Feld nicht genau übersahen, ärgerlich denen, die wohl oder übel seine Dämpfe schlucken mußten und sich in ihren Schwaden böswillig verzerrt sahen – ein Wort, das noch jahrzehntelang gekränkt hat, auch als der Kampf an sich längst beigelegt war. Aber dachte Virchow wirklich, er sei der Wortpräger? Oder kannte er es nicht schon aus dem Lessingessay Lassalles, der 1861 in dessen „Demokratischen Studien" erschienen war? „Eines edlen, eines nur irgend wahrhaft bescheidenen Gemüts wird sich eine edle Gleichgültigkeit bemächtigen gegen alles, was uns selbst widerfahren kann in einem *Kulturkampf*, in welchem die Größten und Besten langsam und qualvoll verblutet sind." Hier stand das Wort noch ganz außerhalb des Politischen. Aber möglicherweise hat auch Lassalle es – mehr oder weniger bewußt – übernommen; es stand zuerst im 4. Jahrgang der Freiburger „Zeitschrift für Theologie", war also eine katholische Prägung, die sich schließlich gegen die eignen Väter richtete.

Es ist einer der seltenen Fälle, in denen wir die Politisierung eines Wortes aus solcher Nähe beobachten können. Wilhelm Marr, der 1879 die Bezeichnung *Antisemit*, diese „Verwissenschaftlichung eines Vorurteils", fand, war ehrlicher als Virchow, verzichtete wohl auch bewußt auf jede liebenswürdige Verkleidung seiner Absichten. Das Wort wirkte durch seine unmißverständliche Eindeutigkeit, mit der es Partei nahm: das entschied. *Klasse*, erst durch Marx *(Klassenkampf* 1847, *Klassenstaat)* in seiner seit dem 18. Jahrhundert gelegentlich genutzten Richtung aufs Soziologische bestätigt, wurde alsbald – vielleicht nicht ganz unbeeinflußt durch den Sprachgebrauch der Wirtschaft – eifersüchtig auf die eine Gesellschaftsklasse beschränkt, der das Wort zur Fanfare diente; alle andern wurden als *Kasten* verdächtigt: der *klassenbewußte* Arbeiter kämpfte gegen den *Kastengeist* der Bevorrechteten, den schon der aufgeklärte Seume beklagt hatte (1797). Im Grunde bedeutete das eine so wenig einen Ruhm wie das andere eine Schmach; die römische Standesbezeichnung stand gegen die (portugiesisch-)indische, weil im Kampf ein Nebeneinander (etwa *Klasse* neben *Klasse* oder *Kaste* neben *Kaste*) unmöglich schien. Dabei meinte *Kaste* immer etwas Verwerfliches (*Kastengeist*, schon Ende des 18. Jahrhunderts). *Klasse* war nur dort abscheulich, wo eine andere Bevölkerungsschicht beschimpft werden sollte: *Klassenjustiz* war zu bekämpfen, der *Arbeiterklasse* anzugehören eine hohe Verpflichtung. Da war Kampf unumgänglich; er verlangte Fronten. Selbst wenn die Führer wie hier Marx wissenschaftlich neutrale Bezeichnungen wie *Klasse* wählten, konnte es nicht ausbleiben, daß die Parteigänger dem sachlichen Wort den parteilichen Stempel mitgaben. Von Marx stammt übrigens auch die Redensart, Religion (oder etwas anderes) sei *Opium fürs Volk*; das wurde Lenin nicht müde zu wiederholen. Neuerdings dreht man die Wendung nicht sehr geschickt und leicht überheblich um und sagt, etwas sei *Kaviar fürs Volk* (nach Shakespeare, Hamlet II 2).

Wie die *Klasse* der *Kaste*, arbeitete der *Fortschrittler* dem *Reaktionär* entgegen. Beide kamen, von den Wellen der Julirevolution angespült, aus Frankreich, das eine in der eingebürgerten Verkappung der Wielandschen Lehnübersetzung (nach franz. *progrès*), das andere ohne Änderung seines fremden Gewandes *(réactionnaire)* und schon dadurch wie der *Bourgeois*, der *Agrarier*, der *Proletarier* an den Rand des Geschehens verwiesen. Sie trugen, bei solcher Entwicklung, auch beide schon politische Fracht, und sie entfalteten diese weiter. *Fortschritt* war, schon weil er die Bewegung in sich trug, seit 1840 ein erfreulicher Klang für die Zeit. Trotz Hegels Warnungen neigte man immer begeisterter dazu, den Weg der Menschheit als einen Marsch bergan zu feiern, und ließ sich dafür gern Belege von der erfindungsreichen Technik und der lehrfreudigen Biologie Darwinscher Richtung liefern. Georges Sorel (1847–1922) nannte *Fortschritt* das „magische Wort des Zeitalters"; es gab in der Tat wenige nur, die ihm gegenüber kühl zu bleiben vermochten. Aber da alle, Industrielle, Wirtschafter, Philosophen, Naturwissenschafter und Politiker, das Wort wie ein fertiges Kleid über ihr Bild vom Glück stülpten, war schließlich kaum noch festzustellen, was *Fortschritt* nun eigentlich sei; es bedurfte dessen auch kaum noch. Denn nun war er an sich begehrenswert; man nahm das Wort, um das wechselnde Ziel zu beglaubigen. Die *Deutsche Fortschrittspartei,* die 1861 zum *Fortschritt* auch noch den *Freisinn* auf ihre Fahne schrieb, verstand Demokratie, Parlamentarismus und ein unter Preußen geeintes Deutschland darunter; Marx und Bebel, die ihn nicht weniger predigten, trafen eine andere Auswahl. Im 20. Jahrhundert hat sich das Wort abgenutzt; schon greift man wieder zum Ursprung zurück und nennt *progressiv,* was nicht gerade *avantgardistisch* ist.

Wer *Fortschritt* sagte, kam bald auch mit der *Errungenschaft,* um sich und die Hörer an der Zeit zu begeistern. Das war eigentlich eine Lehnübersetzung zum lateinischen Rechtswort *acquaestus* und bedeutete den Vermögenszuwachs, der in der Ehe erzielt wurde. Die Kämpfer von 48 nannten dann die Neuerungen so, die sie den Regierungen abgenötigt hatten, als ob damit das Kapital, das ihre Kameradschaft verteidigte, vermehrt worden sei, und damit hatten die fortschrittlichen Parteien das neue Werbewort: die *Errungenschaften der Revolution („Märzerrungenschaften")* waren Tatsachen, die an sich überzeugten. Aber nun kam das Wort in Umlauf; es trat neben den *Fortschritt,* es überwand den abstrakten Charakter, der jenem anhaftete; es stellte sich gewissermaßen als das greifbare Ergebnis des *Fortschritts* dar. In dieser Faßbarkeit lag das Geheimnis seines Erfolgs: die *Errungenschaften* der Technik, der Zivilisation, der Lebensreform ließen sich Stück für Stück aufzählen; das Wort war so gut wie die Gliederung einer ganzen Rede. Es war bequem; es ersparte nähere Darlegungen; es paßte in viele Bezüge; es ehrte seinen Sprecher. Wer von *Errungenschaften* sprach, war ein Mann des *Fortschritts,* der neuen Zeit, ein Moderner. Radikes „Lehrbuch der Demagogie" schrieb 1848: „Dies ist eines jener großen Wörter, die selbst durch den häufigsten Gebrauch nicht banal werden, und kann nicht oft genug angewandt werden." Und je mehr es genutzt wurde, um so größer wurde die Skala seiner Bedeutungsmöglichkeiten; überall anwendbar, schwand ihm bald der feste Kern, und bald wirkte es wie alle Rauschmittel mehr verwirrend als vermittelnd.

Wer aber den *Fortschritt* nicht liebte, wer ein *Reaktionär* (= einer, der ihm entgegenwirkte) war, konnte auch keine *Errungenschaften* für sich ins Treffen führen. Vermutlich bezeichnete er sich selbst lieber nach englischem

Vorbild als *konservativ* (*conservative;* 1830: *Conservative Party*), als bewahrend, erhaltend; das Wort war gegen die Gedanken der französischen Revolution geprägt und verlor nie etwas von der Verliebtheit in die gute alte Zeit, die den einen romantisch stimmte, den andern lachen machte. Ja, man betonte anfangs diese Note noch, indem man konservativ zu *altkonservativ* steigerte (1848: *Altkonservative* Partei). Daher wurde es dann nötig, sich gegen allzu naheliegende Verdächtigungen durch den Versuch abzuschirmen, die Begriffe des Gegners an die eigne Fahne zu heften (*sozial*konservativ; *liberal*konservativ; *frei*konservativ). Aber das Wort betonte nicht nur die Freude am bewährten Alten. Es deutete, wenn es den eignen Parteigänger als Bewahrer rühmte, auch an, daß, wer anders dachte, sich der Zerstörung verschrieben hatte. Der Vorwurf, so nobel er auch nur anklang, blieb doch unüberhörbar; er wurde auch als Verunglimpfung empfunden. Man schlug mit der Schelte *Reaktionär* zurück; sie meinte alsbald nicht nur den Gegenwirkenden, den Gegner an sich, sondern wollte in ihm den Feind des *Fortschritts* (den *Rückschrittler*), den Mann ohne *Errungenschaften,* den Dummkopf ohne Bildung brandmarken. Bekannte sich der *Konservative* zur guten alten Zeit, so machte ihm das Scheltwort deutlich, daß seine eigentliche Heimat das Mittelalter sei, vermeintlich eine Epoche des Stillstands, und da man aufklärerisch das Mittelalter für dunkel hielt, war der *finstere Reaktionär* mit seinem *mittelalterlichen* Denken nicht weit, zumal schon der Gegner der Aufklärung als *Finsterling* verdächtigt worden war. Wollte man übertreiben, konnte man ihn auch als *vorsintflutlich,* einer bisher gelehrten Fügung (= antidiluvianisch), abtun. Damit war das Feld der offenen Beschimpfung betreten; was die Führer versteckt hatten, machten die Gefolgsleute offenbar. Aber freilich war die Grenze zwischen getarnter und offener Schelte dünn: der Grundsatz war auf beiden Seiten der gleiche. Es änderte sich nur die Form; der subtile Anwurf wurde zur primitiven Beleidigung oder zum unmißverständlichen Hohn. Der *Reaktionär* war, sofern er zu den seit 1874 als radikale Landwirtspartei auftretenden *Agrariern* gehörte, natürlich ein *Junker.* Da verzerrte man ein von der Romantik erneuertes Wort, indem man die Butzenscheibenlyrik als historische Quelle nutzte: zum *Junker* gehörte nicht nur das herrschaftliche Reitpferd und der reaktionäre Falke, sondern auch der hungernde Leibeigene, der unter Peitschenhieben den Pflug ziehen mußte, gehörte auch das arme verführte Mägdlein, das unterm Hollerbusch weinte. Natürlich war dieser *Junker* ein *Ostelbier,* d. h. er lebte in einem Lande, dem man nach dem Muster von *Indien, Persien, Brasilien* oder andern entlegenen und als unwirtlich verdächtigten Ländern einen Namen gegeben hatte, der jedem Hörer eine Vorstellung von seiner Gottverlassenheit vermittelte. Gehörte er aber zu den Industriellen, so war er ein *Schlotbaron,* ein Junker des Fabrikgeländes, moralisch nicht besser als jener, aber angeraucht, angeschmutzt, ein Greuel der Menschheit. Ein ganzer Gesellschaftsstand war verunglimpft; es war also ein Makel, Baron zu sein, wie es ein Makel war zu *baronisieren,* d. h. nichts zu tun, zu faulenzen. Wieviel tiefer trafen diese Hohnwörter der Linken als das, was die Rechte ihnen versuchte entgegenzusetzen, den *Sozi* etwa (1902), den *Roten* oder den Kölner *Krat* (um 1900), Kurzwörter, die lächerlich machen sollten, aber so gut ins Sprachgefüge der Zeit stimmten, daß kaum einer sie mehr komisch fand oder gar die so Benannten komisch wirkten. Da packten die Gegner fester zu. Wer gegen Bezahlung der Gegenpartei – womöglich als Polizist – diente, war ein *Söldling,* wieder ein von den Romantikern gern genutzter Stamm mit einer verächtlichen Endung: denn wer, der *Söldling* hörte, dachte nicht an den Französ*ling* oder gar den Sträf*ling*? Oder er war ein *Spitzel,* d. i. eigentlich ein Wiener Polizeihündchen, das 1836 auch schon in München herumlief; aber man dachte wohl weniger an den kleinen Hund als an den *Spitz*buben, den man im *Spitzel* sehen und zeigen wollte. Wer andere in Arbeit hatte, war ein *Blutsauger,* ein *blood-sucker,* ein Vampir und Ungeziefer, wer sich damit abfand, ein *Speichellecker,* auch das ein Wort des ausgehenden 18. Jahrhunderts (1781!). Wenn die Geduld am Ende war und man „kein Blatt vor den Mund" mehr zu nehmen gedachte, *redete* man *Fraktur;* da zeigte sich die nahe Beziehung von Druckergewerbe und Fortschrittspartei; druckersprachlich war die Wendung seit 1612 in Übung. Die Darlegungen des Gegners waren nicht ernstzunehmen; sie waren *fadenscheinig* wie Tuch, auch dies ein altes Handwerkerwort. Die Österreicher beschuldigten ihre Regierung gern, sie *wurstele fort;* das war ein altes Metzgerwort und meinte eigentlich ein fortgesetztes Wurstmachen. Später hing der Ausdruck an ihnen fest und mehrte, im Munde der Preußen, den leichten Spott, mit dem sie im Norden angesehen wurden. Aber das hinderte die Norddeutschen nicht, auch die eigenen Regierungen der *Fortwurstelei* zu bezichtigen. Galt im Vormärz der *gesinnungstüchtige* Parteifreund, so drehte die Revolutionspresse den Spieß um und hing der *Gesinnungstüchtigkeit* den Verdacht der Dummheit an, denn mit dem, der seine Tüchtigkeit auf seine Gesinnung beschränken mußte, konnte es nicht weit her sein! Demgegenüber pries die Rechte und Mitte mit dem Sprachgebrauch der jungen Burschenschaften, von dem sie auch den (politischen) *Burgfrieden* lernten, die *Überzeugungstreue* ihrer Anhänger. Lob und die häufigere Schelte nahmen also meist alte Prägungen auf. Sie wählten, was ihrem Anliegen entsprach, und die Linke hatte wohl gerade auch deshalb dabei eine glücklichere Hand, weil ihr aus dem Berufsschatz der Handwerker und Arbeiter frische Wendungen breiter zuflossen. Auch die regere Zufuhr süddeutscher Mundartwörter, die sie auf Versammlungen und Parteibesprechungen einheimsten (*Spitzel, fortwursteln,* auch der hessische *Krawall,* die Schweizerwörter *Putsch* [1839] und *Wühlerei* u. a.), gab ihren Auseinandersetzungen eine gewisse Unmittelbarkeit. Wo diese nicht ausreichte, nahm man die kräftigen Farben steigernder Beiwörter, nannte den

Gegner *gedungen, vertiert, bestialisch,* den Freund *unbestechlich,* die Erfolge der Partei *kolossal,* oder man griff zu drastisch-steigernden Hauptwörtern wie *Blut- (Blautsauger; Bluthund* für Heerführer oder Polizisten [nach dem 1. Weltkrieg]; *Blutsonntag,* Halle [1924]) oder *Dreck-* (*Dreckschleuder* im Gegensatz zur Honigschleuder gebildet; die *Drecklinie* der Politik) – lauter deftige Redensarten, um ein paar Töne zu laut, um voll genommen zu werden, aber so laut, daß niemand sie überhören konnte, dazu einprägsam und eindrucksvoll auch für den Andersdenkenden. Das steigernde *kolossal* wurde Lieblingswort Wilhelms II., dem es etwa ähnlich wie das soldatische *schneidig* diente; beide Rühmwörter legte er z. B. am 26. VI. 1909 Bethmann Hollweg bei.

Die Umgangssprache sah sich durch all dies eher bereichert als bedroht. Zwar stärkten die politischen Kämpfe den von Wissenschaft und Wirtschaft geförderten Hang zur Überforderung der sprachlichen Mittel und halfen mit, Sprechern und Hörern das Gefühl für den Wert des Einfachen zu überwuchern; aber sie regten doch zu einer gewissen Bemühung um die Stilgebung an, und wenn sie auch nicht die schöpferischen Kräfte weckten, so reizten sie doch zur kritischen Beobachtung des Vorhandenen, aus dem man auswählen mußte, wenn nichts Besseres beifiel. Freilich mußte die Schönheit hinter der Kraft zurücktreten; der Hang zur Derbheit, der etwa, doch nicht ohne einen fühlbaren Stich gegen die kirchliche Redeweise, aus dem biblischen „zum Himmel schreien" (1. Mos. 4, 10) das höchst irdische *zum Himmel stinken* gemacht hatte, scheute keine Geschmacklosigkeit. Aber dafür kannte er auch das Geheimnis sprachlicher Wirkung und griff zu, wo es sich lohnte, in die Mundarten, in die Fachsprachen, in die Parlamente, in denen man noch vor der Jahrhundertwende den *Kuhhandel* der Parteien argwöhnisch beobachtete, in die Behörden, deren *Maßregelungen* (1847) man unwillig zusah, in die Zeitereignisse, aus denen man humorvoll Redeblüten wie das Leierkastenwort *Attentäter* (1844) oder das Junkerwort *Scharfmacher* (1895) entnahm. Virchows *Kulturkampf* prägte – etwas weiter links – den *Hetzkaplan* zur Zielscheibe aller, die gegen Kirche oder Katholizismus zu Felde ziehen wollten. Gelegentlich gelangen dann auch einmal eigene Wortbilder von packender Unmittelbarkeit wie *Arbeitergroschen, Pfeifkonzert, Wahlfieber* oder eine komisch-wirksame Bedeutungsübertragung wie *Maulkorb* (für Redeverbot) oder *politischer Bergrutsch* (für umstürzende Wahlergebnisse).

Es darf bei dem Hin und Her der Parteikämpfe nicht übersehen werden, daß, weil man nun scharf aufeinander achtete, auch der Gegner zu vorsichtigen Zugeständnissen gezwungen wurde. Man lernte es, nicht so sehr aus Takt als vielmehr, um Unannehmlichkeiten zu vermeiden, der Ansicht des andern wenigstens dort, wo es keine politischen Belange zu wahren galt, die eigene nicht aufzuzwingen. Dem trug auch die Sprache Rechnung; sie wurde in

Einzelheiten behutsamer, und man neigte dazu, ihre bisherigen Urteile zu überprüfen, ihre Wertungen dort, wo sie verletzen konnten, durch neutrale Feststellungen zu ersetzen: *Freitod* kam, von Mauthner geprägt (1906), für Selbstmord auf; das Zuchthaus (bis 1970) wurde, um dem entlassenen Insassen das Fortkommen nicht unmöglich zu machen, zur *Strafanstalt;* der Franktireur des 70er Krieges wandelte sich im Zweiten Weltkrieg, als seine Führer Marschallstäbe trugen, zum *Partisan*; das Irrenhaus, das vor 125 Jahren zartfühlend das alte Narrenhaus verdrängt hatte, mußte der *Heil- und Pflegeanstalt* weichen (vgl. S. 185!), wie sich nun auch das Krankenhaus lieber als *Heilstätte* oder *Pflegeanstalt* bezeichnete.

Die Sprache der Parteikämpfe, im wesentlichen von den Anhängern der Linken geformt, unterschied sich auch darin von den Parolen der Führer, daß sie lieber mit deutschem als mit fremdem Sprachgut arbeitete. Sie übernahmen zwar aus den Kohlengruben von Wales den *Streik (strike,* zu *streichen [die Arbeit streichen]*), machten ihn sich aber bald durch die Abzweigung eines Zeitworts (*streiken,* 1865) und durch deutsche Schreibung (1884) mundgerecht und empfanden ihn kaum fremdartiger als den Schweizer *Putsch (putschen)*; das zeigt auch die gute Hamburger Bildung *Streikbrecher* (1896), die schnell in den Wortschatz der Umgangssprache einging („Sei doch kein *Streikbrecher!*“ = mach doch mit!). Den nichtorganisierten nannte man einen *wilden Streik.* Bereits um 1890 war neben das damals kaum noch als Gast genommene Fremdwort der in süddeutschen Amtsstuben gewachsene *Ausstand* (eigtl. = Dienstentlassung) getreten, der jenem vermutlich den Lebensraum mit der Zeit ganz genommen hätte, wäre nicht durch die Führung des österreichischen *Wahlrechtstreiks* (1907) und dann – noch eindrucksvoller – durch die Drahtzieher des *Generalstreiks* von 1920 das englische Wort wieder erneuert worden. Nun spricht man lieber vom *Streik* und schreibt lieber vom *Ausstand.* Bei der Führung war es umgekehrt; ja man schien hier im Fremdwort eher Ansätze zum beabsichtigten Sprachspiel zu finden als im heimischen.

Daß eine Bezeichnung wie *Austromarxismus* in gewisser Hinsicht volkstümlich werden konnte (1904), sprach so für die Willigkeit der Gefolgschaft, wie es die erfolgreiche Absicht der Führenden bewies, die heimatlichen Instinkte ihrer Anhänger gegen die norddeutschen Parteifreunde in Anspruch zu nehmen: auch hier verband die Benennung also Sachlichkeit mit Berechnung. Die Führer der Rechten nannten ihre Gegner nach französischem Muster *radikal*; wer genug Latein verstand, hätte den Hinweis auf Gründlichkeit (lat. *radix* = Wurzel) als Lob nehmen können. Aber nun sollte die Vokabel Rücksichtslosigkeit und eine aufs Äußerste entschlossene Zerstörungssucht bedeuten. Mit Hilfe der *-ismus*-Endung war auch gleich ein Wort da, die Gesinnung selbst, die zu so bedauerlichen Eigenschaften führte, zu bezeichnen: *Radikalismus* war augenscheinlich eine Art von Kulturfeindschaft. Aber schon griffen die Geschmähten den Vorwurf auf, drehten das Wort um, fanden seinen guten Kern zurück und nahmen nun als Verdienst, was als Vorwurf gedacht gewesen war: denn wer, der auf die Wurzel alles Übels zurückging, durfte sich nicht echten Fortschritts rühmen? Bald nach 1890 schlossen sich die französischen *Radikalen* zur eigenen Partei zusammen; sie waren zwar nicht *radikaler* als andere Sozialisten, aber ihr Name warb sicher für sie bis in die wirklich *radikalen* Kreise hinein. Das Wort überschlug sich; Schelte und Ruhmestitel ergaben zusammen eine Mischung, die schließlich Hohn ernten mußte. Im Raum zwischen Bürgerschreck und Bramarbasiererei verlor das Wort so an Wert, daß es auch als Steigerungswort nicht lange wirken konnte. Hitler z. B. drohte gern an, mit diesem oder jenem *radikal* aufzuräumen. Solche Purzelbäume waren nun gar nicht so selten. 1872 schrieb Heinrich Bernhard Oppenheim gegen Schmoller, Wagner, Brentano und die andern Volkswirte, die zwar den Marxismus bekämpften, aber einer Sozialreform das Wort redeten, sein Buch vom *Kathedersozialismus,* das, schon im Folgejahr zum zweitenmal aufgelegt, den Spottnamen schnell herumtrug. Aber nun wurde, was bloßstellen sollte, von den Lesern ernst genommen; der *Kathedersozialismus* wurde zur öffentlich beglaubigten Richtung innerhalb der Nationalökonomie; die Wortführer legten sich selbst den Namen bei; Bezichtigung und Selbstbenennung liefen nebeneinander her. Schließlich konnte, wer *Kathedersozialist* genannt wurde, zweifeln, ob man ihm einen Widerspruch zwischen seinen Äußerungen und seiner Lebensweise vorwerfen oder ihn ob seiner Klugheit rühmen wollte.

Diese Wortspiele, die beim Fremdwort leicht ansetzen konnten, aber dann auch vor dem heimischen Wort nicht haltmachten, begannen, das Vertrauen der Sprecher in die Sprache zu erschüttern. Wer in der Versammlung und in seiner Zeitung, im Gespräch und auf dem Wahlplakat erlebte, wie sich ein Wort ummünzen ließ, ja wie ein und dasselbe Wort hier so und dort ganz anders gebraucht und verstanden wurde, neigte bald bei auch nur geringer Überlegung zur äußersten Vorsicht. Was in der Politik, besonders im Parteienkampf geübt wurde, wiederholte sich zudem, wenn auch in andern Sprachbereichen und aus etwas anderer Absicht, in der Wirtschaftswerbung, obwohl zwischen Wähler- und Käuferfang auch genug unmittelbare Fäden liefen, und wer in die Literatur hineinsah, fand dort zwischen Mauthner und Ringelnatz sehr ähnliche Erscheinungen. Das paradiesische Zeitalter der deutschen Umgangssprache war beendet; die Sprecher sahen sich aus dem Stand der Unschuld verwiesen; die einmal verlorene Unbefangenheit war nicht zurückzugewinnen. Ein allgemeines Mißtrauen griff um sich; man begann, hörte man den Partner, hinter seinen Worten die eigentliche, unausgesagte Meinung zu suchen; man las die Briefe des Geschäftsfreundes nun wie diplomatische Noten, nach versteckten Schlingen suchend, in denen man sich nicht zu verfangen wünschte. Dabei verlor sich zusehends die Lust am Briefeschreiben, die auf der Neigung sich auszusprechen, sich zu öffnen, sich unbefangen mitzuteilen fußte. Noch die ausgehenden Jahrzehnte des 19. Jahrhunderts brachten in Bismarck, Moltke, Fontane, W. H. Seidel Meister des deutschen Familienbriefs; im neuen Jahrhundert wurde der Brief zur literarischen Form (Rilke). Daran änderten auch die beiden Weltkriege mit ihren seelischen Erschütterungen nichts: beide Male folgte dem Aufbruch die Enttäuschung, und mit der seelischen hielt auch die sprachliche Kraft nicht vor, sie zu überwinden. Nicht die Zeithast allein, sie nicht in erster Linie hat den deutschen Brief zerstört; vielmehr war der Zweifel am Wort, am eigenen wie an dem des Partners so allgemein geworden, daß man seinen Schatten nicht mehr überspringen konnte. Auch in dieser Hinsicht war Stephans Postkarte eine geistreiche und zeitgemäße Erfindung: ihre Kürze enthob den Schreiber der Notwendigkeit eines lästigen Mehrs, ihre Öffentlichkeit verbot den Versuch eines vertraulichen Monologs. In ihr schrumpfte der Brief zur Mitteilung: sie mehr als das Telegramm wurde zum Maßstab der Aufzeichnung, und der sachlich-nüchterne Geschäftsbrief, nach Möglichkeit postkartenkurz gefaßt, gab nun dem Familienbrief das Muster ab. Es bedurfte kaum noch des Gnadenstoßes durch das Telephon, um den Brief als Form sprachlicher Heimkunst zu erledigen.

Eine mißtrauische, eine politische Zeit: sie leitete zu der zweimaligen Bestürzung über, in die auch unsere Sprache durch das politische Unglück unseres Jahrhunderts geworfen wurde. Die Niederlage von 1918 führte zu einem Wechsel der Staatsform nicht nur, auch der staatlichen Ideen und Ideale; manches, was bislang in allen Schulen und vielen Häusern als unantastbar gelehrt worden war, wurde in die Ebene öffentlicher Erörterungen umgesetzt oder womöglich völlig aus dem Verkehr gezogen. Die politischen Auseinandersetzungen wurden heftiger, die Zwielichtigkeit der in ihnen umkämpften Begriffe um so größer, je geringer die Wortführer ihre sprachliche Verantwortung veranschlagten. Das Anwachsen der Außenparteien – Kommunisten und Nationalsozialisten – steigerten Derbheit und Unbedenklichkeit der sprachlichen Fügungen. Das Gespräch griff in persönliche Bereiche; *Ehre, Glauben, schwören, ewig* wurden Wörter, denen sich die Zunge auch dort bequemen mußte, wo sie es lieber nicht getan hätte. Da das Äußerste gewagt werden mußte, entsprachen auch nur die äußersten Begriffe; wo der Haß sie zeichnete, war die Gefahr nicht groß. Der *Bluthund* der einen, der *Untermensch* der andern Seite wiegelten zeitweilig wohl auf, aber hafteten doch nicht auf die Dauer. Aber wo das Wort die Liebe des Hörers anrühren, wo es in Liebe nachgesprochen werden sollte, wurde das Spiel satanisch. Wörter an sich sind weder böse noch gut, weder unmenschlich noch friedfertig; sie sind auch nicht richtig oder falsch. Aber sie können all dies im Munde ihrer Sprecher werden. An sich wertneutral, kann man sie aufladen, so oder so;

die Gesinnung der Sprecher bestimmt ihren Wert, die Klugheit der Hörer ihre Wirkung.

Der Nationalsozialismus, der in den zwölf Jahren seines totalen Regiments tiefer und nachhaltiger auf unsere Sprache einwirken konnte als jede andere politische Partei, hat ihr nicht dadurch geschadet, daß er – auch im Sprachlichen ohne eigenständige Schöpferkraft – diese und jene Sprachneigung der Zeit bestätigte und nutzte, die Übersteigerungen der Werbesprache und die in ihrer Überbetontheit naßforsch wirkende Sportsprache, daß er soldatische und politische Wörter nahm und weiterentwikkelte, daß er den schon seit Geraumem vom Süden zum Norden drängenden Sprachstrom stärkte, daß er den Prozeß der Entmenschlichung unserer Sprache vorantrieb, indem er Sachbegriffe auf Menschen anwandte – nach bolschewistischem Beispiel z. B. *liquidieren;* oder: *gleichschalten, zu vollen Touren auflaufen, Auffangstelle,* jemanden [als ob er am Radrennen teilnähme] *abhängen* u. a. –, sondern allein dadurch, daß er den Rest des sprachlichen Vertrauens, der sich bis dahin noch erhalten hatte, untergrub. Man hat seine Lieblingsvokabeln gesammelt und immer wieder abgehorcht, man mußte finden, daß die allermeisten von ihnen alt und bisher harmlos gewesen waren. Das änderte sich nun gründlich. Schon im Machtkampf der Dienststellen untereinander wurde es deutlich, wie Begriffe, von den einen vertreten, von den andern verneint, bezweifelbar wurden; was zuviel an Pathos verlangt und geboten wurde, schlug insgeheim in Hohn und Haß um. Die Inflation der *Ewigkeiten*, die Häufung der *geschichtlichen Stunden, einmaligen Erlebnisse* und *historischen Augenblicke,* die Gleichmäßigkeit, mit der die Reaktionen der Hörer oder Leser befehlend vorweggenommen wurden *(blindlings, schlagartig, spontan, fanatisch, kämpferisch*), die Großmannssucht, die sich in Kraftwörtern (*unabhängig, total, blitzartig)* und Übersteigerungen *(intensiv, spontan, ewig, einmalig, unvorstellbar, zahllos)* austobte – all das stumpfte ab, stimmte gegen das starke Wort gleichgültig und erzog dazu, vom Gehörten und Gelesenen so viel abzuziehen, daß der mißtrauisch gewogene Rest glaubwürdig wirkte. Übrigens hatte Hitler in Wilhelm II. einen Vorgänger im Schreiben und Reden, der mit z. T. überraschenden Ähnlichkeiten das Volk an einen Stil der öffentlichen Sprachgebarung gewöhnte, der ihm bisher fremd war. Schillers Geschichtspathos, das den nationalen Aufstieg Deutschlands mächtig umdröhnt hatte, wich langsam dem Kasernenhofton des Zweiten Reiches. In einer Rede, die der Kaiser 1897 in Bielefeld hielt, drohte er z. B. (genau wie Hitler) „*rücksichtslose* Niederwerfung jedes Umsturzes“ an; im gleichen Jahr fügte er in ein ans Auswärtige Amt gerichtetes Handschreiben die Redensarten „*energisches* Eingreifen – ich bin *fest entschlossen – mit brutalster Rücksichtslosigkeit – energisches* Auftreten“ ein; die Wendung *ein für allemal* kam nicht nur in der Hunnenrede von 1900 zu ihrem Recht; die Aufforderung, „*Leben und Blut* in die Schanze zu schlagen“, wurde nicht nur in der Ansprache an das Alexanderregiment (28. III. 1901) strapaziert. Wendungen, die Denkart und Handlungsweise eines Gegners verunglimpften, jagten sich (*gänzlicher Unsinn – absoluter Unsinn – absoluter Blödsinn* usw.). Auch der Anspruch an die Geschichte, der eine eigene Maßnahme als *Eckstein in der europäischen Politik* bezeichnete und sich selbst *ein neues Blatt der Weltgeschichte umschlagen* ließ (27. VII. 1905 an den Zaren), nahm künftige Übersteigerungen vorweg. Dazu stand beim letzten Kaiser die Neigung zur Hemdsärmeligkeit in merkwürdigem Gegensatz, seine Abgeordneten *aufmöbeln* (1909) zu wollen oder seine eigene Ansicht also scherzhaft als *unmaßgeblich* zu bezeichnen. Die *gelbe Gefahr* wird freilich, wiewohl die Lage seit damals ungleich bedrohlicher geworden ist, nicht mehr zitiert, weil niemand rassischer Vorurteile verdächtigt werden will.

Das alles mag beim einen wie beim andern bedauert oder auch gescholten werden. Die Formen, die von beiden benutzt wurden, lagen auf den Straßen der Zeit; ob man sie aufhob oder liegenließ, bevorzugte oder beiseiteschob, war, wenn man nicht die sprachliche Verantwortung der Täter ansprechen will, eine Frage des Geschmacks. Nicht zu entschuldigen aber und für lange unvergeßbar war die zynische Folgerichtigkeit, mit der der Diktator seine Leute anwies, die alte Praxis der Ummünzung von Wortinhalten in aller Öffentlichkeit aufzugreifen und zur Perfektion zu vervollkommnen. Von Joffre wird erzählt, er habe in den Tagen der größten Gefahr für Land und Leute das Kabinett regelmäßig versammelt, um mit ihm „Nomina, Adjektiva und Verben, die am nächsten Morgen in den Zeitungen gedruckt sein sollten", festzulegen. Das ist Sprachlenkung reinsten Wassers; man wird ihr, angesichts der drohenden Katastrophe, nicht die punktuelle Berechtigung, nicht auch den Respekt versagen können. Aber nun geschah von allem Beginn an anderes und mehr. Man übertrug die Sprachlenkung einer Reichsbehörde und kündete damit an, daß man sie streng und im großen Stil zu betreiben gedächte; man verzichtete dabei auf Napoleons augenwischerischen Versuch, hinter einem schmeichelnden Schild („Amt für öffentliche Meinung") den bösen Sachverhalt zu verstecken. Man wählte einen Begriff, den zwar die katholische Kirche ohne besonderen öffentlichen Effekt seit drei Jahrhunderten benutzte (1621 *Congregatio de propaganda fide*), den aber die Anarchisten seit dem Vormärz in schlechten Geruch gebracht hatten: man sprach offen und ohne Scham davon, als Regierung und von Staats wegen *Propaganda treiben* zu wollen. Schon zwischen den Weltkriegen waren von den Parteigängern einzelne Vokabeln geschickt verschlagwortet worden *Volk ohne Raum,* nach einem Roman von H. Grimm, 1926; *satte und arme Völker = Habenichtse; alte Völker* und *junge Nationen* – man war, je nach dem Zusammenhang, einmal das eine, ein anderes Mal das andere –; *neue Ära,* nach Mussolinis Sprachgebrauch; *Schlacht* in der Bedeutung „von der Regierung gewünschte und unterstützte allgemeine Anstrengung

(*Weizenschlacht*), ebenfalls auf Anregung der italienischen Faschisten; das wurde nun systematisiert und nach einem geschickten Programm volksläufig gemacht. Man hatte von Hegel gelernt, daß man Leerformeln nach Belieben werten und definieren könne; von Wundt konnte man Klischeewörter bekommen, die der Philosoph selbst von andern übernommen hatte: *Führer* und *Führertum,* auch im Faschismus erprobt, ferner: *Volkswille* und *Wirtsvolk, Reinerhaltung des Blutes* und *zersetzende Arbeit* (der Juden). Man koppelte Antisemitismus mit Sozialismus und sprach von *Juden und Kapitalisten,* als ob das Zwillingsbrüder seien, oder man tat die Gegner von Rechts und Links als *Rotfront und Reaktion* in einen Topf. Die durch die Kapitulation von 1918 erzwungenen Verträge nannte man *Schmachfrieden* – damit verurteilte man die Gegner – oder *Schandvertrag* – damit lud man die Schuld auf die eignen Politiker. Man wertete den Bürger zum *Volksgenossen,* die Gesellschaft zur *Gemeinschaft,* das Individuum zur *Persönlichkeit* auf; was der Gegner sagte, war *Humanitätsduselei, Objektivitätsfimmel* oder *Aufklärerei;* man appellierte an schöne Dinge wie *Innerlichkeit* oder *Glaube,* an die *(tiefste, innere) Verpflichtung* der Angesprochenen und an ihre *Seele*; man wünschte sie sich *freudig, stramm* und *verantwortungsbewußt* und schalt den Ungehorsamen *volkszerstörend, staatszersetzend* und *verantwortungslos*; man werde gegen ihn *rückhaltlos (unnachsichtig) vorgehen* und ihn *rücksichtslos bekämpfen.* Dazwischen wucherten die Superlative, besonders die mit *un-* gebildeten (*unbeugsam – unbezwingbar – unerläßlich; ganz groß* usw.); Hitlers Lieblingswort *unabdingbar* schliff sich durch ständige Wiederholung und Nachbeterei bis fast zur Bedeutungslosikkeit ab. Eifrig griff man die seit Vergil bewährte magische Formel vom *Blut und Boden* auf, diesen beiden Brunnenstuben völkischer Gesundheit, *Blut* seit Klopstock mystisch aufgeladen und als steigerndes, wertendes Präfix zu unzähligen Zusammensetzungen willig, der *Art* nahe verwandt, die zum Gütezeichen ohnegleichen wurde – wehe, was ihr nicht entsprach *(artentfremdet – entartet)*! Besonders zerquälte man das Wort *Volk,* obwohl oder vielleicht gerade weil man bei Spengler nachlesen konnte, wie schwer sich gerade dieses Wort unseren Gegebenheiten bequemte und wie hart es von der Geschichtsschreibung im 19. Jahrhundert mitgenommen war. Indessen: es schenkte Sprechern und Hörern einen zwar verschwimmenden, doch groß anmutenden, zutiefst befriedigenden Identifizierungseffekt, fast so wie das Epitheton *deutsch,* das seit Goethes „Hermann und Dorothea" von manchen Wohlmeinenden und vielen Zweitrangigen zu einem Gleißen aufgeschwellt worden war, an dem *die ganze Welt genesen* könne (Geibel, 1861), aber von dem doch „keiner mehr wüßt", was es eigentlich sei (R. Wagner, Meistersinger, 1868). Schon ein Jahrzehnt vor Wagner hatte Fröbel gewarnt: „Welches Volk hat wie das deutsche das Beiwort immer im Munde, welches seinen eigenen Charakter bezeichnet? Deutsche Kraft, deutsche Treue, deutsche Liebe, deutscher Ernst, deutscher Gesang, deutscher Wein, deutsche Tiefe, deutsche Gründlichkeit, deutscher Fleiß, deutsche Frauen, deutsche Jungfrauen, deutsche Männer – welches Volk braucht solche Bezeichnungen außer das deutsche? ... Der Deutsche verlangt von sich ganz extra, daß er deutsch sein soll"; ... er hat „die Selbstquälerei eines Hypochonders, dem es an Bewegung fehlt". Das war also alles, längst angesamt und vorbereitet; auch seine „schönen" Vokabeln hatte der Nationalsozialismus nicht selbst geprägt

Es kann nicht übersehen werden, daß auch die schnellen Griffe in den überkommenen Wortschatz, diese neubelebten Sprechweisen der Väter uns in der Welt weder beliebter noch angesehener gemacht haben. Am schlimmsten war wohl die Verschrecktheit im eigenen Lande hinterher, diese langdauernde Übelkeit, die uns alle gegen Wörter allergisch gemacht hat, die man gern über die Katastrophe fortgeehrt und -geliebt hätte: *Vaterland* – *Nation* [von Hitler bevorzugt!] – *Fahne, Flagge* – *Ehre* – *edel* (vgl. S. 168 u. ö.!). Tiefer noch langte die Abwertung bestimmter Vokabeln: *Demokratie* und sein Adjektiv war, einer Richtlinie für die Pressezensur zufolge, nur dann als Positivum zu benutzen, wenn das Beiwort *wahrhaft* dabeistand; dann konnte es als Synonym für die Gänze des regierungstreuen Volkes verstanden werden. Andernfalls war es ein „Aushängeschild und weltbetrügerische Tarnung für die Maschenschaften des internationalen Judentums". Rabbiner und andere potentielle Gegner mußten als *politische Handlanger, Agenten, Funktionäre* bezeichnet werden; wer positiv mitarbeitete, hieß *Politischer Leiter.* Die Angehörigen der NS-Gliederungen durften, unbeschadet des Andenkens an den „Soldatenkönig", beileibe nicht *Kerls* oder *Kerle* genannt werden; *großdeutsch* sollte man nach dem „Anschluß" nur mit Vorsicht gebrauchen, damit niemand auf den Einfall käme, die Vereinigung Österreichs mit Deutschland befriedige die deutschen Ansprüche. Man durfte nicht vom evangelischen, katholischen oder vom Kirchen*volk* sprechen, denn „Volk" war etwas anderes, vielleicht Undefinierbares. Aber die Katholiken durften von sich selber auch nicht als von einem „Wir" sprechen, denn Wir – das waren eben „wir", die keinen andern Glauben als den an Führer und Volk hatten. Daß es verboten wurde, von *Spitzen der Gesellschaft* oder von der *ersten Klasse* zu schreiben und zu reden, ließ sich rechtfertigen; daß aber die Vokabel *Soforthilfe* an die Stelle von „Katastropheneinsatz", *Großnotstand* für „Katastrophe" eintreten mußte, nebelte die Begriffe ein. Wenn man etwas *sicherstellte,* beschlagnahmte man es nach früherem Sprachgebrauch; wer in *Schutzhaft* genommen wurde, wußte, daß man ihn ohne Haftbefehl gefangensetzte; eine Notlage wurde – das hat sich bislang gehalten – ein *Engpaß.* Wer wußte damals genau, wie er sich die *Endlösung der Judenfrage* denken sollte? In den Konzentrationslagern wurden Gefangene *abgestellt,* um *liquidiert* zu werden, wurden sie bei der Ankunft im Lager zum Sterben *selektiert;*

sie starben nicht, sie *krepierten*; man ließ die Unglücklichen *Appell stehen;* man wurde dort nicht müde, dem Tod grinsende Synonyma zu finden *(Sport machen – vergasen – abführen – überstellen – verlegen – wagonnieren – Hasenjagd).* Davon tröpfelte nur wenig zu breiteren Sprechschichten. Aber man hörte doch, daß, wenn man jemanden *holte*, er verhaftet wurde; man beschimpfte die früheren Regierungen als *System,* obwohl sie die eigene Systemperfektion nie erreicht hatten; man warf ihnen *Futterkrippenwirtschaft* vor, aber drängte mit den andern in die freien oder neuen Stellen. Manchmal spaltete man Haare, verbot etwa, daß davon gesprochen oder geschrieben würde, der „Führer" sei *empfangen* worden (denn wie konnte er im eigenen Land „empfangen" werden?). Aber sehr oft erreichte man seinen Zweck: daß der erste SA-Chef nie geputscht hatte, erfuhren viele, die sich daran gewöhnt hatten, vom *Röhm-Putsch* zu hören und zu sprechen, erst lange Jahre darauf; das vorbelastete Wort *Propaganda* wurde ehrlich gemacht, indem man es als „wahrheitsgemäße Information" definierte; dann mußte man natürlich die Vokabel *Greuelpropaganda* vergessen machen; man ersetzte sie durch „bolschewistische Agitation". Man ließ auch den *Gnadentod* an die Stelle der Euthanasie rücken – man konnte, wie man sieht, auch sentimental sein. Im übrigen wurde man nicht müde, die Bürger, besonders Richter und Soldaten, vor *falschem Mitleid* zu warnen.

Man hat später gerügt, daß in jener Zeit auch die Sprachkundigen nicht merkten, was mit unsern Wörtern geschah, daß man es sogar hinnahm, daß dichterischen Wörtern (*Scholle-Blut*) materielle Wertungen eingeschwärzt wurden. Die Wenigen, die es beobachteten, zuckten unbeteiligt oder auch arrogant die Achseln und hielten sich, soweit sie sich vom befohlenen Mißbrauch freihielten, für nicht betroffen. Das allerdings war ein Irrtum. Übrigens waren die Verlautbarungen der Propagandisten so unverblümt, daß niemand sie überhören konnte – ob nun Goebbels bereits am 18. März 1933 die Presse als „Klavier . . ., als ungeheuer wichtiges und bedeutsames Massenbeeinflussungsmittel", ob einer seiner Helfer (Kurt Engelbrecht) „geschickte Propaganda" als „nichts anderes" bezeichnete „als geschickte Dosierung". Der Pressechef der badischen Regierung nannte im gleichen Jahr (1933) die Objektivität der Form „eine ungeheure Gefahr", die „neue Objektivität" habe nur einen Wertmesser, das Volk (d. h., sie war nicht mehr objektiv). Ein anderer, der ein Buch über die „Tageszeitung als Mittel der Staatsführung", ebenfalls 1933, veröffentlichte, nannte die Presse „ein Mittel der Paroleausgabe", und Goebbels selbst erklärte, die „öffentliche Meinung" sei „das Ergebnis einer willensmäßigen Beeinflussung". Unverschämter hat man sich, soweit ich sehe, nie zum Verrat an der Sprache bekannt. Die es anging, boten Augen und Ohren den Verformungen dar. Man gewöhnte sich an die *Manipulation,* wenn man sie auch noch nicht so nannte; man erlebte sie unablässig bis zu den Stempeln der Post, bis dorthin, wo sonst die Werbesprüche der Firmen stehen (*„Deine Stimme dem Führer!“)*. Und manchmal freute man sich auch über die geschickte Wahl eines griffigen Wortes, besonders, wenn es hinter hohlen Händen weitergegeben wurde. Daß Goebbels der erste *Schrumpfgermane* war, hat man schnell vergessen. Noch im Februar des letzten Kriegsjahres benutzte der wendige Rundfunksprecher Fritzsche das Adjektiv *schräg* in einer Bedeutungsabschattung, die sich für Jahrzehnte gängig gemacht hat; bis heute sagt man, meint man, jemand weiche mehr oder weniger vom rechten Wege ab, er mache *eine schräge Tour* oder *eine schräge Sache*. Aber im allgemeinen blieb man doch, je lauter sich die Sache gebärdete, ihr gegenüber verhalten; man wußte gut, daß mancher, der zum *Abschaum des Volkes* geschoben wurde, so übel nicht war und daß die Widerstandskämpfer keine – wie Himmler sie zu nennen befahl – *Banden* seien. Die unauffälligeren Vokabeln, die im Dienst- und Parteigebrauch ausgeschliffen wurden, blieben leichter haften.

Der Argwohn gegen die Sprache wurde also bestärkt und schließlich total. Als der Zusammenbruch von Staat und Volk den Verdacht zu rechtfertigen schien, sank, wir sahen es schon, in der allgemeinen Scham der Wert mancher großer und schöner Wörter so sehr, daß sie, da man sich scheute, sie zu sagen nicht nur, auch zu hören, für lange Zeit aus dem Verkehr gezogen wurden: *Volk* etwa, fragwürdig durch die ungezählten Zusammensetzungen, in denen man zwölf Jahre gelebt hatte (*Volksgemeinschaft, Volksgenosse, Volkskanzler – volksfremd* usw.), oder *Reich*, das bei der Transzendenz, die man ihm aufgeladen hatte, schließlich doppelte Verwirrung, im Zeitgefühl wie im geschichtlichen Denken, stiftete, oder *Sippe, Ahn, Rasse, Hymne, Held, Bewährung* – Wörter, deren Tabuierung weite Felder unseres geistigen, geschichtlichen und völkischen Lebens stillegte, als ob sie Maschinenteile wären und wir auch ohne sie sein könnten. Es wird Zeit und Sorgfalt kosten, bis die Masse der Sprecher und Schreiber wieder so unbefangen ist, wie man sein muß, um diesen Wörtern zu genügen. „Wir alle“, sagt der Semantiker Hayakawa, „neigen zu dem Glauben, daß wir die Worte in ihrer richtigen Bedeutung benutzen und die Leute, die die gleichen Wörter in einem andern Sinn verwenden, unwissend oder unehrlich sind.“ Ob je wieder ein allgemeines Zutrauen zur sprachlichen Äußerung geweckt werden kann, bleibt so lange zweifelhaft, als der fortwirkenden Kraft der Politisierung keine Gegenkraft ersteht, die ihre sprachlichen Wirkungen jener entgegensetzt.

Das ist bisher nicht geschehen; schon die wachsende Anteilnahme unserer Bürger am politischen Leben, an sich noch kein Beweis politischer Reifung, sondern zunächst das Ergebnis besserer und häufigerer Informierung, hält die Türen zwischen Regierung, Parlament und Bevölkerung offen. Dazu nötigt unsere Lage, daß gewisse Vokabeln jahrelang unermüdlich wiederholt werden müssen: je nebelhafter die *europäische Friedensordnung* wird, um so stärker wird sie beschworen; der *Status quo*, so viele Nöte er in sich birgt, zwingt uns, *Sicherheit zu bieten* oder *Sicherheitsgarantien zu fordern.* Jede Partei möchte gern eine *Volkspartei* werden; dazu muß sie sich, stehe sie nun *rechts* oder *links, entideologisieren.* Aber eine *Rechte* oder *Linke* gibt es, von der Sitzordnung der Parteien im Parlament her gesehen, nicht mehr. Jeder Bundeskanzler pocht auf seine *Richtlinienkompetenz*; jeder betont seine Politik der *Gewaltlosigkeit* und (seit 1956) der *Entspannung.* Das von Walter Lippman geprägte Wort vom *kalten Krieg* (1946) hat nicht nur die Schelte vom *kalten Krieger,* sondern im Gegenlauf auch den *heißen* oder *Schießkrieg* nach sich gezogen, ja, ein ganzes *Vokabular des kalten Krieges* angeregt. Um *Anerkennung* oder *Nichtanerkennung* (der DDR, *der Oder-Neiße-Grenze*) wird draußen verhandelt, drinnen diskutiert; wer geneigt ist, die Frage zu prüfen, wird (wieder einmal!) als *Erfüllungs-* oder *Verzichtpolitiker* (dazu: *Verzichtpresse*) verleumdet; manche reden das schlimme Wort von der *Anerkennungspartei* (= SPD) nach. Die *Hallsteindoktrin* mit ihrem (fälschlich so genannten) *Alleinvertretungsanspruch* hat sich ausgelebt; die Hoffnung auf *Wiedervereinigung* wurde zur Pflichtvokabel gewisser Festreden. Hans Magnus Enzensberger hat, als er den Büchnerpreis entgegennahm (1963), ironisch auf die Häufigkeit der Zusammensetzungen mit *wieder* – hingewiesen (*Wiederaufbau, -herstellung, -gewinnung, -gutmachung* [die Vokabel hat Hitler als ein „ebenso unverschämtes wie ungeheuerliches Wort“ gerügt!], – *-aufrüstung, -vereinigung* usw.); in der Tat verstecken sich dahinter manche Sehnsüchte; nicht jede ist restaurativ, und manche sind wandelbar.

Wie kurz die Brücke zwischen Regierung, Parlament und „Volk“ ist, kann man auch aus der Geschwindigkeit ablesen, mit der manche Augenblicksschöpfungen unserer Volksvertreter die Runde machen. Eine der ältesten ist der nach wie vor gängige *Reptilienfonds,* Verkürzung einer Bemerkung Bismarcks, der 1869 im Zusammenhang mit der Verwendung des Welfenfonds davon gesprochen hatte, man müsse bösartige Reptilien bekämpfen. Heute weiß jedermann, was er von der (urspr. in Österreich heimischen) *Salamitaktik* seiner Regierung (d. i. einer Politik der kleinen Schritte) zu halten hat, was das *Gießkannenprinzip* (= Ausstreuung öffentlicher Mittel) und ein *Schubladengesetz* ist (= zurückgestellter, aber jederzeit wieder realisierbarer Gesetzentwurf; dazu scherzhaft *schubladieren* = einen Gesetzentwurf zurückstellen). Die *Fünfprozentklausel* ist schon deshalb bekannt, weil sie in jede nichtbayrische Wahl hineinlangt, und was eine *Drehscheibe* ist, weiß man von der Eisenbahn. Die Worte mancher Politiker laufen schnell um; daß Adenauer *(gar) nicht (so) pingelig* war, Höcherl nicht allzu streng von jemandem dachte, der sich *etwas außerhalb der Legalität* bewegte, erregte mehr Heiterkeit als Unmut; alsbald konnte es diesem oder jenem geschehen, daß er sich *etwas außerhalb der Wissenschaft* bewegte. Erhard schuf für Jahrzehnte die *freie Marktwirtschaft,* sein Nachfolger Schiller, der sich bemühte, die Wirtschaft aus der *Talsohle* zu holen, die *konzertierte Aktion* (engl. concerted action) und *die mittelfristige Finanzplanung (Mifrifi)*, wodurch denn das Beiwort *mittelfristig* beliebt wurde. Das im Bundestag eingeführte *Handzeichen* (früher: „Wer dafür ist, hebe die Hand!"; in der DDR; *Abstimmungskennzeichen*) ist von andern Volksvertretern und von Vereinen bald übernommen worden, dem *Friedensverrat* (29. IV. 1968, = Vorbereitung eines Angriffskrieges gegen unsere Republik) fehlte es zu unserm Glück einstweilen an Gelegenheit zur Popularität. Anderes wie der *Gaullismus*, die *Apartheid* oder die *Kennedyrunde* (= Abbau der Zoll- und anderer handelshemmenden Vorkehrungen in der Welt) kamen aus der großen Politik in unsere Sprache. Der *Nachholbedarf* ist vermutlich in den ersten Nachkriegsjahren den umgekehrten Weg, aus dem Bürgeralltag in die Politikeraussprachen gegangen.

Nicht alle Politikerfloskeln, auch nicht alle, die in die Umgangssprache drangen, waren – politisch – geschickt oder taktvoll. Einen südamerikanischen Staat als *Bananenrepublik* zu bezeichnen, zeugt von wenig Fingerspitzengefühl; eine Art Beförderungssteuer – nach dem Minister! – *Leberpfennig* zu nennen, ist doppeldeutig. Die *Aktion Eichhörnchen,* mit der man die Bürger zum Horten von Lebensmitteln für Notzeiten zu ermuntern gedachte, gab sich zu verspielt, als daß sie Erfolg hätte haben können. Medizinisch gibt man sich bei der Prägung *Dichteschäden* (= Beschädigung durch Überbevölkerung), aber dabei wird man mißverständlich; das wohl mit einem Seitenblick auf einen Film („Zur Sache, Schätzchen!") so genannte *Bundesschätzchen* (= Bundesschatzbrief) hatte Erfolg, konnte aber als Terminus nicht ernst genommen werden. Der *Gesinnungsakrobat* entstammt der Weimarer Republik, ist auch nicht mehr sehr gängig. Dagegen wird viel von den *Lobbyisten* geredet, die in der *Lobby* (= Parlamentsvorhalle) die Abgeordneten für sich einzunehmen suchen, aber die wenigsten, die mit der Bezeichnung eine Schelte (= Bestechling) andeuten möchten, haben eine genaue Vorstellung von ihrer Herkunft. Treffend wurden die *Kummerkästen* benannt, kleine, meist selbst gebastelte Schau- oder Briefkästen, in denen in den ersten Nachkriegsjahren, wer Hilfe brauchte, geeignete Unterstützung suchen konnte. Die Schelte *Nestbeschmutzer* fußt auf einem älteren Sprichwort, das sich leider, scheint's, nicht vergessen läßt. In den letzten Jahren machen die *grünen Witwen* in Zeitungen und Funkberichten von sich reden, Hausfrauen, deren Männer zur Arbeit in das Stadtinnere fahren, während sie scheinbar angenehm, aber einsam in ihrer Gartenvorstadt sitzen. Beim Staatsbesuch des Schahs spielten die *Jubelperser* (= zur Begrüßung bestellte Perser) eine Rolle; da erneuerte man einen alten Landserausdruck *(sich einen unter die Weste jubeln* =trinken). Wenig später redete man in den Parlamenten und draußen gern von den *heiligen Kühen* (Indiens), wenn es galt, eine Art von Tabu, etwas Unangreif-, Unantastbares zu bezeichnen *(das ist seine heilige Kuh!).* Etwas zu häufig betont man die *Härte* einer Verhandlung *(da ging es hart auf hart!)*; dabei unterscheidet man zwischen dem unverbindlichen, offenen *Gespräch* und der ultimativen *Verhandlung,* während die junge Linke nach Art ihrer östlichen Lehrmeister lieber *diskutiert (Diskussionen führt)*, wobei das Ergebnis so gut wie vorgegeben ist. Daß auch manche offiziellen Bezeichnungen sachlich nicht stimmen, der *Ältestenrat* des Bundestages nicht aus den ältesten Abgeordneten besteht, der *Elferrat* der CDU/CSU 22 Mitglieder hat, stört fast niemanden.

Saloppe Redewendungen, vermutlich gebraucht, um sich den Wählern menschlich zu nähern, dringen leicht aus den Parlamenten und Wahlversammlungen ins Umgangssprachliche. Zwar ist man sich nicht darüber einig, ob man *das Rad der Geschichte zurückdrehen* könne oder nicht – Schiller sprach vom *Rad der Zeit*; es bleibt ungewiß, ob es zulässig ist, sich die Geschichte ähnlich dem Thespiskaren vorzustellen. Sich eine *Gipfelkonferenz* (ein *Gipfelgespräch*) als Bild – und das zu sein beansprucht doch die Wendung – zu denken, heißt die Phantasie der Hörer überfordern. Man sollte darauf bedacht sein, nicht allzu viele Vorkommnisse als *Politikum ersten Ranges* zu bezeichnen; man erreicht damit eine Nivellierung auf höchster Ebene, die gerade das erzielt, was man vermeiden mochte: Dämpfung der Aufmerksamkeit. Auch von *vordringlichen Zielen* sollte behutsam gesprochen werden; oft merkt man nicht, daß man damit eine Tautologie bemüht; mit den *dirigistischen Eingriffen* steht es kaum anders. Peinlich wirkt die Häufigkeit von Adjektiven wie *legitim, legal* oder *legitimiert* – man könnte meinen, der Zustand der Illegalität sei so selbstverständlich, daß jede Ausnahme besonders betont werden müsse. Ähnlich steht es beim Adjektiv *termingerecht,* das in der Politik keine geringere Rolle als in der Wirtschaft spielt, hier rechtens, dort bedenklich. Bemerkenswert ist die in manchen Verbindungen nicht erwartete Festigkeit von Redensarten; *Bedingungen* z. B. werden *akzeptiert,* nur selten „angenommen". An Zeitwörtern steuerte die Politik das mit einem Sachobjekt gekoppelte *ansprechen* bei *(das Sozialprestige ansprechen)*; auch das süddeutsche *überfragen* kommt vielleicht aus den Fragestunden der Volksvertretungen. In einigen Fällen weicht man nicht ohne Geschick andern Sprechgewohnheiten aus, um nicht mißverstanden zu werden. Man sagt lieber *Isoliertheit,* weil „Isolierung" bei jedermann technische Assoziationen auslöst; man redet von *Superstrukturen*, um dem marxistischen „Überbau" aus dem Wege zu gehen; man sieht auch die Gefährlichkeit unscharfer Adjektive, wenn z. B. der Bundestag es ablehnt, Unterstützungen als *erheblich* zu kennzeichnen, weil kein Gesetz bestimmen kann, was „erheblich" ist, was nicht (Bundestagssitzung vom 29. V. 1968). Nicht selten baut man breite Brücken für Fremdwörter: *Allianz* gilt nur für die westlichen Verbündeten, *bilateral* nur für Verträge; aus der Wirtschaft kommt die *Fusion* mit ihrem Verb *fusionieren,* aus dem Sport die Gesprächs*runde*, das *offene Rennen,* das *faire Spiel* und der *Abseitsstehende,* um nur diese zu nennen. Der *Sozialpartner* wurde durch seine Knappheit beliebt, weil er den „Unternehmer“ und den „Arbeiter“ (den „Arbeitgeber“ und „-nehmer“) umschließt. Zäh zeigt sich der *große Bahnhof,* der auch auf Flug- und in andern Häfen stattfindet; nicht verzichten aber kann er auf die Anwesenheit von Regierungsvertretern und Ehrenkompanien. Die *Politesse* jedoch (= w. Münchener Verkehrsbeamter) hat es nicht mit der Politik, sondern mit der Polizei zu tun und kommt auch nicht aus Frankreich, ist also sprachlich mißdeutbar!

Ein eigenes Vokabular mußte für Aussagen über die *DDR* (den *zweiten [anderen] deutschen Staat*) entwickelt werden. Die Rücksicht auf die *Verantwortung der Siegermächte* einerseits, die besonders den *Viermächtestatus* von Berlin garantieren, die zögernde Bereitwilligkeit andrerseits, die *drüben* vollzogenen Realitäten anzuerkennen, nötigte zu verhältnismäßig oft und schnell wechselnden Formulierungen, bei denen keine Seite, weder die *Machthaber in Ost-Berlin* noch die Wortführer unserer Republik, verantwortlich bedachten, daß es schwer, fast unmöglich ist, einmal eingewurzelte Redeweisen wieder zu tilgen. Offiziell abgeschafft, wurden sie zu Rückzugsgebieten für die Vertreter überholter Richtungen und damit zu Quellen künftiger Mißverständnisse auf allen „Ebenen“. Wie lange hat es gedauert, bis die Mehrheit unserer Bevölkerung bereit war, die *DDR* so und gänsefüßchenlos zu nennen, wie sie sich selbst genannt hatte – und noch immer geistern die alten Ausweichvokabeln (*Zone, Mitteldeutschland,* die *sogenannte DDR).* Wo war da *politisches Kalkül?* Den *eisernen Vorhang* hat Schwerin-Krosigk, damals NS-Finanzminister, erfunden, und es war zu jener Zeit kein unzutreffendes Bild; Churchill hat es später international umlaufen lassen. Aber traf es die Verhältnisse der *Zonengrenze (Demarkationslinie)?* Die *beiden Teile Deutschlands* werden durch sie zerschnitten; aber die Trennungslinie ist für Informationen und auch für Menschen doch nicht schlechthin undurchlässig. Von *Ostpolitik* läßt sich unbedenklich reden; schon beim *Berlin-Gespräch* muß der Partner mitgenannt werden; ein *innerdeutscher Dialog* schließlich setzt Voraussetzungen, die nur der Westdeutsche nachvollziehen kann, und die Vorstellungen von einer *Wiedervereinigung* („mit friedlichen Mitteln“) haben sich so oft modifiziert, daß es heute schwer halten würde, den Begriff knapp zu erklären. Aus naheliegenden Gründen schließt sich ein Ersatz durch *Anschluß* von selbst aus.

Man tut sich also oft schwer beim Formulieren, am schwersten dann, wenn es darum geht, möglichst wenig auszusagen und doch etwas zu verlautbaren. Bei den Pariser Gesprächen zwischen den USA und den Vietnamesen der verschiedenen Schattierungen wurde viel Zeit darauf verwandt, festzulegen, wie man die Zusammenkünfte der Beauftragten zu nennen habe (1969); man einigte sich auf *Treffen* und *Konferenz* und wertete damit die „Verhandlungen“ um eine Stufe ab. In der Sprache der *Kommuniqués* vollends haben unsere Wörter eine neue Farblosigkeit erhalten. Jedermann weiß und begreift es, daß *Herzlichkeit* und *Offenheit, sachlich* und *nützlich* da die untersten Grade des Einverständnisses bezeichnen; *freundschaftlich* bringt etwas atmosphärischen Glanz, aber keine Andeutung sachlicher Fortschritte. Diese beginnt erst bei der *Übereinstimmung,* die sich zur *vollen Übereinstimmung* steigern läßt und jedenfalls *erzielt* wird, und ganz gewiß ist ein nichtssagendes Kommuniqué besser als gar keins. Aber die Aushöhlung der hier benutzten, einstmals zur hohen Sprechweise gehörenden Vokabeln läßt sich, einmal geübt und von allen verstanden, kaum noch auf den schmalen Raum begrenzen, in den sie eingepaßt werden sollten. Vielleicht gründet hier, auch hier das überhandnehmende Bedürfnis, was man sagt, *mit aller Deutlichkeit (in aller Freundschaft)* zu sagen – als ob man sich sonst zwielichtiger und unfreundschaftlicher Aussagen bediente!

Daß viele politischen Prägungen auch unserer Zeit uns eine bestimmte Einstellung nahelegen, ja uns keine andere Meinung verstatten, d. h. uns *manipulieren* wollen, darf uns nach dem, was wir aus andern Perioden wissen, nicht mehr verwirren. Die meisten Betroffenen merken die Lage erst, wenn die Auswechslung des unerwünschten Wortes durch ein Tarnwort nicht mehr überhört werden kann. Was 1918 gelang, die Niederlage in einen *Zusammenbruch* zu verharmlosen, ließ sich 1945 freilich nicht wiederholen. Der plötzliche Austausch der angefeindeten *Notstandsgesetze* gegen väterliche *Vorsorgegesetze* fiel den Regierenden zu spät ein, als daß sie damit Erfolge hätten haben können; aber den früheren Kriegsminister haben sie geschickt in einen *Verteidigungsminister* umgemünzt; wer seiner Einberufung nicht folgt, heißt *Wehrdienstverweigerer.* Gut war es auch, den Nichtangriffspakt gegen die *Gewaltverzichterklärung* umzutauschen; immerhin gibt, wer verspricht, nicht anzugreifen, zu, daß er dazu fähig wäre. Ob der Gummiknüppel der Polizei durch seine Umbenennung in *Schlagstock* beliebter wird, stehe dahin; zwar verbessert „Stock" gegenüber „Knüppel" die Sache leicht, die Vergröberung des neutralen Gummis durch den eindeutigen Bezug zum Schlagen kennzeichnet das Ganze aber von seiner ersten Silbe an als sehr unerfreulich. Unverständlich ist es, daß sich auch hierzulande die verniedlichende *Flugumleitung* gegen die eindeutige Benennung „Luftpiraterie" *(Skyjacking)* durchsetzt. Den Fremdarbeiter der Diktatur hat man gegen den freundlicheren *Gastarbeiter* eingetauscht, vielleicht, ohne zu bedenken, daß „Gast" seit geraumer Zeit viel von seinem alten schönen Glanz hergegeben hat – spricht man doch sogar von *zahlenden Gästen,* eine Beschönigung, die den Sachverhalt auf den Kopf stellt. Seltsamerweise beharrt ausgerechnet die Schweiz beim *Fremdarbeiter,* sicher, weil dort keine *Vergangenheit bewältigt* werden muß, vielleicht, weil sie sich durch die Zahl der nichtschweizerischen Arbeitskräfte bedroht fühlt: dann wäre, was damals diffamieren sollte, hier als Warn-, als Ausrufzeichen gedacht. In Österreich hat man gerade eben (Juni 1970) das

Fräulein von Amts wegen abgeschafft und verordnet, alle weiblichen Wesen über 18 Jahre seien von Stund an als *Frauen* anzureden. Man darf gespannt darauf sein, wie lange eine solche Anordnung braucht, um von der Umgangssprache sozusagen ratifiziert zu werden.

Kein guter Griff war das *Entwicklungsland* (mit der *Entwicklungshilfe* und den *Entwicklungshelfern*), weil die Beziehung zwischen Bestimmungs- und Grundwort unklar und mißzudeuten ist. Dem sucht die Umbenennung des zuständigen Ministeriums in „Ministerium für *wirtschaftliche Zusammenarbeit*" Rechnung zu tragen. Vordem sprach man von *unterentwickelten Ländern,* und das allerdings war eine handfeste Kränkung der Betroffenen, die man nicht mehr als *Primitive* zu bezeichnen wagte, nachdem die alte Ethnologenbezeichnung von Psychologen und Kunstkritikern abgewertet worden war (leider geriet in der Eile der *reeducation* die NS-Vokabel von den *jungen Völkern* unversehens mit in die Abfalltonne, in der wir lieber anderes, das man aus träger Gewohnheit beibehielt, gesehen hätten).

Wir sollten froh sein, daß die Manipulierbestrebungen unserer Regierungen hinter denen der Diktatur nach Zahl und Geschick zurückbleiben. Gefährlicher muten zuweilen die Reizwörter der Werbung an, die harmlos getarnt, die Hörer zu verführen suchen. Wer, der eine *Zigarettenpause* machen darf, wäre nicht verführt, eine Zigarette zu rauchen? In solchen Fragen entscheidet der Geschmack.

Es fehlt nicht an Stimmen, die es bedauern, ja verurteilen, daß einige Formulierungen aus der Diktatur haften blieben. Wir sprechen nach wie vor von der *Machtergreifung* (1933) und vom *Dritten Reich*; wir haben, vielleicht bedenklicher, noch heute eine Schwäche für *Veranstaltungen,* d. h. für gutorganisierte, auf einen bestimmten Zweck hingewendete Massendarbietungen *(Sport-, Kirchentags-, Parteiveranstaltung; Eröffnungs-, Schlußveranstaltung; Großveranstaltung)*; was wir gut *aufgezogen* haben, *führen* wir – wie jene – gern auch *durch.* Mir scheinen solche Vokabeln nicht unmenschlicher als andere, die im Sog der Technik Bilder auf Menschen anwenden, die aus dinglichen Bereichen stammen. Was sich damals schon durch seine lästige Häufigkeit aufdrängte, hat sich inzwischen so abgegriffen, daß unter der zerwetzten Haut nicht mehr nach frevler Gesinnung gesucht werden darf. Die aber ist es, die den Ausschlag gibt; wir sagten es schon, Wörter sind an sich wertfrei. Das ist ihre Chance, das bedingt ihre Gefährlichkeit. Beides kommt von den Sprechern, nicht aus den Lauten.

Unsere Zeit neigt – und diese Beobachtung sei nicht neben die vorhergehende, aber doch in die gleiche Richtung gestellt – augenscheinlich mehr noch als frühere dazu, *Buchtitel* zu verschlagworten, auch dies ein Ergebnis unserer Informationsdichte. Es ist aufschlußreich, Fall für Fall zu prüfen, wie weit das Zitat noch dasselbe oder auch nur dem Verwandtes meint, was dem Autor vorschwebte. Die Bewegung begann mit Osbornes *zornigen jungen*

Männern (*Angry young men*, uraufgeführt 1956), bemächtigte sich dann Schelskys *skeptischer Generation* (1958), zerredete Mitscherlichs *vaterlose Gesellschaft* (1967) und Gertrude Steins *verlorene Generation* nicht weniger als Eschenburgs *improvisierte Demokratie* oder Steinbuchs *falsch programmierte* Zeit (1967) und *probte* schließlich wie Grass *den Aufstand, den Notstand* oder was gerade anlag (1968). Hinter den zu Floskeln abgenutzten Titeln verbirgt sich ein buntes Allerlei, für das kein Autor verantwortlich zu machen ist.

Daß in diesem Hin und Her manch fremdes Kraut wuchert, ist nicht erstaunlich. Dabei könnte man verführt werden, viele eindeutig vom Lateinischen herkommende Wörter für unmittelbare Entlehnungen oder Eigenbildungen aus der „alten Sprache" zu halten. Da muß Vorsicht walten: die meisten unserer etymologisch dem Lateinischen verhafteten Modewörter haben wir in unserm jetzigen Sprachgebaren von den Amerikanern übernommen: *Divergenz* und *Relevanz, Abundanz* und *Infiltration, Kommunikation* und *Indikation, Mobilität* und *Submission* (von Plänen). Manchmal wurde das amerikanische Muster (auch in der Aussprache) unverändert übernommen, zuerst die *Reeducation* (zunächst = Aufklärung über Hitlers Absichten), dann die *Essentials* (unveräußerliche Grundsätze), das *Appeasement* (= Nachgiebigkeit in der Politik), *die Rezession* und die *VIP* (= *very important person*). Aber auch die längst bei uns heimische Wendung, man *kontrolliere* einen Industriezweig, die Presse, den Handel, ist nicht minder englischen Ursprungs *(to control)* wie die vielberufene *Ebene (level*, also Lehnübersetzung!), das *Podiumsgespräch* (*panel discussion*, ebenso!) und die unserm bisherigen Sprachgebrauch ungewohnte Verwendung von *realisieren* im Sinne von „verstehen" *(das kann ich nicht realisieren;* engl. *to realize);* auch die Beliebtheit des Adjektivs *praktikabel* kommt aus dieser Richtung. Die *politische Gratwanderung*, ein in Bundestagsreden (bei der Opposition!) beliebtes Bild, hat man von der *brinkmanship* hergeholt. Geschickt weichen die Gewerkschaften, um nicht das nach Gleichberechtigung klingende „Partnerschaft" benutzen zu müssen, nach amerikanischem Muster in die (bei uns lateinisch ausgesprochene) *Kooperation* aus. Das *Hearing*, das sich zuerst anschickte, hierzulande anzuwurzeln (seit dem 9. XI. 1967), ließ sich dann etwas widerborstig in die deutsche *Anhörung* verwandeln, eine Lehnübersetzung, die sich durchzusetzen scheint, weil sie die Unterstützung der Massenmedien hat. Vom *Gipfel(treffen)* wurde schon gesprochen; er (es) drängte das *Spitzentreffen* (die *Spitzenebene*) zur Seite, die sicher aus dem Amerikanischen kommt (*at summit level*); dann wäre dies also eine verwandelte Lehnübersetzung! Der Älteste dieser verkappten Fremdlinge ist wohl das nach wie vor hochbeliebte Adjektiv *weltweit*, das sich Weckherlin vor der Mitte des 17. Jahrhunderts aus dem Englischen zurechtdeutschte.

Daß „drüben" viele politische Begriffe anders verstanden werden als bei uns, ist bekannt. Aber diese schlimme, manchen guten Willen beeinträchtigende Verschiedenheit sollte nicht grundsätzlich mißdeutet werden. Man könnte allerdings unschwer Äußerungen zusammentragen, die Mißtrauen wecken. Mao Tse-tung hat in seinen Bemerkungen „über den langdauernden Krieg“ gefordert: „Wir müssen dem Gegner Augen und Ohren äußerst gründlich verkleistern, damit er blind und taub wird“; Chruschtschow hat 1957 von einer „kommunistischen Neusprache“ geredet, „die alte Begriffe verfälscht, neue künstlich herstellt und andere ausmerzt, um so unmittelbar das menschliche Denken zu lenken“. Dementsprechend hat das Politbüro der SED am 29. April 1959 beschlossen, jedes Presseorgan habe nicht nur das Denken zu beeinflussen und zu verändern, sondern gleichermaßen Aktionen ... auszulösen. Diesen Eingriff erläutert 1965 ein Interpret der DDR: „Gelingt es, in allen Bereichen unseres Lebens solche sprachlichen Formulierungen zu finden, die sprachsoziologisch und sprachpsychologisch optimal geeignet sind, die richtigen gesellschaftlichen Maßstäbe in unserer Produktionstätigkeit, unserm kulturellen Leben, in unserer Moral durchzusetzen, dann ist es eine große Hilfe für den Aufbau des Sozialismus.“ Indessen sollte man die *Begriffsverschiebung*, die sich „drüben“ durch andere Gegebenheiten und Absichten vollzogen hat, von der manipulierten, manipulierenden *Begriffumdrehung* trennen, und man sollte auch nicht vorschnell Beispiele aus unserm Leben mit dem, was hinter der Mauer geschieht, identifizieren. Wir hören und denken, und auch das ist ein Teil unserer Freiheit, etymologisch; niemandem ist es verwehrt, nach dem Maß seines Sprachverständnisses jedem Wort abzulauschen, was es seinen Lauten nach enthält. Die andern denken ideologisch und sind gehalten, auch ideologisch zu hören. Der Unterschied hat auch damit etwas zu tun, daß bei uns „Bildung“, d. h. in unserm Bezug: Sprachverständnis vor historischem Hintergrund, „kapitalistisch“ vorausgesetzt wird, während man dort den verbindlichen Wortinhalt, für alle gleich, sozusagen mitliefert. Hier fragt man nach dem Gehalt, nach der Geschichte eines Wortes, dort nach seinem Stellenwert im Koordinatensystem der Partei. So entsteht das, was hierzulande *Parteichinesisch* heißt und was der Bürger der DDR hinter der hohlen Hand als *Rotlichtbestrahlung* bewitzelt; die SED kontert damit, daß sie unsere Sprechweise *Talmudismus* nennt.

Im einzelnen sieht das so aus. *Religion* ist „eine verkehrte, phantastische Abbildung in den Köpfen der Menschen von den natürlichen und gesellschaftlichen Mächten“. Eine *freie Wahl* ist „eine Abstimmung, die frei ist von jedem Wahlkampf“ (Berlin 1950); da unter *Wahl* eine „bewußte Entscheidung der Bürger für das Programm, das sie als einzig richtig erkannt haben, und Bestätigung der von den politischen Organisationen aufgestellten, vom Volk in Wählerversammlungen zur Rechenschaft gezogenen, geprüften und mit neuen Wähleraufträgen versehenen Abgeordneten“ verstanden wird, ist also dort jede Wahl „frei“. *Volk* sind die Schichten und Klassen, die bereit sind, an der revolutionären Entwicklung teilzunehmen; obwohl Marx Zusammensetzungen mit *Volk-* widerriet, werden sie „drüben“ eifrig gebildet (*Volksarmee, -eigentum, -korrespondent, -polizei, volkseigen* usw.; dagegen: *Volksschädling, -verräter, volksfremd* usw.); hierzulande ist man, eingedenk der *Volk*-Inflation im NS-Staat, sparsamer mit ihnen. *Errungenschaften* sollen nicht als erreichtes Ziel, sondern als angestrebte Zielsetzung („Vorwegnahme des noch nicht Erreichten“, Lenin 1905) verstanden werden; die Menschen, die nicht in der Partei sind, sich aber – wohl oder übel – dem Staat nützlich zu machen suchen, sind die *Massen* (ebf. Lenin); sie werden damit fast zu Juniorpartnern der Partei. *Friedliche Koexistenz* ist nach dem Parteiprogramm von 1961 „eine spezifische Form des Klassenkampfes“; die Formulierung soll auf Lenin zurückgehen, tritt jedoch spätestens bei Stalin 1925 auf. Sie ist im Verständnis des Ostens beinahe dasselbe wie der *kalte Krieg*, den man als Antikommunismus schlechthin versteht; vermutlich stammt die Wendung von Walter Lippmann, der sie gegen die Politik Trumans prägte (1942). *Akademische Freiheit* ist „die überholte Ansicht von der Unabhängigkeit der Professoren und Studenten in der Universitätsarbeit von den gesellschaftlichen Forderungen“, u.s.w.

Solche neuen Inhaltgebungen legen nicht nur den Begriff für die eigenen Staatsangehörigen fest; sie verunglimpfen gleichzeitig, da sie seinen geschichtlich gewachsenen Inhalt verschweigen, auch den Gegner. Es sind besonders die nach Marx „inhaltschweren Ausdrücke der Inhaltlosigkeit“, an denen solches geschieht *(Freiheit, Demokratie, Recht, Menschlichkeit)*. Marx hat einmal, in den Thesen über Feuerbach, gesagt, es komme ihm „nicht darauf an, die Welt zu interpretieren, sondern sie zu verändern“. Dazu gehört von allem Anfang an die Veränderung der Wortinhalte. Was wir Verdrehung oder Haarspalterei nennen möchten, etwa den Unterschied zwischen dem *Propagandisten*, der viele Ideen zu wenigen Personen trägt, und dem *Agitator*, der wenige Ideen zu einer Masse von Menschen bringt – die Unterscheidung stammt von Plechanow und wurde schon 1902 von Lenin übernommen –, ist für die Kommunisten kein „leeres Wortgeprassel“ (Lenin), sondern Grundlegung einer neuen Welt. Wenn man den *Kapitalismus* als Lügenquelle definiert, wie das Professor Swawitsch getan hat, ist die natürliche Schlußfolgerung, daß überall da, wo es keinen Kapitalismus gibt, also in allen Ostblockstaaten, auch keine *Lüge* geben könne. Das ist, übernimmt man nur einmal die Prämisse, nicht ohne Logik. Dann ist eben *Kritik* immer gut, *Opposition* dagegen immer schlecht; dann darf man unter einer *Fraktionsbildung* eine oppositionelle Gruppe in der Partei verstehen; dann hat man das Recht, den Begriff *Diskussion* auf die intensive Besprechung einer zu bestätigenden These einzuschränken. Notfalls greift man zum Fremdwort, um stärker zu wirken: ein Arbeiter, der an einem Fortbildungskurses teilnimmt, ist nicht dazu „beurlaubt“ oder dorthin „entsendet“, sondern *delegiert:* er bildet sich in dem Bewußtsein, Vertreter vieler, vielleicht aller zu sein. Wer eine eigene politische Meinung hat, begeht ein *kriminelles Verbrechen*; damit wird der alte Unterschied zwischen kriminellen und politischen Straftaten eingeebnet und des politischen Täters ehrliche Gesinnung angezweifelt nicht nur, sondern ihm schlechthin genommen. Wie sich diese Weltveränderung durch Wortinterpretationen in Adjektivströmen und gehäuften Schelten gegen den Gegner richtet, ist oft genug dargestellt worden, gegen den Gegner, der unter allen Umständen der potentielle *Angreifer* von morgen ist. Aber das wußte schon Clemenceau (*„L'agresseur, c'est l'autre!“*).

So wendet sich gegen die Taktiken des Westens eine sehr bewußte und folgerichtige Strategie der Wörter. Sie berücksichtigt natürlich auch das Verbot (d. h. die Ausmerzung) ihr ungenehmer Vokabeln (z. B. *Zone*; in Polen die Identifizierung von *Jude*, ein Wort, das nicht genannt wird, um naheliegende Parallelen auszuschließen, und *Zionist* = Anhänger Israels); sie lobt das Eigene, wie sie das Fremde schilt; sie superlativiert, um zu betonen, daß ihre Aussagen ausschließlich sind; sie verwendet gern die griechische Präposition *anti-* als Bestimmungswort, um die Fronten abzustecken; sie verhöhnt westliche Maßnahmen mit irreführenden Bezeichnungen (*Handschellengesetz* = Haftbefehl der BRD gegen Schreibtischtäter der DDR [bei uns: *Freistellungsgesetz,* 1966]], *juristische Aggression* = Versuch von Flüchtlingen, die Beschlagnahme ihres Besitzes zu verhindern). Dabei verschleißen manche Vokabeln schnell; sobald die Lust schwindet, sie „richtig“ zu verwenden, müssen sie ersetzt werden. Man beschlagnahmt als wichtig oder ehrenvoll empfundene Wörter kurzerhand für sich; so kam es zu der Identifizierung von *Sozialismus* und *Demokratie*, zu der Glorifizierung *der Partei* als der einzigen, die zu erwähnen sich lohnt, des Gefäßes der *kollektiven Weisheit*, des Inbegriffs echter *Wissenschaft* (denn ohne Marxismus keine Wissenschaft!). Skurrile Bildungen wie das *Sollschwein* oder die *individuelle Kuh* werden todernst hingenommen; manches – weniger als man denken sollte! – wird aus dem Russischen herübergeleitet (z. B. der Gruß *„Freundschaft!“; Selbstkritik* = russ. samokritika; *Kursant* = Lehrgangsteilnehmer u. a. derartige organisatorische Begriffe); hierher gehört auch die Nachahmung kommunistischer Kurzwörter (*Treff* = Begegnung; *Spez* = Spezialist, usw.).

Wie gesagt: diese Sprechweisen und Begriffsinterpretationen sind mehrfach beschrieben worden. Sie werden hier aus dreifachem Grund ins Gedächtnis zurückgerufen: einmal, weil sie eine besonders folgerichtige „Manipulation“ durch (unsere) Sprache ist; dann, weil sich auf diesem Feld – und fast nur auf ihm – die Teilung Deutschlands auch sprachlich stark bemerkbar macht, und schließlich, weil jüngste politische Erscheinungen in unserm Land

Niststätten gleicher und ähnlicher Erscheinungen sind. *Kremlologie* läßt sich nun auch in diesem Land betreiben, und man kann spüren, wie sich die Sprechprofile von *Ost und West* allmählich nähern.

Wir sprechen von den in sich vielgestaltigen Kreisen, die man eine Zeitlang als *APO* (*Apo* = außerparlamentarische Opposition) zusammenfaßte. Das war und ist keine Einheit; aber alle Gruppen und Grüppchen haben dreierlei gemeinsam. Sie setzen sich aus jungen „Marxisten" zusammen, und unter ihnen sind Studenten wortführend, darunter manche Soziologen und Politologen, die ihre Terminologie beisteuern. Diese drei Elemente bestimmen auch die Wortfügungen, und da sie sich selbst spektakulär gebärden und von allen Massenmedien auskömmlich beachtet und beschrieben werden, ist dafür gesorgt, daß ihre Lieblingsredensarten unter das Volk kommen. Sie halten, Vorrecht der Jugend, die Älteren, denen sie die Schuld an mancherlei Versagen verübeln, für verbraucht; sie belegen sie gern mit abschätzigen Vokabeln, greifen etwa den schon vor ihnen als Gelegenheitsschelte beliebten *Weihnachtsmann* (= seniler Fatzke) auf und haben *Opa* und *Oma* in den Verruf unabweisbarer Verkalkung gebracht (*Opas Kino*, oder was auch immer). Das mag man belächeln. Einschneidender und prägender ist der tiefe Griff, den sie in den spätmarxistischen Wortschatz tun. Die *Funktionalisierung* und die *Monopolisierung*, der *staatsmonopolistische Kapitalismus* und die *privilegierte Position*, der *Kader*, den man öfters als Neutrum verdächtigt, und die *immanente* (= sachgerechte) *Kritik*, der *Technokrat*, *feudalistisch* und *spätkapitalistisch*, *korrumpieren* und *tradieren*, der *Unterbau* und die *Agenten der Staatsmacht*, was immer das sein mag – wo soll die Liste abbrechen? Kennzeichnendes Merkmal all dieser Wortverwendungen ist ihre dialektische Umkehrbarkeit; *reaktionär* z. B. ist nicht, wer vergehende Ordnungen stützen möchte, sondern wer nur reproduziert, wer die „Herrschenden" bejaht, wer den Krieg „verschweigt" und sich damit als *Komplice* demaskiert. Auch ihre Neigung zu oft etwas gewaltsamen Abkürzungen (*Jusos* = Jungsozialisten, *Kumi* = Kultusminister) scheint mehr aus östlichen als aus andren Quellen gespeist.

Ihre Verklammerung mit dem akademischen, soziologischen, politologischen, psychologischen Sprachgebrauch fällt auf, ist aber harmloser. Sie sind wahrlich nicht wählerisch; sie greifen so emsig nach Westen wie nach Osten. Dabei lockt sie vermutlich gerade das, was die Sprachen der „freien Welt" auszeichnet: die Fähigkeit ihrer Wörter, neue Sachgehalte aufzunehmen. Das befehdete *Establishment* hat im englischen Mutterland einen ehrwürdigen Klang (= dauerhafte Einrichtung); nun darf man sich allerlei dabei denken, Wohlversorgtheit, Bürgertum, das „arrivierte" Leben, mangelndes politisches Interesse als Folge beruflicher Beanspruchung und anderes derart (dazu: *etabliert*). *Frustration*, ebenfalls englischer Import, meint eigentlich etwas Ähnliches wie eine Verklemmung; hier denkt man eher an eine Enttäuschung oder Vergeblichkeit (lat. *frusta*; dazu: *frustriert*). *Sit-in* (zuerst 1959 bei den Negerunruhen in den USA gebraucht, als die Schwarzen Cafés besetzten, deren Betreten ihnen bisher verwehrt war), *Go-in, Teach-in, Sit-down* und ihre Artgenossen stammen von den aufbegehrenden Studenten der Vereinigten Staaten. Viele Anleihen geben ihrem Wortschatz einen pseudosoziologischen Anstrich: die *Pluralität* (z. B. *der Erkenntnischancen; pluralistische Meinungsstruktur!*), die *Disparitäten der Lebensbereiche*, die *Statuskonsistenz*, der erstrebte *Wandel der Industriegesellschaft*, die mannigfachen *Strukturen*, die man allerdings besser nicht mit dem Adjektiv *anarchisch* belegen sollte, wenn man keinen Widerspruch in sich selbst formulieren will, und was dergleichen mehr ist. Den Marxschen Wunsch, die Welt zu verändern, ermüden sie nicht, mit allerlei Fremdwörtern neu aufklingen zu lassen; sie reden gern davon, die Welt (die Gesellschaft) *umzustrukturieren, umzufunktionieren* oder *umzufunktionalisieren* – auch das konnten sie sich aus der Sozialpolitik holen –; neuerdings sagen sie lieber, sie wollten z. B. die Macht des Kapitals oder auch die Gesellschaft *transformieren (Transformation des Systems*). Sie bevorzugen das Adjektiv *konkret*, um die Aussage des Gegners als verschwommen zu deklassieren; sie tauschen das alte *avantgardistisch*, vielleicht, weil es ihnen von zu vielen „Bürgern" abgegriffen ist, gegen *progressiv*; sie gefallen sich in der Bildung schwerfälliger Partizipia (*systemstabilisierend; konfliktbereinigend; praxisbezogen*); sie drängen zu Taten und verdächtigen, die sie befeinden, daher, ihre Vorhaben nur *verbal* vorzutragen (*verbale Akklamation, verbales Bekenntnis*). So entschieden sie *linksextremistisch* sind, so sehr befehden sie einen *Linkskonformismus*. Unter allen Umständen aber sind sie *antiautoritär* und wehren sich dagegen, daß ihre Ziele *vernebelt* oder gar *diffamiert* werden. Sie zielen auf *Selbstverständnis* (der Wissenschaften, der Gesellschaft, ihrer selbst); das ist ein alter Begriff, den Ernst Weymar 1961 wieder in Umlauf gesetzt hat („Das Selbstverständnis der Deutschen"); daher wünschen sie *bewußtseinsbildende* Maßnahmen. Da hat, wie man sieht, die Psychologie ihre Hand im Spiel. Auch andere Studienzweige steuern das ihre bei. Unüberhörbar ist z. B. der juristische Nebenton (*Alibifunktion; Kriminalisierung*), der allerdings mehr nach dem Fernsehschirm als nach dem Hörsaal klingt. Auch parlamentarische Floskeln lassen sich gelegentlich vernehmen (*Grundsatzdebatte* u. ä.).

Ihr Kampf um die Hochschulreform prägt ihnen auch einen sacheigenen Wortschatz. Sie fühlen sich *unterrepräsentiert;* sie wünschen eine *Viertel-*, möglichst eine *Drittelparität*; sie bekämpfen die *Ordinarienuniversität* und rufen zum *Dozentenboykott* auf. Berliner Psychologen versuchen sich in leerstehenden Geschäftsräumen, die sie als *Kinder-* oder *Schülerläden* anpreisen. Sie bilden *Projektions-* und *Basisgruppen* und nennen die Reformvorschläge ihrer Ministerien *landesspezifische Entwürfe*. Sie prägen nach dem Muster von „veruntreuen" *verunsichern* und *verunklaren*, Verben, die sie bei Freund

und Feind mit besonderer Vorliebe anbringen und die, obwohl sie richtig gebildet sind, wie fast alle Neuwörter bei andern Bestürzung hervorriefen. In andern Formulierungen waren sie weniger erfolgreich: den schlechten, aktenverdächtigen „Schulabgänger" ahmten sie in dem noch schlechteren *Studienabgänger* nach (ein Studienabschluß ist mehr als ein „Abgang", ein Studienabbruch ist etwas anderes als die Beendigung eines Schulbesuchs!). Mißtrauisch gegen jede Bevormundung münzen sie die alte Lehrmittel- in eine *Lernmittelfreiheit* um und sprechen von *wissenschaftlicher Eigendynamik*, ohne zu erklären, was sie damit meinen. Auch die Bezeichnung *Problemminderheit* für Obdachlose, Suchtkranke und Kriminelle ist undurchsichtig, aber vielleicht nicht auf ihren Beeten gewachsen. Daß *braun* bei ihnen die Bedeutung von „blöd, verrückt" hat, täuscht „Bewältigung" der Vergangenheit vor; Wörter wie *abschlaffen* (= abschalten, müde werden) entstammen wohl der Twen- und Gammlersprache. Als besonders starke Schelte gilt ihnen *Faschist* (abgeschwächt: *faschistoid*), in vielerlei Abschattungen verwendet und kaum noch definierbar; ob die Anknüpfung an den Sprachgebrauch der Rotfrontler vor 1933 bewußt oder zufällig ist, wird sich nur schwer entscheiden lassen. Damals war das Schimpfwort noch sinnvoller; heute, wo man *Nazi* erwarten sollte, kann man argwöhnen, daß man jenem den Vorzug gibt, weil dieses noch eindeutig bestimmbar ist.

Die Mischung ist nach Herkunft und Gehalt so bunt, daß man versucht ist, auch sie nicht für einen Zufall, sondern für Absicht zu halten. Auch sie zwingt den Hörer aufzumerken, wo nicht zustimmend, so doch provoziert. Dafür spricht die aufdringliche Freude an Geschmacklosigkeiten, mit denen sie Schockwirkungen bei Tabubewahrern auslösen möchten, Geschmacklosigkeiten, die abstoßen, einen *Ohrfeigeneffekt* erzielen sollen. Man begnügt sich nicht damit, die *Buhmänner auszubuhen*; man reizt sie zu Bekundungen ihres Abscheus, um ihre vorurteilsbeladene Vorgestrigkeit offenbar zu machen. Die Zerbrechung auch sprachlicher Tabus ist nicht von ihnen ausgegangen; aber sie haben sie vervollständigen helfen. Dabei nehmen sie es augenscheinlich in Kauf, daß sich nicht nur die „Etablierten", sondern auch und gerade die Kleinbürger und Arbeiter über ihre Sprechweisen entrüsten.

Und das ist das Überraschendste an ihren Verlautbarungen: ihnen liegt, so sehr sie das proletarische Bewußtsein der Arbeiter wecken möchten, anscheinend nichts daran, daß sie die meisten von ihnen durch ihr Gebaren abstoßen, den meisten durch ihren Fremdwörterschwall nur ein Achselzucken abnötigen, das oft Minderwertigkeitsgefühle mühsam verdeckt. Daß sie Widersprüche beim Gegner *aufbrechen* wollen, versteht man gern; was sie aber mit *Optimierung* und *Maximierung, integriert* und *synchron, initiieren, funktionell* und *ambivalent* meinen, wissen viele, die sie ansprechen wollen, nicht oder nur verschwommen. Max v. d. Grün hat ernst auf die *Sprachbarrieren* zwischen Arbeitern und Studenten verwiesen; daß ihm der

SDS-Führer K. D. Wolff antwortete: „Es gibt kein Problem der Sprachbarriere, es gibt nur ein Problem der Aktivierung!" hört sich wie ein Beleg für die Richtigkeit der Grünschen Bemerkung an. Jean Paulhan hat einmal die völlige Verwerfung sprachlicher Konventionen, das Spiel mit Semantik, Grammatik und Rhetorik als *terreur* bezeichnet. Etwas von dieser Art Terror liegt hier vor.

Aber es hat auf seine Art dazu beigetragen, uns nicht nur hellhöriger, unser Sprechen auch bewußter zu machen. Was Thornton Wilder in seiner Paulskirchenrede (1957) die „feudale Lüge unserer Sprache" genannt hat, der allzu schnelle, allzu unbedenkliche Gebrauch von Vokabeln wie *nobel* oder *souverän,* beginnt sich auszupendeln und nüchterneren, weniger gestelzten Wörtern Platz zu machen. Die seit 1918 folgerichtig vorangetriebene Ausmerzung von Berufsbezeichnungen, die nur auf die eine, auf die Seite des Anordnenden, sich als besser und höher Empfindenden bezogen waren, hat einen guten Beitrag dazu geliefert, daß wir weniger klassenbetont reden und uns gehaben als einst. So wurde das Dienstmädchen zur *Hausgehilfin* oder *Hausangestellten,* der Schuldiener zum *Hausmeister,* die Putz-, Zugeh- oder Stundenfrau zur *Aushilfe* oder, in der Stadt, zur *Raumpflegerin.* Dazu gehört auch die Begriffsdehnung von Bezeichnungen für vordem privilegierte Positionen *(Hochschule, Seminar, Abitur I* = Beendigung der Realschule, *Student* usw.); das Mißtrauen, infolge einer fehldeutbaren Nomenklatur unterschätzt zu werden, regte sich. So wurde der mittlere Beamte in den *gehobenen Dienst* befördert, so lehnt es der *leitende Angestellte* ab, als *Arbeitnehmer* verdächtigt zu werden. Der Versuch, die Sittlichkeit des Dienens durch das zusammengreifende Wort *Dienstleistungsberuf* wieder attraktiv zu machen, scheint nicht zu gelingen – vielleicht, weil die Vokabel umständlich und auch mißverständlich klingt.

Der autoritäre Sprachstil wird also langsam abgebaut, und man könnte, wenn man diese Erscheinungen beobachtet, von einer Demokratisierung unserer Sprache reden. Sie tritt in der häufigen Benutzung des *Konjunktivs* eindrucksvoll zutage. Als Ausdruck einer so vorsichtigen wie bescheidenen Behutsamkeit setzt er sich an die Stelle früherer serviler Höflichkeitsfloskeln *(Sie sind sehr gütig! – Sie erweisen mir viel Ehre! – Mit Vergnügen!* usw.). Anouilh nennt ihn einmal „gütig und doch herablassend"; besser noch hat Musil den „Möglichkeitssinn" gepriesen. Man „sagt beispielsweise nicht: Hier ist das oder das geschehen, wird geschehen, muß geschehen, sondern erfindet: Hier könnte, sollte oder müßte geschehen!" Das gebieterische *Geben Sie mir dies oder jenes!* etwa beim Einkauf ist einem zurückhaltenden *Ich hätte gern dies oder das!* gewichen; in Diskussionen und Vorträgen benutzt man Wendungen wie *ich möchte behaupten* oder *dürfte ich noch anfügen . . .;* im Kaufladen und Büro *Wollen Sie so freundlich sein?* oder *Könnten Sie wohl – –?* Man mildert auch seine Imperative *(Wir wollen heute dies machen!*). Natürlich ist diese neue Art höflichen Redens, sind diese demokratischen Konjunktive und Imperative ebenso der Gefahr ausgesetzt, formelhaft zu erstarren wie jede andere Höflichkeitsform. Sie korrespondieren mit vorsichtigen Redewendungen wie *angeblich, mehr oder weniger,* dem ironischen *nicht gerade (das ist nicht gerade schön!),* mit der häufigen Verwendung von *vielleicht* (das ist *vielleicht* das Beste, was du tun kannst; früher hätte man gesagt, es sei *sicher* das Beste!), den Floskeln *Wenn Sie mich fragen ...* oder *wie ich glaube* oder mit dem untertreibenden *das mutet sonderbar an,* korrespondiert auch mit der Beliebtheit des partitiven Genetivs (*er ist einer der besten Schauspieler*) und mit der etwas koketten Neigung, abwertende Wörter zu wählen, wenn es um Dinge des eigenen Erlebens geht (*der Karren läuft wieder* = mein Geschäft geht ausgezeichnet!). Man nennt das gern *understatement* und gefällt sich, es darin den Engländern gleichzutun. Das mag so oder auch anders sein; der Wunsch, Demokratie zu üben, läßt sich jedenfalls auch in der täglichen Rede nicht verbergen. Das ist, wie vieles in der Demokratie, leicht zu verdächtigen. Die Geneigtheit z. B., Sprichwörter anzubringen wie *Ausnahmen bestätigen die Regel* oder *Die Wahrheit liegt in der Mitte* könnten als verkappte Halbherzigkeiten verstanden werden, wie man sich in der Tat gern gegen Kritik absichert *(es ist nicht zuviel gesagt, wenn ...).* Die meisten Tugenden haben einen schwachen Punkt; daß demokratisches Gebaren auf Kompromisse angewiesen ist, muß noch nicht bedeuten, daß jeder Versuch auszugleichen faul ist. Es läßt sich denn auch beobachten, daß die Vokabel *Kompromiß* beträchtlich aufgewertet worden ist; weniger als früher spricht man vom *faulen Kompromiß*; von der verdächtigen Nachbarschaft zum „Kuhhandel“ befreit, besinnt er sich in demselben Maße seiner ursprünglichen Bedeutung (= gegenseitige Vereinbarung), wie er sein angestammtes Geschlecht verliert (*das Kompromiß,* lat. *compromissum).*

So bemüht man sich, die *demokratischen Spielregeln* auch in der Rede zu beachten und so etwas wie eine klassenlosse Sprache zu verwirklichen. Dazu trägt die allgemeine Ausbreitung wissenschaftlicher Vorstellungen und Termini viel bei (vgl. S. 186 ff.!); es ist längst kein Vorrecht etwa der Akademiker mehr, Fachausdrücke oder Fremdwörter (richtig) zu gebrauchen. Wer den ganzen Vorgang bezweifelt, könnte in den häufigen Zusammensetzungen mit *sonder-* (*Sondergenehmigung, -abkommen, -ansprüche, -berichterstatter, -fall, -interessen* usw.) einen kaum bemäntelten Individualismus, gleichsam ein Aufbäumen des einzelnen gegen seine Nivellierung in der Gesellschaft wittern. Aber solche Ausbruchversuche gehören zum Vorfeld des Kompromisses, und schließlich befriedigt es doch, von den Soziologen zu hören, daß *Gesellschaft* nun nicht mehr eine *elitäre Klasse* bedeutet, sondern aus ihm, aus dir und aus mir besteht. Vielleicht gehört auch jene vorsichtige Form der Steigerung, die man reziproke Komparation nennen könnte, hierher, die sich letzthin immer häufiger hören läßt: *du bist töricht – du bist schön töricht – du bist ganz schön töricht*; auch die behutsame Metapher ließe sich in diesen Zusammenhang einreihen (sie ist *ein Trampel von einer Frau).*

VIII.

Sprache „in Waffen“

Im Jahre 1806 prägte Goethe, das französische Wort *portée* zu ersetzen, die Bezeichnung *Tragweite,* die zunächst nur militärisch (= Reichweite eines Geschützes) verstanden werden sollte, aber bald auch bildlich verwendet wurde. So rückte das Wort im Revolutionsjahr in die Parlamente, von dort in die Zeitungen; noch 1860 wußte Schopenhauer um seine artilleristische Herkunft und schalt es einen „Gallizismus und dazu Kanonierausdruck“. Dann verlor sich die Spur: über die Sprache der Politiker drang *Tragweite,* deren man sich nach dem Rednerstil „bewußt sein“ mußte, in die bürgerliche Zeitungs- und Umgangssprache. Das ist ein hübsches, aber keineswegs das einzige Beispiel für die Beeinflussung der politischen durch die militärische Sprache. Sie konnte in einem Lande, in dem das *Kommißbrot* eine Delikatesse, der *Küchendragoner* dank dem Berliner Studentenwitz eine Hausgehilfin war, die *Kanone,* zumal in ihrer Steigerung als *Strandkanone* oder *Haubitze,* als Metapher für überreichlichen Alkoholgenuß diente (schon im 18. Jahrhundert pflegte man *sein Kanönchen* zu *laden*) und der Kaiser die Angehörigen der gegen seine Vorlagen stimmenden Parteien als *Reichsfeinde* bezeichnete, nicht wundernehmen. Zudem begegnete die Kampffreude der Parteien dem kriegerischen Geist der Soldaten; die Erinnerung an 1848, in der die Entschlossenen auf den *Barrikaden* (eigtl. = Schanzen aus Fässern) gestanden hatten, wob um viele parlamentarische und politische Begriffe einen kriegerischen Schimmer. Daß man gegen den *Gamaschendienst* wetterte, war freilich eine politische Geschichtsfälschung: als die Volksvertretungen das Wort verlästerten, waren die Gamaschen längst abgeschafft! Es heißt auch den *General* verleumden, wenn man ihn zum deutschen Steigerungswort schlechthin machte: die meisten Zusammensetzungen mit *General-* meinen das lateinische Adjektiv (*generalis* = allgemein, umfassend). Indessen bereitete man die Wahl wie eine Schlacht vor (*Wahlkampagne), machte* gegen gegnerische Ansichten *Front* (Goethe gebrauchte noch die italienische Form *Fronte*), fuhr auch einmal *grobes Geschütz* auf, war *geladen* (= zornig), als ob man ein Schießgewehr wäre, *machte,* Mann oder Mädchen, gern *Eroberungen,* wollte nicht *mit der Kanone nach Spatzen schießen,* setzte aber seinem Gegner im Redegefecht *die Pistole auf die Brust* und war, wenn er antwortete, *auf dem Quivive* (nach 1870). Die *Feuertaufe,* im ursprünglichen

Sinn wohl eine Prägung der Befreiungskriege, konnte auch der Zivilist bei einer ersten Bewährung erhalten; eine *Kanone* wollte jeder auf seinem Gebiet sein (seit 1815). Seit Waldersee im Generalstab die Beziehungen zur Presse stützte und ausbaute (1882), verstärkte sich der Strom nach beiden Richtungen; der Graf, selber eine Art von *Preßhusar* (= zur Presse abkommandierter Offizier), hatte ein Geschick, griffige, eingängige Wörter zu prägen, die sich schnell in Umlauf setzen konnten: gegen Bismarck richtete er den Anwurf *Schaukelpolitik* (1886); auch die *Zwickmühle,* schon vor 1500 in politischer Übertragung, ließ er wieder aufleben, und das *soziale Gespenst* dankt wohl ihm sein Leben. Diese Annäherung der Presse an den Generalstab und umgekehrt leitete eine Entwicklung ein, die dann im Zweiten Weltkrieg schlimme Früchte zeitigte. Und der *Reklamefeldzüge* und *Werbeattaken* sind seither nicht weniger geworden.

Das lag damals noch im weiten Feld. Unüberhörbar aber war, gerade auch für den fremdsprachigen Gast, die innige Durchdringung soldatischer und bürgerlicher Redeweise. Daß der jugendbewegte Wanderer seinen *Affen* auf dem Rücken hatte wie der Infanterist, der seinerseits das Bild vom Schaubudengaukler hergenommen hatte, daß die *Bombe* Metapher für das Unerwartete wurde (seit 1860: *die Bombe ist geplatzt!*) und mit der Zeit dazu herhalten mußte, als Steigerungswort zu dienen (etwas war *bombensicher* = gegen Bomben gut geschützt; aber dann auch: etwas stand *bombenfest*), daß nicht nur Rekruten, sondern auch Lehrlinge und Angestellte *gedrillt* wurden, daß man auch als Zivilist eine *stramme Haltung* zeigen, einen *strammen Jungen* bekommen konnte, daß man am Manöver, aber auch an einem Ausflug oder einer Diskussion als *Schlachtenbummler* (1870) teilnahm und *trommeln* die Bedeutung „werben“ bekam (Hitler als *Trommler*!), daß man in Erinnerung an die Soldatenzeit auch als Zivilist seinem Untergebenen gern *die Kandare anlegte* (die nicht minder militärische Wendung *den Marsch blasen* kam aus der Schweiz!) und bis in die Zeit nach dem Ersten Weltkrieg vom toten Freund sagte, er sei *zur großen Armee abberufen,* daß man in *Mietskasernen* (vgl. S. 87!) wohnte, mit seinen Ansichten und Einsichten *einschwenken,* sich mit ihnen aber auch (nach andern) *ausrichten* konnte, daß man sich, ermüdet oder überrascht, als *erschossen* bezeichnete, nur ungern *zwischen zwei Feuern* oder *Fronten* stand, vom *Heer* der Beamten, Ameisen oder Sorgen sprach, den *Kampf* aufnahm, wenn man nicht gerade *kampfunfähig* war, aber sich hütete, ins *Kreuzfeuer* zu geraten – man könnte die Liste unschwer längen, um zu zeigen, wie tief die beiden Lebensfelder sich ineinander verzahnt hatten. Die soldatische Redeweise Wilhelms II., der auch, wenn es etwa um Schulfragen ging, ein „*Gefecht* gegen die Sozialdemokratie“ führte (4. XII. 1890) und eine verdächtige Vorliebe für das Zeitwort *losschlagen* hatte, ferner der gesellschaftliche Vorrang des Offizierkorps, die Tatsache, daß durch die allgemeine Wehrpflicht die Sprache des Militärs dem Bürger so geläufig wurde, wie der uniformierte Bürger natürlich seine zivile Redeweise nicht vergaß, halfen den seit Jahrzehnten, seit den Befreiungskriegen wirkenden Prozeß fortentwickeln und vertiefen. Man muß, um das recht abzuschätzen, in die politische Sprache der Vorkriegszeit hineinhorchen: da sprach z. B. das Erfurter Programm (1891) nicht nur vom Klassen*kampf*, sondern auch von der *Armee* überflüssiger Arbeiter, von den *zwei feindlichen Heerlagern* und dem *Kampf* der Arbeiterklasse. 1894 unternahm der „Kladderadatsch" einen *Feldzug* gegen drei führende Männer des öffentlichen Lebens; der SPD-Aufruf von 1903 behauptete, der Zolltarif habe eine *Plünderung* und *Ausraubung* der Massen mit sich gebracht; die Deutsche Reformpartei gedachte 1906 „aus allen Gruppen der schaffenden Arbeit eine eng zusammenhängende *Streitmacht* gegen den gemeinsamen *Feind*" zu formieren; man sprach vom *Wettkampf* der Nationen, und nicht nur Wilhelm II. redete Gott als den *alten Alliierten* an (z. B. beim Breslauer Bankett 1906). Bei den Wahlen von 1912 riefen die Konservativen *„Klar zum Gefecht!"*, die Nationalliberalen *„Gegen rechts in den Kampf!"*, das Zentrum wollte seine Ideen „gegen allen *Ansturm* der Gegner *verteidigen*", und Vorgesetze *feuerten* ihre Angestellten (= kündigten ihnen). Man spielte allgemein mit dem bemalten Holzsäbel Sprache.

Der Erste Weltkrieg vollendete den Vorgang. Er machte aus dieser merkwürdigen Bildung von militärischer Fachsprache und ziviler Redeform etwas Ganzes, und das leuchtete in so starken Gegensätzen, daß es Hörer und Sprecher je nachdem: zur Nachahmung oder auch zur Abwehr reizte. Jedenfalls fiel es auf; es trug die Kennmarken beider Welten und hatte also doppelte Verknüpfbarkeiten. Es schuf Gemeinschaft; wer sich seiner bediente, legitimierte sich als Soldat, später als Feldzugteilnehmer. Es grenzte ab: gegen den Zivilisten und „Drückeberger", gegen den Offizier, besonders den der höheren Dienstgrade. Aber es ebnete auch ein: wer so sprechen konnte, bewies, daß er um der Kameradschaft willen auf Standesvorrechte oder Bildungstöne verzichtete. Es hatte schließlich in seiner so unbekümmerten wie betonten Derbheit etwas Befreiendes und Entladendes; mit seiner Hilfe konnte, was aufgestaut war, entströmen. Es behütete davor, Kräfte, die man anders nötiger hatte, auf unnütze Beschönigungen und andere Stilisierungen zu verschwenden. Es hatte hohe psychologische und soziologische Werte, und zudem verfügte es über so viel Überraschungsmöglichkeiten, war so sehr auf Witz der verschiedensten Grade und Reifestufen abgelegt, daß man sicher sein konnte, mit dieser „Sprache" wo nicht zu erheitern, so doch zu schockieren. Die Truppenverschiebungen und häufigen Versetzungen von einem zum andern Truppenteil sorgten dazu nicht nur für eine Speisung aus allen deutschen Landschaftssprachen, sondern auch für die Verbreitung über alle Landschaften und Bildungsstufen hin – kurz: der Erste Weltkrieg wurde ein Sprachmeister von Graden, wo nicht der bedeutendste seiner Zeit, so doch ihr eindringlichster.

Falsch wäre es zu behaupten, er habe den Charakter der deutschen Umgangssprache wesentlich metallischer gemacht; das geschah erst – ganz bewußt – in den zwölf Jahren des Hitlerstaates, in denen die Arbeiter zu einer *Front,* die Güterproduktion zu einer *Schlacht,* die stammtischartige Runde benachbarter Parteigenossen zum *Stützpunkt* gemacht und die Mütter *einberufen* wurden, um zu lernen, wie sie sich als Mütter zu verhalten hatten. Der Erste Weltkrieg brachte davon zunächst nichts. Er vermehrte natürlich den militärischen Wortschatz des deutschen Bürgers; seitdem nannte man etwa einen Versager einen *Blindgänger,* einen Menschen, der schnell begreift, einen *Frühzünder, nahm* gegen einen Angriff *(volle) Deckung* oder *ging in Deckung,* hatte mit seinen Kollegen *Tuchfühlung,* sprach nicht nur gern von dem „Gesetz, nach dem wir angetreten“, sondern *trat* auch zum Ausflug oder Kegelabend *an,* hielt mit seinen Gedanken und Plänen eine gewisse *Marschrichtung* ein, *riß sich am Riemen,* wenn es galt durchzuhalten, *trat,* wenn man seinen guten Anzug anlegte, *in voller Kriegsbemalung* an (eine Vorkriegswendung aus den Offizierskasinos) und *richtete sich* gern nach andern *aus,* die man als geistige oder auch soziale *Vordermänner* empfand. Da leisteten wohl die Unteroffiziere für unsere Sprache das, was in der Technik die Werkstätten (vgl. S. 172!) taten: sie versimpelten die Instruktionsbücher, reicherten sie mit den Redeweisen an, die sie aus ihren Großstadtstraßen oder Bauernhöfen in die Kasernen mitbrachten, und sorgten dafür, daß, was dabei heraussprang, über ihre Angehörigen und Untergebenen schnell in Umlauf kam. Sie sorgten dafür, daß alles *vorschriftsmäßig* ablief; sie wußten, was eine *Vorhut* und ein *Stützpunkt* war, und sie gaben dies Wissen weiter; sie redeten von der *Wehrkraft* und tünchten zugleich ihren Anweisungen die derben Farben bei, die, ehe sie zum Berufsjargon versteinten, plumpe Versuche gewesen sein mochten, eine Brücke zum unterschätzten Begriffsvermögen ihrer „Männer“ zu schlagen. Dabei unterliefen ihnen auch gelegentlich Sprachschnitzer, die, einmal bei der Grundausbildung eingetrichtert, wider alles Besserwissen beharrten, etwa der *Zerfall des Karabiners 98 K,* der das in den Schulen beliebte Verb *zerfallen (dieser Satz zerfällt in ...)* statt des besseren *zerlegt werden* zu einem Substantiv nutzt, das in anderer Bedeutung längst umläuft. Im ganzen minderte der Krieg eher die soldatische Bärbeißigkeit unserer Umgangssprache, als daß er sie gestärkt hätte.

Er neigte mehr dazu, auch soldatischen Vorgängen und Erlebnissen eine bürgerliche Mütze aufzusetzen. Wenn man damals und später eine gefährliche Lage als *dicke Luft* bezeichnete oder die schweren Geschosse *dicke* (oder *schwere) Brocken* nannte, die auf die Stellung des Sprechers *pflasterten (sie bepflasterten),* indem sie dort ihre *Eier* so *legten,* daß es *hin-*

haute, so mutete das mehr bäuerlich oder kleinbürgerlich als kriegerisch an. Aber dafür schwelgte er vom Kasernenhof und Schützengraben her in Derbheiten, benannte mit Vergnügen und durchaus ohne auch nur den Ansatz einer Verhüllung, was der Körper halb oder ganz verdaut hergab, die dazu nötigen Körperöffnungen und was mit dem Geschlecht zu tun hatte. Ja, er legte es auf die Betonung dieser Dinge ab; vom *Kotzen* bis zur *Scheiße* lief die Skala der großen, seiner eigentlichen Erregungen, Ärgernisse, Gefühle. Den *Klugscheißer,* den man im Salon einen *Neunmalklug* hieß, hatte es schon im Biedermeier gegeben; jetzt brauchte er sich hinter keiner hohlen Hand mehr zu verstecken – man hatte als Soldat zu oft *in der Scheiße gesessen.* So wurde, was die Väter noch als „ominöses Wort" gemieden hatten, zum Steigerungswort: was wirklich ganz gleichgültig war, heißt jetzt *scheißegal,* was noch im Ersten Krieg eine *Latrinenparole* gewesen war, gab sich nun hüllenlos als *Scheißhausparole* (1934). Der *Anfurz* (= Rüffel) spielte eine noch mindere Rolle; er war nicht mehr als ein etwas gesteigerter *Anpfiff;* aber steigerte er sich selbst über das *Ankotzen* zum *Anschiß,* hörte die Gemütlichkeit auf. Vorgang und Sache, *anscheißen* und *Anschiß,* reichten daher auch über die Welt der Strafen in die der Untaten hinein und bezeichneten geradezu den böswilligen Betrug (Da bin ich kräftig *angeschissen* worden! – Das war vielleicht ein *Anschiß*!). Der Euphemismus *Arm* – für *Arsch,* der dem Soldaten oft *mit Grundeis ging* (= wie brechendes Eis polterte, schon im 18. Jahrhundert) – deckte gerade noch bei der Zusammensetzung *Armleuchter,* weil bei ihr auch das Grundwort zu verhüllen geneigt war; bei *Armloch,* wo diese Voraussetzung nicht zutraf, versagte er; beide Euphemismen sind Kinder des Ersten Weltkriegs. Die Zigarre *Kotzbalken* zu nennen, hatte demgegenüber einen Zug von Jovialität, wie man denn zur eigenen Pfeife auch *Rotzkocher* sagte; wenn der Stamm des Wortes als Steigerungswort genutzt wurde (z. B. in: *kotzgrob* werden), wurde die Luft schon trüber, und als Fluch galt das Wort für alle, leichtere und ernsteste Gelegenheiten (*Das ist zum Kotzen!* [*um das große Kotzen zu kriegen!*]; *Das kotzt mich an!*; Steigerung: *Das ist zum Knochenkotzen!*). Ja man bildete endlich ein neues Stammwort der *Kotz* zur Kennzeichnung einer unangenehmen oder langweiligen Sache. Er wurde vermutlich dem *Scheiß* nachgebildet, der nun zu seiner alten Bedeutung (= Leibwind) auch die neue (= widrige Lage) hinzunahm, auch er nun beliebtes Steigerungswort (das ist mir *scheißegal!)* und zur Bildung verächtlichmachender Schelten willkommen: ein *Scheißer* bezeichnete einen miesepetrigen Kerl; aber ein *Schleimscheißer* war einer, der sich an Vorgesetzte lobhudelnd ansch[m]iß. Die meisten dieser deftigen Handgreiflichkeiten lebten nach dem Krieg im Männerverein, am Stammtisch, beim Skat und Kegeln, bei den Schützen, im politischen Verband (Stahlhelm, Rotfront, SA); viele drangen bis in die Familien und in die bürgerliche Geselligkeit; sie wurden, wo nicht salonfähig, so doch stubenrein. Damit senkte der Weltkrieg den allgemeinen Sprachspiegel. Als ob die Entwicklung auf den Sturm gewartet habe, der nach der Entthronung der schriftsprachlichen Muster, nach der Auflösung jener Gesellschaft, die ihnen zugestrebt hatte, wegfegte, was vom Alten etwa noch hemmend im Wege stand, griff die Umgangssprache des kleinbürgerlichen Alltags nun in diesen saftigen Vorposten nach der Sprachhaltung der „Gebildeten“. Auch die mittleren Behörden eigneten sich im Alltagsumgang einiges davon an; viele Inspektoren, Sekretäre und Angestellte dachten, wenn sie im Dienst einmal *auf die Pauke hauten,* einen lästigen Besucher *hinausfeuerten,* ihm bedeuteten, *das Maul* zu halten oder ihn doch wenigstens ersuchten *abzuschwirren,* wenn sie gegen jemand *scharf schossen,* an die schöne Zeit, da sie als Unteroffiziere oder Feldwebel hatten vor der Front stehen dürfen, und Anwälte, die *Prozesse* wie Handgranaten *platzen* ließen, taten es ihnen gleich. Die nachlässige Derbheit, mit der sich die Umgangssprache von 1920 gegen die von 1910 abhob, wurzelte in diesen vielschichtigen Untergründen; sie hat, ohne sich abzuschwächen, ein halbes Jahrhundert überdauert und damit erwiesen, daß sie mehr war als eine vorübergehende Zeiterscheinung. Man *haut sich aufs Ohr* (statt sich darauf zu legen), man *schimpft sich* Müller (statt sich so zu nennen); wer überrascht ist, *kippt aus dem Anzug*; wer errötet, *kriegt einen Ballon.* Der Kopf wird zum *Globus,* ein breiter Mund zum *Briefkasten,* die rote Nase zur *Glühbirne* und das Gesäß zum *Blasrohr*; wer erstaunt ist, *guckt dumm aus der Wäsche,* und wer seine Überraschung nicht zu verbergen weiß, *dem platzen die Hosenträger.* Die *Sau* galt derber Rede schon seit 1800 als Steigerungswort (*saudumm* 1839, *Saufraß* 1810 u. ä.); nun bürgerte sich der *Sauhaufen* (= ungeordnete Gruppe) ein, und wen man für dumm hielt, nannte man *saublöd(e)* (1938) oder *saudämlich* (1938). *Mistkerl* und *Miststück* wurden zu Schelten (1935).

Die Richtung zielt nicht nur auf eine Freude am Derben, Schockierenden. Daß man sich, statt sich auszusprechen, *ausschleimen* mußte, um nicht *die Kotze* zu *kriegen,* daß man gern versicherte, man *reagiere sauer, der ganze Rotz stieße* einem *sauer auf* und wäre *zum Knochenkotzen,* war letztlich doch mehr der Wunsch, nicht rückständiger Wertungen verdächtigt zu werden und um alles in der Welt große Wörter, „edle“ Wendungen zu meiden, als etwa die Absicht, in Unsauberkeiten zu wühlen. Schlimmer war, daß das Erleben des Krieges auch verroht hatte. Die Wendung, daß man *lieber (sechs Wochen) scheintot im Massengrabe* liegen als dies oder jenes tun wolle, hatte noch einen gewissen grimmigen Humor; daß man hinter einem Alten aber oder einem, der ungesund aussah, *Friedhofsgemüse,* herrief, man habe ihn *vergessen zu begraben* oder das sei *eine Leiche auf Urlaub,* war der Versuch eines Witzes, der mehr nach Etappe als nach Schützengraben, mehr nach Angeberei als wirklichem Erleben, mehr nach den *Ersatzhaufen* der letzten Kriegsmonate als nach dem Stammregiment schmeckte. Da war die beliebte und langlebige Redensart von der *gramzerfetzten Gattin* noch milde, die, da sie bald ihren Ursprung vergessen hatte, als harmlose Übertreibung galt – wie man denn auch von *nervenzerfetzenden* Umständen sprach, um die *nervenzerrüttenden* ins rechte Licht zu rücken. Sie wurde dann zur *gramverzerrten Gattin* verharmlost. Wer „angab“ oder erregt war, wurde ersucht, sich *nichts (keine Verzierung) abzubrechen* – vermutlich doch wohl seine hochmütig in die Luft gestreckte Nase; aber das wurde nicht dazu gesagt, und so erhielt die ganze Wendung eine verhüllte Obszönität, hinter der man allerlei wittern mochte. Das waren verhältnismäßig wenige Wendungen; aber sie bürgerten sich ein, und die Ohren gewöhnten sich an sie. Als dann, im Zweiten Weltkrieg, davon gesprochen wurde, Städte *auszuradieren*, Regimenter des Feindes *niederzumachen* und Mißliebige (nach bolschewistischem Muster) wie ein unrentables Geschäft zu *liquidieren*, hörten viele gar nicht mehr recht hin, und andere nahmen es wie einen Witz aus der Kiste „drei Wochen im Massengrab“. Derbheiten und Roheiten hatten das Sprachempfinden abgestumpft; damit waren auch tiefere Bereiche betroffen worden.

Daneben wirkten die Weltkriege auch noch in einem andern Bezug. Er ist schwerer zu erkennen, weil er sich weniger klar im Wortschatz abzeichnete. Schon das 19. Jahrhundert hatte in seinen Großstädten eine Sprachschicht geschaffen, die, minder ans Landschaftliche gebunden, zwischen den Mundarten vermittelte, aber auch manches Eigenständige dabei zu Tage brachte. Der Staatsapparat hatte diesen Vorgang bestätigt; seine Beamten schlugen, hin- und herwandernd, die Brücken über die Sprachgaue. Dabei hatte es sich im einzelnen ergeben, daß dem Sog der Groß- und Reichshauptstadt Berlin gewisse, besonders parteipolitische Kräfte aus dem Süden entgegenwirkten und einen Ausgleich förderten. Die Massen waren in Bewegung; sie glichen sich einander an und gegeneinander manches Trennende aus. Die Weltkriege beschleunigten und vertieften diesen Vorgang. Nord, Süd, Ost und West wurden durcheinandergemengt und gegeneinander ausgetauscht; die Regimenter wechselten ihre Standorte, ihre Rekrutierungslandschaften, ihre Kameradschaftskreise; der Truppenteil nicht nur, auch der einzelne Mann wurde in die Kreuz und Quere geschoben. Das Ergebnis war bei allen zunächst die Vermittlung und Bewahrung jenes eisernen Bestandes soldatischer Sprachbrocken, der späterhin auch ins Bürgerleben mitgenommen wurde; es bestand aber auch bei vielen darin, daß sie sich die angestammte Mundart ganz oder doch teilweise abgewöhnten. Die Kriege stärkten die Geltung unserer Umgangssprache und breiteten sie aus. Das bedeutete neben der Schrumpfung der Mundarten auch eine Stärkung der süddeutschen Elemente gegenüber den norddeutschen: Berlin hatte im soldatischen Bereich nicht d i e Strahlkraft wie im staatlichen oder wirtschaftlichen, und zudem stieg der politische Anteil Süddeutschlands gegen Ende des Ersten Krieges, danach und in der Zeit der Diktatur beträchtlich. Grammatische Fügungen wie die Verbindung von *vergessen* mit *auf* oder *an* („darauf [daran] habe ich ganz vergessen“), von *denken* mit *auf* („vergiß nicht, *darauf* zu denken!“), von *brauchen* ohne *zu* (vgl. S. 100!), der Gebrauch von *nachdem* in kausalem Sinn („*Nachdem* das einmal geschehen ist, kann ich es nicht mehr übersehen“), die Umschreibung des Optativs Präteriti mit *würde* („ich *würde* geben“ statt „ich gäbe“), die Nutzung des Perfekts als Erzähltempus und, daraus folgernd, der nach Norddeutschland schielende „hyperkorrekte“ Gebrauch des Präteritums *(Riefen Sie mich gestern an?)*, die Benutzung des Umstandswortes als Eigenschaftswort („die *zwangsweise* Behandlung dieses Falls“), die Neigung, Zusammensetzungen aufzulösen („das *königliche* Theater“ statt *„Königstheater“)*, die Abdrängung von *sehen* durch *schauen* (*„Auf Wiederschaun!“*; „Laß mich mal *schauen!*“), die Scheu, das Umstandswort *hinten*, das womöglich unziemliche Gedankenverbindungen anregen könnte, zu gebrauchen und daher die Neigung, es durch *rückwärts* („die *rückwärts* andrängende Menge“) zu ersetzen, all das drang damals und in den anschließenden Jahren nach Norden vor und nistete sich da allmählich ein. Aber auch einzelne Mundartwörter wie das rheinische *Eintopfgericht* oder das bergische *tätigen* gewannen schnell Boden. Schon damals übrigens regte sich der *Barras*, der später den *Kommiß* („die *Preußen[s]*“) verdrängen sollte: zuerst bei württembergischen Regimentern in Straßburg (aber nicht in der schwäbischen Heimat!) gebraucht, ist er im Grunde nichts anders als die Ersetzung des bis dahin beliebten *Kommiß* durch ein jiddisches Wort (*parnus, pernuse* = Unterhalt, oder zu jiddisch *baras* = Brot?); vermutlich ist er durch sächsische und norddeutsche Truppen dann in Umlauf gekommen. – Wenn *anpflaumen*, das sich in den Kriegsjahren einbürgerte (1. gedruckter Beleg: 1916), wirklich durch Volksetymologie aus *vlamen* = sich wie ein Flame, wie ein Tölpel betragen, entstanden ist, gehört es in den gleichen Zusammenhang; wahrscheinlich hat es sich von Schlesien aus allgemein gemacht. Aus dem Rotwelschen eroberte sich der *Kohldampf*, den man nur zu oft, Zivilist oder Soldat, *schieben* mußte, über die wüttembergischen und bayerischen Regimenter gesamtdeutsche Geltung; sie hielt auch nach dem Ende des Krieges an und wurde in und nach dem Zweiten Weltkrieg noch einmal gespenstisch aktuell.

Der Zug zum Gemeindeutschen wurde natürlich auch durch die Heeresberichte gestärkt. Die von Gneisenau geprägte Sprache des Generalstabs in ihrer nüchternen, klaren Genauigkeit fand in ihnen, besonders solange Falkenhayn sie verantwortete (1914–1916), ein breites Tor in die Öffentlichkeit. Sie wirkte auch damals durch die Schlichtheit und Sauberkeit ihrer Nachrichten vorbildlich, und vielleicht wären sie unserer Sprache so etwas wie ein wirklicher Meister geworden, wäre die Entwicklung anders gelaufen. So aber gingen die Stürme der Zeit über sie weg, Wiederholungen fransten sie aus, und es blieben, nachdem auch sie die wachsende Ungunst der Lage durch wachsende Volltönigkeit zu überdecken gesucht hatten, nur ein paar Wörter übrig, die sie dem allgemeinen Wortschatz vermittelten. Bis dahin hatte das Zeitwort *massieren* z. B. im Alltagsgebrauch eine ausschließlich medizinische Bedeutung (= streichen, kneten); nun machte die militärische (= anhäufen, sammeln) von sich reden: Truppen wurden *massiert;* man erfuhr, daß der Gegner einen starken Angriff *massiert* habe. Später sprach man dann auch davon, daß man seine Anstrengungen oder Mittel *massieren* müsse, um etwas zu erreichen. Die *Wendigkeit* wurde aus einer Bewertung von Kraftfahrzeugen eine menschliche Tugend. Auch *einsetzen* erhielt nun wohl erst die merkwürdig passivische Eintrübung, die ihm seither anhaftet: daß, was er nur selbst tun kann, mit dem Menschen getan wurde, verkehrte wiederum die Maßstäbe zwischen ihm und den Sachen, mit denen er sich zusammengestellt sah. Die Redensart kam vom Spieltisch; wer sie rückbezüglich gebrauchte, trieb ein gewagtes, ein kühnes Spiel. Man konnte sein Leben, man durfte gar sich selbst *einsetzen.* Aber man konnte sich nicht, ohne seiner Würde Abbruch zu tun, *einsetzen lassen,* wie es nun geschah: trupp-, kompanien-, regimenter-, armeenweise wurden die Männer zum Kampf *eingesetzt,* Figuren eines Schachspiels, das von unsichtbaren Geisterhänden gelenkt wurde. Man hätte stutzig werden sollen, als das glatte Zeitwort der umständlichen Substantivumschreibung wich *(zum Einsatz bringen, kommen, gelangen*). Da man nichts merkte, wurde *Einsatz* zu dem bedenklichen Schwammwort, als das es im Zweiten Weltkrieg sein Wesen trieb: da *kamen* nicht nur Soldaten, sondern auch Jugendgruppen, Krankenschwestern, Redner und Theaterensembles neben Stukas, neuen Kraftwagentypen und Büroklammern *zum Einsatz;* der Kampfflieger flog seine *Einsätze,* der Infanterist „machte" sie. So trieb man, ohne es noch zu merken, sein Spiel mit sich selbst: man tat, als ob man Schach spielte, um zu vergessen, daß man nur als Schachfigur diente. – Vermutlich wurzelte in jenen Jahren des Ersten Weltkriegs auch die Vorliebe für die Zusammensetzungen mit *durch;* man ermahnte Militär und Zivil *durchzuhalten*; man neigte dazu *durchzugreifen,* wo sich Widerstand bot; notfalls galt es dann auch einmal *durchzustoßen,* um sich *durchzusetzen;* schwierige Fragen mußten *durchgepauk*t werden. Einen Ansatz fanden solche Wendungen in militärischen Floskeln wie *durchgeben* = allen bekanntmachen (= *durchsagen*) oder *durchzählen* = abzählen. Im Allerweltswort *durchführen,* das sich schließlich an die Stelle von einem halben Dutzend anderer und griffigerer Zeitwörter (tun, machen, vollenden, fertig machen, stellen, fertigen usw.) setzte und von da aus auch in die Bezirke des Hauptworts übergriff, wurde diese Entwicklung gekrönt: wie ein Motortyp *zum Einsatz gebracht* wurde, konnte eine Verfügung, ein Plan, ein Beschluß *zur Durchführung gelangen.* Damit drangen soldatische Ausdrucks- und Anschauungsweise in Bezirke, in denen sie nicht nur fehl am Platz, sondern geradezu falsch wirkten. Denn natürlich muß ein Plan verwirklicht, ein Beschluß ausgeführt, ein Gesetz in Kraft gesetzt werden. Das

Zeitwort *durchführen* sagt nur über die Gewalt etwas aus, mit der man bei der Verwirklichung, Durchführung, Inkraftsetzung verfahren will; was im technischen Bereich einen plastischen Bezug hat, wenn man etwa davon spricht, eine Leitung durch eine Wand *durchzuführen* oder einen *Durchführungsisolator* zu legen, täuscht dem Hörer nun einen Widerstand vor, der unter allen Umständen gebrochen werden würde, wenn er sich etwa zeigen sollte. *Durchführen* war ein Drohwort geworden, das Disziplin verlangte und insgeheim, doch unverkennbar mit Strafe drohte. Darum wohl feierte es zwanzig Jahre später seine große Zeit, als es darum ging, durch eine Andeutung begreiflich zu machen, daß *durchgeführt* wurde, was beschlossen war: die Parteiveranstaltung, der Schulungskurs, die Erzeugungsschlacht.

In den fünfeinhalb Jahrn des Zweiten Weltkriegs lief der Vorgang noch einmal ab. In den beiden ersten Jahren knüpfte man an die Falkenhaynsche Überlieferung an; dann, als sich das Glück zu wenden begann, lähmten Wiederholungen die Aufmerksamkeit der Leser, und Standard- und Ausweichvokabeln wurden so transparent, daß die große Menge bald durch sie hindurchsah. Es gab Adjektiva, die den eigenen Truppen vorbehalten blieben; sie waren es, die *schneidig, kraftvoll, wuchtig, entschlossen* kämpften; der Gegner focht *wütend, erbittert,* mit blutigen Verlusten; er war es, der *ausblutete, zerschlagen, aufgerieben, vernichtet* wurde. Seine *Angriffe* waren fast immer *erwartet* (er *trat* zu ihnen *an*); mußte man ein Gebiet räumen, war das *seit längerer Zeit vorgesehen;* der deutsche Soldat war jedenfalls *Herr der Lage.* Schließlich entwickelte man eine umfassende, aber leicht abgenutzte Terminologie des Rückzugs, der als *Ausweich-* oder *Abwehrbewegung,* als *Frontbegradigung* getarnt wurde und immer *planmäßig* verlief. Daß der *Vernichtungskrieg,* von dem man seit 1937 sprach, das eigene Volk schlagen würde, konnte, wer die Augen offen hielt, bald aus den *schweren, zähen, harten, entschlossenen Abwehrkämpfen,* in denen sich unsere Truppen vom Gegner *absetzten,* aus den *hartnäckigen* und *erbitterten* Ausbruchversuchen der U-Boote herauslesen. Da wurde kaum etwas neugeprägt; aber die alten Wörter, die man täglich lesen mußte, nisteten sich nun noch fester ein. Und die Urlauber, die vielleicht vom *Arsch der Welt* (= Polargegenden) heimkamen, sorgten durch ihre Interpretationen dafür, daß viele von diesen Wörtern als doppelbödig und unzuverlässig gehört und für den Gebrauch im Frieden abgewertet oder unbrauchbar wurden.

Natürlich kamen auch Neuwörter und -begriffe mit dem Heeresbericht und aus der Heeressprache von der Front in die Heimat. Der *Poilu* (= französischer Soldat; eigtl.: der Unrasierte) wurde bei uns nicht volksläufig, wohl aber der *Tommy,* der Mustermusketier Thomas Atkins aus dem Taschenbuch zum Dienstgebrauch der britischen Streitkräfte (Ende des 19. Jahrhunderts); nach ihm hat man den zumal in und nach dem Zweiten Krieg volkstümlichen

Ami geprägt, der in weiblicher Form auch Bezeichnung für die nach wie vor geschätzten amerikanischen Zigaretten wurde *(die Ami)*. Das Wort *Tank*, von seinem Erfinder Oberstleutnant Swinton als Benzinbehälter getarnt (hindostan. *tânkh*, eigtl. = Wasserbehälter), diente auch in Deutschland zwei Jahrzehnte für den Kampfwagen aus Stahlplatten, bis es vom *Panzer* wieder auf seinen eigentlichen Geltungsbezirk, den füllbaren Hohlraum, verwiesen wurde. Schneller räumte die *Camouflage* ihren Platz der vom Oberstleutnant Ammon vorgeschlagenen *Tarnung* (1921), zu der sich das alte Zeitwort *tarnen* ungezwungen wieder nutzen ließ; ein Jahrzehnt später eroberte das soldatische Wort auch politische Bereiche. Der Versuch, die *Spionage* gegen die *Abwehr* auszuwechseln, wollte eine Betätigung ehrlich machen, die bis dahin von Soldaten gemieden werden mußte; natürlich wehrte man sich nicht nur gegen die Spionagemaßnahmen des Gegners, sondern setzte ihnen eigene Anstrengungen entgegen. *Abwehr* versuchte etwas vorzutäuschen, was den Gegebenheiten widersprach; auch die Sprache des Heeres hatte von der der Politik und der Diplomatie gelernt. Dennoch – oder gerade darum? – hat sich *Abwehr* gehalten. – Ludendorffs *Dolchstoß*, im erregten Gespräch mit General Sir Neill Malcolm geprägt (1918), geisterte als *Dolchstoßlegende* böse Jahrzehnte lang in der schlimmen Zwielichtigkeit, die auch im sprachlichen Bezirk entsteht, wo Soldatentum und Politik ineinander übergehen. *Rasant*, eigentlich ein Artilleristenwort – es bezeichnet den ebenen Geschoßflug –, hat sich durch seinen Anklang an *rasen* und *Rasse* zum Modewort entwickelt.

Im Grunde war d i e s e r Beitrag gering, so in der Zahl wie in der Breitenwirkung. Das lag auch daran, daß viele Dinge, die während des Krieges für den Soldaten eine Rolle gespielt hatten, nach dem Ende von 1918 ins Nichtgewesensein absanken *(Gulaschkanone, Karbolheinrich, Lausoleum)*. Die Heimat lieferte der Front mehr und eingängigere Wortschöpfungen, und wieder waren es die Mühlen der Truppenverbände, in denen rasch zu allgemeinem Gebrauch zermahlen wurde, was zunächst nur eine örtliche, vielleicht auch nur eine persönliche Geltung hatte. Darunter waren auch viele Eintagsfliegen, die sich verflogen, als die Dinge sich mit Kriegsende wandelten, das *Drahtverhau* (= Dörrgemüse, eher eine Prägung der hungernden Heimat), das *Fletschern*, d. h. das dreißigmalige Durchkauen jedes Bissens nach der Empfehlung des amerikanischen Schriftstellers Horace Fletcher (1849–1919), das *Freßpaket*, das in Schüler- und Kadettenkreisen längst geschätzt wurde, ehe es sich an die Stelle des als zu gefühlvoll empfundenen *Liebesgabenpakets* setzte, der *Spitzbohnenkaffee*, der im Zweiten Weltkrieg eine betrübliche Urständ beging. Anderes hielt sich länger, weil die (meist unerquicklichen) Dinge, die es bezeichnete, das Kriegsende überdauerten. So der *Hamsterer* und sein dunkles Gewerbe *(hamstern)*, mit der verdoppelten Endsilbe nun vom Namen seines tierischen Vorbildes geschieden, das Gottfried Keller noch metaphorisch für den Kerl gesetzt hatte („*Geld-*

hamster“, 1880). Aber schon ein Jahrzehnt sprach man lieber von *Horten* als von *Hamstern;* das war feiner – und blieb es bis 1948! Der *Kriegsgewinnler,* in Berlin *Raffke* genannt (1918), blieb als Schelte lange geläufig; der *Schieber* war schon vor dem Weltkrieg (s. S. 90!) aus der Gaunersprache ins Berlinische eingedrungen und machte nun seine Runde durch den gesamten Sprachraum, auch er als Schimpfwort langlebiger denn als Gattungsname (die Entwicklung ging vom rotwelschen Gebrauch des Zeitworts aus, führte dann zur Bildung eines Abstraktums auf *-ung,* das man auch als Interjektion gebrauchen lernte *[Schiebung],* und endete bei der Personenkennzeichnung!). Der *Ersatz* mißbrauchte seinen Ursprung im Behördenbereich dazu, daß er sich als gleichwertig ausgab und doch minderwertig war. Damit sank der Wertspiegel des Wortes so ab, daß der Staatsführung im Zweiten Weltkrieg nichts anders übrig blieb, als das abschätzige Wort durch ein anderes, nicht eben sittenstrengeres *(Austausch)* zu ersetzen. *Anstehen,* wohl verkürzt aus *„in der Schlange [an]stehen“*, wurde noch lange geübt und im und nach dem Zweiten Weltkrieg wieder ins Gedächtnis zurückbeordert. Der *Drückeberger,* seit drei Jahrzehnten als Stiefbruder des *Schlaubergers* besonders in Schülerkreisen bekannt, wurde nun auf die Wehrscheuen abgestellt; der *Schleichhandel,* der schon in Mösers „Patriotischen Phantasien“ (1778) auftauchte, wurde erst volksläufig, als er den besondern, gleichsam internen Betrieb des Schmuggelns meinte. *Strecken,* das eine verdächtig enge Verbindung mit Lebensmittel-, besonders Fettbezeichnungen einging (die Fähigkeit, etwas zu *strecken,* entschied damals über die Selbstbehauptung der Hausfrauen), wurde später auch für andere Versuche genutzt, den Genuß einer Sache zu verlängern *(Urlaub strecken).* Die *Brotkarte* wuchs sich alsbald zur *Lebensmittelkarte* aus und brachte sich im zweiten Krieg und seinen Folgejahren wieder in Erinnerung; das häßliche Zeitwort *bevorraten* (1918) erfreute sich lange Zeit behördlicher Huld. Das meiste davon war, wie gesagt, langlebiger als der Krieg; als die Hintergründe schwanden, waren viele Bezeichnungen so eingewurzelt, daß sie in mehr oder minder leichter Bedeutungsabwandlung, als Schelten oder auch humorige Redensarten fortleben konnten. Und vieles davon war, wie man sieht, als Wort auch keineswegs neu, sondern übernahm nur die zeitgemäße Bedeutung wie etwa *neureich,* das, zwischen 1918 und der Inflation eine der peinlichsten Kennmarken deutscher Zeitart, als Wortbildung auf Jean Paul zurückging, aber nun erst, dem französischen *nouveau riche* nachgeformt, auf die saftigen Verhältnisse stieß, die seine Verbreitung beflügelten. Die *Inflation,* die einen im Grunde amerikanischen, aus dem Sezessionskrieg (1861–1865) stammenden Börsenausdruck in Deutschland volkstümlich machte, verstärkte übrigens dadurch, daß sie die Kenntnis des Geld- und Börsenwesens ziemlich allgemein machte (*auf-, abwerten* usw.), die wirtschaftlichen Züge unserer Umgangssprache und machte dazu eine neue Reihe rotwelscher Wendungen weiter bekannt. Damals wurde der *Pleitegeier* (eigtl. = der pleite geht) zum abschätzigen Kennwort des deutschen Wappenadlers, und Gaunerwörter wie *großkotzig* (zu hebr. *kôzîn* = reich, also eigtl. = schwerreich), *kess* (urspr. = Name des hebr. Buchstabens k), *schnorren* (für älteres schnurren), *verschütt gehen* (eigtl. = vom Schützen verhaftet werden, dann in bürgerlicher Sprache = verloren gehen, betrunken abfallen, auch sterben) siedelten sich, meist über Berlin, in deutschen Bürgerstuben an. Mit der Überwindung der Inflation endete auch die vom Ersten Weltkrieg sprachlich gesteuerte Zeit.

Bis dahin hatte die unfreiwillige Schicksalsgemeinschaft gedauert, und gleiche Gegebenheiten hatten gleiche Lebensformen, also auch gleichen Sprachbedarf erzeugt. Nun wurde *abgerüstet*; es begann eine neue Zeit, in der sich jeder auf sich selbst verwiesen sah. Länder und Landschaften gewannen ihr eigenes Gesicht zurück und neigten eher dazu, Unterschiede zueinander zu betonen als sie auszugleichen. Lenin hatte mit der *Weltrevolution* ein Wort aus napoleonischen Zeiten aufgegriffen, Trotzki die *permanente Revolution* von Marx erneuert. Anderes war undramatischer. Die *Angabe,* aus dem Behördenwortschatz, vom Formblatt, genommen, war eine der neuen Wendungen, die zwischen 1920 und 1930 gesamtdeutsch werden konnten. Sie gesellte sich dem *Abbau,* der zwar auch von der Amtsstube seinen Weg ins Volk nahm, aber durch seinen handwerklichen Ursprung noch griffiger wirkte. Beide Wörter verbreiteten sich auch deshalb so schnell, weil sich leicht Zeitwörter *(angeben, abbauen)* und Eigenschaftswörter (*angeberisch,* das Mittelwort *abgebaut)* ableiten ließen. *Abbauen* hatte übrigens schon im Kriege in der Bedeutung „ohnmächtig werden, schlapp machen" eine gewisse Rolle gespielt. Es kam ohnedies manche alte Wortmünze wieder in Umlauf. Versammlungsreden machten die Redensart, daß man sich *auf den Boden der Tatsachen stellen* müsse, zum Schlagwort der Zeit; Erzberger frischte das Wort *Vorbehalt,* das schon bei Luther vorkam, zeitgemäß auf; durch die *Arbeiter-, Soldaten-* und *Betriebsräte* erhielt die steifleinene Kanzleiamtsbezeichnung *Rat* eine neue Volkstümlichkeit, und alsbald wurde der Oberlehrer, doppelt verdächtig sozialer Anmaßung („Ober-") wie des Hanges zu bevormundender Pädagogik („-lehrer"), zum *Studienrat,* ohne dadurch seine Beliebtheit zu steigern; vermutlich ließ ihn die neue Bezeichnung zu versponnen, zu jugendfremd erscheinen. Die Zeit, die sich so gern als Phönix gebärdete, putzte sich mit alten Federn. Oder sie borgte sie sich von der Wissenschaft (vgl. S. 176 ff.!): Hegels *Synthese* wurde nun zum Schlagwort; die von Klages gefundene Verdeutschung *Bau* für „Tektonik" gewann sich den Tag; die *Basis* kam aus der Mathematik, aus der auch die Redewendung *in der Tat* genommen wurde. Auch die Beliebtheit, die eine Redensart wie *sehr viel* zwischen 1920 und 1930 gewann („*sehr viel* einfachere Gesetze"), mag aus der Schreibweise der Wissenschaft stammen.

Die Reichswehr steuerte, Eliteberufsheer, das sie war, wenig zum deutschen Wortschatz bei. Aber ihr verdanken wir die böse Übertragung von *vergasen* und *Vergasung*, die beide sachlich in den Ersten Weltkrieg zurückreichen, ins Metaphorische. Damals, um 1925, ließ man dort etwas bis *zur Vergasung (zum Vergasen) üben.* Im Zweiten Weltkrieg, der im Volk zu *dem Weltkrieg* schlechthin wurde, kam man, seit dem Winter vor Moskau und besonders seit dem Kretaunternehmen, dazu, vom *Verheizen* der Truppe zu sprechen *(wir wollen nicht verheizt werden!)*; beide Wendungen stehen in keinem unmittelbaren Bezug zur Greuelsprache der KZs (vgl. S. 213 f.); eher ließe sich die Beziehung umgekehrt knüpfen.

Die Diktatur, die den *Wehrgedanken* volkstümlich zu machen suchte, indem sie u. a. die *Kriegsschuldfrage (-lüge),* d. h. die Frage nach den Schuldigen am Ersten Weltkrieg, unablässig in ihrem Sinne beantwortete, polierte noch einmal den metallischen Glanz unserer Sprache. Ihre vor- und paramilitärischen Verbände nicht nur, die Partei selbst gab sich soldatisch; es blieb nicht aus, daß viele ganz erfreut waren, auch mit den Ausdrücken ihrer nun wieder ehrlich gemachten Soldatenzeit ein Wiedersehen zu feiern. Man erlebte, wie die *Rüstung,* die zum Unterschied zu ihrem ritterlichen Vorfahren nur im Singular zu gebrauchen war, wieder anlief: *man rüstete auf,* und da fast alle irgendwie daran beteiligt waren, nahmen auch fast alle von ihren Arbeits- und Ausbildungsstätten mit nach Hause, was dort täglich erwähnt, stündlich zerredet wurde. Man beteiligte sich am Berufswettkampf, beobachtete die Erzeugungsschlacht, litt unter dem Kohlenkrieg. Der Vorgang verstärkte sich im Zweiten Krieg, der ja, nachdem die Heimat einmal zur Front *(Heimatfront)* geworden war, weit über die Kapitulation hinausreichte; er beharrt, da sich langlebige Gewohnheiten nicht schnell beiseite tun lassen, bis heute und auch bei denen, die das Soldatische gern aus unserm Land, womöglich aus allen Ländern verbannt sähen. Ja, er *eskaliert,* um ein modernes Wort anzuwenden, das, als Substantiv aus dem Amerikanischen genommen *(Eskalation),* von den Militärs über die Politiker zu den Intellektuellen wanderte, vom Krieg zur Steuer, bis zur Romanhandlung und zu Gefühlen gedieh und im Grunde einmal nichts anderes anzeigen wollte als den endlosen Weg einer Rolltreppe (*escalator; to escalate* = Rolltreppe fahren); wie abenteuerlich, zur *Eskalation* nun eine *Deeskalation* (= Einschränkung; *Deeskalation des Vietnamkrieges*) hinzubilden! Die Nutzung soldatischer Fachwörter wird also bestätigt nicht nur, sie weitet sich aus: man *schießt* mit seinem Fotoapparat Bilder *(Schnappschüsse),* hat in der Garage ein *Schlachtschiff,* einen *Straßenkreuzer* (= sehr großen Personenwagen) stehen, schützt sich vor *gezielten* Indiskretionen, verfolgt eine gewisse *Marschroute, schlägt* bei Gefahr *Alarm, torpediert* den Plan des Gegners oder gibt, um zur Vorsicht zu mahnen, einen *Warnschuß* ab. Man malt seine Fachsprache ein wenig soldatisch an: der Chemiker nennt den ersten Teilschritt einer Reaktion *Angriff,* der Programmierer gibt dem Computer *Befehle,* der

Verhaltensforscher spricht von *Aggressionen,* der Pädagoge freut sich seiner *Begabtenreserven.* Die Schrecken der Bombennächte lassen sich nur schwer vergessen; es werden ja auch immer wieder und dort, wo niemand es vermutet, Blindgänger gefunden, die *entschärft* werden müssen – was Wunder, daß man auch Gespräche *entschärft,* in irgendwelchen Vorschlägen den *Zünder ticken* hört und in andern ein *Sprengstoffpaket* wittert! Man redet unbekümmert von allerlei *Explosionen,* der Technik etwa, der Gesellschaft, der Bevölkerung, der Löhne; in Diskussionen sammelt sich *emotionaler Sprengstoff*; wer zuhört, fühlt, wie unter ihm die Erde zittert. Aber der Sprecher hat, scheint's, andere Gedanken; die Wörter haben ihr Grauen gegen Zivilbedeutungen eingetauscht, und erst, wenn die *Atombombe* (die *H-Bombe*) ins Gespräch kommt, erinnert man sich, was es bedeutet, *mit der Bombe* zu *leben.*

Die kargen Nachkriegsjahre, in denen man *gefringst* (= Kohlen entwendet; nach dem Kölner Kardinal Frings, der solche Notakte entschuldigte), *Siedlerstolz* geraucht und *Trümmerblumen* gepflückt hatte, vergaßen sich schnell. Dann kam die Bundeswehr, das ungeliebte Kind unserer Republik. Sie hat kaum Zugänge zur Umgangssprache; das liegt auch daran, daß sie hochspezialisiert ist und mit Begriffen arbeitet, die dem Laien fremd sind – jede Waffengattung mit andern! Was in Umlauf kommt, flimmert über den Bildschirm oder macht sich auf andere Weise bemerkbar, in den Zeitungsspalten oder Parlamentsreden, die *Superwaffen* etwa, die *Trägerraketen, B- und C-Waffen.* Am stärksten wirkt da die Luftwaffe, vielleicht, weil ihre Brücke zum Zivilleben und Zivilisteninteresse am breitesten ist: den *Senkrechtstarter* hat man mit einer Art von Zärtlichkeit zum gutgemeinten Lob für flinke, erfolgreiche Kollegen gemacht; auch sonst weiß jedermann, was ein *Schleudersitz,* durch die Starfighterabstürze volkstümlich geworden, ein *Mehrzweckflugzeug* und ein *Windkanal* – kein Kanal, sondern eine zylindrische Röhre! – ist und daß ein *Blindflug* im *Gleitmarsch* enden kann. Eine *Schallmauer* kann nicht nur ein Düsenflugzeug, auch ein Rekordsportler kann sie durchbrechen. Kommt es von der Panzer- oder von der Luftwaffe, daß heute auch im Zivilleben *Angriffe gefahren* werden? Sicher aber sind es die Flieger und nicht die Schiffe, die dem Zeitwort *landen* neuen Glanz geben. Man kann wie ein Bomber bei einem Freunde *Treffer landen*; man kann auch zu jemandem sagen, daß er mit diesem oder jenem Plan bei mir *nicht landen* könne. Die Marine hat den Unterwasserforschern und -freunden den *Froschmann* abgegeben, die Polizei, die, wenn sie schießt, mit umständlicher Scham davon spricht, sie *mache von der Schußwaffe Gebrauch,* prägte den *Pappkameraden* (= ursprünglich = Zielscheibe, dann = Strohmann), nach dem im *Schießkino* (der Schießübungsstelle) gezielt wird, und machte sich durch die *Radarfalle* unbeliebt – wer *bläst* auch schon gern *in die Tüte* (= Alkoholtest)?

Was dann noch kommt, riecht nach den Schreibtischen der Ministerien, die *Vorwärtsstrategie* und die *Truppenmobilität,* die man auch als *Rotation* (= routinemäßigem Wechsel) praktizieren kann, die *Bollwerkideologie* und die *Nonproliferation* (= Nichtweitergabe von Atomwaffen), die man amerikanisch aussprechen muß, will man sich nicht bloßstellen. Das Metallgeräusch weicht langsam dem Rascheln der Protokolle – nur manchmal sind Sprecher auf eine drollige Art vergeßlich: so, wenn sie sich bemühen, den *Krieger* im Wortschatz zu streichen, aber den *Kriegerwitwen* und *-waisen* neben den *kalten Kriegern* ihren Platz warm halten, oder wenn im Bundeskanzleramt die *kleine Lage* mit der gleichen täglichen Regelmäßigkeit zwischen dem „Chef" und seinen Mitarbeitern besprochen wird wie einst die *Abendlage* bei Adolf Hitler.

IX.

Sprache heute

Wer sich daran macht, unsere Sprache heute zu „pflegen", klagt – wie denn die meisten solcher Versuche von schmerzlichem Pessimismus erfüllt sind – zumeist über zwei Dinge: die, wie man meint, übermäßige Neigung zum Fremdwörtergebrauch und den nicht immer erfolgreich betätigten Hang zur Nutzung wissenschaftlicher Fachwörter auch in der Alltagssprache. Man spricht in diesem Zusammenhang gern von einer „Verfremdwortung" und einer „Verwissenschaftlichung" unserer Redeweise, Formulierungen, die nicht gerade glücklich gebildet sind, aber auch, und das wiegt schwerer, nicht zu überhörende Teilerscheinungen in ungehöriger Weise zu Kennzeichen des Ganzen stempeln. Was wir bisher unter die Lupe nahmen, hat gezeigt, daß das unerlaubt ist. Die großen Fremdwortschleusen unserer Zeit, Technik, Sport und Wissenschaft, haben allerdings Mengen fremden Wort- und auch Redegutes in unser Land einströmen lassen, sicher weit mehr, als wir seit der Alamodezeit erlebt haben, und es haben ungleich mehr Menschen als in früheren Zeiten davon Besitz ergriffen, die einen für länger, die andern nur im Vorbeigehen, je nach dem Wert, den Wort und Sache für den einzelnen haben. Aber dadurch wurden zwei Vorgänge ausgelöst, die das Bild differenzieren: einmal das meist automatisch eintretende, oft wohl auch unumgängliche Bemühen, dem fremden Ding das eigene Wort zu finden, dann aber die Tatsache, daß die fortschreitende Verbreitung eines Wortes dieses in einen Bezirk sprachlichen Umschlages führt, in dem gleichsam von unten her heimische Redebräuche den Eindringling umgestalten oder ersetzen. Die Monteure und die Unteroffiziere, um gleichnishaft nur diese beiden zu nennen, sind es, die in unsern „Werkstättensprachen" dafür sorgen, daß unsere Sprechweise farbig und vertraut bleibt.

Daß unsere Zeit für das fremde Wort anfälliger ist als die vorhergehenden Jahrzehnte, ist richtig. Es läßt sich auch begründen. Die Völker und ihre Kulturen sind näher aneinandergerückt, auch mehr aufeinander angewiesen und stärker miteinander verbunden als zuvor. Gleichzeitig haben wir nationale Überempfindlichkeiten abgebaut; der Gebrauch von Fremdwörtern ist aus dem Bereich der Sittlichkeit in den der Ratio, allenfalls des Geschmacks getreten. Mehr Menschen als früher nehmen an mehr Dingen Anteil, als ihnen Beruf und Familie nahelegen. Sie erhalten auch mehr Informationen, aus aller Welt und aus vielen Sachgebieten. Sie kennen die *Produktivität,* die *Entwicklungstendenzen* und den *Mechanismus* der Wirtschaft, sie wissen von Sartre oder von Benn, was *Existenzphilosophie, existentiell* und *dämonisch* bedeuten, sie kümmern sich um die *Bildungs- und Ausbildungschancen* ihrer und der *Folgegeneration;* sie sind auf die Wahrung ihrer *Intimsphäre* bedacht, haben aus der Neurologie so viel von der *Profilneurose* gehört, daß sie sie zu vermeiden suchen, sind in der Biologie immerhin so beschlagen, daß sie ein *Ferment* auch in übertragener Bedeutung hinlänglich passend anbringen können, und haben im Geophysikalischen Jahr (1957/58) gelernt, das Adjektiv *global* zu strapazieren. Genüßlich nennen sie, ihre landwirtschaftlichen Einsichten an den Mann bringend, die neuen *Eroszentren Liebessilos* und ihre Begegnungsstätten mit ernst-psychologischem Augenaufschlag *Kontakthöfe.* Die dort tätigen Damen ruft man lieber mit amerikanischen Fachbezeichnungen, die richtig anzuwenden einen gewissen Sachverstand erfordert: *Partymädchen, Play-, Call-* oder *easy-going-girl;* die *Prostituierte* ist zur behördlichen Berufsbezeichnung abgesunken, die *Lebe-* oder *Halbweltdame,* die *femme fatale* früherer Zeiten vergessen. Das Fremdwort zeigt, damit haben seine Gegner recht, eine Art von Imponiergehabe; man weiß, wo Bartel den Most holt. Aber jeder holt doch nur den Most, der ihm schmeckt und ihm bekommt. Anderes bleibt auf die Fachleute beschränkt oder überdauert nur seinen einen Tag, die *Hotellerie* etwa (= Gaststätten- und Beherbungsgewerbe), ein einsichtiges und knappes Wort für eine umständliche Einrichtung, die doch nur wenige angeht, die *Floristin* (= Blumenverkäuferin), die sich als weibliche Entsprechung zum alten Blumenfreund oder -maler (= Florist) gibt, Aufwertung eines Berufszweiges, der zu klein ist, als daß er breitere Kreise interessieren könnte, oder die *Informatik* (= Wesen und Wissenschaft der Nachrichtenvermittlung), die einstweilen nur die Fachleute angeht.

Die von altsprachlichen Stämmen abgeleiteten Wörter sammeln sich weitgehend auf bestimmte Bildungsweisen, an die man sich leicht gewöhnt und die man auch unschwer nachahmen kann. So erfreuen sich die Verben auf *-ieren* breiter Beliebtheit. Zwar ist *transpirieren,* das Tarnwort von der Jahrhundertwende, aus der Übung gekommen; aber es hat eine Menge Geschwister: von der polizeilichen *Recherche* das nun transitiv genutzte *Recherchieren,* aus der Kirche ein säkularisiertes *Zelebrieren* (ein Ober *zelebriert* eine Omelette flambée!); das Adjektiv *präzis(e)* gab das vordem nur seltene *Präzisieren* her. Die Stars dieser Klasse sind *artikulieren*, mit dem sich fast alles machen läßt (= zeigen, sehen lassen; man kann z. B. *Unbehagen artikulieren*), seitdem die Computer in die Fabriken, Hörsäle und Büros dringen *programmieren*, worunter der Volksmund so etwas wie eine genaue Vorplanung versteht, und *profilieren*, das überwiegend als Partizip genutzt wird und beinahe immer eine servile Gebärde begleitet *(er hat sich als Künstler profiliert*, ist ein *profilierter Künstler* = er hat als solcher etwas geleistet). Manchmal mischt man das fremde Wort mit einer deutschen Konstruktion, gebraucht z. B. *sich orientieren* nicht nur mit *an (er orientiert sich an* seinem Chef = er versucht es diesem gleichzutun), sondern auch, weil man an *zielen* denkt, mit *auf (er orientiert sich auf* seine Prüfung = konzentriert sich auf sie). Oder man versieht das fremde Verb verdeutlichend mit einer an sich unnötigen deutschen Vorsilbe, redet etwa von *herauskristallisieren* und *aufoktroyieren*, obwohl *oktroyieren* schon = aufzwingen ist. Die Beliebtheit dieser *-ieren*-Verben, die nun schon über ein Jahrhundert andauert, wurzelt auch in der bequemen Art, mit der sich aus ihnen Substantive (auf *-ung*) bilden lassen, die *Radikalisier-ung*, die *Sanier-ung*, die *Dosier-ung*. Neben ihnen lassen sich die Substantiva auf *-ion* sehen, sie mit besonderem wissenschaftlichem Anstrich, die *Miss-ion*, die jedermann haben und die auf allerlei zielen kann, die *Funkt-ion* aus der Mathematik und über die Technik in den Allerweltswortschatz, die *Kommunikat-ion* von der Soziologie und Informatik her, die *Kooperat-ion* aus dem politischen und Wirtschaftsleben. Andere sind Einzelgänger, das unglaubwürdige *Dementi* z. B., mit dem sich die Politiker verdächtig machen und das man nun nicht mehr der Falschmeldung entgegensetzt, sondern wie einen Befehl *erläßt*, oder der *Demonstrant*, der zwar das Grundgesetz für sich in Anspruch nehmen kann, aber dem Durchschnittsbürger doch anrüchig ist, fast, als sei das Wort eine Schelte. Adjektiva zeigen sich für die Verschlagwortung besonders anfällig. *Human* ließ sich vom vollmundigeren *humanitär* an die Wand drängen; aber das meinte ursprünglich eine auf die französische Zeitschrift Humanitaire (seit 1839) ausgerichtete kommunistische Haltung, *effizient*, das man von der *Effizienz* ableitete, dazu die Schoßkinder unsrer Bürger: *undogmatisch*, was sich etwa die Rolle von *liberal* zu übernehmen anschickt, *symptomatisch*, das eigentlich gar nicht = kennzeichnend, sondern eher = zufällig, schlimm ist, also ein unablässiges Mißverständnis darstellt. *Attraktiv* ist heute viel mehr als vor einem Jahrhundert, als man nicht mehr als ein gefälliges „anziehend" damit meinte; Werbung und allgemeiner Wettbewerb haben es inhaltlich superlativiert. Ähnlich erging es *exklusiv*, das sich aus der *exklusiven Gesellschaft* von einst gelöst und in Titeln und Reklamen höchst undemokratisch breit und selbständig gemacht hat. Daß man im Bestreben, seine Gefühle zu untertreiben oder zu verstecken, geneigt ist, sich unter einem *pathetischen* Wort nicht mehr als eines zu denken, das „ernsthaft“ gemeint ist, läßt sich zur Not verstehen. Aber der plötzliche Siegeszug, den *makaber* vor etwa anderthalb Jahrzehnten antrat, bleibt merkwürdig. Dabei liegt sein Weg ziemlich offen: aus der Kunstwissenschaft (*danse macabre* = Totentanz) über die Kunstkritik (*ein makabres Bild* = eines, das Gräßlichkeiten scheinbar – aber auch nur scheinbar! – etwas zynisch darbietet) und die Parteirede *(das makabre Vorgehen der Opposition* = ihre unverantwortliche Frechheit) bis zum schnell abgegriffenen Alltagswort *(das makabre Geschäft mit dem Tod)* – ein Rüchlein Totentanz haftet da noch immer; aber das Ganze erinnert doch mehr an Smog, diese Mischung von Nebel und Fabrikqualm.

Gelegentliche Mißbildungen werden zwar von der wachen Öffentlichkeit empört vermerkt, wiegen aber bei der Fülle der Erscheinungen nicht sehr schwer. Wie oft ist von den Lehrern aller Art betont worden, daß *anormal* „falsch“ gebildet sei: es müsse *abnorm* oder *anomal* heißen. Aber schon vor einem Jahrhundert hat der bedächtige Heyse den Zwitter gutgeheißen, und seine rasche Vermehrung beweist, daß alle noch so gut gemeinten und philologisch einsichtigen Belehrungen nicht überzeugen, vermutlich, weil dem stubenreine Bildungen wie *asozial* entgegenstehen. Nachdenklicher sollte die Beobachtung stimmen, daß die Fremdlinge dabei sind, unsere Flexion zu verunsichern. Jeder Musikbeflissene weiß zwar, daß der Plural von *Tempo Tempi*, der von *Cello Celli* heißt; aber schon hier wird der Boden unsicher. Wer das Instrument nur vom Anhören eines Orchesters kennt, ist versucht, von *Cellos* zu sprechen. Beim *Motto* ist die Gefahr geringer; wer, der nicht vom Fach ist, wird schon mehrere *Motti* erwähnen? Aber beim *Kollo,* das man für den Versand verschnürt und von der Post zugestellt erhält, ist die Versuchung, einen heimischen Plural auf *-s* zu bilden, groß: man redet von *Kollis* und ist dann nicht abgeneigt, zu den falschen Mehrzahlbildungen einen neuen Singular *Kolli (das Kolli!)* zu erfinden. Man spricht meist von *Parfüms* (neben *Parfümen*), aber häufiger von *Balkonen* (neben *Balkons*), *Ballonen* (neben *Ballons*), *Fräcken* (neben *Fracks*), *Karussellen* (neben *Karussells*) und *Leutnanten* (neben *Leutnants*); andrerseits sagt man lieber die *Tunnels* (neben *Tunnel*), wie man ja auch *Onkels* und *Nackedeis* den *Onkeln* und *Nackedeien* vorzieht. Vom vielgenannten *Tabu* leitet man umständlich ein Verb *tabuisieren* ab; *tabuieren* wäre einfacher und richtiger. Nicht selten legt man dem fremden Gast auch ein Geschlecht bei, das ihm von Hause nicht zusteht, berichtet über *die Tour de France (le tour),* besichtigt *den Place de la Concorde (la place), singt das Chanson (la chanson),* liest *eine Londoner Times (The Times* = Plural) oder auch *die Iswestija* (= Nachrichten, also auch Plural). Viele dieser „Falsch“formen haben sich bei uns eingebürgert; bei andern kann man seine Weltbefahrenheit beweisen, wenn man sie „richtig“benutzt.

Der steigende Einfluß des Englischen und Amerikanischen auf unsere Sprache schuf weitere Unsicherheit. Schon 1899 erschien ein Buch

„Wider die Engländerei in unserer Sprache"; damals, so ließe sich etwa sagen, begann die Welle zu steigen, anfangs über den Handel, die Wirtschaft, den Sport, dann auch auf anderen Feldern. Um 1800 hatte man elf(!) englische Fremdwörter bei uns gezählt; hundert Jahre später waren es 392. Nach alter Gewohnheit verbarg man die angelsächsischen Eindringlinge zuerst unter französischer Aussprache; bei einigen hat sich das allgemein oder doch zum Teil bis heute gehalten (*Budget, Detektiv, Garage, Klosett*). Nach dem Zweiten Weltkrieg stieg die Woge zur Flut: Amerika bestimmte durch seinen Reichtum, aber auch durch seine Agenturen weitgehend unsern Sprachschatz und -stil. Am anfälligsten waren zunächst die Fachsprachen (vgl. S. 178 ff.!), die mit ihrem Nachholbedarf an vordem verpaßten Neuerungen auch eine Unzahl neuer Vokabeln einschleppten. Davon blieb das meiste bei den Fachleuten, und vieles wurde auch, je bekannter man mit den hereingeholten Dingen wurde, ver- oder eingedeutscht. Die Demoskopen z. B. haben noch einen großen Vorrat an Fremdwörtern; aber wer muß es schon wissen, was eine *Pre-Erhebung* oder eine *pilot-study* (= Vorerhebung) ist? Bemerkenswert schnell hat sich die Datenverarbeitung heimisch gemacht; das liegt daran, daß man für sie zu viele Programmierer und Sekretärinnen gebraucht. Zwar bleibt der *Computer* handlicher als die *datenverarbeitende Maschine*; aber neben ihm sind schwerverständliche Wörter wie *Hard-* und *Softwaren* (= Datenverarbeitungsmaschine oder -systeme) doch seltene Gäste. Sie verharren in der *Algol-Sprache (= algorithmic language)*, die übrigens auch fremdländische Satzstrukturen importiert. Das Fernsehen ist überall zu Hause, auch in seinen Wendungen; aber für das *Tam-Meter* (= Meßgerät für Fernsehbeteiligung; aus: *Television Audience Measurement*) haben nur wenige Menschen außerhalb der Sendehäuser Interesse. Die Fliegerei muß, um sich überall auf der Welt verständlich machen zu können, viel Fremdes, überwiegend aus dem Amerikanischen, beibehalten; aber das geht nur die Piloten an und eignet sich schlecht für einen außerdienstlichen Gebrauch. Soweit dieser durchbrochen wird, gelingen gelegentlich ganz gute Übersetzungslehnwörter, die *Überschallgeschwindigkeit* z. B. (aus *supersonic velocity)* oder die *Zielspinne* (aus *range deflection fan*), das *Luftbild* (aus *air photo*), das *Fernlicht* (aus *long-range light*) oder das *Raumbild (relief picture)*. Andere können, so bieder deutsch sie sich geben, schon durch ihre Bildungsweise den Ausländer nicht verbergen (*Bord-Bord-Verkehr; Ein-Aus-Tastung; Freund-Feind-Kenngerät; Boden-Boden-Beschuß)*.

Viel dichter wurde das gesellschaftliche Leben auch der breiten Kreise mit Amerikanismen zugedeckt. Da ist oft Gefallsucht im Spiel, auch Halbbildung, die sich durch Spreizung tarnen möchte, oft auch nur Versnobtheit, die nicht merkt, wie lächerlich ihre Wichtigtuerei ist.Wer vom *night-life*, vom *briefing-room* (Raum für Pressekonferenzen), *Evercold* (= Kühlschrankmarke), dem *Fireplace* (am Kamin in der Halle) oder dem *Candlelight*

(= Kerzenlicht) spricht, gefährdet niemand und nichts außer seiner Chance, ernst genommen zu werden. Indessen hat sich der *Swimming-pool* durchgesetzt, vielleicht, weil das *Schwimmbecken* den großen öffentlichen Schwimmanlagen vorbehalten blieb. Gelegentlich spottet man auch seiner selbst und weiß nicht wie. Wer z. B. den Schraubverschluß eines Glases *Twist-off* nennt, weiß nicht, daß *Twist* kein Fremdwort ist. Aber andere Dinge sind weniger ridikül und längst bei uns zu Hause. Ob man lieber einen *Drink nimmt*, hat oder etwas trinkt, ist, scheint mir, eine Frage des Geschmacks; denn auch die Wendung *etwas trinken* weicht von der heimischen Art, diese Tätigkeit vom Raum, nicht vom Getränk her zu benennen, ab (vgl. *ausgehen* – *kneipen* u. ä.). Der *Hobbyraum* ist insofern eine wirkliche Neuerung, als er dem handwerklichen Treiben der männlichen Familienmitglieder einen eigenen, ungestörten und auch andere nicht störenden Raum anweist, in seiner heutigen Häufigkeit vielleicht eins der eindrucksvollsten Beispiele für den neuen Bürgerstandard, den das Wirtschaftswunder ermöglicht. Viele fremden Farben haben uns das Gaststättengewerbe und die Galanteriewarenindustrie aufgemalt; sie am ehesten möchten dem kleinen Mann die Illusion vermitteln, reich, weltbefahren und gebildet zu sein. So entwickelte die *Bar* (eigtl. = Schranke) einen neuen Gasthausstil, der mit seinem *Keeper* und *Mixer*, seinen fremdnamigen Mischgetränken (*Cocktail*, eigtl. = Hahnenschwanz; *Cobbler, Flip* u. a. *Mixed Drinks*) und -geräten (*Shaker* = *Mixbecher*) allmählich bis in die Bürgerstuben eindrang *(Hausbar)*. Man veranstaltet, mit dem geplanten Gastgetränk lockend, *Cocktail-Partys*, zu denen man *Cocktailkleider* trägt; aber man kann auch ohne *Mixbecher* einen *Cocktail der guten Laune* servieren (früher hätte man das ein *Potpourri* genannt). Englische und amerikanische Moden wurden nicht nur für die Männerkleidung wichtig, sondern brachten einen eigenen Lebensstil zu uns; ob Nachthemd oder *Pyjama* (aus dem Hindostanischen über das Englische, eigtl. = lose Hüfthose), ob Regenmantel oder *Trenchcoat* (eigtl. = [Schützen-] Grabenmantel), ob Kniehose oder *Shorts*, das wurde fast zu einer Art von „Bekenntnis", zu einer persönlichen Stellungnahme, und oft bedurfte es der starken Hand von außen, der fremden Form das deutsche Wort aufzunötigen. So machte das Militär aus den *Knickerbockers* die *Überfallhose*, während sich weder *Golf-* noch *Bundhose* einbürgern wollten. Allerdings wandelte sich die *Combination*, vermutlich weil die Fremdartigkeit ihrer Aussprache die Verbreitung hemmte, selbst zur *Hemdhose*; ähnliche Gründe mögen den *Schlafanzug* aus dem *Pyjama* entwickelt haben. Kleidungsstücke von Frauen bürgerten sich daher, scheints, auch eher unter einem deutschen als einem fremden Namen endgültig ein; bezeichnend etwa der Siegeszug des *Schlüpfers* (engl. *raglan*), der sich an die Stelle des altmodischen *Höschens* setzte, aber von den modischen *Slips* gebremst wurde; er leitete eine Reihe ähnlich glücklich gebildeter Bezeichnungen ein: *Hänger* [= Mantel- oder Kleidform]; *Träger* [-rock, -schürze]; [Hüft-]*Halter* u. ä. Die Männer behielten nicht ungern die Fremdnamen bei und trugen ihren *Overall*, ihre *Lumberjack*, ihren *Ulster*, ihren *Sport-*, *Duffle-* oder *Trenchcoat* mit Vergnügen. Freilich blieben auf dem Gebiet der Schuhindustrie nicht nur die modischen *Slipper* und *Pumps*, sondern auch die guten alten französischen *Stiefeletten* lange bei den Damen beliebt. Der *Pullover* (eigtl. = Überzieher), zeitweilig bedrängt vom *Jumper* (der *Strickjacke*), wurde zuerst (1920) bei den Männern, dann auch beim weiblichen Geschlecht ein Volkskleidungsstück (um 1950: der *Pull*). Neue Akzente setzte die *Twen*mode, die den Markt der Heranwachsenden, der reichen und der ärmeren, entdeckte und erschloß; die sprachliche Quellstube war dem Vernehmen nach ein Kölner Kleiderhaus. Von woher auch immer sie stammte, die Anregung löste eine Lawine aus. Sie inspirierte nicht nur die *Couturiers* (= Modeschöpfer), die den *Dress* vom Sport ins Heim, Auto, zum Ski und in den Garten trugen, ihn zur „Uniform der Lady" machten und im *Dressman* dem *Mannequin* ein männliches Gegenüber schufen, mit ihrem *Look* (= Modeform; *Western-*, *Mexikolook*) auch die Friseure anregten (*Kurzhaar-*, *Botticellilook*) und besonders den *Sex* betonten. Dadurch wurde ihre Kunstfertigkeit aufregend, auch wenn sie es ins Verspielte abwandelten *(sexy)*; wer nicht ein *Sexmuffel* heißen wollte, mußte sich nach ihren Winken zum *Sexykini* (= winziger Badeanzug) bequemen. Hier wuchs, lange, ehe man an *Gruppensex* (daran *gruppenzusexen*) dachte, ein *Sexmarkt*, der sich später zur *Sexindustrie* (Herstellung von Reizmitteln aller Art) steigern sollte; so wurde die *dolce vita*, durch italienische Skandalgeschichten und Ferienerlebnisse zum „Begriff" geworden, immer gut beliefert. Sie feierten das *Glamour-* (= Reklameschönheit) und das *Prettygirl* (= Modeideal); sie beobachteten aber auch genau, was die jungen Leute trieben, und danach richteten sie ihre Produktion. So brachten sie ihnen, Jungen wie Mädchen, mit den *Blue jeans* hautenge Beinkleider, die zur Arbeit so gut taugten wie zur Motorradfahrt oder zum ekstatischen Tanz, der sich mit dem *Jazz* und seinen Ausformungen (*Beat, Bop, Bebop* usw.) die Tanzböden eroberte. Die *Beatniks* (= Vertreter der antibürgerlichen, auf Lebenssteigerung bedachten jungen Generation) entwickelten ihren eigenen Stil, nicht nur in ihrem Treiben *(Beatnik life)*, sondern auch in ihren Redeweisen, die teils vom Amerikanischen, teils vom Rotwelschen der Großstadtstraßen gespeist wurden. Von dort stammt, neben den zahllosen *Girls (Pin-up-girl* = an die Wand gepinntes Mädchenbild aus einer Illustrierten; *Tax-girl* = für jeden Tanz bezahltes Mädchen, *Party-Girl* = Prostituierte; aber *Cowgirl* = weiblicher *Cowboy*, d. h. ein Mädchen mit *Mexikolook*, usw.), z. B. auch die neuartige Verwendung des Adjektivs *heiß* (amerik. *hot*), zunächst nicht mehr als eine Jazztechnik der Klang- und Tongestaltung, dann immer mehr etwas Aufregendes, Stimulierendes andeutend. Wenn man *Jazz* tanzt, *fährt* man *heiß ab* (seit 1955); der Deutsche Modeausschuß brachte 1960 *heiße Schuhe* (flache Tanzschuhe) ins Geschäft. Unterschwellig mischt da das alte deutsche *heiß* = gefährlich mit, das im und nach dem Ersten Weltkrieg hochstieg *(heiße Ware* = Schmuggel-, Hehlergut), und hinter dem steht das *heiße Eisen,* das ursprünglich die Schmiede anzufassen wußten. Die rotwelsche Komponente des Twenjargons, von den *Hippies* (= Blumenkindern), den landstreichenden, hedonistischen Priestern der Gewaltlosigkeit gespeist, aber auch zu beträchtlichen Teilen aus den Schulhöfen, z. T. aus dem Altstudententischen stammend, nennt etwa die Eltern *Regierung,* einen erfolgreichen Jazzer *Hahn,* eine Jazzkapazität *Faß* oder *Tonne,* ein Mädchen, je nach ihrer Ansehnlichkeit, *Bluse, Ische, Zahn, Brieze* oder *Wuchtbrumme,* ihre Beine *Zuckerlöffel,* das Motorrad *Feuerstuhl,* den Fahrstuhl *Bonzenheber,* Mädchen in einer Reihe *Gebiß.* Manches strömt grobe Verachtung aus, wenn man das *Make-up* etwa *Aufstrich,* ein Muttersöhnchen *Saftneger,* einen Gernegroß ein *halbes Hemd* nennt; anderes macht sich mit leichter Angeberei über den eigenen Lebensstil lustig (*Glatze* = Schallplatte; *Jubelrohr* = Klarinette; *Gichtstengel* = Klarinette; *Linoleum schubbern* = tanzen), oder man sucht, was Andersdenkende, Anderslebende wichtiger nehmen, abzuwerten (*umsteigen* = Partner wechseln; *Schmatzbrett* = Tisch; *eine Biege rumpeln* = schnell fahren). Beliebt sind, dem Zeitgeschmack folgend (vgl. S. 64!), Substantiva auf *-e:* auf *Anschaffe* gehn = sich etwas besorgen; auf die *Anschmeiße* bringen = Tuchfühlung halten; *Bediene* = Erfolg. Die *Macke* (aus jidd. *makko* = Hieb), die schon nach dem Ersten Weltkrieg bekannt war, haben sie noch einmal ins allgemeine Bewußtsein gehoben *(eine Macke haben* = etwas verrückt sein; *das ist seine Macke* = sein Tick, seine Besonderheit). Ihr anderes Lieblingswort ist die *Schau,* die sie abziehn wie der Schauspieler seine Rolle oder die sie wie eine Floskel der Hochachtung verwenden. Das Steigerungspräfix *irr-* haben sie auf älteren Feldern gepflückt, das Partizip *abgebrüht* aber haben wohl sie selber in diesen Rang erhoben *(er ist abgebrüht dumm).* Sie hatten ihren Teil daran, das *Happening* einzubürgern (*to happen* = geschehen), eine Farce, die sie als Jux betätigten, die aber in den Händen der Bürger unversehens eine ernste Sache wurde (seit 1965). Sie halfen wohl auch dabei, die Ereignisse auf *-al,* die *Festivals* und *Musicals,* die *Grusicals* und *Politicals* bei uns heimisch zu machen; schließlich gab's gar *Historicals.* Der *Popart,* dieser neurealistischen Alltagskunst, wandten sie ihre Aufmerksamkeit zu; sie sangen auch *pop* (= in Volksmanier) und machten allerlei *pop.* Die *Koreapeitsche* (= Bürstenhaarschnitt) sahen sie den amerikanischen Soldaten 1955 ab. *Hitschen* (= Auto zur Mitfahrt anhalten; engl. *to hitchhike*) konnte sich allerdings trotz lebhafter Unterstützung durch die Besatzungssoldaten gegen das hiesige *per Anhalter reisen (fahren)* nicht durchsetzen.

Gelegentlich wurden amerikanische Vokabeln mitgenommen, deren Humor nicht gefühlt und daher auch nicht nachempfunden werden konnte. Sein

Mädchen oder einen Bekannten auf der Straße *aufpicken*, klingt bei uns skurril, dort witzig. Aber das waren Einzelfälle. Was man annahm, blieb, weil sich die deutsche Entsprechung nicht einstellen wollte wie beim *Bestseller* oder *Gangster*, oder weil die angelsächsische Bildung in der Form und Sache so eigenwillig war, daß man sie nicht nachzubilden wagte; das war z. B. beim *Ghostwriter* der Fall (= Gespensterschreiber = anonymer Verfasser der Äußerungen von Persönlichkeiten der Öffentlichkeit). Sehr viele blieben nur so lange, bis ihnen die deutsche Entsprechung gefunden war, die *Taschenbücher* für die *pocket-books*, die *Gehirnwäsche* für amer. *brain-washing* (seit dem Koreakrieg), die *Eierköpfe* für die engl. *eyheads* (= Intellektuelle); andere, wie die *Facts* (= Tatsachen) haben Imponierwert; noch andere sind Termini der internationalen Politik (die *Goodwillreise*); schließlich gibt es auch welche, die nicht weichen wollen, obwohl sie ganz gute deutsche Gegenwerte haben, der *Checkpoint*, z. B., der nur in der Datenverarbeitung dem *Prüfpunkt* gewichen ist. Das *Shoppingcentre* wurde längst zum *Einkaufszentrum*; der *Western-Store* (Laden für Westerngegenstände) bürgert sich nur zögernd ein. Schon in den zwanziger Jahren machten wir aus *fool-proof* unser *narrensicher;* jetzt, wo wir den amerikanischen Gast zum zweitenmal bei uns sehen, steigern wir ihn zum *idiotensicher*. Das *Wochenende* (engl. *weekend*) verdrängte seit 1925 langsam sein englisches Muster; es ist geschickter gebildet wie die *Echtzeit* der Datenverarbeiter (amer. *real time*), die unwillkürlich nach der Beschaffenheit einer unechten Zeit fragen läßt. Auch im S a t z b a u wird viel nachgemacht: Redensarten wie *was immer das auch sei* oder *ist es das, was du meinst?, einmal mehr (once more), es war am* 11. Mai, *daß* ... und das offenbleibende *oder* am Satzschluß *(bist du meiner Ansicht, oder – – –?)*, vielleicht auch „demokratische" Konjunktive wie *hättest du etwas dagegen?* oder *würdest du mir zustimmen –?* stammen mit größerer oder minderer Wahrscheinlichkeit aus dem Amerikanischen, dessen Fernsehsendungen die Floskel *Sind Sie sicher –?* zu uns gebracht haben. Die englische Börse hat uns die Präposition *in* in Verbindung mit einer Jahreszahl geschenkt, keine sehr ansprechende Gabe (*in 1970*). Auch der langsame S c h w u n d u n s e r e s B i n d e s t r i c h s, der nach amerikanischem Vorbild anscheinend aufgegeben werden soll, ist nicht zu begrüßen. Aber je mehr Leute ihre Bildungsreise in die USA unternehmen, je mehr Schüler bei uns das Englische lernen, um so breitere Brücken haben solche Einflüsse. Bei oft benutzten und lange eingebürgerten Fremdwörtern wächst auch die Lockung, sie deutsch zu flektieren; dann entstehen Bastardformen wie die oft gehörten Partizipialbildungen *handgefinisht, gehandikapt, verhottet, gefightet, verfeaturt, getrampt, gekillt,* oder man riskiert nach dem Muster von *Kameras* Plurale wie die *Schwenks* (bei Filmaufnahmen). Vielleicht ahmt auch die beliebtgewordene Zustimmungsformel *genau!* ein englisches *exactly!* nach. Dazu kommen Modevorsilben wie *Mini-* und *Maxi-*, jenes durch den *Minimax-*

feuerlöscher der zwanziger Jahre, dann durch das beliebte *Minigolf* gut vorbereitet, durch die englischen *Miniröcke* (1965/66) energisch und wirkungsvoll eingebürgert und nun in Dutzenden von Zusammensetzungen auftrumpfend: *Minicar* = Kleintaxe, *Minikini* = Badehöschen ohne Oberteil, *Minipreisladen*-Geschäft mit kleinen Preisen, usw.; man darf sogar einen Superlativ bilden: *Mini-Mini-Gespräch*; dieses mehr im Trotz gegen das wuchernde *Mini-* und vorzugsweise politisch genutzt (*Maxikoalition*), bis beide selbständiges Feldgeschrei der Mode wurden *(Maxi, Mini tragen)*. – In diesen Zusammenhang gehören ferner lateinische Präfixe wie *anti-*, *ex-*, *super-*, *ultra-*, *ko-*, die durch amerikanische Muster auch bei uns verwendet werden *(Antibabypille – Exgeneral – Supermacht – Ultrafaschist*, der *Ultra* = Extremist – *Koproduzent* usw.), und auch *All-* und *Mehr-* als Vorsilben sind im Grunde keine deutschen Erfindungen, sondern Lehnübersetzungen aus dem Amerikanischen (*Allzweckkleid – Mehrzweckgerät*; vgl. *Wegwerfflasche*); ganz gebildete Leute bedienen sich auch des lateinischen *Non-* nach USA-Brauch als Präfix (*Nonmathematiker*). Vermutlich war es der „Spiegel", der uns die Voranstellung des Genetivs einschwärzte (*Münchens Vogel* = der Münchener OB Vogel; *Englands Premier*). Scheidemünze aber wurde seit langem die vieldeutige Abkürzung *o. k. (okay!)*, von der niemand genau weiß, was da eigentlich abgekürzt wird. Tatsache ist, daß Woodrow Wilson die beiden Buchstaben als Zeichen seiner Zustimmung auf Akten zu schreiben pflegte. Möglicherweise entstammen sie dem indianischen *okeh* (=so sei es! Dann stammte also *o. k.*, heute fast im Rang einer deutschen Interjektion, aus der Politik.

Mehr Anregungen verdanken wir der amerikanischen Wirtschaft, die uns mit so glücklichen Kurzwörtern wie *Team* (= Zusammenarbeit, bei uns besonders in der Wissenschaft geschätzt: *Teamarbeit* = amerk. *teamwork;* über den Sport [= Mannschaft] aus dem bäuerlichen Alltag genommen [= Gespann]), *Trend* (= Richtung eines Ablaufs), *Boom* (= unerwarteter Wirtschaftsaufschwung) begabt hat, knappen Wörtern, die nicht nur handlicher sind als ihre deutschen Entsprechungen, sondern auch den zwischenvölkischen Verkehr erleichtern; außerdem boten sie sich der deutschen Zusammensetzungsneigung willig dar (*Forschungsteam – Aufwärtstrend – Reiseboom).*Der vielberufene *Manager* schlich sich bei uns ein, weil er einen neuen Typ des Organisators, Geschäftemachers, des vielseitigen, immer rührigen Geschäftsmannes bezeichnet, für den uns (einstweilen?) das deutsche Wort fehlt; das von ihm beherrschte *Marketing* (= Belebung der Absatzchancen) setzt sich nur zögernd (seit 1968) durch. Leichter hatte es die *Shagpfeife* (heute: *Pfeife* schlechthin), in der man den wirrhaarigen „englischen" Tabak *(shag)* raucht. Wir lernten sie, die bis dahin stehendes Merkmal des englischen Reisenden und Detektivs gewesen war, in den Mangeljahren der Kriegs- und Nachkriegszeiten lieben, und so wurde sie, begünstigt auch durch imagepflegende Politiker, heimisch bei uns.

Der Film, künstlerisch durch Paul Wegener und seinen Kreis (1913: Der Student von Prag; 1915: Der Golem), wirtschaftlich in Deutschland besonders durch die UFA (1917–1945) gefördert, war zunächst nicht jedermanns Sache. Jakob von Hoddis hat ihm, als die ganze Sache noch *Kinematograph* hieß, ein grantiges Gedicht gewidmet, das gewiß vielen aus dem Herzen geschrieben war:

Der Saal wird dunkel. Und wir sehn die Schnellen
Der Ganga, Palmen, Tempel auch des Brahma,
Ein lautlos tobendes Familiendrama
Mit Lebemännern dann und Maskenbällen.

Man zückt Revolver, Eifersucht wird rege,
Herr Piefke duelliert sich ohne Kopf.
Dann zeigt man uns mit Kiepe und mit Kropf
Die Älplerin auf mächtig steilem Wege.

Es zieht ihr Pfad sich bald durch Lärchenwälder,
bald krümmt er sich, und dräuend steigt die schiefe
Felswand empor. Die Aussicht in die Tiefe
Beleben Kühe und Kartoffelfelder.

Und in den dunklen Raum – mir ins Gesicht –
flirrt das hinein, entsetzlich! nach der Reihe!
Die Bogenlampe zischt zum Schluß nach Licht –
Wir schieben geil und gähnend uns ins Freie.

Aber der Beifall überwog und steigerte sich; der Film entwickelte sich schnell zu einer Volksbelustigung, mit deren Beliebtheit bald nur noch Fußball-, Radrenn- und Boxsport wetteifern konnten. Mit ihm hatte die englische Sprache einen neuen Kanal in unsere Umgangssprache bekommen, der ihr Fremdgut zuschleuste, aber auch ihre eigene Schöpferkraft anregte. Das Wort *Film* selbst kannte der Deutsche längst aus der Lichtbildnerei (s. S. 61!); nun diente es ihm in gewandelter Bedeutung als Grund- und Bestimmungswort für Dutzende von Zusammensetzungen (*Groß-*, *Vor-*, *Haupt-*, *Reklame-*, *Werbe-*, *Spiel-*, *Zeichen-*, *Kultur-*, *Spitzenfilm*; seit 1928: *Stumm-*, *Tonfilm*; seit 1941: *Farbfilm*; seit der Verbreitung von Disneys *Mickey-Mouse-Filmen* 1926: *Trickfilm – Filmatelier*, *-star*, *-verleih*, *-schauspieler*, *-liebling*, *-theater*, *-klub*, *-publikum*). Später bürgerte sich, nach dem Muster des engl. *reel*, *Streifen* für Film ein, zunächst nichts anderes als eine Verkürzung, ein Schwanzwort von *Filmstreifen*, dann auch übertragen gebraucht (einen *Streifen* sehen; ein schöner *Streifen*). Der beste Gradmesser für die Volkstümlichkeit eines Dinges, daß sein Name über seinen eigentlichen Bedeutungsbereich ausufert, stieg hier schnell: *Quatsch keinen Film!*, sagte der Berliner schon um 1925, wenn er seine Ablehnung, mehr vom Partner hören zu wollen, besonders zu unterstreichen gedachte. *Das ist vielleicht ein Film!* sollte eine gewisse Hochachtung vor der Erstaunlichkeit des Erlebten ausdrücken. *Film* selbst konnte alsbald mehrerlei bedeuten: das Band mit der Aufnahme, das Stück, das Theater, in dem es gespielt wurde, den Beruf des Filmschaffenden (*beim Film sein, zum Film wollen, gehen)*, schließlich etwas Aufregendes schlechthin (*Das war vielleicht ein Film!). „Verschwinde von der Bildfläche*!" sagt man zu einem, den man nicht mehr zu sehen wünscht. Auch die *Flimmerkiste* als Bezeichnung des Filmtheaters, -geräts und des Filmes selbst stammt aus der Frühzeit, in der, besonders von den billigen Vorderplätzen aus, das noch nicht *flimmerfreie* Bild auf der Leinwand zitterte (das Wort kam durch Soldaten des Ersten Weltkriegs in Umlauf). Jünger ist die *Traumfabrik,* eine Wortprägung, die im Gegensatz zur *Flimmerkiste* bereits über die technischen Gegebenheiten aufs Wesen der Sache zielte. 1952 kam dann der *Breitwandfilm (die Breitwand)* nach Europa.

Viele Einzelheiten fanden auch deutsche Bezeichnungen. Der Film wird *gedreht;* ihm liegt das *Drehbuch* zugrunde, das die *Story* (= Handlung; eigtl. =Kurzgeschichte) filmgerecht aufbereitet. Das Mikrophon hängt bei der Aufnahme am *Galgen*; der *Beleuchter* steht auf der *Brücke*; ist der Film vorführungsfertig, so kann er *anlaufen* (= uraufgeführt werden); er *läuft* dann (über die Leinwand, = wird gespielt). Vielleicht wird es ein *Reißer* oder auch *Thriller* (ein Erfolgsfilm; amer. *to thrill* = durchbohren, -schauen). Versteht es aber der Vorführer nicht, die Lautstärke zu regeln, *würgt er das Bild ab*; dann *bleibt der Ton weg;* früher *untermalte* der Mann am Klavier (nur in großen Lichtspieltheatern gab es ein Orchester!) die Handlung. Man kennt *Groß-, Zeitlupenaufnahmen* und solche, die mit dem *Zeitraffer* aufgenommen sind; man unterscheidet *Außen-* und *Innenaufnahmen,* erkennt den *Aufnahmewagen* leicht auf der Straße an seinen Aufbauten und weiß, daß in manchen Szenen nicht der beliebte Star, sondern sein *Doppel* (franz. *double*) spielt. Den Mittler zwischen Hersteller und Aufführer *Verleih (Filmverleih)* zu nennen, ist amtliche Übung geworden, und die *Filmbewertungsstelle* hat sich mit ihren *Prädikaten* ins Gerede gebracht. Der Mann, der den *Filmschnitt (Schnitt)* besorgt, d. h. die guten Szenen *heraus-*, die schlechten *weg-* und Modellaufnahmen *einschneidet*, kurz: der den *Feinschnitt* herstellt, ist der *Cutter,* jetzt schon öfter *Schnittmeister.* Aber nach wie vor heißt die Rolle der dämonischen Frau *Vamp(rolle)*; nach wie vor wird von der Filmschauspielerin – und schon längst nicht mehr nur von ihr! – *Sex appeal* verlangt und, hat sie ihn, gesagt, sie sei eine *Sexbombe.* Was beim Theater der Statist ist, heißt beim Film mit einem ursprünglich italienischen Ausdruck *Komparse* (franz. *comparse* bezeichnete einmal das Einreiten der Turnierreiter zur Quadrille); wer die Ersatzperson für den Hauptdarsteller, den *Doppel* spielt, *doubelt.* Ein ausländischer Film, ein *Western* z. B. (= Wildwestfilm), muß *synchronisiert* werden, damit die Mundbewegung der Darsteller mit den Worten der Übersetzungen *synchron* laufen. Bei der Filmhandlung selbst kommt es nicht nur auf ein *Happyend* an; sie muß auch

Gelegenheit geben, hie und da einen *Gag* (= guten Einfall) anzubringen. Natürlich ist die *Optik* des Films wichtig; man spricht sogar gedankenlos von einer *Tonoptik,* und das ist wieder ein Punkt, an dem die Filmsprache ins gemeine Leben eingedrungen ist. Längst ist es üblich geworden, auch im bürgerlichen Alltag dies oder jenes *in die richtige Optik zu rücken* oder festzustellen, daß es *keine Optik* habe (vgl. S. 187!). Filmfestspiele heißen nach wie vor *Festivals;* unter ihnen ragt das *Biennale* in Venedig hervor. Kurz: die Sprache des Films zeigt den Farbenreichtum seines Gegenstandes, der sich eine sachliche Weltweite verwirklicht hat. Der gleiche Film, oft von Darstellern der verschiedensten Sprachzugehörigkeit gespielt, will auf Zuschauer der verschiedensten Sprachzugehörigkeit wirken; schneller und tiefer als in andern modernen Bereichen entwickelt sich hier eine Art von Weltsprache aus englischen, deutschen, französischen, italienischen und künstlich geklitterten Wortbrocken, die ihre bunte Seite dem Hersteller und Schauspieler, ihre volkssprachige Seite dem Publikum zuwendet.

So versteht sich der Einfluß, den der Film genommen hat; seitdem auch das Fernsehen regelmäßig Filme zeigt, ist er, man möchte sagen: total geworden. Der geringere Anspruch an den Zuschauer, so was meist die Handlung, so was immer den eignen Beitrag seines Gastes anbelangt, hat dem Film eine Volkstümlichkeit gesichert, die der Sprechbühne abträglich war. Seine Vollendung im Technischen machte ihm Kreise geneigt, deren Neigung und Verständnisbereitschaft sich sonst der Kunst versagen. Andrerseits ist seine künstlerische Eigenständigkeit mit Wegeners Vorstoß entdeckt, durch leidenschaftliche und begabte Nachfahren bestätigt worden: wer der Kunst der Gebärde, der Bewegung, des Wortes, des weltbedeutenden Spiels verschworen war, sah sich hier angezogen und innerlich beschäftigt. Der Spitzenschauspieler ist seit langem nicht nur der guten Gagen wegen darauf angewiesen, sich von Zeit zu Zeit auch auf der Leinwand zu zeigen. Der Teil der Zuschauer schließlich, der weder nach dem Wie noch nach dem Warum fragte, sieht das erregende Was, sieht Abenteuer und Zauber, ein Weltbild, um Grade schöner oder scheußlicher als die Wirklichkeit und schon um dieser verwirrenden, prickelnden, Gänsehaut verursachenden Grenzlage willen wert, immer wieder betrachtet zu werden. Kurz vor dem Ersten Weltkrieg hatte man dem Film bescheinigt, daß er „als Mittel der Naturdarstellung einen unvergleichlichen Wert“ habe, aber im übrigen „auch verflachend auf die Kultur einwirken“ könne; ein Jahrzehnt später wäre ein solcher Verdacht, wenn er überhaupt noch ausgesprochen wäre, sehr viel vorsichtiger geäußert worden. Die Zahl der Theatergebäude dürfte sich, nachdem die zertrümmerten wieder aufgebaut worden, in den letzten Jahrzehnten kaum nennenswert verändert haben; die der Filmbühnen wuchs lange Zeit von Monat zu Monat: 1938 fielen auf je 1000 Einwohner, Kinder und Sterbende eingerechnet, nicht ganz 30, 1953 fast 40 Kinoplätze! Das Fernsehen hat die Kinotheater dann wieder zurückgedrängt, immerhin gibt es in der Bundesrepublik noch gegen 6000 mit weit über zwei Millionen Sitzplätzen, die im Jahresablauf über 350 Millionen Besuchern dienen. Sie müssen sich allerdings ihrer Haut wehren. Ihre Reklame wird knalliger; nicht nur die grellen Bilder, auch die dazugehörigen Worte, die den vorübergehenden Leser neugierig und lüstern machen wollen, versuchen aufzuregen: sie rühmen, was drinnen gezeigt wird, als *knall-* oder *stahlhart,* als *eiskalt* oder, je nachdem, auch als *explosiv,* als einen *Film, der die Herzen höher schlagen läßt, die Kehle zuschnürt, wie ein Faustschlag wirkt, glücklich* oder *das Blut gefrieren* macht. Solche Anreißerei, die den Geschmack formen möchte, hat der Fernsehfilm nicht nötig. Er kommt mit schöner Regelmäßigkeit, am gewohnten Tag und zur gleichen Stunde, genau der Film, den der Fernseher haben will, *Krimi, Western,* der „besondere", der ausländische oder auch der belehrende Film. So vergrößert sich seine Zuschauerzahl ins Unmeßbare, und so wird die Allgemeinheit weiter von der Literatursprache abgedrängt: der Film stärkt Vorgänge, die sich auch auf anderen Ebenen vollzogen. Aber mehr. Indem er in erster Linie das Auge beschäftigt, verschiebt er den Schwerpunkt der Aufmerksamkeit ähnlich, wie das etwa die Illustrierten gegenüber den Zeitungen (vgl. S. 154 f.!) taten. Die natürlichen Verhältnisse verkehren sich: die Sätze, die das Ohr hört, untermalen nicht mehr die Bilder, die das Auge wahrnahm, vielmehr dient nun, was gesprochen wird, der Deutung der Bilder; es kann auch durch Musik ersetzt werden, und man kann notfalls auch nichtsynchronisierte ausländische Filme ansehen, bei denen Unterschriften die Zwiesprachen, die sich auf der Leinwand abspielen, auf ein Mindestmaß verkürzen. Wer sich an diese Art des Zusehens gewöhnt hat, ist der Bühne entfremdet; sie überfordert ihn. Die Versuche unserer Sprechbühnen, den traditionellen Theaterstil gegen einen zeitgemäßen einzutauschen, den Zuschauer wieder zuhören zu lehren, geht u. a. von dieser Tatsache aus. Andrerseits war auch, daß dieselben Schauspieler der einen wie der andern Darstellungsweise zu dienen suchten, der Bühnenkunst abträglich: mit dem Rechte des stärkeren Jüngeren drängte die Spielart des Films die alten Bühnengewohnheiten zurück, und brachte sie auch manche nützliche Anregung, so wurde die Bühnenkunst doch abhängig, und das tat ihr nicht gut. Schließlich zeigte sich auch, daß der literarische Bedarf des Films andere Ansprüche stellte als der des Theaters. Drehbuch und Schauspiel versuchten, eine Ehe einzugehen; dabei stellten sich neben manchen glücklichen Berührungen auf beiden Seiten verhängnisvolle Mißverständnisse ein. Den stärkeren Sog auf die Schriftsteller entwickelte der breiter wirkende, einträglichere Film. So beengte er von vielen Seiten her die Bühnenkunst; er fing ihr das Publikum ab; er gewöhnte es an andere Grundverhältnisse; er verwirrte seine Schauspieler und die Dichter dazu. Das mag beklagt oder bejaht werden: Tatsache bleibt, daß die Theaternot unserer Tage, nicht seit gestern fühlbar, auch ein Ergebnis der Begegnung von

Bühne und Film ist. Sie ist fernerhin, da auch hier Ohr und Auge die Rolle wechseln, in allen wesentlichen Einzelheiten ein sprachlicher Vorgang, und sie ist als solcher schließlich in dem Gefüge unseres Lebens nicht vereinzelt, sondern Spiegelung e i n e r Entwicklung, die das ganze Bild beherrscht.

Die andere Großmacht der Sprache, die sich zwischen den Weltkriegen ihr Wirkfeld erobert hat, ist der F u n k. Während sich die *Grammophon*- zur *Schallplatte*, schließlich zur *Platte* schlechthin abschliff, ihr Konkurrent, das *Tonband*, auf dem *Gerät* ablief, wuchs er, sprachlich ungleich wichtiger als diese beiden, aus dem Ersten Weltkrieg in die Volkstümlichkeit. 1914 schlug Sarrazin *funken* für „drahtlos telegraphieren" vor; damit hatte das deutsche Funkwesen gegenüber dem internationalen *Radio* (zunächst Kurzform für *Radiogerät, -empfänger*; vgl. engl. *wireless, broadcasting*) seine eigenständige Bezeichnung. 1917 wurden die ersten Röhrensender an der Front eingesetzt; schon um 1920 sagte man von jemandem, der eine Entwicklung erfolgreich gestört hatte, er habe *dazwischengefunkt.* Aber erst 1923, als Hans Bredow den *Rundfunk* geschaffen hatte, war der Weg zur Allgemeinwirkung frei. Am Tage vor Weihnachten 1923 hielt Reichskanzler Dr. Marx die erste Festansprache über den Rundfunk, sechs Wochen vorher (am 9. XI.) war die erste Nachrichtensendung gelaufen. Seither drang er in fast jedes deutsche Haus. Heute hören fast 50 Millionen in der BRD seine Sendungen in der eigenen Wohnung, Ungezählte am Transistorgerät oder Autoradio. Er ist neben Zeitung und Fernsehen die geläufigste Sprachbekundung, die wir besitzen. Seit es Werbesendungen (1928) gibt, hat er seinen Einfluß vervielfacht. Natürlich hat er einen eignen Wortschatz entwickelt, in seinen Grundzügen – nachdem die *Detektor*zeit überwunden war – schon deshalb deutschständiger als der Film, weil sein Publikum bei Ankauf, Wartung und Bedienung des *Geräts* viel tätiger sein mußte als die Filmzuschauerschaft. Dadurch kam es hier zu einem Bedeutungsschub von beträchtlichem Ausmaß: *senden* (mit Präteritum ohne Rückumlaut!) und *empfangen, bedienen* und *übernehmen, laufen lassen* und *abstellen, anschließen, aufdrehen* und *hereinbekommen* erhielten eine neue, im Satzzusammenhang unmißverständliche Funkbedeutung. Man unterschied bei der *Übertragung Knacken und Pfeifen*, beides unerfreuliche *Störgeräusche*; man ärgert sich, wenn der Sender *ab*- oder *wegrutscht*; man kauft neue *Röhren,* weil man mit den alten auf manchen *Wellen* zu viel *Schwund* hatte. Aber neben dieser neuen Nutzung alter Wörter entwickelte sich doch auch ein beträchtlicher Schatz eigener Fachbezeichnungen: der *Sender* und der *Ansager* (der die *Ansage* macht; wenn er den Schluß einer Sendung bekanntgibt, machte er die *Absage*), *Sendeplan* und *Sendereihe, Lautstärke* und *Einblendung* (ein Begriff, der besonders als Zeitwort *einblenden* zum Modewort wurde), *Lautsprecher* und *Schwarzhörer, Störsender* und *Wackelkontakt, Lang-, Mittel-, Kurz-* und *Ultrakurzwelle, Sendebereich* und *Richtstrahler, Rückkoppler* und *Trennschärfe, Sperrkreis* und *Koffer-*

apparat, Hörspiel und *Hörfolge, Schulfunk* und *Reizüberflutung, Zeitansage* und *Sendeschluß, Funkgymnastik* und *Funkturm, Senderaum* und *Ursendung, Netzanschluß* und *Bananenstecker, Pausenzeichen* und *Nebengeräusche.* Der Rundfunk hat wie das Fernsehen kein *Programm,* sondern eine *Sendefolge,* die man in zahlreichen *Programmzeitschriften* verfolgen kann. Eine schwer auszuschöpfende Fülle guter, sichtstarker Bildwörter, die sich zum Teil längst auch in übertragener Bedeutung eingenistet haben! Sprich doch nicht mit solcher *Lautstärke!* – Diese Frau ist ein rechter *Lautsprecher!* – Ich möchte mich mal in Ihr Gespräch *einblenden*! – Du hast wohl *Wakkelk*ontakt [= du bist wohl verrückt]? – Diese Fabrik ist eine schreckliche *Geräuschkulisse.* – den Empfänger als *Geräuschkulisse* [seit etwa 1940] oder *Musikberieselungsanlage* laufen lassen – das ist bei mir nicht *angekommen* = habe ich nicht verstanden; urspr. = die Sendung hat keinen Beifall gefunden; vgl. S. 45!]; *ins Bild setzen* = orientieren; *den Kanal voll haben* = etwas beendet zu sehen wünschen. Nur wenige der Fremdbezeichnungen, die sich daneben hielten, stammten – Erinnerung an Marconi – aus dem Italienischen: *Skala* z. B., in andern Bereichen seit Mitte des 17. Jahrhunderts bei uns bekannt, und besonders *Antenne,* die der Erfinder aus der Segelschiffahrt entlehnt hatte (lat. *antemna* = Rahe) und die durch Rilke schon 1922 Eingang in unsere Lyrik fand:

„Ohne unsern wahren Platz zu kennen,
handeln wir aus wirklichem Bezug.
Die *Antennen* fühlen die *Antennen,*
und die leere Ferne trug.“

Der Versuch der Postbehörde, ein deutsches Wort an ihre Stelle zu setzen (1924: Luftleiter, -draht), mißlang denn auch. Auch die englischen Beiträge waren unbedeutend (*Fading* = Schwunderscheinung; *Superhet,* abgekürzt aus Superheterodyne = Überlagerungsempfänger; abgekürzt: *Super*). Das vereinzelte französische Wort *Reportage* kam nicht unmittelbar aus dem Westen, sondern aus der Fachsprache der Presse (vgl. S. 146!): der *Reporter,* der „aktuell“ über die Geschehnisse des Tages zu berichten hatte, sprach, am Rundfunk beschäftigt, die *Reportage* (gerügt schon 1929). Damit half er einer literarischen Form zum Licht, die nicht nur in die Zeitungen zurückwirkte, sondern auch den Erzählstil stark beeinflußte.

Weitaus das meiste Fremdgut stammte aus der Fachsprache der Physik, war Kunstwort, das über die volkstümliche Erfindung seinen Weg in die Gemeinsprache nahm: das Kurzwort *Radio* (lat. aus *Radioapparat*; daher volkstümlich: *d e r Radio*), *Mikrophon* (griech., abgek. *Mikro*), *Detektor* (lat., abgelöst durch *Kristall*), *Hochfrequenz* (deutsch-lat.), *Resonanz* (lat.), *Anodenbatterie* (griech.-franz.), *Kondensator* (lat.), *Induktion* (lat.). Aber die sprachliche Rolle des Funks erschöpfte sich so wenig wie die des Films in der Bereicherung unseres Wortschatzes. Es stand eine Zeitlang zu erwarten, daß im Funk ein Spracherzieher von Ausmaßen wuchs, wie er bislang nur in der Presse etwa zu finden gewesen war. Da hier das gesprochene Wort wirkte, mußte der Erfolg bedeutender sein. Brecht setzte auf den „Rundfunk als Kommunikationsapparat" große Hoffnungen. Sie wurden in diesem Ausmaß nicht erfüllt. Aus mehreren Gründen. Einmal gilt für ihn noch mehr, was schon für die Zeitung galt: er ist keine sprachliche Einheit. Die „Abteilung Wort", die in der Sendeleitung die gesprochenen Sendungen verantwortet, ist ein schwer zu übersehender Apparat, in dem sich die verschiedensten Lebensgebiete: Kunst, Sport, Schule, Politik treffen. Die Mitarbeiter gehören allen möglichen Bildungsbereichen an und arbeiten unter uneinheitlichen Bedingungen. Manche Sendungen kommen ausgereift vors Mikrophon, andere, die Reportagen, werden aus dem Augenblick geboren (in dramatischer Aufmachung: *Features*), bestenfalls ein wenig zurechtgeschnitten, und entziehen sich einer genauen sprachlichen Vorprüfung. Daß gelegentlich Fehlgriffe den falschen Mann vor die Hörer setzen, der seine sprachliche Ratlosigkeit weder mit Sachkenntnissen noch mit Scham zudeckt, geht nicht zu Lasten der Erfindung. Zudem ist die „Abteilung Wort" beim Hörer im Hintertreffen. Sie stellt mehr Ansprüche, sie verlangt Aufmerksamkeit; was sie bietet, wird, wenn es nicht irgendwie den Hörer zu packen weiß, *abgewürgt*. Das bezeichnet unsere Sprachlage; aber sie antwortet nicht einem Versagen des Rundfunks, sondern dieser hat ihr zu begegnen. Er kommt daher aus dem Alter unablässiger Versuche nicht heraus; die Jagd nach der Gunst „des" Hörers, den es eigentlich auch nicht gibt (denn „der" Hörer ist so gut Volksschüler wie Studienrat, Universitätsprofessor wie ungelernter Arbeiter, Generalintendant wie Beleuchter), diese Jagd gibt seinen Darbietungen eine Unsicherheit, die auch ihre zuweilen etwas betont vorgetragene Siegeszuversicht nicht überdecken kann. Nur langsam schälte sich aus dem Wust der Anfänge das Bild des Funkschriftstellers, der sich seiner Aufgabe, dem Ohr und nur dem Ohr zu dienen, aufs Wort und nur aufs Wort gestellt zu sein, allmählich bewußt wird. Aber selbst wenn er einmal, eine ausgeprägte, in sich ruhende Erscheinung unserer Sprachentwicklung, weite Teile des Felds beherrscht – es wird nie das Ganze sein können, solange der Leitung die Möglichkeit mangelt, neben dem Überblick auch die Einzelheiten des Ganzen zu regeln. Ob dies auf dem zuerst wohl in Amerika erprobten Wege gehen wird, daß gleichsam rundfunkeigene Hände das Manuskript, das der Bearbeiter vorlegte, sendereif machen, muß abgewartet werden; es könnte nur zu Lasten des *Features*, der direkten, auf- und anregendsten Sendung, geschehen, und brächte diese Art auch die Möglichkeit einer sprachlichen Aufsicht, gefährdete sie doch durch solche „Konservierung" die Eigenart des einzelnen Mitarbeiters und leistete, während jenem gleichzeitig die schöpferische Lust genommen würde, einer Einförmigkeit Vorschub, die niemand freuen würde. So hat der Rundfunk auch eine echte Verbindung zwischen Volk und Dichtung bisher nicht wiederherstellen können. Die Kreise waren seit den ereignisschweren Jahren des Jahrhundertendes getrennt.

Dazu nun der Hörer! Die Gewohnheit vieler, den Rundfunk vom Wecken bis wenigstens zum Beginn der Fernsehabendsendungen laufen zu lassen, hat eine *Reizüberflutung* geschaffen, die das einzelne Wort kaum noch hörbar werden läßt. Vielleicht ist die staubsaugende oder kochende Hausfrau, vielleicht sind die kleinen Zuhörer der Kinderstunde am aufmerksamsten; die andern, die früher in politischen oder sportlichen Stern- oder Zitterstunden die Ohren spitzten, lassen sich die Neugier heute vom Fernsehen befriedigen. Es bleibt die nicht geringe Zahl der Unentwegten, derer, die lieber hören als sehen oder hier die Informationen erhalten, die sie andernorts, in Presse oder am Bildschirm, gar nicht, nicht so regelmäßig oder nicht so schnell bekommen (z. B. Landfunk, Seewetterbericht). Den Wettbewerb mit dem Fernsehen hat der Rundfunk nicht verloren, besonders deshalb nicht, weil er sich nun gezwungen sah, seine Darbietungen, um seine Hörer zu halten, zu verbessern. Das Programm wurde reichhaltiger und gehaltvoller, die Einzelsendung genauer überlegt und sorgfältiger durchgearbeitet; man besann sich genauer auf das, was kein anderes Kommunikationsmittel nachmachen konnte, und kam so zu einer bewußteren Ausrichtung auf rundfunkeigene Darstellungsweisen. Nun erst konnte z.B. das Hörspiel mit dem Anspruch aufwarten, als eigenständige literarische Gattung zu gelten. Auf Unterhaltung ließ sich nicht verzichten; seit es einen Rundfunk gibt, ist die Musiksucht der Deutschen ins Unausmeßbare gestiegen. Die Wortsendungen, die übrigbleiben, mögen weniger gehört werden; es ist nicht so angenehm, sich von Sprechern *überrieseln* zu lassen. Aber sicher erheben die Funkhörer, die den *Knopf* nicht betätigen, wenn die Musik beendet ist, höhere Ansprüche als früher. Das gilt nicht nur für literarische Sendungen; da der Rundfunk weniger in der (partei)politischen Schußlinie steht als das Fernsehen, kann er auch mehr und deutlicher reden; das macht ihn vielen anziehender. Sein 3. Programm gibt nicht nur dem Lernbegierigen viel, es vermag auch den Anspruchsvollen zu fesseln. Die Wirkungsmöglichkeiten des Funks auf unsere Sprache haben sich nur verlagert, nicht oder doch nicht wesentlich vermindert.

Es gibt, sagten wir, keine „Rundfunksprache". Gestaltungskraft, -wille und -zweckmäßigkeit wechseln mit der Art der Sendungen (Heimat-, Nachrichten-, Wirtschaft-, Wissenschafts-, literarischer Funk; Kommentare). Der Rundfunk ist weder eine gesprochene Zeitung noch eine Dichterlesung mit verstecktem Autor. Am einheitlichsten ist vermutlich die Sprachform der Nachrichtensendungen, hierzulande etwas humorlos, fast von bewußter Kälte, um jede Parteilichkeit auszuschließen. Ihre hochsprachliche Lautung wird durch gelegentliche Mundartsendungen nicht ausgeglichen; sicher spielt sie dabei mit, die Dialekte abzubauen – auch dadurch, daß sie ihren musealen Charakter ähnlich wie die Mundartbühnen verstärkt. Eigenheiten, die vielleicht nicht blind verallgemeinert werden sollten, schlagen leicht beim Hörer Wurzeln; doch fragt es sich, wer hier anregt, wer angeregt wird. Daß viele Reporter und Rundfunksprecher das Imperfekt zugunsten des Perfekts benachteiligen, daß sie, manchmal aus Verantwortung, meinungsbildende Elemente wie die Adjektiva vernachlässigen, daß sie lieber substantivstützende als echte Verben benutzen, haben sie mit ihren englischen und französischen Kollegen gemein und nehmen sie zum großen Teil aus den vorgeformten Informationen, die sie benutzen. Aber selbst, wenn sie ihre Sprache weitgehend selbst prägen, wie weit denken sie dabei an ihre Funksituation, wie weit gehorchen sie dem Zeittrend, den Sprachkräften, die wir in diesem Buch zu beschreiben suchen? Sind sie also nur Vermittler, vielleicht die einflußreichsten, die es bei uns heute gibt? Die Antwort ist schwer, weil die Passiven ihrer Hörer die große Mehrzahl bilden und weil sie nur auf die einwirken können, die für ihre Ausführungen aufnahmebereit sind. Wer gern raucht, trinkt oder sich gern berauscht, schaltet ab, wenn ihn eine fremde Stimme vor seinen Freuden warnt.

Die Zeiten, in denen der Rundfunk die Aufgabe erhielt, das Volk „zum einheitlichen Block des Fühlens und Wollens zusammenzuschweißen" (Göbbels), sind vorbei; auch die Jahre des Nachholbedarfs, in denen der Funk manchmal als Fremdwortschleuse wirkte, sind Vergangenheit. Geblieben sind eine für die Sprache kaum wichtige Gewöhnung der Hörer an die Ablenkung durch den Lautsprecher und eine leichte, eine wirklich nur leichte Stärkung jener Sprechweise, die einmal der Festrednerstil genannt werden mag, d. h. einer von Floskeln durchsetzten Sprechweise, die sich aus Angst vor der Eigenschöpfung ins Stereotyp flüchtet. Wendungen wie *Wenn Sie mir bis hierher gefolgt sind* oder *Auch auf die Gefahr hin ...* (folgt Infinitiv) oder *Manchmal frage ich mich selbst, ob ...* lassen sich im Rundfunk gern hören. Gelegentliche Falschverwendungen von Fremdwörtern oder Falschaussprachen fremder Namen können Unheil stiften, sind aber in ihrer Seltenheit unerheblich.

Ob also die Rolle des Wortes beim *Fernsehen* gewichtiger ist als beim Funk, wäre noch zu prüfen. Der Zahl nach gibt es mit 15 Millionen rund fünf Millionen weniger Fernseh- als Rundfunkgeräte. Aber das sind mißverständliche Zahlen. Die Menge der Gerätbesitzer ist kleiner als die der Fernseher, nicht nur, weil die Familienmitglieder mehr und lieber mitsehen als mithören, sondern weil das Fernsehen eine Art von Geselligkeit begründet hat, für die es besondere Speisen, Getränke und Möbel gibt (*Fernsehlampe, -kerze!*) und weil ein öffentlich, etwa in einer Gaststätte aufgestelltes Gerät die Aufmerksamkeit der Gäste stärker bindet als Rundfunkmusik, die ohnedies nicht in Worte ausarten darf ... Die Zünftigen betonen gern, Fernsehen sei kein Heimkino; man darf bezweifeln, daß sie recht haben. Für 64 v. H. der Bewohner unserer Republik steht Fernsehen als Freizeitbeschäftigung an erster

Stelle; mehr als die Hälfte der Einwohner unseres Landes erlebt die Tagesschau mit; noch um 22 Uhr sitzen weit mehr als ein Drittel vor dem Bildschirm, und die allgemeine Schlafengehenszeit hat sich um gut zwei Stunden auf die Mitternachtsstunde verschoben. Weiter: von diesen vielen und eifrigen Zuschauern haben 77 v. H. die Volksschule (und keine andere), 17 v. H. die Mittelschule besucht; 40 v. H. sind Arbeiter, 24 v. H. Angestellte. Von ihnen sehen auch in politisch ruhigen Zeiten 87 v. H. die Tagesschau; dann folgen in der Beliebtheit des Publikums in schnellen Abständen Tiersendungen, bunte Abende, Quiz- und Modesendungen; erst an achter Stelle kommen die vielverlästerten Krimis. Mit andern Worten: ein großer Vomhundertsatz unserer sprachlich beeinflußbaren Menschen hört die Wortsendungen des Fernsehens, hört sie lange und regelmäßig.

Man hat über diese Menschengruppe viel Unfreundliches verlautbart, hat ihnen nicht vorzustellende Primitivität, einen „phänomenalen Gedächtnisschwund" und einen unstillbaren Heißhunger nach Neuem nachgesagt. Das scheint, wenigstens für die Jahre, die hinter der Erreichung des Sättigungsgrades liegen, nicht gerecht. Mir scheint das „Kollektiv" der Fernseher weder homogen noch ein „globales Dorf" zu sein, und ich frage mich, ob die Informationsexplosion, die wir auf allen Gebieten am Bildschirm erleben, nicht eher zur Vereinzelung der Zuschauer als zu ihrer Vermassung führt. Mit Fernsehsendungen kann man sich weniger *berieseln* lassen als mit Rundfunkmusik; das Bild, das unablässig wechselt, heischt neugierige Aufmerksamkeit, und ob man es will oder nicht, man muß das mitklingende Wort mitaufnehmen. Dies Zusammenwirken zweier Sinne macht vermutlich für Manipulationen empfänglicher. Ein Bild kann nach der „Natur" geschossen sein und doch durch seine Perspektive das Objekt verfälschen; ein Satz mag wortgetreu wiedergegeben sein und doch durch Betonung ungünstig interpretiert werden. Das Vertrauen, das die Nachrichtensprecher genießen, diese *Vertrauensbolzen* des Fernsehens, spitzt die Aufmerksamkeit und schließt das Gedächtnis auf. Erst, wenn dementiert werden muß, meldet sich Mißtrauen; je öfter das geschieht, um so schwächer wirkt die Sendung.

Dabei darf das Werbefernsehen nicht übersehen werden. Seit es die NBC 1946 einführte, hat die Reklame ein großes neues Feld erobert – vermutlich ihr größtes und wirksamstes. Denn nun tönen die Slogans durch die deutschen Wohnstuben, und durchsetzt mit dem kindersinnigen Mainzelmännchenhumor, der das Abschalten der Geräte verhindert, hört männiglich die Namen der angepriesenen Erzeugnisse und ihre Fähigkeiten. Warenbezeichnungen setzen sich fest, und mythische Zerrbilder rutschen in die Alltagsrede (der *weiße Riese!*). Hier ist in der Tat ein Schalthebel sprachlicher Macht entstanden. Wer sieht heute noch auf die Litfaßsäulen, wenn sie doch nur stehende Bilder von dem bringen, was uns abends lebendig über den Bildschirm läuft! Aber die sprachliche Leistung des Fernsehens ist nicht original, sie verstärkt nur andere Kräfte, denen es sich zur Verfügung stellt, und wie es hier vorgeht, geht es in allen seinen Sparten: in der Politik, wo es die Vokabeln des Tages bekannt macht, im Sport, dessen Fach- und Witzwörter es verbreitet, in der Wirtschaft, deren Grundbegriffe es allen darreicht und erklärt, in den Wissenschaften, deren aktuellste und erregendste Abenteuer es zusammen mit der Terminologie, in der sie leben, unter die Leute bringt, beim Jazz, den es in vielen Gütestufen, für jeden Geschmack etwas, volkstümlich machen half, und beim Gesellschaftsspiel, dessen Regeln der *Quiz-* oder *Showmaster* den im Wohnzimmer Versammelten bekannt gibt. Halbbildung –? Mir scheint, daß, wer diesen Begriff hier anwendet, Vorstellungen aus vergangenen Zeiten auf heutige Strukturen überträgt, deren Formen, erst recht deren Wirkgesetze wir noch kaum überschauen.

Die eigene Terminologie des Fernsehens kommt nur dann an seine Nutznießer heran, wenn sie über den Bildschirm geht. Man weiß aus den *Eurovisionsveranstaltungen,* was eine *Livesendung* ist; die gibt's auch beim Rundfunk. Das gilt auch für den *Feature,* den Dokumentarbericht mit eingelegten Reportagen und Adhockommentaren. Der *Kommentar* im Fernsehen vergleicht sich dem Leitartikel oder auch dem Streifen der Zeitung; er räsonniert mehr, als daß er erklärte. Man mag ihm zuhören oder ihn abdrehen; jedenfalls ist – das ist bezeichnend – der *Kommentator* weniger bekannt als der *Reporter,* dessen oft unter Gefahren für den Fernseher erarbeitete Berichte diesen dankbar stimmen und ihm ein Gefühl der Verbundenheit vermitteln. Ihm steht der *Moderator* kaum nach, der Moderator, dessen Titel eine Verlegenheitslösung zu sein scheint – denn abgesehen davon, daß er nicht zu *moderieren* (= abschwächen, mildern) hat, will er sich weder zum Leiter der Sendung aufschwingen noch zu ihrem Reporter absinken. Seine Sendungen werden zu geflügelten Worten, Panorama oder Report, Bilanz oder Monitor, Alles oder nichts! oder Heiteres Beruferaten. Der *Interviewer* steht ungefähr zwischen ihnen, wie es denn auch Vertreter beider Berufsgruppen sind, die Interviews durchführen.

Wer dies Feld überblickt, wird es wie ein angelsächsisches Hoheitsgebiet sehen. Genauere Analyse zeigt, daß hier viel auch aus den Kanälen der andern Massenmedien zusammenläuft, von der Presse, vom Rundfunk, vom Film, auch vom Theater. Deren Terminologie ist weitgehend bekannt; das steigert die Vertrautheit. Das *Gerät* selbst nennt man mit etwas abschätzigen Namen, vermutlich, um nicht zu großer Fernsehhörigkeit verdächtigt zu werden; es heißt *Glotzophon* oder wie früher das Kino *Flimmerkiste* oder *Röhre (in die Röhre doofen)*; da klingt doch eine leise Zärtlichkeit durch.

Breit wirkt das Fernsehen in einer kaum bemerkten, aber doch fast schicksalsträchtigen Sparte. Die Übertragung von Festveranstaltungen aller Art, Partei- und Verbandsversammlungen, Kongressen und Tagungen, Eröffnungen und Jahrhundertfeiern nötigt dazu, die hierbei gehaltenen Reden ganz oder doch in den Ausschnitten zu bringen, die allgemeine Anteilnahme verdienen, und gerade sie pflegen sich mit schöner Regelmäßigkeit im Stil und Ausdruck zu wiederholen. Die deutsche *Festrede,* die original nur von den vergleichsweise wenigen Dazugehörigen gehört wird, dringt über die Ätherwellen zu den Hunderttausenden, die gerade deshalb, weil sie eigene Gefühle durch die dargebotenen Stereotypen bestätigt finden, gern hinhorchen. Hier sprudelt der Quell vorformulierter Wendungen, deren Entstehung, Geschichte und Bedeutung noch beschrieben werden muß, über dem die protestantische Predigt und der gemeindeutsche Schulaufsatz ihre Wünschelruten hielten, der von den Sänger-, Schützen-, Volkstrachtenvereinen und ihren Artgenossen bewacht wurde, der bei den Gemeinde- und Familienjubiläen, auf Hochzeiten und Kindtaufen tägliche Urständ feiert und der in den Reisebeilagen der Zeitungen und auf den Zellophanhüllen unserer Schallplatten fortlaufend bestätigt wird – diese Neigung, bei besonderen Gelegenheiten hochgestochene Wörter (*entschlummern – schimmern – sich schneuzen – weilen, verweilen – munden – lechzen – bedürfen – schreiten – speisen – es ist vergönnt – Botschaft – Angesicht* usw. usw.) zu gebrauchen, diese dem Alltag abgewendete Welt, in der die griechische Mythologie und Sage mit *Ariadnefaden* und *Damoklesschwert, Argusaugen* und *Danaergeschenk, Achillesferse* und *Sisyphusarbeiten* opernhaft fortlebt, wiewohl kaum einer weiß, was er da redet, diese Welt der Sonntagsglocken, in der man noch Adjektiva wie *edel* auf andere Dinge als auf Pferde oder Rosen beziehen, *keusch* in andern Verbindungen als mit Joseph, Susanne oder Kinderohren gebrauchen darf, eine unwirkliche Welt, die Illusionen, von jedem als solche erkannt, als Wirklichkeiten behandelt und widerspiegelt. Gefährlich? Doch nur insofern, als sie konventionelle Selbsttäuschungen, die seit langem sprachlich vorgestanzt sind, in unsere Zeit und über sie hinaus verlängern. Es sieht so aus, als läute auch hier schon die Glocke zum letzten Aufgalopp. Die Gelegenheiten, sich feierlich zu geben, werden eingegrenzt, und viele Hörer sind so übersättigt und durch die miterlebten Zeitläufte so ernüchtert, daß sie leicht das *Blabla* erkennen, verspotten, vermeiden und lieber in die Derbheiten der Schützengräben und Stammtische verfallen, als daß sie dies nachmachten. Die oft geforderte, oft auch ernst angestrebte Erneuerung unserer Schulbücher und Aufsatzansprüche wird die erhoffte Wendung beschleunigen. Daß sich *Lieschen Müller* und der – ihr nicht sehr erfolgreich nachgeformte – *Otto Normalverbraucher* noch geraume Zeit in ihren Stereotypen zu Hause fühlen und sich auch in Zukunft ihre *besonderen Anliegen in allererster Linie* und *mit größter Hingabe eine Verpflichtung bedeuten* lassen werden, daß sie *entschlossen bleiben, Grundsituationen neu* zu *durchdenken, vielschichtige Problematiken realistisch* zu *sehen* und *dunklen Ahnungen* mit *unausweichlichen Folgen* eine *entscheidende Bedeutung* zumessen werden, daß sie die Flammen *lohen,* die Lichter *strahlen,* die Kräuter *duften,* die Berge *dunkeln* lassen, daß sie *hingebungsvoll* und *opferbereit in vorderster Linie* mit *unbändigem Stolz* zu stehen gedenken, das wird noch eine ganze Weile ertragen werden müssen. Übrigens hilft ihnen dazu auch der *Schlager* mit seinen nicht nur falschen, sondern von den allermeisten auch als falsch erkannten *Sehnsüchten* und *Fernen,* seinem ewigen *Heimweh* und seinen unbestimmbaren *Träumen,* seinen *Nächten* mit *Mond* und *Sternen, Märchen* und *Wundern, Götterfrauen* und *Ewiggeliebten.* Auch ihn liefern Funk und Fernsehen jedem von uns ins Haus.

Die Scheinwelt der Festreden und Schlagertexte irrlichtert auch in unsern *Vornamen.* Die Zeit, in der sie Leitbilder aus der Familien-, Kirchen- oder Landesgeschichte beschwören sollten, sind vorbei; den endgültigen Garaus hat ihnen wohl die unglückliche Schar der Adolfe bereitet, die nun zusehen müssen, wie sie sich hinter Abkürzungen verstecken. Wenn man sich an Muster hält, holt man sie sich aus Fernsehsendungen, Schauveranstaltungen, gelegentlich aus Hör- oder Konzertsälen und aus der Politik. Romane, Filme, Opern regen an; auch Ferienreisen schlagen zu Buche, und holde Regungen spiegeln sich in Blumennamen wider (*Rügen-Jasmin*). Jedenfalls scheint bei der Wahl die Etymologie ebenso weitgehend ausgeschaltet zu sein wie religiöse oder andere ideologische Überlegungen; Familienbindungen (der Großvater – der Stammname – der Pate) spielen eine geringe Rolle; Spontaneität herrscht vor. Sie bewegt sich in drei Richtungen: sie greift Augenblickserlebnisse, wo immer sie sich bemerkbar machen, auf; sie sucht melodischen Vorstellungen zu entsprechen, oder sie verliert sich durch Übernahme oft falsch ausgesprochener fremder Vornamen, vorzugsweise in Koseform, in Fernweh. Dabei halten sich angelsächsische und russische Anregungen fast die Waage. Modenamen wogen auf und ab, besonders bei den Mädchen; gern holen Eltern alte, oft lange im Hintergrund verhaltene Namen wieder hervor (Michael, Gabriele usw.).

Sprache heute – Sprudeln und Brodeln und dennoch unverkennbare Stromrichtungen. Sie ist vielgestaltiger geworden und drängt doch in vielen Erscheinungen zu größerer Einfachheit: in langen, reichgegliederten Sätzen gebändigte Wortfülle vermag nur der Kenner, der Liebhaber der Worte noch zu genießen. Je mehr Wörter wir nötig haben, um so willfähriger werden wir, ihnen im einzelnen zu mißtrauen und sie vorsichtiger, sparsamer in unsere kurzgewordenen Sätze zu stellen. Je mehr wir es verlernen, etymologisch zu denken, um so gewandter gehen wir mit den Phonemen, diesen Atomen der Sprache, um, und um so emsiger versuchen wir, neue Bildungsweisen zu finden und zu erproben. Je mehr wir die Fassaden unserer Sprechweisen abbauen und es der tagtäglichen Sprache verstatten, sich auch unter Girlanden und bei Kerzenlicht hören zu lassen, um so eher überwinden wir das unheilvolle Erbe einer Zeit, der die Illusionen wichtiger waren als die Wirklichkeiten. Da wächst manches neu und manches anders als bisher; es ist nicht verwunderlich, daß dem Sprecher da oder dort der Boden unter den Füßen schwankt. Aber er war nie so fest, wie Grammatiker und Schulmeister es uns glauben machen wollten. Er wird uns auch heute ins Morgen hinübertragen.

Hinweise

S. 10 *„auch Goethes Ruhm“:* Hauptmann erzählt im „Abenteuer meiner Jugend“, wie zornig er über Gervinus' Behauptung gewesen sei, mit Goethe sei das deutsche Kapitel der Poesie endgültig abgeschlossen.

S. 11 *„echte schlesische Mundart“:* zu den „Webern“ sagt Hauptmann dort: „Ich wollte dem Dialekt seine Würde zurückgeben“.

S. 13 *„Gartenlaube“:* vgl. J. Wachtel, Heißgeliebte Gartenlaube. Feldafing o. J.

S. 14 *„Alltags-, Umgangssprache“:* Der Streit um die beiden Bezeichnungen scheint mir trotz aller Heftigkeit, mit der man ihn zu Zeiten geführt hat, nicht sehr ertragreich, besonders deshalb, weil *beide* Bestimmungswörter (Alltag, Umgang) unscharf sind. Vgl. auch J. Trier in dem Sammelband „Die deutsche Sprache im 20. Jahrhundert²“. Göttingen 1969, S. 122 ff.; E. Riesel, Der Stil der deutschen Alltagsrede. Leipzig 1970, S. 60 ff. – „Umgangssprache“ ist u. a. durch Küppers' Wörterbuch der deutschen Umgangssprache (seit 1955), das ganz anders heißen müßte, in Mißkredit gekommen.

S. 14 *„Das ganze 19. Jahrhundert“:* vgl. H. Eggers im Jahrbuch „Sprache der Gegenwart“ V, 1969, S. 17.

S. 15 *„Verse wie Häuserbauen“:* so Gottfried Herold, 1967.

S. 15 *„Hermann Riegel“:* vgl. Th. Hüpgens, Gestalten und Gedanken aus der Geschichte des Deutschen Sprachvereins. Berlin 1935; H. Dunger, Die deutsche Sprachbewegung und der Allgemeine Deutsche Sprachverein. Berlin 1910.

S. 17 *„Dabei ließ der Verein“:* vgl. K. Korn, Sprache in der verwalteten Welt. Frankfurt 1958, S. 42 ff.

S. 17 *„Vor gar nicht so langer Zeit“:* vgl. W. Haacke, Julius Rodenberg und die deutsche Rundschau. Heidelberg 1950, S. 35.

S. 18 *„Bänkelsänger“:* vgl. H. Glaser, Kleinstadt-Ideologie. Freiburg 1969, S. 47 ff.

S. 19 *„Heinrich Stephan“:* vgl. das Essay von Th. Heuss über ihn (in: Deutsche Gestalten. Tübingen 1948) und o. N., Unter dem Zeichen des Verkehrs. Berlin 1885; darin S. 188 f. über seine Bestrebungen zur Sprachreinigung. – Übrigens sollte man St.s Bedeutung für die Muttersprache nicht zu einseitig sehen: durch die Erfindung der Postkarte (1870; schon 1865 als „Postblatt“ gefordert) hat er vermutlich an der Schrumpfung der deutschen Briefkunst erheblichen Anteil (vgl. S. 209).

S. 19 *„Nietzsche ...“:* vgl. R. M. Meyer, Nietzsches Wortbildungen. In: Zeitschrift für Wortforschung XV, 1914, S. 98 ff.; F. d. v. d. Leyen, Nietzsche und die deutsche Sprache. In: Der Kunstwart XXIV 2, 1911, S. 126 ff.; R. Alewyn, Nietzsche und die Sprache. In: Das literarische Deutschland VI, 1951 (20. III.).

S. 21 *„Moderne“:* Die Wörterbücher versagen hier ziemlich. Auch Trübners Wb. (IV 658 f.) hält Brahm für den Urheber des Wortes. Vgl. dagegen das zeitgenössische Zeugnis bei A. v. Hanstein, Das jüngste Deutschland (3. Aufl., Leipzig 1905) S. 81. Fechter (Kleines Wörterbuch für literarische Gespräche 1950, S. 161 f.) weist darauf hin, daß im Begriff „modern“ auch eine Ablehnung der Zukunftsgläubigkeit jener Jahre (Zukunftsmusik, -staat usw.) enthalten gewesen sei. – F. Langer (Sprache und Zukunft, in: Welt und Wort VI, 1951, S. 141 f.) zieht Linien zur Sprache des „Dritten Reichs“.

S. 25 *„Reclams Universalbibliothek“*: zu den Daten vgl.: 100 Jahre Universal-Bibliothek. Stuttgart 1967.

S. 25 *„Fincks Versuch“*: vgl. F. N. Finck, Der deutsche Sprachbau als Ausdruck deutscher Weltanschauung. 1899.

S. 26 *„Mauthner“*: vgl. M. Kring, F. Mauthners Kritik der Sprache, 1914; W. Eisen, F. Mauthners Kritik der Sprache, 1929.

S. 26 *„Beiträge zu einer Kritik der Sprache“*: I. Zur Sprache und zur Psychologie; II. Zur Sprachwissenschaft. III. Zur Grammatik und Logik.

S. 28 *„Die Fachwissenschaft“*: Auch das Werk von Arens, Geschichte der Sprachwissenschaft, 1955, erwähnt M. zwar auf S. 353, versagt ihm aber eine Würdigung.

S. 29 *„Morgensterns Spiel mit der Sprache“*: vgl. F. Stählin, in der Zeitschrift „Muttersprache“ 1950, S. 276 ff.

S. 32 *„Pflege, die er dem Beiwort zuwandte“*: vgl. H. Günther in der Zeitschrift „Die Sammlung“ VII, 1952, S. 71 ff.

S. 33 *„Raum“*: vgl. G. Storz in dem Sammelband „Aus dem Wörterbuch des Unmenschen“[3]. Hamburg 1957, S. 99 ff.

S. 33 *„Georges Sprachwirkung“*: vgl. K. Kraus, Stefan George als Wortgestalter. In: Wissenschaftliche Beihefte zur Zeitschrift des Deutschen Sprachvereins 49, 1937.

S. 34 *„wer die Geschichte darstelle“*: vgl. O. Forst de Battaglia, Der Kampf mit dem Drachen. Berlin 1931, bes. S. 17 ff.

S. 35 *„Wagners Ruhm“*: vgl. F. Dornseiff, Weltanschauung. In: Die Wandlung I, 1945/6, S. 1086 ff. (z. T. anders als ich!).

S. 36 *„die Mode der -ismen“*: vgl. F. Dornseiff, Der-ismus. In: Die Wandlung 1948, S. 346 ff.

S. 36f. *„Weltanschauung“*: vgl. P(eter) H(ärtling) in der Zeitschrift „Der Monat“ 233, 1968, S. 4.

S. 38 *„Martin Heidegger“*: vgl. Adorno, Jargon der Eigentlichkeit. Frankfurt 1964; R. Minder, in der Zeitschrift „Der Monat“ 214, 1966, S. 13 ff.; K. Korn, Sprache in der verwalteten Welt, S. 131 ff., 146 ff.

S. 39 *„tiefe Müdigkeit“*: vgl. F. Schultze, Der Zeitgeist in Deutschland, seine Wandlungen im 19. und seine mutmaßliche Gestaltung im 20. Jahrhundert. Leipzig 1894, S. 147.

S. 44 *„Montage der Wörter“*: das Bennzitat in Benn's „Problemen der Lyrik“, 1951.

S. 45 *„man dokumentiert“*: vgl. dazu D. E. Zimmer in der Zeitschrift „Der Monat“ 247, 1969, S. 69 ff.

S. 45 *„Lange genug waren“*: das Bensezitat bei D. Hasselblatt, Lyrik heute. Gütersloh 1963, S. 123.

S. 45 *„Theatersprache“*: vgl. U. Rohr, Der Theaterjargon. Berlin 1952.

S. 46 *„fast in jedem einzelnen Falle“*: vgl. Bertelsmann Briefe 45; Juni 1966, S. 7.

S. 46 *„Wilhelm Busch“*: vgl. L. W. Kahn, W. Busch und das Problem des 19. Jahrhunderts. In: Die Wandlung VI, S. 721 ff.

S. 46 *„Karl May“*: vgl. A. Schmidt, Sitara und der Weg dorthin. Karlsruhe 1963, S. 17.

S. 47 *„Ludwig Ganghofer“*: vgl. W. Fucks, Nach allen Regeln der Kunst. Stuttgart 1968, S. 101, 108.

S. 47 *„Schwarte, Reißer“:* vgl. „Der Monat“ 208, 1966, S. 61 ff., W. Nutz, Der Trivialroman, seine Formen und Hersteller. Köln–Opladen 1962; „Der Monat“ 253, 1969, S. 68 ff.; ferner auch: W. Killy, Deutscher Kitsch. Göttingen 1962 pass., Bertelsmann Briefe 20, Februar 1963, S. 3 ff.

S. 48 *„Großkaufhaus“:* vgl. „Der Monat“ 253, 1969, S. 48; ferner: S. 39 ff., S. 63.

S. 50 *„Schlagertexte“:* Das Wort Schlager wurde durch die Wiener Nationalzeitung 1881 volkstümlich; vgl. H. Chr. Worbs, Der Schlager. Bremen (1963).

S. 50 *„scherzhaftem Redeputz“:* vgl. zum Abschnitt H. Lipps, Die Verbindlichkeit der Sprache. Frankfurt a. M. 1944.

S. 51 *„auch der Sprache neue Voraussetzungen“:* vgl. L. Mackensen, Sprache und Technik. Lüneburg 1953; D. Brinkmann, Mensch und Technik. Bern 1946.

S. 51 *„Eisenbahn“:* vgl. L. Mackensen, Planung in der Muttersprache. In: Wissenschaftliche Zeitschrift der Ernst-Moritz-Arndt-Universität Greifswald. Gesellschafts- und sprachwissenschaftliche Reihe 2/3, V, 1955/6, S. 171; S. Krüger, Die Fachsprache der Eisenbahn, Düsseldorf (1970 im Satz) und die dort verzeichnete Literatur.

S. 56 *„Technik“:* Herkunft und Einbürgerung des Wortes eingehend bei W. Seibicke, Technik. Versuch einer Geschichte der Wortfamilie um τέχϱη in Deutschland bis etwa 1830. Düsseldorf 1968. Vgl. auch J. E. Heyde in „Humanismus und Technik“ IX, 1963, S. 25 ff. – Das Wort fehlt noch bei Marx (Kapital I, 1867)!

S. 57 *„frei von Phrasen“:* aus einer Industrie-Propaganda-Anweisung der DDR.

S. 57 *„Geburt der Elektrotechnik“:* vgl. VDI-Zeitschrift 99, 1957, S. 1356.

S. 57 *„bediente man sich“:* vgl. F. Neumann, Einstellung als seelisches Verhalten. In: Zeitschrift für deutsche Wortforschung 17, 1961, S. 70.

S. 57 *„Kontakt“:* vgl. F. Neumann ebda. S. 72.

S. 58 *„Mensch und Maschine“:* das Zitat stammt von dem Tschechen Arnost Kolman; 1959. Vgl. deutsche studien 5, 1964, S. 55.

S. 58[1] *„zählte man“:* vgl. G. Holz in der Zeitschrift „Muttersprache“ 1958, S. 99. A. Zinzen verteidigt in derselben Zeitschrift 1960, S. 358 das *Telephon* gegen den *Fernsprecher.*

S. 59 *„die Namen der Meister“:* vgl. D. Berger in der Zeitschrift „Muttersprache“ 1950, S. 149 ff.

S. 60 *„auslösen“:* vgl. K. A. Loos in der Zeitschrift „Muttersprache“ 72.

S. 63 *„Raffwörter“:* vgl. H. Moser, in: Jahrbuch des Instituts für deutsche Sprache I, 1965/6, S. 23.

S. 63 *„Faraday“:* das Zitat bei Gerlach, Die Sprache der Physik. Bonn 1962, S. 46. 1962, S. 236 ff.

S. 63 *„Franz Reuleaux“:* vgl. G. Schulze in der Zeitschrift „Muttersprache“ 1955, S. 320 ff.

S. 64 *„Wichte“:* die *Umkleide* setzt sich nur zögernd durch (= Ankleidekabine in Badeanstalten). Zum Ganzen vgl. L. Mackensen, in: Studium Generale XV, 1962, S. 59 ff.

S. 64 *„Maschine“:* vgl. W. Sluytermann v. Langeweyde in der Zeitschrift „Muttersprache“ 1964, S. 371 ff.

S. 64 *„Wustmann“:* vgl. H. Henne in der Zeitschrift für Deutsche Sprache XXI, S. 150.

S. 64[1] „*Stoßverzehr*": vgl. J. Stave, Wörter und Leute. Mannheim 1968, S. 157 f.

S. 65 „*Vollgas*": vermutlich dem seemännischen Vollkraft nachgebildet?

S. 65 „*eiserner Vorhang*": vgl. W. Dahle, in der Zeitschrift für Deutsche Sprache XXI, S. 187.

S. 66 „*hart*": vgl. W. E. Süskind, in der Zeitschrift „Die Wandlung" I. 1945/6, S. 793 ff.

S. 66 „*Arbeit*": vgl. M. Krupp, Wortfeld Arbeit. In: Europäische Schlüsselwörter II, München 1964, S. 258 ff. Danach ist die deutsche Sprache nach Wortzahl und -abschattung am schlechtesten von allen vergleichbaren Sprachen im Wortfeld *Arbeit* ausgerüstet (vgl. S. 284).

S. 67 „*das schlimme Wort*": W. E. Süskind im Wörterbuch des Unmenschen[3], S. 58 ff.

S. 68 „*ein neues Prinzip*": vgl. E. Jünger, Der Arbeiter. Hamburg 1932, S. 85.

S. 68 „*erarbeiten*": vgl. auch D. Sternberger, Wörterbuch des Unmenschen[4].

S. 69 „*Sozial- und Tarifpartner*": vgl. dazu auch E. Oksaar im Jahrbuch des Instituts für deutsche Sprache I, 1965/6, S. 211 und die dort verzeichnete Literatur.

S. 69 „*Job*": vgl. W. Meurers. In: Europäische Schlüsselwörter. München 1964, S. 317 ff.

S. 71 „*Zerstörungsfabrik*": das Beispiel stammt von W. E. Süskind, Dagegen hab' ich was. Stuttgart 1969, S. 102.

S. 72 „*Werkstättensprache*": die glückliche Bezeichnung stammt von H. Ischreyt, Studien zum Verhältnis von Sprache und Technik. Düsseldorf 1965.

S. 72 „*die vielen guten und griffigen Bilder*": vgl. L. Mackensen, Muttersprachliche Leistungen der Technik. In: Festschrift für Leo Weisgerber. Düsseldorf 1959, S. 294.

S. 73 „*Grundstoff*": vgl. A. Kutzelnigg, Terminologie der Warenkategorien. Frankfurt a. M. 1965, S. 68 ff.

S. 73 „*Armaturen*": ebenda, S. 52.

S. 73 „*Optik*": vgl. W. E. Süskind, Dagegen hab' ich was. Sprachstolpereien. Stuttgart 1969, S. 54 f.

S. 73 „*Motore/Motoren*": vgl. I. Ljungerud, Zur Nominalflexion der deutschen Literatursprache nach 1900. Lund–Kopenhagen 1955, S. 70 ff.

S. 74 „*Gerätnamen auf -er*": vgl. L. Mackensen, Muttersprachliche Leistungen usw., S. 297 ff. Broder Carstensen in der Zeitschrift „Muttersprache" 73, 1963, S. 172 ff.

S. 75 „*Mehrzahlbildungen*": vgl. L. Mackensen ebenda, S. 298 f.; Stave, Wörter und Leute, S. 145 f.; W. Müller in der Zeitschrift „Muttersprache" 69, 1959, S. 321 ff.

S. 75 „*Bundeswehr*": vgl. Holz in der „Muttersprache" 1958, S. 100.

S. 75 „*die Vorsilbe ver-*": vgl. die VDI-Richtlinie 2276 (Verben mit den Vorsilben be-, ent-, er-, ge-, miß-, ver- und zer-).

S. 76 „*akkusativisch*": vgl. L. Weisgerber, Der Mensch im Akkusativ. In: Wirkendes Wort VIII, 1957/8, S. 193 ff.

S. 76 „*Neubelebung des Adjektivs*": vgl. L. Mackensen, Muttersprachliche Leistungen, S. 300 ff.

S. 77 *„Adjektivbildungen auf -los und -frei“:* vgl. die VDI-Richtlinie 2270 (Adjektivbildungen mit -los und -frei. Sprachlicher Ausdruck für die Abwesenheit).

S. 78 *„Abkürzungen“:* vgl. W. Fleischer, Wortbildung der deutschen Gegenwart. Leipzig 1969, S. 210 f.

S. 79 *„Kernphysik“:* vgl. H. Ischreyt in der Zeitschrift „Muttersprache“ 68, 1959, S. 65 ff. (aber seitdem hat sich viel geändert!).

S. 79 *„Kybernetik“:* man sehe die einschlägigen Fachwörterbücher durch, z. B. W. E. Clason, Elsevier's Fachwörterbuch der Regelungstechnik. München 1963, oder: Fachausdrücke der Datenverarbeitung. IBM Systemliteratur o. O. u. J.

S. 79 *„Kunststoffe“:* vgl. R. Römer in der Zeitschrift „Muttersprache“ 73, 1963, S. 108 ff.

S. 79 *„Anregungen vermittelt“:* Man kann nicht davon reden, daß sich „die Sprache der Fertigkeiten und Handgriffe ... auszudehnen beginne“. Die Bildungsweisen sind zum großen Teil alt- und gemeinsprachlich und haben mit der Technik nichts zu tun. Vgl. K. Korn, in: Handt, Deutsch-gefrorene Sprache in einem gefrorenen Land? Berlin 1964, S. 184.

S. 80 Die Zahlen stammen meist aus der Zeitschrift „Die neue Ordnung“ VIII und von L. v. Bortkiewics, Bevölkerungswesen (1919) sowie dem an anderer Stelle zitierten Werk von Sombart.

S. 83 *„Binnenwanderung“:* vgl. L. Mackensen, Die deutsche Sprache in und nach der Vertreibung. In: Die Vertriebenen in Westdeutschland, hg. E. Lemberg – F. Edding. Kiel 1959, III, S. 224 ff. Zur Lage in der DDR vgl. die bei E. Riesel, Der Stil der deutschen Alltagsrede (Leipzig 1970) S. 44 ff. angegebene Literatur; H. Moser in der Festgabe für Th. Bäuerle. Stuttgart 1953, S. 120 ff.

S. 85 *„Zug zur hochdeutschen Umgangssprache“:* vgl. Schmid, Sach- und Sprachwandel seit 1900, dargestellt ... an der Mundart von Bellwald. Basel 1969; H. Bausinger im Jahrbuch des Instituts für deutsche Sprache I, 1965/6, bes. S. 300 ff.

S. 86ff. Die Sprachbeispiele stammen, soweit ich sie nicht selbst gesammelt habe, aus den bekannten Büchern von Wustmann, Wasserzieher, Storz, Jancke, Lichnowsky, aus der Zeitschrift „Muttersprache“, aus Küppers „Wörterbuch der deutschen Umgangssprache“ (1955 ff.) und aus I. Ljungerud, Zur Nominalflexion der deutschen Literatursprache nach 1900, Lund 1955; einzelnes auch aus Fischer, Die deutsche Sprache von heute[2], 1919.
Zu den Bemerkungen über *Berlin, Leipzig, Wien* usw. vgl. auch H. Schöffler, Kleine Geographie des deutschen Witzes. Göttingen 1955. Zu *Berlin* vgl. bes. H. Meyer – W. Kiaulehn, Der Richtige Berliner[10], München 1965; A. Lasch, Berlinisch. 1925.

S. 88 *„Herrenfeldtheater“:* vgl. Im Gespräch mit der Sprache. Frankfurt a. M. 1960, S. 58 ff.

S. 92 *„Hupe“:* vgl. „Muttersprache“ 43, 1928, S. 8 ff. (Th. Matthias).

S. 100 *„Syntaktische Einzelheiten“:* vgl. E. Riesel, Der Stil der deutschen Alltagsrede, S. 27 ff.

S. 100 *„Genetivformen substantivierter Infinitive“:* vgl. A. Kuntzenmüller in der Zeitschrift für deutsche Wortforschung IV, 1903, S. 58 ff.

S. 101 *„Verwaltung“:* vgl. zum Ganzen bes. K. Korn, Sprache in der verwalteten Welt. Frankfurt a. M. 1958.

S. 102 *„Jugendliche“:* vgl. J. Trier, in: Die deutsche Sprache im 20. Jahrhundert², S. 128.

S. 103 *„das Wort Organisation“:* vgl. W. E. Süskind, Aus dem Wörterbuch des Unmenschen³, S. 82 ff.

S. 103 *„suffixartig“:* vgl. K. Korn, Sprache in der verwalteten Welt, S. 29 ff.

S. 103 *„Menschenmaterial“:* vgl. Stegmann – v. Pritzwald in dem Sammelband „Das Ringen um eine deutsche Grammatik“, hg. H. Moser, Darmstadt 1962, S. 92. Er sah in diesen Fügungen einen „revolutionären Neubau des nominalen-“, einen „echten Plural“. Es kann sich aber, da jedes der Bestimmungswörter einen Plural bilden kann, nur um eine – m. E. überflüssige – Pluralverstärkung handeln.

S. 104 *„Beschäftiger“:* vgl. Kritik aus dem Glashaus. Frankfurt a. M. 1961, S. 141 f.

S. 104 *„Fügweise“:* vgl. Kh. Daniel, Substantivierungstendenzen in der deutschen Gegenwartssprache. Düsseldorf 1963. Bes. S. 15 f. (Materialsammlung).

S. 104 *„analytische Komposition“:* vgl. H. Kolb in dem Sammelband „Deutschgefrorene Sprache in einem gefrorenen Land?“, hg. Handt. Berlin 1964, S. 78 ff.

S. 105 *„bringen“:* vgl. K. Korn, Verwaltete Welt, S. 24 f. Auf S. 27 ff. bringt Korn Beispiele für „streckende Umschreibungen“ aus den Werken von S. Freud, Th. Mann, K. Jaspers, G. Benn, M. Scheler, M. Heidegger.

S. 105 *„erfolgen“:* P. v. Polenz, „erfolgen“ als Funktionsverb substantivischer Geschehensbezeichnung, pass.

S. 106 *„mäßig“:* vgl. W. Seibicke in der Zeitschrift „Muttersprache“ 73, 1963, S. 33 ff.; W. Fleischer, Wortbildung der deutschen Gegenwartssprache (Leipzig 1969), S. 250 ff.

S. 107 *„gewährte Hilfe“:* Das sind Tautologien, nicht, wie W. E. Süskind (Dagegen hab' ich was S. 27) meinte, um Personalpronomen und Umstandsangabe verstümmelte Aussagen.

S. 107 *„Unverbindlichkeit“:* vgl. C. H. Ule in der Zeitschrift „Muttersprache“ 1960, S. 370.

S. 110 *„Bewußtseinsstörung“:* vgl. H. Geyer, Über die Dummheit. Göttingen 1954, S. 238.

S. 111 *„etwas von Dummheit“:* vgl. K. Baschwitz in der Festschrift für Dovifat. Bremen 1960, S. 5 ff.

S. 112 *„schlechthin unverbindlich“:* vgl. A. Müller-Armack, Diagnose unserer Gegenwart. Gütersloh 1949, S. 122.

S. 113 *„einen Einspruch ersticken“:* Schon 1903 sprach H. Steinhausen (Kunstwart XVI, S. 118 ff.) von „Begeisterungsreden“.

S. 113 *„Höflichkeitsstil“:* vgl. J. Stave, Wörter und Leute, S. 53.

S. 114 *„-weise“:* vgl. auch W. E. Süskind, Dagegen hab' ich was, S. 92.

S. 115 *„Vielzahl“:* ebda., S. 43 f.

S. 116 *„Fabrik des neuen Menschen“:* vgl. J. Endres, in der Zeitschrift „Die neue Ordnung“ VIII, 1954, S. 6 ff.; F. Schultze, Der Zeitgeist in Deutschland usw. Leipzig 1894, S. 163 u. ö.; G. Siegmund in der Zeitschrift „Die neue Ordnung“ VIII, 1954, S. 297.

S. 117 *„Sprachindustrie“:* das Wort stammt von Mauthner, Beiträge zu einer Kritik der Sprache II³, 1923, S. 336. Es meint Sprachbereicherung durch Geschäftswelt und Zeitungsinserat. Vgl. auch ebda. III 533 über die Bedeutung der Reklame für die Sprache. Zum Ganzen: Ph. Schuwer, Geschichte der Werbung (o. O. u. J.), S. 46 ff.

S. 120 *„Kurzwörter“:* vgl. W. Fleischer, Wortbildung der deutschen Gegenwartssprache. Leipzig 1969, S. 210 ff.

S. 121 *„Siebs noch 1909“:* in der Zeitschrift des Allgemeinen deutschen Sprachvereins 24, S. 267.

S. 124 *„Hang zum Kraftmeiertum“:* vgl. zum Ganzen W. Röpke, Die Gesellschaftskrise der Gegenwart⁵. Zürich 1948, bes. S. 103 ff.

S. 126 *„perfekt“:* vgl. P. A. Loos, in der Zeitschrift „Muttersprache“ 72, 1962, S. 180 ff.

S. 126 *„rasant“:* vgl. ebda., S. 121.

S. 127 *„neue Adjektiva“:* vgl. O. Suhling, im Hausbuch von Radio Bremen 1962, S. 80 ff.; W. E. Müller, in der Zeitschrift „Muttersprache“ 71, 1961, S. 65 ff.; J. Stave ebda. 54, S. 331 ff.

S. 130 *„bescheiden“:* vgl. V. Packard, Die geheimen Verführer. Düsseldorf 1957, S. 70, 205; J. Stave, Wörter und Leute, S. 115 ff.; S. Mauermann in der Zeitschrift „Muttersprache“ 69, 1959, S. 234 ff.

S. 132 *„Programm“:* vgl. J. Stave, Wörter und Leute, S. 196.

S. 132 *„jede Werbung“:* vgl. W. Suhr, Die stärksten Appelle. Sex contra Facts. Düsseldorf 1963, S. 233. Zum Ganzen vgl. ferner S. Grosse, in der Zeitschrift „Wirkendes Wort“ XVI, 1966, S. 89 ff. Ich beurteile die „Sprechwirklichkeit“ höher, ihre Situationsgebundenheit geringer als Grosse. Vgl. ferner die Zeitschrift „Der Monat“ 220, 1967, S. 92.

S. 133 *„Fremdwörtervorrat“:* vgl. zum Ganzen F. W. Eitzen, Fremdwörter der Handelssprache. Leipzig 1894; Röhrich, Handbuch der kaufmännischen Fachausdrücke². Stuttgart o. J.

S. 133 *„Trust“:* vgl. W. Lippmann, Die öffentliche Meinung. München 1964.

S. 134 *„weltweit“:* vgl. B. Carstensen, in der Zeitschrift „Muttersprache“ 72, 1962, S. 341 ff.

S. 135 *„Vertreter“:* vgl. D. Sternberg in: Aus dem Wörterbuch des Unmenschen³, S. 118 ff.

S. 140 *„Briefsteller“:* vgl. den Warnruf von C. Meißner im Kunstwart XVII, 1903/4, S. 555.

S. 140 *„aus Briefwechseln“:* vgl. J. Werner, Die Heiratsannonce. Studien und Briefe. Berlin o. J. (vor 1910).

S. 141 *„viele Artgenossen“:* vgl. auch R. Jeromin, Zitatenschatz der Werbung. Gütersloh 1969.

S. 142 *„Duft der großen weiten Welt“:* vgl. die meisterliche Interpretation des Slogans von H. Steger, Zwischen Sprache und Literatur. Göttingen 1967, S. 23 ff.

S. 143 *„eingängige Struktur“:* vgl. V. Klotz in der Zeitschrift „Sprache im technischen Zeitalter“ V–VIII, S. 538 ff.

S. 143 *„Schnellpresse“:* vgl. L. Mackensen, Sprache und Technik S. 32 ff. und die dort angegebene Literatur.

S. 143 *„Holz zur Papiererzeugung“:* die Zellstofffabrik Waldhof bei Mannheim erzeugte 1881 600 t, 1899 244 000 t Papier! Vgl. Das XIX. Jahrhundert in Wort und Bild IV, Berlin, S. 192 ff.

S. 144 *„immun“:* vgl. das Zitat von H. Cron vom Jahr 1935 bei Blühm-Engelsing, Die Zeitung. Bremen (1967), S. 253.

S. 144 *„Mangel an sachlichen Alternativen“:* vgl. F. Sieburg, im Hausbuch von Radio Bremen 1963, S. 12.

S. 144 *„repräsentative Zeitung“:* vgl. R. W. Leonhardt, x-mal Deutschland. München 1961, S. 51 f.

S. 144 *„verschiedenartige Funktionen“:* vgl. H. J. Prakke, in der Festschrift für Dovifat (Bremen 1960), S. 236 ff.

S. 145 *„das vielschichtige Gebilde“:* vgl. L. Mackensen in der Festschrift für Markwardt. Berlin 1961, S. 232 ff.

S. 146 *„Straßburger Relation“:* das Zitat bei Blühm-Engelsing, Die Zeitung, S. 18.

S. 146 *„900 Pressedienste“:* vgl. G. Böddeker, 20 Millionen täglich. Oldenburg–Hamburg 1967.

S. 148 *„Zeitungsdeutsch“:* vgl. auch H. Eich, Sprache und Stil der deutschen Presse. Phil. Diss. München 1956. Sein Vorschlag, „Zeitungssprache“ und „Zeitungsdeutsch“ zu scheiden, leuchtet nicht ein, weil beide Bezeichnungen eine nicht vorhandene Einheitlichkeit vortäuschen. In dieser Hinsicht stimme ich H. Arntzen zu (in: hg. Handt, Deutsch-gefrorene Sprache usw., S. 93). Vgl. ferner L. Mackensen in der Zeitschrift „deutsche studien“ 21, 1968, S. 39 ff.

S. 150 *„Wintermonat“ und „Kleist“:* die Zitate nach der Sammlung „Die Zeitung“, hg. E. Blühm – R. Engelsing. Bremen (1967), S. 22, 148.

S. 150 *„Diktaturen“:* vgl. L. Traut-Welser in der Zeitschrift „deutsche studien“ II, 1964, S. 39 ff.

S. 150 *„Verfälschungstaktik“:* vgl. J. Wulf, Presse und Funk im Dritten Reich. Gütersloh 1964, S. 40.

S. 151 *„Fremdwortbrücke“:* vgl. die Zitate von 1643 und 1695 bei Blühm – Engelsing, Die Zeitung, S. 34 f., 78 f. Zum neueren amerikanischen Einfluß vgl. A. Fröhlich in der Zeitschrift „Muttersprache“ 72, 1962, S. 19 ff.

S. 152 *„Gesinnungszeitung“:* Der Angriff gegen die Geschäftszeitung wurde von Hepners Schrift „Die politische Demimonde“ 1870, eingeleitet.

S. 153 *„Kritikersprache“:* vgl. D. E. Zimmer in der Zeitschrift „Der Monat“ 247, 1969, S. 79 ff.; 248, 1969, S. 96 ff.; J. Stave, in der Zeitschrift „Muttersprache“ 72, 1962, S. 172 ff.; H. H. Stuckenschmidt, in der Zeitschrift „Sprache im technischen Zeitalter“ 1963, S. 802.

S. 154 *„der aufmerksame Kürnberger“:* das Zitat bei H. Kranz, Zeitung, Funk und Film. München 1953, S. 101.

S. 154 *„Zeitung eines völlig neuen Typs“:* so A. Springer in einer am 26. X. 1967 im Hamburger Überseeklub gehaltenen Rede.

S. 155 *„Zirkusumbruch“:* vgl. N. Grunenberg, Die Journalisten. Hamburg 1967, S. 136.

S. 155 *„Axel Springer“:* das Zitat bei J. Stave, Wie die Leute reden. Lüneburg (1964), S. 240.

S. 155 *„alles in seiner eigenen Sprache":* vgl. zum Folgenden bes. E. Mittelberg, Wortschatz und Syntax der Bild-Zeitung. Marburg 1967.

S. 156 *„Distanzstellung":* vgl. Admoni in dem Sammelband „Das Ringen um eine neue deutsche Grammatik" (Darmstadt 1962), S. 376; dazu Mittelberg, S. 272, und W. Luther, Sprachphilosophie als Grundwissenschaft. Heidelberg 1970, S. 352.

S. 157 *„Spiegel":* vgl. H. D. Jaene, Der Spiegel. Ein deutsches Nachrichtenmagazin. Frankfurt 1968; D. Just, Der Spiegel. Arbeitsweise-Inhalt-Wirkung. Hannover 1967; ferner auch: J. Stave, in der Zeitschrift „Muttersprache" 1960, S. 226 ff. (Wie die Leute reden, S. 240 ff.).

S. 159 *„kurze Wörter":* vgl. W. Fucks, Nach allen Regeln der Kunst. Stuttgart 1968, S. 32.

S. 159 *„Tag um Tag eine Zeitung":* vgl. G. Böddeker, 20 Millionen täglich. Oldenburg–Hamburg 1967; N. Grunenberg. Die Journalisten. Hamburg 1967.

S. 160 *„Jasmin":* vgl. C. H. Meyer in der Zeitschrift „Der Monat" 246, 1969, S. 112 ff.

S. 160 *„Eltern":* vgl. Der Monat 249, 1969, S. 106 ff.

S. 160 *„St. Pauli-Nachrichten":* vgl. Der Monat 259, 1970, S. 100 ff.

S. 161 *„twen":* vgl. K. Schulz in der Zeitschrift „Der Monat" 247, 1969, S. 100 ff.

S. 161 *„Readers Digest":* vgl. O. H. Roeder, Der Konzern der guten Herzen. Oldenburg 1954; J. Stave, Wie die Leute reden, S. 266 ff.

S. 162 *„comic strips":* vgl. V. Gorges in der „Deutschen Rundschau" 195, S. 624 ff.; V. Engelhardt in „Die neue Ordnung" IX, 1955, S. 30 ff.; H. J. Baden in „Neue deutsche Hefte" I, 1954, S. 286 ff. u. a.

S. 162 *„Anzeichen einer neuen Primitivität":* E. Jünger in der Einleitung zu Schultz, Die veränderte Welt. Breslau 1933, S. 5.

S. 163 *„Rembrandt ...":* vgl. B. Momme-Nissen, Der Rembrandtdeutsche Julius Langbehn. Freiburg 1926; und seine Ausgabe von „Rembrandt als Erzieher" (56.-60. Aufl.), Leipzig 1920.

S. 164 *„stilvoll":* über dies „neuerdings aufgekommene Wort" und den Kampf, der darüber entbrannt war, vgl. F. Mauthner, Beiträge zu einer Kritik der Sprache II³ (1923), S. 201 f.

S. 165 *„Jugendbewegung":* vgl. u. a. W. Stählin, Fieber und Heil in der Jugendbewegung. Hamburg 1924 (3. Aufl.); ders., Der neue Lebensstil, 4. Aufl., Hamburg 1925; H. Becker, Vom Barette schwankt die Feder. Die Geschichte der deutschen Jugendbewegung. Wiesbaden 1949; O. Stählin, Die deutsche Jugendbewegung. Ihre Geschichte, ihr Wesen, ihre Formen. 2. Aufl., Leipzig 1930; M. Keilhacker, Jugendpflege und Jugendbewegung in München. München 1926; E. Spranger, Pädagogische Perspektiven, 3. Aufl., Heidelberg 1955, S. 25 ff.

S. 167 *„Lager":* die spätere Entwicklung bei W. E. Süskind, Aus dem Wörterbuch des Unmenschen³, S. 63 ff.

S. 168 *„Mädel":* vgl. Gustav Storz, Aus dem Wörterbuch des Unmenschen³, S. 69 ff.

S. 169 *„Sport":* Schrifttum bei M. Bues, Der Sport und unsere Sprache. In: Muttersprache 1952, S. 17 ff. Viktor Klemperer, LTI (Notizen eines Philologen; Berlin 1947) setzt den Einfluß des Sports auf die Umgangssprache viel zu spät an.

S. 172 *„Slalom“:* vgl. Muttersprache 75, 1965, S. 345 f.

S. 173 *„schulten“:* G. Storz sieht im „Wörterbuch der Unmenschen[3]“ (S. 104 ff.) den Ursprung anders.

S. 175 *„Astronauten“:* vgl. Gerlach, Die Sprache der Physik S. 39, der darauf hinweist, daß das Wort nach Aeronaut, aber falsch gebildet ist.

S. 175 *„Der Himmel ist ...“:* vgl. W. Lippmann, Die öffentliche Meinung. München 1964, S. 85.

S. 176 *„Ethos der Sterilität“:* vgl. E. Jünger, Der Arbeiter. Hamburg 1932, S. 102.

S. 180 *„Sauerbruch“:* S. hat übrigens den transitiven Gebrauch von atmen eingeführt. Vgl. Muttersprache 40, 1925, S. 381.

S. 183 *„freier Wille“:* vgl. H. Geyer, Über die Dummheit[3], S. 238.

S. 183 *„Spezialitäten“:* vgl. A. Kutzelnigg, Terminologie der Warenkategorien. Frankfurt 1965, S. 35.

S. 185 *„Selbstmord“:* vgl. K. Baumann, Selbstmord und Freitod in sprachlicher und geistesgeschichtlicher Beleuchtung. Phil. Diss. Gießen 1934.

S. 185 *„Galilei“:* das Zitat bei W. Gößmann, Glaubwürdigkeit im Sprachgebrauch. München 1970, S. 45.

S. 185 *„groß“-„klein“* usw.: weitere Beispiele bei W. Gerlach, Die Sprache der Physik. Bonn 1962, S. 33 f. *(hart-weich, schwarz-weiß, heiß-kalt);* ferner: W. Heisenberg, in dem Sammelwerk „Wort und Wirklichkeit“, hg. von der Bayr. Akademie der Schönen Künste. München 1960, S. 41.

S. 185 *„klein“:* vgl. A. Kutzelnigg, Terminologie der Warenkategorien. Frankfurt a. M. 1965, S. 60 (S. 61: *roh*).

S. 186 *„Moderator“, „Ionenwanderung“, „Neonlampen“:* vgl. W. Gerlach, Die Sprache der Physik, S. 40, 48, 71.

S. 186 *„Bacon“:* das Zitat bei W. Luther, Sprachphilosophie als Grundwissenschaft. Heidelberg 1970, S. 274.

S. 187 *„Vakuum“, „Optik“*, das Zitat von Faraday: vgl. Gerlach, Die Sprache der Physik, S. 72, 43, 47. Ebenda, S. 55 ff.: *Atom.*

S. 187 *„Strahlen“:* vgl. J. Hennig in der Zeitschrift „Muttersprache“ 75, 1965, S. 170 ff.; Gerlach, Die Sprache der Physik, S. 38. Dort S. 22: *-skop*, S. 21: *Thermometer.*

S. 188 *„Eisen“ – „Blech“:* vgl. A. Kutzelnigg, Terminologie der Warenkategorien, S. 13 ff.

S. 188 *„Faradaykäfig“:* Gerlach, Die Sprache der Physik, S. 27.

S. 188 *„Wort Heisenbergs“:* vgl. W. Heisenberg, Das Naturbild der heutigen Physik. Hamburg 1955, S. 138.

S. 190 *„Auch die Politik ...:* für diesen Abschnitt danke ich besondere Anregung einer unveröffentlichten Untersuchung von Alfred Schirmer, Die deutsche Parlamentssprache (1949); vgl. August Langen, Deutsche Sprachgeschichte vom Barock bis zur Gegenwart, in: W. Stammler, Deutsche Philologie im Aufriß I (1952), bes. S. 1409 ff.

S. 191 *„48er Jahr“:* vgl. A. Sturminger. Dreitausend Jahre politische Propaganda. Wien 1960, S. 324.

S. 194 *„Ich bin ein Deutscher“:* das Zitat stammt von Grefflinger aus dem Jahre 1650; vgl. Mackensen in der Zeitschrift „Ostbrief“, VI, 1960, S. 61 und die dort angeführte Literatur.

S. 195 *„Napoleon“:* vgl. A. Sturminger, 3000 Jahre politische Propaganda. Wien 1960, S. 189 ff., 210 ff.; W. Schuwer, Geschichte der Werbung. o. O. u. J.

S. 195 *„Wörterbuch der französischen Revolution“:* vgl. Seidler, Die Geschichte des Wortes Revolution. Phil. Diss. München 1955, S. 202.

S. 198 *„gerecht“:* vgl. W. Wannenmacher, Vivisektion der Schlagworte. Stuttgart 1968, S. 57 ff.

S. 203 *„Errungenschaften“:* vgl. E. Matthias – H. J. Schierbaum, Errungenschaften. Zur Geschichte eines Schlagwortes unserer Zeit. Pfaffenhofen 1961, bes. S. 85 ff.

S. 210 *„Nationalsozialismus“:* Das Buch von V. Klemperer, LTI. Notizen eines Philologen (Berlin 1942) läßt den Nationalsozialismus viel sprachschöpferischer erscheinen, als er tatsächlich war. Die meisten der von K. (rügend) aufgeführten Kennzeichen müssen auf andere Konten verbucht werden. Dennoch birgt das Buch viele gute und richtige Beobachtungen. – Eine zulängliche Untersuchung über den Nationalsozialismus und die deutsche Sprache steht – trotz der Sammlungen von Cornelia Berning (Die Sprache des Nationalsozialismus) – noch aus.

S. 211 *„Joffre“:* vgl. W. Lippmann, Die öffentliche Meinung. München 1964, S. 31 f.

S. 211 *„Propaganda“:* vgl. W. Dieckmann, Zeitschrift für deutsche Sprache XXI, S. 105 ff.

S. 212 *„Hegel“-„Wundt“:* vgl. E. Topitsch, in der Zeitschrift „Der Monat“ 213, 1966, S. 36 ff.

S. 212 *„Bürger-Volksgenosse“:* vgl. W. Luther, Sprachphilosophie als Grundwissenschaft. Heidelberg 1970, S. 360.

S. 212 f. *„deutsch“:* vgl. auch H. Glaser, Spießer-Ideologie[2] (Freiburg 1964) S. 161 ff. Dort S. 164 f. auch das Fröbel-Zitat.

S. 213 *„Abwertung bestimmter Vokabeln“:* vgl. J. Wulf, Presse und Funk im Dritten Reich. Gütersloh 1964, S. 98 ff. u. ö.

S. 213 *„Konzentrationslager“:* vgl. die Zeitschrift „Der Monat“ 188, 1964, S. 29.

S. 214 *„Propaganda“:* vgl. Luther, Sprachphilosophie, S. 360.

S. 214 *„gerügt“:* vgl. den Vortrag von E. Lämmert, „Germanistik – eine deutsche Wissenschaft“ auf dem Münchener Germanistentag 1966 (= Edition Suhrkamp 204).

S. 214 *„Verlautbarungen der Propagandisten“:* vgl. J. Wulf, Presse und Funk im Dritten Reich pass.; ferner E. Schöfer in der Zeitschrift „Sprache im technischen Zeitalter“ 5–8, S. 615 ff.

S. 215 *„Wir alle neigen“:* vgl. S. J. Hayakawa in dem Sammelband „Abenteuer des Geites“. Gütersloh 1961, S. 120.

S. 216 *„Entspannung“:* vgl. H. Ischreyt in der Zeitschrift „deutsche studien“ 28, 1969, S. 341.

S. 218 *„überfragen“:* vgl. F. Neumann in der Zeitschrift „Muttersprache“ 69, 1959, S. 335 ff.

S. 218 *„Superstrukturen“:* vgl. K. Korn, Sprache in der verwalteten Welt, S. 159.

S. 218 *„Sport“:* vgl. Luther, Sprachphilosophie, S. 76.

S. 221 *„Sarg“:* vgl. Süskind, Dagegen hab' ich was, S. 206.

S. 221 *„Veranstaltungen“:* vgl. Korn, Sprache in der verwalteten Welt, S. 22.

S. 221 *„Wörter an sich“:* Man hat gelegentlich unsere Sprache bezichtigt, diktatorischen Wünschen, ja verbrecherischen Gelüsten besonders angemessen zu sein. Solche Auslassungen (vgl. z. B. M. Walser in der New Yorker Zeitschrift Holiday, wieder abgedruckt in „Erfahrungen und Leseerfahrungen, Suhrkamp 1965) zeugen eher von Voreingenommenheit als von Sachverstand; sie sind nicht unwidersprochen geblieben. Vgl. Drube in der Zeitschrift „Muttersprache“ 75, 1965, S. 50 ff; P. v. Polenz bei hg. J. Kolbe, Ansichten einer künftigen Germanistik. Reihe Hanser 29, 1969, S. 165; etwas unschärfer Patzig im Sammelband: Die deutsche Sprache im 20. Jahrhundert[2]. Göttingen 1969, S. 65. Vgl. ferner F. Bondy im Sammelband: Deutsch-gefrorene Sprache in einem gefrorenen Land? (hg. F. Handt). Berlin (1964), S. 36; P. v. Polenz, ebda., S. 103 ff. v. Polenz hat auch an der Analyse eines Funktionsverbs gezeigt, wie vorsichtig man dabei sein sollte, neuen Wortfügungen ethische Abwertungen zu unterschieben; vgl. „Muttersprache“ 73, 1963, S. 193 ff.

S. 222 *„Vorsicht walten“:* vgl. H. Drube, Zum deutschen Wortschatz, o. O. (1968), S. 137.

S. 222 *„realisieren“* usw.: vgl. G. Korlén in dem Sammelband „Deutsch-gefrorene Sprache in einem gefrorenen Land?“ S. 130.

S. 222 *„politische Gratwanderung“:* vgl. Wilß in der Zeitschrift „Muttersprache“ 71, 1961, S. 107.

S. 222 *„Spitzenebene“:* vgl. Süskind, Dagegen hab' ich was, S. 95 ff.

S. 222 *„weltweit“:* vgl. L. Wolff in der gleichen Zeitschrift 73, 1963, S. 55.

S. 223 *„Chruschtschow“:* vgl. P. Roth, Opium für das Volk. München 1961, S. 63 ff.

S. 223 *„Interpret der DDR“:* vgl. G. Klaus, Die Macht des Wortes. Berlin 1965, S. 62.

S. 223 *„Carroll“:* zitiert nach der Zeitschrift „Der Monat“ 199, 1965, S. 50.

S. 223 *„Begriffsverschiebung – Begriffsumdrehung“:* vgl. zum Ganzen: C. D. Kernig (Hg.), Sowjetsystem und demokratische Gesellschaft. Eine vergleichende Enzyklopädie. Freiburg 1966, 1968.

S. 223 *„Religion“:* nach Rosental-Judin, Kratkij filosofskij slovar; zitiert nach Sturminger, 3 000 Jahre politische Propaganda, S. 424.

S. 224 *„Volk“:* vgl. H. Bartholmes in dem Sammelband „Das Aueler Protokoll“. Düsseldorf 1964, S. 40 ff.

S. 224 *„Massen“:* vgl. Mackensen in der Zeitschrift „deutsche studien“ 21, 1968, S. 56.

S. 224 *„Lenin“:* vgl. F. W. Seidler, Die Geschichte des Wortes „Revolution“. Phil. Diss. München 1955.

S. 224 *„friedliche Koexistenz“:* vgl. H. Ischreyt in der Zeitschrift „deutsche studien“ 21, 1968, S. 29 ff. Ebenda auch über die Wendung *kalter Krieg.*

S. 224 *„akademische Freiheit“:* vgl. H. Moser, Sprachliche Folgen der politischen Teilung Deutschlands. Düsseldorf 1962, S. 31.

S. 224 *„inhaltsschwerer Ausdruck der Inhaltslosigkeit“:* vgl. J. Höppner in dem Sammelband „Deutsch-gefrorene Sprache in einem gefrorenen Land?“ S. 144 f. Dort auch auf S. 147 das weiter oben wiederholte Zitat über *Wahl.*

S. 224 *„Propagandist“* usw.: vgl. Sturminger, 3 000 Jahre politische Propaganda, S. 416.

S. 224 *„Swawitsch“:* vgl. deutsche studien 5, 1964, S. 39.

S. 224 *„Diskussion“:* vgl. H. Moser, Sprachliche Folgen, S. 33.

S. 225 *„oft genug dargestellt“:* vgl. bes. die Dissertation von O. Kuklina, Moskau, die 4 500 zwischen 1945 und 1949 entstandene Neuwörter der DDR untersucht hat (Bericht in: Deutsche Rundschau 1953, 79, S. 409). Ebda. 78, 1952, S. 1243 ff. (K. W. Fricke), 78, 1952, S. 1036 ff. (dres.). Von der Gegenseite: F. C. Weiskopf, Ostdeutsch und Westdeutsch oder Über die Gefahr der Sprachentfremdung, in der Zeitschrift „Neue Deutsche Literatur“ 1955. Weitere Literatur im „Aueler Protokoll“. Düsseldorf 1964. Vgl. auch die pessimistischen Äußerungen bei E. Riesel, Abriß der deutschen Stilistik. Moskau 1954, S. 79 u. ö.

S. 225 *„Zone“:* vgl. D. Hildebrandt in der Zeitschrift „Der Monat“ 217, 1966, S. 84 ff.

S. 225 *„anti-“:* vgl. H. Ischreyt, deutsche studien 21, 1968, S. 26.

S. 225 *„verschleißen“:* vgl. E. G. Riemenschneider im Sammelband „das Aueler Protokoll“, S. 80 ff.

S. 225 *„Partei“:* vgl. R. Römer ebda. S. 58 ff.

S. 225 *„Wissenschaft“:* ebda. S. 35.

S. 225 *„Teilung Deutschlands“:* vgl. E. Riesel, Der Stil der deutschen Alltagsrede. Leipzig 1970, S. 22 ff.

S. 226 *„Ost und West“:* zur Wandlung des alten Sinngehaltes der Himmelsrichtungen vgl. H. Ischreyt, Kalter Krieg, in: deutsche studien 21, 1968, S. 29.

S. 226 *„Reaktionär“:* vgl. „Der Monat“ 248, 1969, S. 99.

S. 227 *„Selbstverständnis“:* vgl. J. Stave, Wörter und Leute, S. 28 f.

S. 228 *„Faschist“:* vgl. „Der Monat“ 230, 1967, S. 4.

S. 229 *„K. D. Wolff“:* das Zitat aus dem „Monat“ 239, 1968, S. 126.

S. 229 *„Paulhan“:* das Zitat im „Monat“ 248, 1969, S. 105.

S. 229 *„Anouilh“:* in seinem Lustspiel „Einladung ins Schloß“.

S. 229 *„Möglichkeitssinn“:* vgl. W. Gössmann, Glaubwürdigkeit im Sprachgebrauch. München 1970, S. 52. Dort auch das Zitat aus Musil.

S. 230 *„nicht gerade“:* vgl. Süskind, Dagegen hab’ ich was, S. 167.

S. 230 *„understatement“:* vgl. E. Mittelberg, Wortschatz und Syntax der Bildzeitung. Marburg 1967, S. 145.

S. 231 *„Im Jahre 1806“:* A. Lindquist, Deutsches Kultur- und Gesellschaftsleben im Spiegel der Sprache. Wiesbaden 1955.

S. 232 *„Waldersee im Generalstab“:* Einzelheiten aus W. Görlitz, Der deutsche Generalstab. Geschichte und Gestalt. Frankfurt a. M. o. J.

S. 232 *„stramm“:* vgl. J. Stave, Wörter und Leute, S. 147 f.

S. 232 *„trommeln die Bedeutung ‚werben‘“:* schon bei H. Heine; vgl. Muttersprache 1956, Heft 4.

S. 236 *„nachlässige Derbheit“:* vgl. H. Eggers im Jahrbuch Sprache der Gegenwart V, 1969, S. 18.

S. 238 *„wenn anpflaumen ...“:* vgl. Pietsch, Zeitschrift des Allgemeinen Deutschen Sprachvereins XXXII, 1917.

S. 239 *„massieren“:* vgl. Muttersprache XXXXIV, 1929, S. 411.

S. 239 *„Einsatz“:* vgl. auch H. Müller-Schotte in der Zeitschrift „Muttersprache“ 75, 1965, S. 237 ff.

S. 239 *„durchführen“:* anders: G. Storz, Wörterbuch des Unmenschen[3], S. 29 ff.

S. 240 *„lief der Vorgang noch einmal ab“:* vgl. J. Born, in der Zeitschrift „Wirkendes Wort“ IX, 1959, S. 160 ff.

S. 243 *„in der Tat“:* vgl. „Muttersprache“ XXXX, 1925, S. 216 f.

S. 245 *„Bundeswehr“:* vgl. H. Moser, Sprachprobleme in der Bundeswehr. In der Zeitschrift „Muttersprache“ 74, 1964, S. 129 ff.

S. 247 *„die dort tätigen Damen“:* vgl. J. Stave, Wörter und Leute, S. 80.

S. 249 *„Flexion verunsichern“:* vgl. I. Ljungerud, Zur Nominalflexion in der deutschen Literatursprache. Lund–Kopenhagen 1955, S. 27 ff.

S. 249 *„Geschlecht“:* vgl. Süskind, Dagegen hab' ich was, S. 126.

S. 249 *„1899“* usw.: vgl. H. Drube, Zum deutschen Wortschatz. o. O. (1968), S. 125 ff. Etwas andere Zahlen bei H. Villiger, Bedrohte Muttersprache. Frauenfeld 1966, S. 46. Vgl. F. und J. Neske, Wörterbuch englischer und amerikanischer Ausdrücke in der deutschen Sprache. München 1970.

S. 250 *„Agenturen“:* vgl. D. Just, Der Spiegel. Hamburg 1967, S. 12.

S. 250 *„Demoskopen“:* vgl. K. Gayer, Das große Verhör. Gütersloh 1969, S. 60.

S. 250 *„Überschallgeschwindigkeit“* usw.: vgl. G. Holz, „Muttersprache“ 68, 1958, S. 100 ff.

S. 251 *„Twist off“:* vgl. J. Stave, Wörter und Leute, S. 112 f.

S. 251 *„Cocktail-Party“:* vgl. Im Gespräch mit der Sprache. Frankfurt 1960, S. 115.

S. 252 *„Dress“:* vgl. W. Suhr, Die stärksten Appelle, S. 74.

S. 252 *„Girls“:* vgl. J. Stave, Wörter und Leute, S. 84 f.

S. 253 *„Twenjargon“:* vgl. H. Marcuse, Zeitschrift für deutsche Wortforschung XVIII, 1962, S. 151 ff.; J. Stave, Wörter und Leute, S. 196.

S. 253 *„Happening“:* vgl. „Der Monat“ 207, 1965, S. 54 (erste Erwähnung?).

S. 254 *„Weekend“:* vgl. W. Seibicke in der Zeitschrift „Muttersprache“ 71, 1961, S. 84 ff.

S. 254 *„Bastardformen“:* vgl. H. Drude, Zum deutschen Wortschatz, S. 136.

S. 254 *„genau!“:* vgl. H. Moser in der Zeitschrift für Mundartforschung 4, 1960/1, S. 223 f.

S. 255 *„Mini-“:* vgl. R. Frenzel in der Zeitschrift „idioma“ IV, 1967, S. 145 ff.; auch J. Stave, Wörter und Leute, S. 197 f.; W. Fleischer, Wortbildung in der deutschen Gegenwartssprache. Leipzig 1969, S. 38.

S. 255 *„Präfixe“:* vgl. H. Drude, Wortschatz, S. 136.

S. 256 *„Der Film“:* vgl. J. Weinbender im Jahrbuch der Deutschen Sprache II, 1944, S. 204 ff.

S. 258 *„Kurz vor dem Ersten Weltkrieg“:* D. Sarrason, Das Jahr 1913. Leipzig 1913, S. 301.

S. 259 *„Ihre Reklame“:* vgl. J. Stave in der Zeitschrift „Muttersprache“ 72, 1962, S. 140 ff.

S. 259 *„zum Fernsehen“:* vgl. W. Paul in der Zeitschrift „Neue Deutsche Hefte“ II. 1955, S. 220 ff.

S. 260 *„Die andere Großmacht“:* vgl. J. Weinbender im Jahrbuch der Deutschen Sprache II, 1944, S. 214 ff.

S. 261 *„das vereinzelte französische Wort“:* vgl. „Muttersprache“ XXXXIV, 1929, S. 268 f.

S. 262 *„Funkschriftsteller“:* vgl. F. Schneider-Facius in der Zeitschrift „Welt und Wort“ IX, 1954, S. 297 ff.

S. 263 *„Rundfunksprache“:* die große Literatur über den Rundfunk spielt für unsere Fragestellung leider keine Rolle, weil die wenigsten Autoren auf sprachliche Fragen – begründet – eingehen. Doch vgl. K. Wagenbach in dem Sammelband hg. F. Handt, Deutsch-gefrorene Sprache, S. 54 ff.

S. 264 *„Floskeln“:* vgl. „Muttersprache“ 1960, S. 49 ff.

S. 264 *„Rolle des Wortes“:* vgl. A. R. Katz im Sammelband „Vierzehn Mutmaßungen über das Fernsehen“, dtv 1963, S. 9 ff.

S. 264 *„Die Zünftigen“:* vgl. z. B. K. Holzamer, Die Verantwortung des Menschen für sich und seinesgleichen. Gütersloh 1966, S. 196.

S. 265 *„Statistisches“:* vgl. Katz in: Vierzehn Mutmaßungen über das Fernsehen, S. 71 ff.

S. 267 *„vorgestanzt“:* vgl. W. Killy, Deutscher Kitsch. Göttingen 1961, pass.

S. 268 *„Schlager“:* vgl. E. Haupt, Stil- und sprachkundliche Untersuchungen zum deutschen Schlager. Diss. München 1957.

S. 268 *„Vornamen“:* vgl. L. Mackensen, 3 876 Vornamen. München 1969.

S. 268 *„kurzgewordene Sätze“:* vgl. H. Eggers im Jahrbuch „Sprache der Gegenwart“ V, 1969, S. 14 ff.

Stichwortverzeichnis

Sachverzeichnis

Namenverzeichnis